D1263862

BAND 77

Wenn Lesen zur Mutprobe wird ...

www.Festa-Verlag.de

VINCE FLYNN

ENEMY OF THE STATE

★ DER VERRÄTER ★

EIN *MITCH RAPP*-THRILLER VON KYLE MILLS

Aus dem Amerikanischen von Alexander Rösch

FESTA

1. Auflage August 2019
Copyright © dieser Ausgabe 2019 by Festa Verlag, Leipzig
Veröffentlicht mit Erlaubnis von Emily Bestler/Atria Books,
ein Unternehmen von Simon & Schuster, Inc., New York.
Titelbild: Arndt Drechsler
Alle Rechte vorbehalten

ISBN 978-3-86552-761-5
eBook 978-3-86552-762-2

PROLOG

Kurz nach Mitternacht wirkte Rabat weitgehend verlassen. Prinz Talal bin Musaid betrachtete die dicht gedrängten Wohnhäuser, die sich auf den Hügeln mit Blick über die Stadt aneinanderreihten. Seine Augen wurden zu einem menschlichen Umriss gelenkt, der sich in einer Gasse zu seiner Rechten duckte. Durch die Scheibe der Mercedes-S-Klasse kam ihm die Umgebung seltsam surreal vor. Die Staubschicht, die alles überzog, die rissigen Fassaden, die Lumpen, die zum Trocknen auf der Leine hingen – nichts davon existierte in seiner gewohnten Welt. Hier lebten die gesichtslosen Massen. Die Menschen, die er höchstens dann zur Kenntnis nahm, wenn sie nicht nach seiner Pfeife tanzten.

Vier Tage vor seinem 39. Geburtstag standen für ihn Privatjets, bildhübsche Frauen und luxuriöse Anwesen im Mittelpunkt. London, Monaco, Paris und New York verschwammen zu einem großen Ganzen. Die Städte dienten als bloße Kulisse für die verschwenderischen Nachtclubs und Boutiquen, in denen er und seine Begleiter verkehrten. Exklusive Orte, von denen nur wenige Eingeweihte wussten. Und ein noch kleinerer Kreis erhielt Zutritt.

Gelegentlich wurde er nach Saudi-Arabien beordert, wenn familiäre Angelegenheiten seine Anwesenheit erforderlich machten, doch mehr und mehr mied er seine Heimat, weil ihr bittere Erinnerungen an Verrat und den Entzug des ihm zustehenden Erbes anhafteten.

Sein Chauffeur manövrierte den Wagen vorsichtig in eine Seitenstraße, kaum breit genug zum Durchkommen. Bin Musaid mied den Anblick der plumpen Betongebäude zu beiden Seiten. Die gelangweilte Geringschätzung, die er solchem Elend sonst entgegenbrachte, wurde von Erregung und Vorfreude abgelöst. Kein Warten mehr. Kein Gerede. Dieses überwältigende Gefühl positiver Erwartung verspürte er immer dann, wenn Action sein Leben aufmischte.

Er ließ einen mit US-Dollars gefüllten Aktenkoffer auf den Schoß gleiten und genoss die angenehme Schwere. Sie rief ihm das bevorstehende Ziel in Erinnerung. Das Gewicht der Macht.

Obwohl er der Neffe von König Faisal war, hatte man ihm nie den Respekt entgegengebracht, den er verdiente. Nach dem vorzeitigen Tod seiner Eltern schickte man bin Musaid nach Europa und mutete ihm die Beleidigungen des westlichen Bildungssystems zu. Dozenten – darunter viele Frauen – hatten sich geweigert, seinen besonderen Status anzuerkennen, und spielten die autoritäre Karte aus, um auf lächerliche Weise ihre eigene niedere Herkunft zu kaschieren. Sie gaben ihm schlechte Noten und verpetzten ihn mit Geschichten über Weiber, Alkohol und Gewalttätigkeiten beim König.

Normalerweise hätte ihm das keine weiteren Konsequenzen beschert, doch Faisal ließ sich schließlich mit *ihnen* ein – mit den britischen Ungläubigen, die sowohl das Haus Saud als auch Allah ins Lächerliche zogen. Nach einem bedeutungslosen Zwischenfall mit einer weiblichen Mitstudentin hatte man ihn nach Saudi-Arabien zurückbeordert. Sie war eine typische westliche Hure gewesen, der er die Behandlung zukommen ließ, die sie verdiente; nicht mehr und nicht weniger. Trotzdem hatte er die Gelegenheit begrüßt, endlich den rechtmäßigen Platz in der herrschenden Klasse seiner Heimat einzunehmen.

Doch dazu war es nicht gekommen. Statt eines angesehenen Regierungspostens hatte man ihm eine endlose Serie niederer Tätigkeiten und bedeutungsloser Positionen in der unteren Hierarchie zugemutet. Der König äußerte sich in seiner Gegenwart zwar stets enthusiastisch über die strahlende Zukunft, die ihm bevorstand, unternahm jedoch nichts, um diese Zukunft real werden zu lassen.

Nachdem er sich von der eigenen Familie verraten fühlte, hatte bin Musaid seinem Geburtsland schließlich den Rücken gekehrt und alle Verbindungen auf ein Niveau reduziert, das gerade noch den Zugriff auf das Familienvermögen sicherstellte.

Er wusste inzwischen, dass es ohnehin keine Rolle spielte. Das Saudi-Arabien, das ihn zurückwies, war dem Untergang geweiht. König Faisal, alt und schwach, hatte längst die Kontrolle über die Machtblöcke verloren, die innerhalb des Landes zunehmend an Einfluss gewannen, und war zu einer Marionette Amerikas geworden. Der Monarch ignorierte das wahre Schicksal seiner Nation. Statt sich einzuigeln und belagern zu lassen, hätte das saudische Königshaus den ihm zustehenden Platz an der Spitze eines neuen Kalifats einnehmen sollen. Es war das Privileg und die Verantwortung des Hauses Saud, die islamischen Truppen anzuführen, wenn sie bei ihrem Feldzug Feinde in aller Welt vernichteten.

Sein Fahrer beugte sich vor, um in der Dunkelheit nach einem der seltenen Straßenschilder Ausschau zu halten.

»Links ab, du Idiot!«, schnauzte bin Musaid.

Tagelang hatte er Karten und Satellitenbilder auf Google studiert, um sich auf diesen Augenblick vorzubereiten. Nun ging es noch knapp einen Kilometer weiter geradeaus, bis die Straße in einer Sackgasse endete, dann weiter zu Fuß ins düstere Gewirr der Basare, die sich auf den Hügeln über der Stadt ausbreiteten. Der geplante Marsch dauerte etwa sieben Minuten, gemächlich, damit er keine ungewollte Aufmerksamkeit von Passanten auf sich lenkte. Am Ziel, einem unauffälligen Wohnkomplex, erwartete ihn ein Vertreter des Islamischen Staats.

Das Geld im Aktenkoffer diente der Finanzierung einer groß angelegten Aktion auf amerikanischem Boden. Der IS hielt es für ein entscheidendes Puzzlestück, um die unglaublich erfolgreiche Propagandapolitik auf eine neue Stufe zu hieven. Die Einzelkämpfer, die sie zu Selbstmordattentaten motivierten, leisteten zwar großartige Arbeit, doch in einem Land, in dem Massenschießereien an der Tagesordnung waren, hinterließen sie nicht genug Eindruck.

Es galt als entscheidender Faktor, dass die in den Vereinigten Staaten lebenden Muslime sich ihrem Feldzug anschlossen. Bislang übten sie sich in Zurückhaltung und ließen sich von Wohlstand und geheuchelter Integration in diesem Flickenteppich aus Einwanderern und Mischlingen einlullen, den die neue Heimat ihnen vorgaukelte. Allerdings bildeten sich erste Risse. Teile der amerikanischen Bevölkerung wendeten sich bereits gegen die muslimische Community. Es fehlte nur noch ein kleiner

Schubser, damit Mohammeds Jünger isoliert, angegriffen und diskriminiert wurden. Sobald es dazu kam, standen Millionen junger, desillusionierter Männer bereit, um sich der *Dschundollah*, der Armee Gottes, anzuschließen.

Die saudi-arabische Führung hatte in der Vergangenheit auf ähnliche Methoden zurückgegriffen. Zwei von bin Musaids älteren Cousins waren direkt an der Finanzierung und Planung der Anschläge des 11. September beteiligt gewesen. Osama bin Laden galt zwar weltweit als Gesicht hinter den Angriffen, doch ohne die Unterstützung anderer Machthaber, die gezielt die Schwächen Amerikas ausnutzten, wäre der Erfolg nie zustande gekommen.

Der Prinz lächelte in der Dunkelheit in sich hinein. Videoaufnahmen der brennenden Wolkenkratzer und panischen Christen, die sich in die Tiefe stürzten, zogen an seinem geistigen Auge vorbei. Wobei es nicht allein diese glorreichen Szenen waren, die seine Stimmung aufhellten, sondern vor allem die amerikanischen Politiker, die zwar um die Rolle Saudi-Arabiens wussten, jedoch zu feige waren, um etwas dagegen zu unternehmen. Stattdessen hatten sie hinter verschlossenen Türen einen hastigen Pakt mit König Faisal ausgehandelt. Er würde die subversiven Kräfte im eigenen Land im Zaum halten und dafür sorgen, dass weiterhin Öl floss. Im Gegenzug verschwiegen die Amerikaner der Weltöffentlichkeit, dass fast ausschließlich saudische Staatsbürger für die Terrorakte verantwortlich zeichneten, und lenkten die Aufmerksamkeit ihrer Bürger ab, indem sie Bauernopfer in Afghanistan und im Irak öffentlich an den Pranger stellten.

Die daraus resultierenden Kriege und schleichenden Auswirkungen auf die westliche Wirtschaft hatten eine

Spaltung des amerikanischen Volkes hervorgerufen, wie man sie seit dem Bürgerkrieg nicht mehr kannte. Amerika lag am Boden wie ein verwundetes Raubtier. Und er war der Löwe, der darauf lauerte, die Bestie endgültig zu erlegen.

1

Mitch Rapp suchte vergeblich nach einer bequemeren Sitzhaltung. Sein Helm stieß gegen die Decke der Kabine und etwas Scharfes bohrte sich durch das Geflecht des Sitzes in seine rechte Rückenseite.

Nicht gerade der Komfort, den er von der G550 der CIA gewohnt war, allerdings hatte man dieses Flugzeug auch nicht konstruiert, um damit VIPs der Regierung herumzukutschieren. Es diente einzig und allein dem Zweck, ausgewählte Teams auf feindliches Terrain einzuschleusen. Damit das reibungslos funktionierte, mussten die Maschinen kompakt, schnell und unauffällig sein. Es gab weder einen Piloten noch ein Cockpit, keinen Druckausgleich in der Kabine, geschweige denn eine Klimaanlage. Und als einzige Beleuchtung musste der fahle Schimmer des Displays zu seiner Rechten herhalten.

Er blickte darauf und überflog die Daten. 400 Knoten, 25.000 Fuß Höhe, Kurs Südsüdwest. Eine ruckelnde Infrarotkarte neben Kompass und Zahlenkolonnen zeichnete den Kurs nach. Ganz unten auf dem Schirm schob sich gerade das Ziel in Sicht.

Asch-Schirqat.

Obwohl er schon viel erlebt und durchgemacht hatte, gab es wenige Orte auf der Welt, deren bloße Erwähnung bei ihm schwitzige Hände auslöste. Genau genommen nur zwei: die Stelle, an der seine Frau gestorben war, und eben Asch-Schirqat.

Eine grüne Lampe über der Luke flackerte auf. Er koppelte die Atemmaske von der Sauerstoffversorgung des Flugzeugs ab und verband sie mit dem mickrigen Tank am Wingsuit, den er trug, rutschte aus dem Stuhl auf den Karbonbelag des Bodens und zurrte ein kleines Päckchen zwischen den Beinen fest. Der Countdown hatte begonnen. Er wartete, bis die Luke zur Seite glitt, schob dann die Schutzbrille vor die Augen. Draußen erwarteten ihn Temperaturen um 30 Grad unter dem Gefrierpunkt. Rapp kämpfte sich an die tintenschwarze Öffnung heran. Wind peitschte ihm ins Gesicht. Der Countdown in der Hörkapsel erreichte null. Er schleuderte sich nach draußen und kämpfte um eine stabile Position, während er in den freien Fall beschleunigte.

Nach einigen Sekunden hatte er den Körper so weit austariert, dass er kurz auf die Anzeige am Handgelenk schauen konnte. Neben der aktuellen Höhe zeigte sie Richtung und horizontale Distanz zum Landepunkt an. Nicht dass es so entscheidend gewesen wäre, ihn exakt zu treffen – letztlich handelte es sich um eine zufällig gewählte Stelle knapp eine Meile vom Rand der IS-kontrollierten Stadt entfernt. Sein alter Mentor Stan Hurley hatte ihm beim Fallschirmtraining allerdings Genauigkeit als oberste Maxime eingebläut. Rapp erinnerte sich noch genau, wie der Kerl ihn inmitten der gezeichneten Landemarkierung empfangen hatte, den Blick himmelwärts gerichtet:

Wehe, du trittst bei der Landung nicht mit dem Fuß genau gegen meinen Kopf, dann tret ich dich hinterher, bis du blutest.

Kaum zu glauben, wie sehr ihm der elende Griesgram fehlte.

Unter ihm herrschte tiefe Finsternis, die das beunruhigende Gefühl erzeugte, frei im Weltall zu schweben. Saddam Husseins frühere Offiziere bekleideten in der IS-Führungsspitze zunehmend wichtige Posten. Ihr Aufstieg führte gleichzeitig zu einem drastischen Anstieg der Disziplin. Sie hatten Asch-Schirqat komplett verdunkelt, um den Amerikanern ein Bombardement zu erschweren. Schlimmer noch: Einige mobile SAM-Einheiten kurvten durch die zerstörten Straßen. Welchem Zweck sie dienten, wusste niemand, aber allein das Wissen, dass sie da waren, hatte ihn zu einer Strategieänderung veranlasst. Aus großer Höhe abspringen und sich der Stadt aus sicherer Entfernung nähern.

Knapp 300 Meter über dem Boden löste er den Fallschirm aus, koppelte das Päckchen zwischen den Beinen ab und klinkte es am Haupttragegurt ein. Mit ein paar kräftigen Zügen an den Steuerleinen manövrierte er den Schirm direkt über die vorgesehene Landezone – einen sandigen Hügel, der eine gute Sicht aus erhöhter Position ermöglichte.

Rapp raffte den Schirm eilig zusammen und streifte Schutzbrille und Helm ab. Fast zwei Minuten lag er still da und lauschte. Nachdem er davon überzeugt war, dass niemand seine Ankunft mitbekommen hatte, zog er sich bis auf ein paar schmuddelige Jeans und ein T-Shirt aus und zog das Päckchen zu sich heran.

Es enthielt lediglich ein Schulterholster samt Glock und Schalldämpfer, zwei Ersatzmagazine, etwas Trockenfleisch und eine kleine Schaufel, um das Sprungequipment zu vergraben. Sobald er damit fertig war, ging er problemlos

als einheimischer Iraki durch, den es kurz nach Sonnenaufgang in die Wüste verschlagen hatte.

Ohne das Display am Handgelenk musste er die Sterne
am Nachthimmel zur Orientierung nutzen. Glücklicherweise klappte das heutzutage genauso gut wie bei den
ersten Forschern, die zu ihren Expeditionen aufbrachen.
Er folgte einem Kurs nach Süden und massierte sich
die Abdrücke der Schutzbrille im Gesicht weg. Nach
wochenlanger Luftbeobachtung rechnete er zwar nicht
damit, beim Erreichen der Stadt auf Sicherheitstruppen
zu stoßen, aber Überraschungen gehörten zum Geschäft.

Als Rapp die zerbombten Gebäude am Rand von
Asch-Schirqat erreicht hatte, robbte er zunächst auf dem
Bauch weiter. Die Männer, derentwegen er gekommen
war, hielten sich im Stadtzentrum auf. In Gedanken ging
er die Route durch, die von den Kartografen der Agency
festgelegt worden war.

Bei seiner letzten Flucht aus der Siedlung am linken
Ufer des Tigris hatte er sich als amerikanischer IS-
Rekrut ausgegeben. Der ehemalige irakische General,
der das Gebiet kontrollierte, beabsichtigte seinerzeit,
die saudi-arabische Ölförderung mithilfe schmutziger
Bomben lahmzulegen, dadurch die Weltwirtschaft aus
dem Gleichgewicht zu bringen und die Saudis für eine
Machtübernahme durch islamische Radikale verwundbar zu machen. Rapp war es gelungen, das Komplott zu
vereiteln, nicht zuletzt dank der Unterstützung örtlicher
Widerstandskämpfer.

Inzwischen kannte der IS die Identitäten dieser Verräter und hatte sich auf sie eingeschossen. Die meisten Verantwortlichen in Langley hielten es für puren

Wahnsinn zurückzukommen, und argumentierten, dass das Risiko zu hoch und die Erfolgsaussichten zu gering waren. Vermutlich stimmte das sogar. Es änderte jedoch nichts daran, dass die fünf jungen Männer, die Rapp in Sicherheit bringen wollte, in Schlachten ziemlich unerfahren waren. Okay, bei der Informationsbeschaffung taugten sie nicht besonders viel. Die meiste Zeit hockten sie zusammen, schwangen theoretische politische Reden und ließen sich von ihren Kumpeln dafür feiern. Trotzdem hatten sie ihr Leben für ihn riskiert, als er sie brauchte. Da verdienten sie es verdammt noch mal, dass er umgekehrt dasselbe für sie tat.

Dummerweise zwang ihn diese Entscheidung, einem zaghaften Joe Maslick die Verantwortung für die Operation im marokkanischen Rabat zu übertragen. Letztlich wahrscheinlich gar nicht so verkehrt. Die Mission war nicht besonders komplex und Maslick musste dringend wieder Einsatzerfahrung in verantwortlicher Position sammeln, ob es ihm nun gefiel oder nicht.

Rapp schloss kurz die Augen und stellte fest, dass er das Unvermeidliche bewusst hinauszögerte. Er wäre am liebsten nie hierher zurückgekommen, hatte sogar versucht, die Militärs zu überreden, einen groß angelegten Angriff zur Rückeroberung der Stadt in die Wege zu leiten. Wenig erstaunlich: Sie wollten davon nichts hören. Sie hielten es zwar grundsätzlich für machbar, zumal die irakische Armee mit Unterstützung von US-Truppen über ausreichend Kampfkraft verfügte. Das Problem bestand darin, dass die Einheimischen kaum einen Unterschied zwischen irakischen Soldaten und IS-Milizen machten. Am Ende hielten sie beide nur für eine weitere Besatzungsmacht, der sie in ihrem endlosen

Guerillakrieg gegenüberstanden. Willkommen im Nahen Osten.

Rapp stand auf und zwang sich zum Weiterlaufen. Er glitt zwischen zwei Gebäuden hindurch und orientierte sich mithilfe des leuchtenden Vollmonds. Dieser Teil der Stadt hatte eine Menge Gefechtsschäden erlitten, deshalb lebte hier so gut wie niemand mehr. Er war schon mal hier gewesen, hatte die Umgebung aber nicht verinnerlicht.

Nach knapp fünf Minuten, in denen er sich grob nach Süden orientierte, erreichte er einen eingestürzten Straßenzug, von dem kaum mehr als die östliche Begrenzungsmauer erhalten geblieben war. Einer der Orientierungspunkte, den er aus den Unterlagen aus Langley wiedererkannte. Er bog links ab und lief quer über einen von Bombenkratern übersäten Platz.

Auf der anderen Seite angelangt, beschlich ihn das Gefühl, verfolgt zu werden. Die Trümmer der umliegenden Bauten verfügten über einen natürlichen Rhythmus, der aus dem Gleichgewicht geraten zu sein schien. Die Schritte des Gegners waren unregelmäßig und vorsichtig, für sein trainiertes Gehör jedoch trotzdem unüberhörbar.

Er schlenderte betont gelassen weiter und kletterte über ein verbranntes Autowrack, um zu einer Gasse zu gelangen. Sobald er das Sichtfeld des Verfolgers verlassen hatte, huschte er in eine Wandnische auf der rechten Seite.

Wer immer da kam, ging äußerst diszipliniert vor, das musste Rapp ihm zugestehen. Es dauerte volle zwei Minuten, bis sich ein gut getarnter Schatten zentimeterweise in seine Richtung vorarbeitete. Mitch klaubte einen

Betonsplitter aus einem Schutthaufen und schleuderte ihn in Richtung Neuankömmling. Fast unhörbar landete er etwa 20 Meter weiter südlich.

Die Schritte verstummten kurz. Rapp zückte die Glock und wartete, atmete flach. Einige Sekunden vergingen, dann tauchte der Umriss wieder auf. Der Mann überragte ihn um ein paar Zentimeter und hatte deutlich breitere Schultern. Das Sturmgewehr trug er vor der Brust und bewegte sich so gekonnt, dass er auf keinen Fall ein x-beliebiger IS-Pfuscher sein konnte.

Rapp verharrte reglos in der dunklen Nische, in die er sich geflüchtet hatte, und beobachtete den Vorstoß des anderen. Als der an ihm vorbeilief, feuerte Rapp aus der Deckung und drückte ihm den Lauf der Waffe gegen den Hinterkopf.

Der Gegner schrie nicht auf, sagte kein Wort, sondern blieb lediglich stehen und hob die Hände. Rapp trat langsam vor und strich ihm mit der Mündung der Glock durch die Haare, bis er direkt auf die Stirn zielte.

»Ich hab dich weniger nachlässig in Erinnerung«, raunte er auf Arabisch.

»Und für mich sahst du damals aus wie das Hinterteil einer Ziege.«

Rapp zog die Waffe zurück und ließ sich von dem Riesen umarmen.

»Halt dein Gesicht in den Himmel, mein Freund. Lass dich ansehen.«

Rapp reckte das Kinn Richtung Mond. Der Iraki packte ihn am Bart und bewegte seinen Kopf hin und her, um ihn zu inspizieren.

»Es ist erstaunlich, was ihr Amerikaner hinbekommt«, verkündete er mit aufrichtiger Bewunderung.

Um bei seiner vorherigen Operation in Asch-Schirqat nicht erkannt zu werden, hatte Rapp sich von Joe Maslick das Gesicht förmlich zu Brei prügeln lassen. Gaffar kannte ihn bisher nur mit diesem Gesicht – einer Ansammlung von Frakturen, Blut und Schwellungen.

»Ich will gar nicht dran denken, wie oft ich seitdem beim Chirurgen gewesen bin.«

»Trotzdem ist es … ganz erstaunlich.«

»Wie geht's den anderen?«

»Sie kommen zurecht, aber es sind halt keine Soldaten. Angst ist ein guter Antrieb, aber das hier …« Er machte eine ausholende Geste. »Die Kälte, die Monotonie, der Mangel an Essen. Es ist verdammt hart.«

»Wie lange versteckt ihr euch schon hier?«

»Seit zwei Wochen.«

Rapp nickte. In der Regel waren es nicht die Schrecken und Anstrengungen des Krieges, die Menschen zusetzten, sondern die Pausen zwischen den Kämpfen.

»Komm«, sagte Gaffar. »Ich bring dich zu ihnen.«

Was von diesem Teil der Stadt übrig war, schien unbewohnt und für die IS-Truppen nicht von Interesse zu sein. Trotzdem bewegten sie sich mit größter Vorsicht. Schließlich erreichten sie eine massive Betonplatte, die gegen eine eingestürzte Mauer gekippt worden war. Gaffar hob einen Stein auf und schlug damit dreimal gegen die Überreste eines Laternenmasts. Kurz darauf tauchten die Leute, derentwegen Rapp gekommen war, am Eingang der improvisierten Höhle auf.

Die zwei hageren Kerle links wirkten wie Computergeeks. Einer schien die Brille verloren zu haben und blinzelte vergeblich gegen die Dunkelheit an, um etwas zu erkennen. Mohammed, ihr Anführer, befand sich trotzdem in halbwegs guter Verfassung. Dasselbe galt für seinen Bruder.

Die beiden Irakis gehörten zu den wenigen Männern auf der Welt, bei denen sich Rapp schwertat, ihnen in die Augen zu sehen. Deshalb konzentrierte er sich auf die Frau, die sich an Mohammeds Seite drückte.

»Wer ist sie?«

»Meine Frau.«

»Du hast geheiratet?« Rapp staunte. »Interessantes Timing.«

»Der IS hat Shada auf einer Auktion angeboten. Ich kenne sie seit meiner Kindheit und habe alles verkauft, um sie mit dem Erlös zu ersteigern.«

Rapp blickte in ihre dunklen Augen, betrachtete das glatte Gesicht und die schwarzen knotigen Haare. Er hatte Mohammeds Schwester unter ähnlichen Umständen ›erworben‹. Dieses Mädchen war jünger und deutlich verängstigter, erinnerte ihn aber stark an Laleh.

Die Erinnerung löste schmerzhafte Beklemmungen in der Brust aus. Er schob ihr Bild aus seinen Gedanken. Es würde dennoch zurückkehren. Das tat es immer.

»Wenn für mich nicht genug Platz ist, bleibe ich hier«, schlug sie vor, als sich das Schweigen in die Länge zog.

»Nein«, erklärte einer der Geeks mit leicht schriller Stimme. »Wenn jemand zurückbleibt, dann er. Schließlich hat er uns in die Sache reingeritten.«

»Halt die Klappe!«, raunte Gaffar im Flüsterton. »Wir haben uns da selbst reingeritten. Es ist unser Land, um das wir kämpfen, und unser Volk, das es zerstört hat. Nicht seins.«

Er hob die Hand und wollte zum Schlag ausholen, doch Rapp hielt sie fest.

»Hört zu, ihr müsst euch noch eine Weile zusammen-reißen. Bald ist es vorbei.«

Er holte das mitgebrachte Essen aus der Tasche und verteilte es. »Nehmt das und packt eure Sachen.«

»Sie kann also mitkommen?«, vergewisserte sich Mohammed.

Rapp nickte. »Fünf Minuten.«

2

RABAT, MAROKKO

Joe Maslick spähte durch die schmutzige Windschutz-scheibe auf das Viertel, in dem er sich aufhielt. Die Umgebung war besser ausgeleuchtet als erwartet, doch es gab trotzdem genug im Schatten liegende Stellen zum Parken. 1,86 groß und gut 100 Kilo schwer, fiel es ihm in diesem Teil der Welt – Blödsinn, eigentlich überall – nicht leicht unterzutauchen.

Grund Nummer 48, weshalb er gar nicht hier sein sollte.

Zum Glück war es dunkel und kaum jemand hielt sich im Freien auf. Doch das blieb natürlich nicht so. Schneller als es ihm lieb war, tauchten die ersten Frühauf-steher auf und schlürften irgendwo ihren Morgenkaffee, Kinder machten sich auf den Weg zur Schule und Ver-käufer bauten ihre Stände auf, um Kunden abzufischen, die nicht in der prallen Sonne einkaufen wollten. Einer von der letzten Sorte würde garantiert an seine Schei-ben hämmern und ihn anpflaumen, er solle den Wagen umparken. Nicht dass er es verstanden hätte, denn er sprach kein Arabisch.

Grund Nummer 49.

»Mas?« Bruno McGraws Stimme aus dem Knopf im Ohr. »Hörst du mich?«

»Leg los.«

»Ein Auto kommt in deine Richtung. Irgendwie merkwürdig. Ich vermute, das ist unser Mann.«

»Inwiefern merkwürdig?«

»Protzige neue Mercedes-S-Klasse. Zwei Mann vorn, einer auf dem Rücksitz.«

»So, so, Terroristen kurven also mittlerweile in 100.000-Dollar-Karossen durch die Gegend?« Mit dem müden Scherz versuchte er, seine Nervosität zu übertünchen. »Vielleicht sollten wir drüber nachdenken, die Seite zu wechseln.«

Die ganze Op stand unter denkbar schlechten Vorzeichen. Sein Commander, Scott Coleman, erholte sich von einer fast tödlichen Verletzung in Pakistan und Rapp pfuschte irgendwo im Irak rum. Blieb nur er übrig, um die Sache mit dem völlig unangebrachten Vertrauen der kompletten CIA, von der Direktorin abwärts, auszubaden.

»Könnte falscher Alarm sein. Jedenfalls ist er gleich an der Abbiegung der Bain Street«, fuhr McGraw fort. »Wir werden sehen, ob er sie nimmt.«

Maslick hasste es, Verantwortung zu übernehmen. Als Delta Force bei der Army hatte er für sich festgestellt, dass man am glimpflichsten davonkam, wenn man sich gute Anführer aussuchte und deren Befehle befolgte. Aus demselben Grund war er Coleman in den privaten Sektor gefolgt und hatte sich darauf eingeschossen, Mitch Rapp den Rücken zu stärken. Die zwei übernahmen die Denkarbeit, er das Schießen. So passte das in seiner Weltordnung am besten zusammen.

»Yup, er biegt ab. Das Spiel geht los.«

Maslick checkte die Tankanzeige. Ein paar Millimeter über dem ›Voll‹-Strich, genau wie vor fünf Minuten. Ihn quälte der Gedanke, die Mission wegen einer dummen Nachlässigkeit in den Sand zu setzen und Rapp beibringen zu müssen, dass er vergessen hatte, das Handy aufzuladen, ihm der Sprit ausgegangen war oder er die falsche Straßenkarte eingepackt hatte. Es wurde langsam zur Manie, die ihn davon abhielt, sich über die wirklich wichtigen Sachen Gedanken zu machen.

»Hast du Fotos gemacht?«, fragte er ins Headset.

»Vom Auto selbst, ja, kein brauchbares von den Insassen. Die Scheibe spiegelt zu stark.«

»Verstanden.« Maslick versuchte sich zu beruhigen. Ein simpler Job. Genau deshalb hatte man ihn darauf angesetzt. Vor ein paar Monaten hatte Rapp einen aufsteigenden Star am IS-Himmel in die Finger bekommen. Hayk Alghani war ein Gangster durch und durch, dessen Zeit sich auf Gefängnisaufenthalte und Fluchtversuche aufteilte. Nachdem eine seiner Bankbetrügereien schiefgegangen war, hatte er sich in Sewastopol in einer von örtlichen Gangstern gepachteten Immobilie verschanzt. Die europäischen Fahnder bekamen allerdings Wind davon, weshalb er sich in seiner Panik eine Ausgabe von *Islam für Dummies* zulegte und nach Syrien absetzte. Dank seines Händchens für finanzielle Gaunereien und Internetschwindel hatte er sich dort rasch hochgearbeitet. Zu seinem Pech so rasch, dass er ins Visier der CIA geriet.

Rapp hatte ihn vor den Toren Berlins hopsgenommen. Nach einer einzigen Ohrfeige plauderte Alghani bereitwillig all seine Vergehen aus und schwor den Amerikanern Loyalität bis ans Lebensende. Aktuell wartete er in einer heruntergekommenen Wohnung kaum eine Meile von Maslicks Parkplatz entfernt auf einen der ranghöchsten Geldboten des IS. Einen Mann, den alle nur als ›den Ägypter‹ kannten.

Maslicks Aufgabe beschränkte sich darauf, den Ägypter in den Kofferraum zu stopfen und in einem Stück zu einer Black Site der Agency zu schaffen. Übereinstimmenden Berichten zufolge arbeitete der Kerl grundsätzlich allein, wurde langsam alt und war nie bewaffnet. Eine simplere Mission gab es kaum.

Nun ging es plötzlich um einen Typen, der in einer S-Klasse durch die Gegend fuhr, offenbar mit Bodyguards im Schlepptau. Ziemlich genau das verfickte *Gegenteil* von simpel.

Scheinwerfer blitzten am Ende des verlassenen Straßenzugs auf und kamen näher. Maslick duckte sich in den viel zu engen Sitz und wartete, bis das Fahrzeug vorbeigefahren war. Definitiv eine aktuelle S-Klasse. Beiläufig stellte er fest, dass der Oberbau etwas tiefer als normal auf den Stoßdämpfern hing. Kugelsichere Karosserie.

Das Bremslicht flackerte kurz auf, dann verschwand das Vehikel links außerhalb seines Blickradius.

»Wick«, hauchte Maslick ins Kehlkopfmikro. »Sie kommen in deine Richtung.«

»Roger. Bin auf Position.«

Wicker hatte Posten auf dem Dach eines Gebäudes gegenüber vom vorgesehenen Treffpunkt bezogen. Wick gehörte unbestritten zu den besten Scharfschützen auf dem Planeten, doch diesmal sollte er bloß beobachten, das Arschloch festsetzen und es verhören, keinesfalls umbringen.

Maslick mahnte sich zur Ruhe. Sein Herz schlug schneller als bei einem Feuergefecht. Er kannte sich mit dem ganzen logistischen Krempel nicht aus. Für Coleman und Rapp wäre das Ganze eine lockere Fingerübung gewesen, ihn dagegen überforderte die Vielzahl variabler Faktoren, die er im Auge behalten musste. Statt einer Zielperson gab es drei. Statt eines normalen Fahrzeugs ging es um einen gepanzerten Mercedes. Hatten diese Hurensöhne kurzfristig Verstärkung organisiert? Unter Umständen war Wick nicht der einzige Bewaffnete, der gerade auf einem Dach in Rabat lauerte.

Maslick fing an zu schwitzen, so stark, dass es ihm schwerfiel, die Waffe ruhig zu halten. So etwas war ihm noch nie passiert. Weder in Afghanistan noch im Irak. Nicht mal bei diesem Desaster in Pakistan.

Grund Nummer 50, weshalb er für die Leitung dieses Einsatzes ungeeignet war. Oder schon Grund Nummer 51?

»Das Zielfahrzeug hat angehalten«, meldete Wicker. »Ein Mann steigt hinten aus. Wirkt auf mich nicht wie ein Ägypter. Typische Saudi-Montur. 10.000-Dollar-Anzug und ein Tischtuch um den Kopf.«

Maslick murmelte etwas.

»Das hab ich nicht verstanden, Mas. Wiederhol das bitte.«

»Hast du ihn vor die Linse bekommen?«

»Klar, nicht perfekt, aber gut genug, um es auf der Titelseite von *Terrorist Weekly zu* drucken.«

Maslick schlug mit der Hand gegen das Lenkrad und wischte sich den Schweiß von der Stirn. Alles, was die Analysten geliefert hatten, schien mit einem Mal kompletter Bullshit zu sein.

Aus einer Malen-nach-Zahlen-Op war von jetzt auf gleich eine Improvisier-um-dein-Leben-Nummer geworden.

»Schick die Aufnahmen nach Langley. Wenn wir Glück haben, schlägt die Gesichtserkennung an.«

3

Asch-Schirqat, Irak

Rapp starrte auf die Leuchtzeiger der ramponierten Timex-Uhr und dann in die Dunkelheit hinter sich. Er sah nicht viel, hörte dafür umso mehr. Die Dämmerung umgab sie und sie bewegten sich in halbem Worst-Case-Tempo und machten dabei doppelten Worst-Case-Lärm. Eigentlich hätten sie bis Sonnenaufgang die Wüste erreichen sollen, doch das musste er sich abschminken. Es wurde höchste Zeit für einen Plan B.

Gaffar tauchte hinter einer umgestürzten Säule auf. Rapp musterte seine bullige Gestalt im Näherkommen.

»Ich hab doch gesagt, du sollst dableiben und uns den Rücken freihalten«, mahnte er, als der Iraki neben ihm stand.

»Ich weiß, aber es läuft gar nicht gut, Mitch. Ali tut sich schwer und Yusuf meint, er habe sich den Knöchel verstaucht. Wir kommen also noch langsamer voran.«

Nicht zu fassen. Selbst der Bewohner eines Altersheims hätte mittlerweile die Stadtgrenze erreicht.

»Wie weit müssen wir in die Wüste rein, Mitch?«

»Etwa 15 Kilometer. Mit dem Fallschirm unauffällig in der Nähe der Stadt zu landen war kein Problem. Einen Hubschrauber anzufordern halte ich dagegen für zu riskant. In dieser Gegend sind zu viele Patrouillen unterwegs.«

Der Rest ihrer Gruppe kam nach unerträglich langen fünf Minuten angewatschelt. Die Frau, deren Namen er verdrängt hatte, lief mit halbwegs erträglichem Tempo voraus. Kaum überraschend. Wenn es jemanden gab, der es eilig hatte, aus Asch-Schirqat rauszukommen, dann sie. Die Enthauptungen oder Salven, mit denen der IS den Rest von ihnen hingerichtet hätte, waren im Vergleich zu dem Schicksal, das ihr drohte, vergleichsweise human.

»Sag mir noch mal deinen Namen«, bat er leise.

»Shada.«

»Wo ist dein Ehemann, Shada?«

»Er hilft Yusuf.«

Es dauerte vier weitere Minuten, bis sie vollständig versammelt waren. Yusuf humpelte stark und hatte einen Arm um Mohammeds Schulter gelegt, der ihn stützte. Rapp war an die Arbeit mit Soldaten gewöhnt, die außergewöhnliche – manchmal unvernünftige – Anstrengungen auf sich nahmen, um Müdigkeit und Schwäche zu kompensieren. Yusuf tendierte zum exakten Gegenteil.

Die Verlockung, ihm an den Haaren zu zerren und ernsthaft ins Gewissen zu reden, weil er sie alle in Gefahr brachte, war groß, doch es hätte alles nur noch schlimmer gemacht. Diese jungen Zivilisten hatten die letzten Wochen mehr oder weniger unter freiem Himmel verbracht – und die ganzen letzten Jahre in der Hölle. Sie liefen auf Reserve und hatten kaum noch Saft im Tank. Es gab keine Entschlossenheit, keinen Stolz und keine Loyalität mehr, die zusätzliche Kräfte hätten mobilisieren können. Früher oder später brachen sie einfach zusammen.

Rapp ging in die Hocke und winkte die anderen in einen Kreis um sich. »Planänderung. Die Stadt zu verlassen und 15 Kilometer weit in die Wüste zu laufen, werden wir nicht schaffen. Wir müssen einen fahrbaren Untersatz organisieren.«

Leises Murmeln erhob sich. Wenig überraschend zeigte sich die Mehrheit begeistert von der Idee.

»Freut euch nicht zu früh«, warnte Rapp. »Wir wollten uns unbemerkt aus der Stadt schleichen, ohne einer IS-Patrouille in die Arme zu laufen. Nun müssen wir gezielt nach einer suchen.«

»Vielleicht ist es besser, wenn der Rest von uns hierbleibt«, schlug Yusuf vor. »Ihr könntet das Fahrzeug auftreiben und uns hier einsammeln.«

Gaffar streckte die Hand aus und verpasste dem Jüngeren einen Schlag auf den Hinterkopf. »Sieht er für dich aus wie ein Busfahrer?«

Rapp sorgte mit einer Handbewegung für Ruhe. »Wegen der ganzen Trümmer auf der Straße halte ich es ohnehin für unmöglich, einen Truck an diese Stelle zu bringen. Selbst wenn es ginge, würde es zu viel Aufmerksamkeit erregen. Wir gehen zusammen und fliehen zusammen. Kapiert?«

Weiteres Murmeln, diesmal deutlich weniger begeistert.

»Gaffar, wo stoßen wir am ehesten auf eine Patrouille?«

»In nördlicher Richtung erreichen wir nach gut einem Kilometer den Rand der Zone, die regelmäßig kontrolliert wird. Außerdem ist es eine günstige Stelle, um die Stadt unbemerkt zu verlassen.«

»Dann führ uns hin. Ich übernehm den Abschluss.«

Shada folgte Gaffar dichtauf, der Rest hielt gewissen Abstand, weil Rapp aus Sicherheitsgründen darauf bestand. Yusuf, weiterhin auf Mohammed gestützt, setzte sich als Letzter in Bewegung.

Rapp behielt alle sechs im Auge. Die Gefahr, umzingelt zu werden, hielt er für ausgesprochen gering. Seine Position am Ende diente vor allem dem Zweck, für ein gewisses Mindesttempo zu sorgen. Das schien zu funktionieren. Etwa einmal pro Minute blickte Yusuf kurz über die Schulter und beschleunigte jedes Mal leicht den Schritt.

Die Gebäude in der direkten Umgebung blieben finster, wirkten aber längst nicht mehr so heruntergekommen wie zu Beginn ihrer Wanderung. Die Trümmer, die das unauffällige Vorankommen so erschwerten, wichen festgetrampeltem Lehm. Anstelle von blinden Fensterrahmen fanden sich vermehrt Exemplare mit intakten Scheiben und Holzläden.

Rapp hörte ein sanftes Knacken von oben und richtete die Glock auf die Geräuschquelle. Er lugte über den Schalldämpfer hinweg und erspähte eine Katze, die zwischen einer Reihe von Dachsparren hin und her sprang. Davon abgesehen blieb alles ruhig. Der IS hatte eine Sperrstunde und ein striktes Verdunklungsprotokoll festgelegt. Die Bewohner der Häuser wagten es nicht, gegen die auferlegten Regeln zu verstoßen.

Ein vages Leuchten wurde im Norden sichtbar. Er blieb stehen und wandte den Kopf, um es mit dem lichtempfindlicheren, peripheren Sehen zu erfassen. Das erwies sich als unnötig, weil im selben Moment das Geräusch eines Automotors aus derselben Richtung erklang.

Rapp beschleunigte zu einem langsamen Joggen und überholte die anderen, um sich an die Spitze ihrer bunt zusammengewürfelten Kolonne zu setzen. Wie erwartet hatte Gaffar angehalten und hinter einem zerstörten Brunnen Deckung bezogen.

»Eine Straße weiter östlich«, meinte er. Rapp ging neben ihm auf die Knie und forderte den Rest der Gruppe per Handzeichen auf, sich nicht von der Stelle zu rühren.

»Ich vermute, dass sie zum Stadtrand fahren und dann über die Straße vor uns zurückkommen.«

»Das wäre auch mein Tipp.«

»Dann sind wir hier richtig«, entschied Rapp. »Falls es nicht zu viele sind, fangen wir sie an dieser Stelle ab.«

»Und wie definierst du ›nicht zu viele‹?«

Rapp inspizierte die Straße und die Gebäude am Straßenrand. Es gab nicht viel, was sie zu ihrem Vorteil ausnutzen konnten. Nichts als das Überraschungsmoment und den Umstand, dass die IS-Kämpfer wohl kaum mit Widerstand seitens der Einheimischen rechneten.

»Ich nehm an, du hast keinen Schalldämpfer dabei?«

»Nein. Nur einen Revolver mit fünf Schuss. Und ein Messer.«

»In diesem Fall halte ich mehr als acht Mann für zu riskant.«

»Acht? Bist du sicher?«

»Glaubst du, wir kommen mit mehr klar?«

»Ich dachte eher an weniger.«

»Werd mir jetzt bloß nicht nervös, Gaffar. Wir winken sie ran und dann probier ich's auf die freundliche Tour, damit ihre Wachsamkeit nachlässt. Wenn du meine Glock benutzt, werden sie nicht viel hören und nicht sofort reagieren. Ich …«

»Nein«, fiel ihm Gaffar vehement ins Wort. »Wir wissen beide, dass das ein furchtbarer Plan ist. *Ich* gehe. Dein Akzent passt nicht in diese Region, außerdem bist du ein deutlich besserer Schütze. Und nimm's mir nicht übel, aber du bist kein besonders warmherziger Bursche. Mich mag dagegen jeder.«

»Ach, ist das so? Das hab ich noch gar nicht mitgekriegt.«

»Da kannst du alle fragen«, verkündete er todernst, während der Truck der IS-Patrouille vor ihnen auftauchte. »Ich hab ein einnehmendes Wesen.«

»Dann setz es mal ein«, forderte Rapp ihn auf. Er hielt die Strategie tatsächlich für besser, obwohl es ihm im Blut lag, grundsätzlich den gefährlichsten Part einer Operation zu übernehmen.

»Mohammed ist ebenfalls bewaffnet«, stellte Gaffar fest. »Sollen wir ihn um Hilfe bitten?«

»Von mir aus gern, aber willst du's wirklich riskieren, dass er versehentlich dich trifft?«

»Okay, du hast ja recht.«

Der Schein einer einzelnen Taschenlampe wurde von den Mauern zu ihrer Rechten reflektiert. Gaffar holte tief Luft und zitterte leicht, als er sie wieder ausstieß.

»Alles in Ordnung?«

»Natürlich.«

Er hatte der irakischen Armee angehört, ausgebildet von Amerikanern, und war ein grundsolider Kämpfer. Zu einer Gruppe schwer bewaffneter IS-Psychopathen zu marschieren, hätte vermutlich jeden aus dem Konzept gebracht.

Rapp wühlte in der Jackentasche und zückte eine Schachtel Marlboro. Er hielt sie ihm zusammen mit einer Packung Streichhölzer hin.

Gaffar grinste. »Dich hat wahrlich Gott zu uns geschickt. Möge Allah dir sein Lächeln schenken.«

»Und dir.«

Nach diesen Worten trat der groß gewachsene Araber mitten auf die Straße und hob die Hand zum Gruß. Er kniff die Augen vor dem grellen Scheinwerferlicht zusammen. Der Truck bremste und Gaffar reagierte mit betonter Lässigkeit, schirmte das Streichholz mit der Hand vor dem Wind ab und hielt es vor die Zigarette im Mundwinkel.

Der Pick-up kam schlitternd wenige Meter vor ihm zum Stillstand. Männer sprangen von der Ladefläche, brüllten laut und schwenkten die AKs in seine Richtung.

Ihre Begleiter im Führerstand ließen sich mehr Zeit mit dem Aussteigen. Sobald sie vor dem Fahrzeug standen, wusste Rapp, dass sie es mit sieben Gegnern zu tun hatten. Eine machbare Aufgabe.

»Was treibst du hier draußen?«, erkundigte sich der Fahrer. »Es ist Sperrstunde.«

Gaffar warf das Streichholz beiläufig auf den Boden und nahm einen tiefen Zug aus der Zigarette. »General Masri schickt mich. Uns liegen Erkenntnisse vor, wonach Mohammed Qarni und seine Bande in diesem verlassenen Teil der Stadt untergetaucht sind. Ich halte das allerdings für wenig wahrscheinlich und habe nirgends eine Spur von ihnen entdeckt.«

Er lief weiter, ignorierte die auf ihn gerichteten Waffen und schüttelte eine Zigarette für den Fahrer aus der Packung. Der nahm sie wortlos entgegen. Gaffar entzündete ein Streichholz.

»Gut möglich, dass sie aus der Stadt geflohen sind«, fuhr er fort. »In diesem Fall wird die Wüste meinen Job für mich erledigen.«

Er hielt den anderen die Marlboros hin. Zögernd kamen sie näher. Rapp beobachtete sie aus der Deckung, analysierte ihre Bewegungen, die Art, wie sie ihre Waffe hielten, den Grad ihrer Wachsamkeit. Nachdem alle geraucht hatten, hatte er jedem von ihnen eine Priorität zugeteilt. Natürlich würfelte die Unkalkulierbarkeit des Kriegs sie zwangsläufig durcheinander, aber an irgendetwas musste man sich orientieren.

Gaffar machte seine Sache perfekt. Die Behauptung, dass ihn jeder mochte, erwies sich als zutreffend. Das Gespräch plätscherte entspannt dahin, alle paar Sekunden brach lautes Gelächter aus. Rapp verstand nicht genau, was gesprochen wurde, aber das passte so. Gaffar dämpfte bewusst die Stimme, damit sich die IS-Kämpfer dicht um ihn scharten. Ein hübsch enges Trefferbild – dumm nur, dass er sich dadurch selbst in die Gefechtslinie brachte.

Rapp wartete den nächsten Lachanfall ab und nutzte ihn, um zwei Schüsse kurz hintereinander abzugeben. Er verzichtete auf die bewährten Kopfschüsse – zu auffällig und zu viel Schweinerei – und zielte stattdessen auf den Körperschwerpunkt. Die ersten Patronen galten den Männern, die ihm den Rücken zuwandten, dann visierte er die auf der anderen Seite an. Schuss Nummer drei wurde durch Gaffars Position in der Gruppe verkompliziert. Das Zielen nahm mehr Zeit in Anspruch, als ihm lieb war. Die beiden ersten Opfer waren schon fast zu Boden gegangen, als er endlich abdrückte und einen Tango dicht unterhalb der Stelle traf, an der das Sturmgewehr vor seinem Torso hing.

Der Fahrer stieß einen Warnruf aus. Gaffar reagierte augenblicklich, brüllte etwas von Mohammed und seiner Bande und zog die Waffe. Dabei feuerte er bewusst in die falsche Richtung, um den anderen zu suggerieren, es gäbe einen Schützen südlich von ihnen.

Sie fielen prompt drauf rein und eröffneten das Feuer auf die Fenster des Gebäudes auf der anderen Straßenseite. Holzsplitter, pulverisierter Beton und zersprungenes Glas regneten auf sie herab. Rapp nahm den Rücken des Fahrers ins Visier, drückte ab und fällte ihn. Kein Anführer mehr. Als Nächstes richtete er die Glock auf einen Mann, der auf der Ladefläche des Trucks gesessen hatte und ihm besonders wachsam und athletisch vorkam.

Gaffar zuckte und brach zusammen. Rapp zögerte ganz kurz, weil er mit einem bislang unbemerkten Schützen rechnete, bis er feststellte, dass es zur Show seines arabischen Freundes gehörte. Dieser lag nun auf dem Rücken hinter den restlichen drei Überlebenden.

Rapp widmete sich erneut dem eigentlichen Ziel und legte den Mann um. Zeitgleich schaltete Gaffar dessen Begleiter mit einem Kopfschuss aus. Der letzte IS-Soldat hörte auf zu schießen und blickte sich verwirrt um. Einen Sekundenbruchteil später schlug Rapps Geschoss in seine rechte Schläfe ein.

Es wurde still.

Rapp winkte dem Rest der Gruppe beruhigend zu, bevor er über die Straße rannte, um die Waffen der Gegner aufzusammeln. »Bist du verletzt?«

»Mir geht's gut.« Gaffar stand auf und klopfte sich den Staub von der Kleidung.

Rapp warf ihm ein AK zu und deponierte die restlichen Waffen auf der Ladefläche des Pick-ups. Inzwischen war Shada hinter ihm aufgetaucht. Er half ihr beim Hochklettern. Gaffar setzte sich neben sie und zog die anderen über die seitliche Begrenzung. Mohammed unterstützte Yusuf und stürmte dann zur Beifahrertür.

Bis Rapp aufs Gaspedal trat und den Truck über die Straße schießen ließ, hatte Gaffar alle auf der Ladefläche dazu gebracht, die Waffen so zu halten, dass sie auf einen zufälligen Beobachter wie eine IS-Patrouille wirkten.

»Da«, sagte Mohammed und deutete durch die Windschutzscheibe. »Links abbiegen und wenden. Das bringt uns auf eine Straße, die direkt aus Asch-Schirqat rausführt.«

Rapp folgte der Anweisung, würdigte ihn ansonsten aber keines Blickes. Mit etwas Glück saßen sie innerhalb der nächsten Stunde in einem Hubschrauber und er bekam Mohammed Qarni nie wieder zu Gesicht.

4

Hayk Alghani stand am Rand der Fensterfront und betrachtete den windigen Basar unter sich. Vor ein paar Sekunden hatte er das Aufblitzen von Scheinwerfern bemerkt, doch jetzt herrschte erneut Dunkelheit. Die Intensität der Helligkeit deutete darauf hin, dass es sich nicht um ein vorbeifahrendes Fahrzeug gehandelt hatte, sondern um eins, das anhielt.

Sein Schwindelgefühl verstärkte sich, im Magen rumorte es heftig. Er musste würgen und stürmte ins Badezimmer. Dort riss er den gesprungenen Toilettensitz nach oben und spuckte in die fleckige Schüssel. *Nicht mehr lang,* redete er sich ein. *Bald ist es vorbei.*

Oder doch nicht?

Es stand außer Frage, dass er selbst die Schuld an seiner aktuellen Misere trug, doch der Auslöser schien aus einem anderen Leben zu stammen. Der arrogante junge Mann, der in Sewastopol vor den Behörden geflohen war, um sich dem IS anzuschließen, existierte nicht länger. Vermutlich hatte er nie existiert.

Wie immer bei ihm hatten die aktuellen Probleme mit einer Frau begonnen. Wunderschön und leidenschaftlich – eine überzeugte Muslima, die an nichts anderes als an Gott und den Kampf gegen die Sünde dachte. Obwohl er sich nach Verlassen des Elternhauses im Teenageralter vom Islam abgewandt hatte, faszinierten ihn der kompromisslose Glaube und die unerschütterliche Entschlossenheit. Sie hatte ihn letztlich überzeugt, sich in die einladenden Arme des Dschihad zu begeben und das Leben als Kleinkrimineller einem weitaus größeren Ziel zu opfern: der Erschaffung eines neuen Kalifats.

Nach einer eilig organisierten Hochzeit nutzten sie ihre Kontakte im Internet, um nach Syrien zu reisen, wo sie von IS-Vertretern in Empfang genommen und an einen Ort gebracht wurden, den beide nicht kannten. Es war ihnen egal. Sie befanden sich außerhalb des Einflussbereichs der europäischen Strafverfolgungsbehörden. Er befand sich vollkommen im Bann ihrer Schönheit und ihrer Begeisterung für den radikalen Islam. Egal wo sie landeten, sie würden dort im Dienst Gottes das Böse in der westlichen Welt bekämpfen.

Es fiel ihm nicht sonderlich schwer, den Moment zu bestimmen, in dem alles aus dem Ruder gelaufen war. Ihre Reise, auf der sie sich Assads Todesschwadronen, russischen Kampfflugzeugen und amerikanischen Drohnen entziehen mussten, dauerte viele Tage. Der Schlaf beschränkte sich auf flüchtige Momente in ausgebombten Ruinen oder Höhlen. Schließlich erreichten sie einen Außenposten des IS, dem Zugriff von Ungläubigen entzogen. Mira schloss sich einer Gruppe von Frauen an, um ein Bad zu nehmen. Dort würde sie ihren Tschador ablegen und von ihnen nackt gesehen werden.

Später am selben Tag isolierte man ihn und Mira von den übrigen Rekruten und verfrachtete sie in einen drückend heißen Geländewagen, der nach Westen in die Wüste fuhr. Er wurde zunehmend nervöser, als der Fahrer sich weigerte, Fragen zu beantworten. Mira blieb dagegen vollkommen ruhig. Nichts konnte sie aus der Fassung bringen. Sie vertrat die feste Überzeugung, dass man sie für eine besondere Aufgabe auserwählt hatte und es ihr bestimmt war, den Lauf der Geschichte zu beeinflussen.

Als sie erfuhr, dass der Mullah Sayid Halabi ihnen eine Privataudienz gewährte, reagierte sie mit enthusiastischer Begeisterung. Sie durften also tatsächlich vor den Mann treten, dem Allah so große Liebe zuteilwerden ließ und der die Herzen der Amerikaner mit Furcht und Schrecken erfüllte. Eine enorme Ehre, mit der sie nie gerechnet hatte. Hayk erinnerte sich noch gut, wie sie dem Machthaber ewige Treue geschworen hatte, und an den belustigten Ausdruck in den blassblauen Augen Halabis, die er von den früheren Invasoren seiner Heimat geerbt hatte.

In Miras Augen lag hingegen ein völlig anderer Ausdruck. Entschlossenheit und Dankbarkeit für einen kurzen Moment im Glanz eines ruhmreichen Gottes. Er wich schnell purem Entsetzen, als sie erfuhr, dass ihre Rolle in diesem Konflikt darin bestand, Mitglied von Halabis Harem zu werden. Ihr Betteln hallte bis heute in seinen Ohren nach. Sie flehte ihn an, sie zu retten, während man sie aus dem Zimmer schleifte. Doch es gab nichts, was er hätte tun können.

Sobald sie fort war, fand er sich allein mit dem IS-Anführer wieder. Jeglicher Humor war aus dem Blick seines Gegenübers gewichen. Die Augen wirkten tot. Wie eine Pfütze, die sich in den leeren Augenhöhlen eines Totenkopfs sammelte.

Er hatte dem Mullah hastig und mit Nachdruck seine eigene Verbundenheit versichert und Stolz geäußert, seine junge Frau für diese wichtige Aufgabe zur Verfügung stellen zu dürfen. Als Halabis Männer hereinkamen und sich von hinten näherten, suchte Alghani verzweifelt nach einer Möglichkeit, diese toten Augen ins Leben zurückzuholen.

Das gelang ihm, indem er sein großes Talent für finanzielle Gaunereien zur Sprache brachte. Die subtile Veränderung in der Miene des Mullahs ermutigte ihn. Er ratterte seine Erfolge mit Betrügereien, Geldwäsche und Überweisungen hinter dem Rücken der Kontrollinstanzen herunter. Mit einer Handbewegung stoppte der Mullah seine Männer und läutete damit Alghanis neues Leben ein.

Mehr als ein Jahr verbrachte er in den Diensten von Halabi, baute für ihn finanzielle Netzwerke auf und sammelte Geld von Unterstützern aus der ganzen Welt ein, vor allem jedoch aus Saudi-Arabien. Eine armselige, aber erträgliche Existenz. Bis zu dem Moment, in dem die CIA auf seine Aktivitäten aufmerksam wurde.

Vor drei Monaten hatte er einen Routinebotengang im Bankenviertel von Berlin erledigt, da stürzten sich zwei Männer auf ihn und zerrten ihn in einen Van. Er wachte nackt auf blankem Beton auf, mit Kabelbindern an Händen und Füßen gefesselt. Ohne Licht und ohne Zeitgefühl. Er rief um Hilfe, doch niemand antwortete. Er flehte und bettelte, betete sogar. Irgendwann wurden Kälte, Hunger und Vereinsamung stärker als die Angst vor dem Mullah. Er bot seinen Häschern im Tausch für einen kurzen Moment zwischenmenschlichen Kontakts alles an, was sie verlangten.

Da kam es zu seiner Begegnung mit Mitch Rapp. Der Amerikaner hatte dieselben toten Augen wie Halabi und war ebenso gewaltbereit, doch damit endeten ihre Gemeinsamkeiten. Während der IS-Anführer sprunghaft und unberechenbar agierte und sich ausschließlich darum sorgte, vor dem Schöpfer gut dazustehen, vertrat Rapp den rationalen Gegenpol. Er kannte seine Feinde und wusste, was nötig war, um sie zu bezwingen. Die einzige Frage lautete, ob Alghani ihn bei seiner Mission unterstützen wollte oder lieber eine Kugel in den Kopf kassierte.

Ohne Mira hatte er einmal mehr seinen Glauben verloren. Am Ende war er eben doch nur ein Krimineller. Ein selbstsüchtiger Typ, dem der Islam und das Kalifat letztlich am Allerwertesten vorbeigingen. Er wollte einfach bloß überleben.

Rapp bot ihm diese Möglichkeit an. Nachdem er gegenüber der CIA alles auf den Tisch gepackt hatte, wurde er zurück zum IS gebracht, ausgestattet mit der Anweisung, regelmäßig Bericht über die Missionen zu erstatten, die er für die Terroristen erledigte. Als er der Agency die Einzelheiten des Treffens in Rabat schilderte, entschied Rapp, dass er sich den Kurier schnappen wollte. Im Gegenzug versprach er, Alghani die Freiheit zu schenken.

Es klopfte leise an der Vordertür. Alghani wusch kurz seinen Mund aus und lief dann durch das leere Apartment. Kaum hatte er den Knauf gedreht, da drängte ein kräftiger Kerl im dunklen Anzug in den Raum. Er schritt rasch die Räume ab und kontrollierte, ob irgendetwas nicht stimmte. Anschließend drängte er Alghani gegen die Wand und filzte ihn. Außer einem Handy trug er nichts bei sich. Der Besucher nahm es ihm ab, holte den Akku heraus und ließ beides auf den Boden fallen. Überzeugt davon, sich in einer abhörfreien Zone aufzuhalten, zog er sich in die Zimmerecke zurück und sprach in ein Mikrofon am Handgelenk.

Ein paar Sekunden später betrat ein weiterer Mann die Wohnung. Er war grundsätzlich dünn, abgesehen von einer Wampe, die über seinen Gürtel ragte, der mehr zu kosten schien, als die meisten Leute in einem Jahr verdienen. Instinktiv wich Alghani einen Schritt zurück.

Ein befriedigtes Lächeln schlich sich auf die Lippen des anderen. Wer waren sie? Man hatte ihm das Kommen eines einzelnen Kuriers angekündigt. Einen Ägypter, Mitte 50, der fast so viel über die entscheidenden Unterstützer des IS wusste wie Mullah Halabi selbst. Hatte die CIA ihn verraten? War der Mullah seinem Verrat auf die Schliche gekommen? Sollten diese Männer ihn töten?

Alghani wollte sich noch weiter zurückziehen, da fiel ihm der Aktenkoffer in der Hand des Neuankömmlings auf. Weil er über beträchtliche Erfahrung mit solchen Transaktionen verfügte, erkannte er, dass der Koffer genau die richtige Größe aufwies, um den angekündigten Geldbetrag zu enthalten. Eine Million US-Dollar.

»Sie haben das Geld?«, fragte er und hoffte, dass ihm die Antwort verriet, was hier eigentlich vor sich ging.

»Natürlich«, erwiderte der Besucher. »Ich bedaure allerdings, dass Mullah Halabi nicht persönlich kommen konnte. Er und ich haben eine Menge zu bereden. Die Errichtung des Kalifats und die Verbreitung der einzig wahren Religion sind keine Lappalie. Zumal die westlichen Mächte ein starker Gegner sind.«

Alghani nickte unterwürfig. Er hatte den anderen anfangs für einen reichen Unternehmer aus Saudi-Arabien gehalten, doch jetzt erkannte er, dass er mit dieser Annahme falschlag. Die majestätische Haltung, das fast schon ins Groteske übersteigerte Selbstbewusstsein und die Leichtsinnigkeit, den Ägypter außen vor zu lassen und die Übergabe persönlich vorzunehmen. Keine Frage, vor ihm stand ein junger Prinz.

Alghani hatte oft mit solchen Adligen zu tun gehabt, sowohl in seiner aktuellen Funktion als auch in seinem früheren Leben im Zuge einiger windiger

Immobiliendeals. Was ihn betraf, waren sie alle gleich. Nutzlos, arrogant und dumm. Sie bildeten sich ein, allein aufgrund ihrer privilegierten Herkunft über dem Rest der Menschheit zu stehen. Das machte sie zu idealen Zielen für Bestechungen, zumal sie in ihrer Selbstüberschätzung gar nicht merkten, dass sie in einem Kalifat unter Sayid Halabi zu den ersten Todesopfern zählen würden.

Aktuell stürzte die Anwesenheit des Adligen ihn jedoch in eine gewaltige Misere. Er hatte Rapp den Ägypter versprochen, keinen verwöhnten Jüngling. Wahrscheinlich würde der CIA-Mann glauben, er habe ihn gelinkt, und einen Rückzieher von seinem Versprechen machen, ihn in die Freiheit zu entlassen.

Der Mann hielt ihm den Koffer hin. »Ein Geschenk von mir für Ihren Anführer. Der erste Schritt, um die Amerikaner in eine Schlacht zu verwickeln, die sie auf keinen Fall gewinnen.«

Alghani nahm das Case entgegen und wog es in den Händen. Etwa zehn Kilogramm, das passte. Er rechnete damit, dass der junge Saudi sich nun umdrehte und für immer aus seinem Leben verschwand, doch stattdessen quasselte der Idiot munter weiter.

»Wir werden die amerikanischen Feiglinge von außen bekämpfen, während wir sie zeitgleich von innen zerstören. Ich kenne sie gut. Ich erhielt meine Bildung im Westen und unterhalte viele geschäftliche Kontakte in die Vereinigten Staaten. Das amerikanische Volk ist schwach und leicht zu manipulieren. Sie betrachten alles nur kurzfristig. Auf fünf, maximal zehn Jahre. Wir wissen, dass solche Zeiträume bedeutungslos sind. Allah ist ewig und belohnt die Geduldigen. Wir werden den Westen innerhalb der nächsten 50 Jahre besiegen. Möglicherweise dauert es auch 100 oder sogar 1000. In jedem Fall wird ihre Zivilisation unter der Last ihrer eigenen Frevel zusammenbrechen, weil es an Zusammenhalt fehlt. Wir hingegen werden aufsteigen und ihren Platz übernehmen.«

»Gepriesen sei Allah«, erwiderte Alghani und überlegte, warum dieser Bursche nicht endlich abhaute. Was brachte es ihm, den Abschied hinauszuzögern? Es gab definitiv sicherere Orte, um sich selbst beim Reden zuzuhören.

»Wie ich schon sagte, ich kenne die Amerikaner«, fuhr der Besucher unverdrossen fort. »Besser als sie sich selbst kennen. Ich möchte dem Mullah meine Dienste anbieten. Wenn er den Westen zerstören will, muss er ihn zunächst durchschauen. Seine Herkunft …« Die Stimme des Saudis verebbte. »… dürfte dafür sorgen, dass ihm das schwerfällt.«

Alghani musste sich zwingen, ruhig zu bleiben. Halabi hatte eine Koranschule besucht, eine Madrasa, vermutlich finanziert durch das Vermögen seiner Familie. Tatsächlich mangelte es dem Mullah an direkter Erfahrung mit dem Westen, aber er hatte beträchtliche Territorien zurückerobert, die unter seinem Vorgänger verloren gegangen waren, und komplexe Befehls- und Kontrollstrukturen errichtet, deren wahre Ausmaße der Welt erst jetzt dämmerten. Was hatte dieser verwöhnte Knabe, der vor ihm stand, je erreicht? Seine einzige Verantwortung bestand vermutlich darin, Schecks einzulösen, die ihm geschickt wurden, und nicht alles auf einmal in europäischen Kasinos zu verzocken.

»Ich werde den Mullah über Ihr großzügiges Angebot informieren, wenn ich ihn das nächste Mal sehe. Ich bin sicher, er wird Ihre Ratschläge sehr zu schätzen wissen.«

Wie die meisten seiner Art ließ sich der Typ leicht Honig ums Maul schmieren. Er lächelte herablassend und winkte seinen Bodyguard heran. Kurz darauf waren die zwei endlich verschwunden.

Alghani öffnete den Aktenkoffer und leerte die Bündel amerikanischer Scheine auf den Boden, bevor er den Akku auflas und wieder ins Handy einsetzte. Er stellte sich ans Fenster, spähte nach draußen und versuchte, den keuchenden Atem zu beruhigen. Einige Momente später flackerten Scheinwerfer auf und entfernten sich. Dunkelheit und Stille senkten sich über das Apartment. Er lief zur Tür, zögerte jedoch mit der Hand am Knauf.

Was sollte er als Nächstes tun? Rapps Leute anrufen und ihnen berichten, dass nicht der erwartete Mann zum Treffen erschienen war? Oder doch lieber flüchten? Was versprach die besten Chancen, sich für immer der Kontrolle von Sayid Halabi zu entziehen und – fast noch wichtiger – der Kontrolle von Mitch Rapp?

5

ASCH-SCHIRQAT, IRAK

»Wiederhol das bitte«, sprach Rapp ins Kehlkopfmikro. »Die Verbindung war kurz weg.«

Keine Antwort.

Obwohl er vom ursprünglichen Plan abweichen und den Truck kapern musste, lief der Einsatz erstaunlich reibungslos. Mohammeds Ortskenntnisse hatten sie unbemerkt aus der Stadt gebracht, ohne dass sie sich ein einziges Mal verfuhren oder von jemandem gesehen wurden. Asch-Schirqat schrumpfte in fünf Meilen Entfernung langsam im Rückspiegel und er schätzte, dass es noch etwa sechs weitere bis zur Landezone waren. Die Straße befand sich in besserem Zustand, als es die Unterlagen der CIA-Analysten angedeutet hatten, und der tiefergelegte Pick-up meisterte die Strecke ohne nennenswerte Schwierigkeiten. Sie schafften zwar kaum mehr als 30 Sachen, aber immerhin fielen die Räder nicht ab und mit den Bremsen schien auch alles in Ordnung zu sein.

»Marcus! Meld dich!«

»Warte …«, drang es von statischem Knistern unterbrochen aus dem Headset. »Ich flick grad …«

Marcus Dumond war ein Hacker, der im Gefängnis säße, wenn Rapp nicht eingegriffen und ihm einen Job verschafft hätte. Im Laufe der Zeit hatte er seine Fähigkeiten immer stärker ausgespielt und seine unschätzbaren Talente wiederholt unter Beweis gestellt. Letztlich war er ein Opfer des eigenen Erfolgs. Er hasste es, mit Situationen konfrontiert zu werden, in denen es um Leben und Tod ging, und verstand so gut wie nichts von militärischer Taktik. Dafür gab es keinen, der ihm in Sachen Technik das Wasser reichen konnte.

»Die Funkblockade der Army auszutricksen, ist echt scheißschwer«, fluchte er, als er sich wieder meldete. Das Militär tat alles, um elektronische Kommunikation in den IS-besetzten Gebieten zu blockieren. Dumond hatte einen verschlüsselten Kurzwellensender improvisiert, um mit ihnen zu kommunizieren. Blöderweise klappte das nur sporadisch.

»Ich hör dich wieder«, sagte Rapp und knallte in eine tiefe Spurrille, die ihm die schwächelnden Scheinwerfer vorenthalten hatten. Er vergewisserte sich mit einem Schulterblick, dass es niemanden von der Ladefläche gefegt hatte. Gaffar schien den Grund der Bewegung zu erahnen und bestätigte mit einem kurzen Klopfen an den Wagenhimmel, dass alle an Bord waren.

»Die gute Nachricht ist, dass der Heli pünktlich unterwegs ist«, meldete Dumond.

»Und die schlechte?«

»Eine Patrouille kommt euch von Norden auf derselben Straße entgegen.«

»Wie weit sind sie noch entfernt?«

»Maximal zwei Meilen. Du dürftest bald ihre Scheinwerfer sehen.«

»Hast du 'nen Vorschlag für 'ne Ausweichstrecke?«

»Nein. Vielleicht fährst du einfach ein paar Hundert Meter neben der Straße her? Dann rauschen sie mit Glück an euch vorbei.«

»Es wär ein Wunder, wenn ich in diesem Gelände mehr als zehn schaffe.«

»Das geht denen umgekehrt aber genauso. Versucht es einfach, so weit ihr kommt, und rennt den Rest zur Landezone zu Fuß. Sie werden euren Truck zwar bestimmt bemerken und die Verfolgung aufnehmen, aber wenn ihr lauft, so schnell die Füße euch tragen, habt ihr locker ein paar Meilen Vorsprung. Es gibt zwar ein paar holprige Abschnitte, aber keine massiven Steigungen.«

Mit Colemans Team wäre das eine seiner leichtesten Übungen gewesen, aber diese lahme Truppe würde garantiert innerhalb von fünf Minuten eingeholt.

»Keine Chance.«

»Dann fällt mir auch nichts mehr ein, Mitch. Eins kann ich dir allerdings versprechen: Wenn ihr einfach weiterfahrt, landet ihr direkt in deren Armen.«

Rapp fluchte leise. »Was ist in der Stadt los?«

»Ich hab die Drohne über euch positioniert, deshalb krieg ich das nur am Rand mit. Sie haben auf jeden Fall das Chaos entdeckt, das ihr hinterlassen habt. Patrouillen suchen die direkte Umgebung ab. Ein Fahrzeug scheint euren Fluchtweg abzufahren, wie auch immer sie das hinkriegen, aber die sind zu langsam, um für euch zum Problem zu werden.«

Das musste nicht zwangsläufig stimmen, wie Rapp wusste. Die USA hatten zwar erfolgreich alle Mobilfunk- und Satellitenverbindungen lahmgelegt, aber per Funk ließ sich trotzdem eine primitive Kommunikation aufrechterhalten. Gut möglich, dass die Patrouille, die auf sie zukam, über die Vorgänge in der Stadt unterrichtet war und gezielt nach ihnen suchte.

»Verstanden. Bleib auf Empfang.«

Rapp sah zu Mohammed und wechselte zu Arabisch. »Eine Patrouille kommt auf uns zu.«

»Eine Patrouille?« Der andere zappelte nervös auf dem Sitz. »Was machen wir? Hier gibt es weit und breit keine Abzweigungen. Sie …«

»Beruhige dich. Uns passiert schon nichts. Allerdings wirst du mich gleich am Steuer ablösen müssen. Fahr einfach stur geradeaus und halt dich an die Anweisungen, die ich dir für die Landezone gegeben habe.«

»Ich versteh nicht.« Er stammelte hektisch. »Warum soll ich fahren? Was wirst du tun? Wo wirst du sein?«

Rapp ignorierte ihn und klopfte mit der Faust gegen die Scheibe hinter sich. Einen Augenblick später schob Gaffar das bärtige Gesicht ins geöffnete Fenster auf der Fahrerseite.

»Gibt's ein Problem, Mitch?«

»Kann sein, kann auch nicht sein. Eine Patrouille nähert sich von vorn. Sag allen, sie sollen ein freundliches Gesicht machen.«

Er nickte und gab die Anweisung an seine Leute weiter.

»Mitch …«, hob Mohammed an.

»Nicht jetzt«, würgte dieser ihn ab. Ein leichtes Glimmen wurde in einiger Entfernung sichtbar, doch es lag nicht an der Patrouille, dass er das Lenkrad fester umklammerte. Sondern an Mohammeds Miene, die er im Augenwinkel wahrnahm.

»Ich muss dich etwas fragen.«

Rapp schwieg weiter und hoffte, dass der junge Iraki den Faden verlor, sobald er sich gedanklich mit dem näher kommenden Gegner beschäftigen musste. Leider wurde diese Hoffnung enttäuscht. Mohammed wollte vor seinem Tod unbedingt erfahren, wie seine Schwester umgekommen war.

»Was ist mit Laleh passiert, Mitch? Wir fanden General Mustafa erstochen vor. Ihre Leiche lag mit einer Schusswunde in der Brust daneben. Du bist dort gewesen, oder? Wann wurde sie getötet?«

Erneut gab Rapp keine Antwort. Das andere Fahrzeug schien ihn ärgern zu wollen. Es näherte sich wie in Zeitlupe. Das Verhör blieb ihm nicht erspart.

»Sie hatte ein Messer«, offenbarte er schließlich. »Ich hatte es anfangs übersehen. Sie stach damit auf Mustafa ein.«

Mohammed nickte. Ein rachsüchtiges Lächeln deutete sich im schwachen Glimmen des Armaturenbretts nur an. »Mein Bruder glaubt, du hättest dieses Schwein umgebracht. Ich habe es längst geahnt. Laleh war die Stärkste von uns. Schon als Kind.«

Rapp trat das Gaspedal stärker durch, doch der Truck reagierte kaum. Selbst bergab waren 50 km/h das Höchste der Gefühle.

Das Schweigen zwischen ihnen dehnte sich einige Sekunden, dann brach Mohammed es. »Also hat eine von General Mustafas Wachen sie erschossen?«

Rapp hätte lügen können. Niemand hätte es je erfahren. Er war der einzige lebende Zeuge.

»Mitch?«

»Nein, es war keine der Wachen.« Seit dem Moment, als er zu Mohammed und seiner Gruppe zurückgekehrt war, wusste er, dass an diesem Gespräch kein Weg vorbeiführte. Und er hatte schon lange vor seinem Abflug in den Irak entschieden, was er sagen wollte. Laleh verdiente es, dass man ihre Geschichte erfuhr. Die wahre Geschichte.

»Wer sonst?«

»Ich habe sie erschossen. Der General verblutete auf dem Fußboden. Seine Wachen wollten sie verschleppen.«

Er hatte nicht geahnt, wie Mohammed auf diese Enthüllung reagierte. Es überraschte ihn, als der andere lediglich etwas tiefer im Sitz versank.

Wo zum Teufel blieb die Patrouille? Alles war ihm lieber, als diese Unterhaltung über Laleh in die Länge zu ziehen. Er fing gerade an, nachts halbwegs durchzuschlafen, ohne ständig von der Erinnerung an sie hochzuschrecken.

»Ich weiß, was der IS mit Frauen macht, die sich ihm widersetzen«, sagte Mohammed schließlich. »Genau wie du habe ich es persönlich mitbekommen. Ich habe gesehen, wie sie ihre Körper zurichten.«

Er legte Rapp eine Hand auf die Schulter. »Ich und mein Bruder sind die einzigen Überlebenden unserer Familie. In unser beider Namen möchte ich dir danken, dass du den Mut aufgebracht hast, das zu tun, was getan werden musste. Ich weiß, wie schwer einem Amerikaner so etwas fallen muss. Selbst einem wie dir.«

Ein Scheinwerferpaar tauchte über der Kuppe vor ihnen auf. Rapp überlegte, ob das Erdreich am Wegrand stabil genug war, um dorthin auszuweichen, falls die Patrouille die Fahrspur blockierte. Keine Chance. Der verwehte Sand bildete kleine Dünen, die kontinuierlich steiler wurden.

»Was sollen wir tun?«, erkundigte sich Mohammed nervös.

»Nichts. Bleib fürs Erste einfach sitzen.«

Die Intensität der Scheinwerfer nahm zu. Rapp klappte die Sonnenblende nach unten, damit ihm die Nachtsicht nicht vollständig genommen wurde. Er fuhr so weit rechts, wie er sich traute, und ließ einen Fuß über dem Bremspedal schweben, um sofort reagieren zu können, wenn das andere Fahrzeug sich auf der Straße quer stellte. Als es noch etwa 100 Meter entfernt war, erkannte er, dass es sich um einen ähnlichen Wagen wie ihren handelte – einen kleinen Pick-up mit zwei Männern in der Fahrerkabine und Verstärkung auf der Ladefläche. Falls der Fahrer kein völliger Idiot war, würde er ein überhastetes Manöver vermeiden, um nicht zu riskieren, dass seine Passagiere auf die Straße geschleudert wurden.

Als es nur noch 50 Meter waren, nestelte Mohammed an der Pistole an der Hüfte herum. »Bist du sicher, dass wir nicht …«

»Mach keine Dummheiten!«

Er hörte, wie Gaffar einen Gruß rief, der nicht erwidert wurde. Die Typen im Truck starrten sie im Vorbeifahren bloß an. Rapp lenkte den Blick auf die Mitte der Straße zurück und konzentrierte sich auf den Rückspiegel. 25 Meter. 50 …

Plötzlich kauerten sich die Männer auf der Ladefläche des IS-Trucks zusammen, als gingen sie in Schuss-position.

»Shit …«

»Was denn?« Mohammed drehte sich gerade um, als das andere Fahrzeug zum Wenden ansetzte.

Rapp trat das Gaspedal voll durch, ohne dass der Motor großartig reagierte, während sich der Truck hinter ihnen abmühte, die Drehung zu vollenden, ohne stecken zu bleiben.

»Übernimm das Steuer«, befahl er, riss die Fahrertür auf und stellte sich aufs Trittbrett. Gaffar hatte die Situation bereits erfasst und sammelte Magazine von seinen verängstigten Mitfahrern ein.

»Alles klar, jetzt pass gut auf«, sagte Rapp zu Mohammed, während dieser auf den Fahrersitz glitt. »Wir fahren den Hügel rauf. Sobald wir hinter der Kuppe sind, bremst du lang genug, dass Gaffar und ich abspringen können. Am besten benutzt du die Handbremse, damit keine Bremslichter angehen. Ver-standen?«

Ein abgehacktes Nicken, während er das Steuer auf zwei und zehn Uhr umklammert hielt. Rapp schob sich auf die Ladefläche und nahm ein Sturmgewehr samt drei Magazinen in Empfang.

»Wie lautet der Plan?«, brüllte Gaffar über den Wind hinweg.

»Wir steigen aus. Du rennst die Steigung östlich der Straße rauf, ich verschanz mich im Sand auf der Westseite. Du schießt zuerst. Treib sie zu mir.«

Gaffar nickte.

Das Patrouillenfahrzeug hatte es geschafft zu wenden. Der Motor röhrte auf, als der Fahrer ihn ans Limit trieb. Im Gegensatz zu der abgewrackten Servicekarre, in der sie festsaßen, fuhren die Gegner einen modernen Toyota Tacoma. Bis Mohammed die Hügelkuppe erreichte und bremste, hatten sie den Abstand bereits auf die Hälfte reduziert.

Die Geschwindigkeit ließ sich in der Dunkelheit nur schwer abschätzen. Darum blickte Rapp durchs Zwischenfenster und wartete, bis die Nadel auf dem Tacho die 25-km/h-Grenze unterschritt. Im selben Moment schleuderte er sein AK seitlich nach draußen, hechtete hinterher und rollte sich in den weichen Sand neben der Fahrspur ab. Gaffar, schwerer und weniger athletisch, landete deutlich unsanfter und wälzte sich mit schmerzverzerrtem Gesicht, bevor er liegen blieb.

Rapp sammelte beide Waffen ein und rannte zu ihm.

»Lebst du noch?«

»Alles klar.« Auf wackeligen Beinen mühte er sich aufzustehen.

Rapp griff nach den Händen des anderen und zog daran. Gaffar schaffte es, sich aufzurichten und das Gleichgewicht zu halten. Er wirkte lediglich etwas benommen. Keine bleibenden Schäden.

Rapp reichte ihm eins der Sturmgewehre. Ihnen blieb kaum noch Zeit. Das Motorengeräusch wurde lauter.

Der Iraki rannte zum Hügel am Straßenrand, während Rapp sich in die Wüste auf der anderen Seite zurückzog. Er spähte über die Schulter und stellte fest, dass Gaffar es nach oben geschafft hatte. Er wirkte absolut konzentriert. Der Scheinwerferkegel rückte bedrohlich näher. Das machte Rapp zum einen nervös, ließ ihn zum anderen aber deutlich schneller über den unebenen Untergrund spurten. Er überwand eine kleine Düne und warf sich auf der anderen Seite flach auf den Bauch.

Auf die näher kommenden Frontlichter zu zielen war suboptimal, aber Gaffar musste nicht besonders genau schießen. Es reichte, wenn die Kerle sich vor Angst in die Hose pissten.

Der Truck fegte so schnell um die Kurve vor dem Gipfel, dass er fast auf zwei Rädern fuhr. Er hatte gerade wieder genug Traktion, da eröffnete Gaffar das Feuer auf die Windschutzscheibe. Bedauerlicherweise hielten sich die Männer auf der Ladefläche gut fest und blieben, wo sie waren. Das Fahrzeug wurde allerdings deutlich langsamer, als der Kopf des Fahrers aufs Lenkrad sackte, und kam von der Straße ab. Die Männer hinten sprangen reaktionsschnell ab, insgesamt acht an der Zahl, offenbar alle unverletzt. Im Gegensatz zu den beiden im Führerstand, die tot oder zumindest schwer verletzt zu sein schienen.

Vier wandten sich der Anhöhe zu und gingen direkt unterhalb von Gaffars Position in Lauerstellung, die andere Hälfte kam direkt in Rapps Richtung. Gaffar schaltete einen der Tangos aus 15 Metern Entfernung aus, eher ein Glückstreffer. Die Scheinwerfer des

Trucks waren beim Aufprall gegen einen der Sandhügel erloschen. Kein Wunder, dass Gaffar die geduckt rennenden Männer, allein vom Mondschein erhellt, nicht zuverlässig traf.

In Rapps Ohrmuschel knackte es, doch diesmal meldete sich nicht Marcus Dumond, sondern Fred Mason, sein bevorzugter Hubschrauberpilot für knifflige Einsätze. »Mitch, ich bin gleich bei euch. Südwestlich von der Landezone ist 'ne Menge Trubel. Habt ihr da grad Staub aufgewirbelt?«

»Bestätigt.«

»Braucht ihr Unterstützung?«

Die drei verbliebenen Männer, die es auf ihn abgesehen hatten, waren bis auf wenige Meter herangekommen. Rapp deckte sie mit einer 90-Grad-Salve ein. Zwei fällte er auf Anhieb, doch einer schaffte es noch ein paar Schritte weiter, ehe er im Sand direkt vor ihm zusammenbrach.

»Nein. Behalt deinen Kurs bei. Deine Fracht trifft in etwa 15 Minuten an der LZ ein.«

»Wie steht's mit dir?«

»Das werd ich spontan entscheiden.«

Die am Fuß der Anhöhe verschanzten Gegner hatten das Aufblitzen der Gewehrmündung bemerkt und schlugen sich zur Düne durch, hinter der Rapp lauerte. Die Leiche vor ihm wurde von Einschlägen getroffen. Behende glitt er ein paar Meter zurück und robbte nach Süden. Nach einigen Sekunden verstummten die Waffen. Die Terroristen konnten zwar nicht sehen, ob er tot war, wollten aber nicht unnötig Munition verschwenden.

Nachdem er knapp 50 Meter zurückgelegt hatte, schwang Rapp das Gewehr auf den Rücken und spurtete über die Straße, um Gaffar zu unterstützen. Der Anstieg beanspruchte mehr Zeit, als ihm lieb war, aber er durfte auf keinen Fall durch Geräusche auf sich aufmerksam machen. Nicht wegen der Arschlöcher vom anderen Truck, sondern wegen Gaffar. Da sie keine Möglichkeit hatten, miteinander zu kommunizieren, würde er auf jeden zielen, der sich ihm näherte.

Rapp wich ein Stück seitlich in die Wüste aus, bevor er sich dem Begleiter von hinten näherte. Er bewegte sich ganz langsam, achtete sorgfältig auf jeden Tritt und entdeckte nach weiteren drei Minuten den Iraki am Rand des Vorsprungs. Rapp trat auf ihn zu und schob eine Hand auf seinen Rücken.

Gaffar wollte herumwirbeln, doch Rapp hielt ihn fest. »Ganz ruhig. Ich bin's.«

Der Araber stieß einen langen, zittrigen Seufzer aus. »Tu so was nie wieder.« Der Amerikaner glitt neben ihn.

»Sie rühren sich nicht?«

»Nein. Sie scheinen sich da, wo sie sind, ganz wohlzufühlen. Wir müssen davon ausgehen, dass sie Verstärkung angefordert haben.«

Rapp nickte, ohne dass es sein Begleiter in den Schatten bemerkte. »Wie schnell kannst du rennen?«

»Bei der Armee war ich im gesunden Mittelfeld meines Jahrgangs.«

Also nicht besonders schnell.

Rapp aktivierte das Kehlkopfmikro. »Marcus, hörst du mich?«

»Ja, ich höre.«

»Hast du uns auf dem Schirm?«

»Ihr seid schwer zu übersehen.«

»Nähern sich weitere Gegner?«

»Vier Trucks. Alle randvoll. Sind in etwa zehn Minuten bei euch.«

»Kannst du in der Wüste zuverlässig die Position eines Mannes nachverfolgen?«

»Mit Wärmesensoren kein Problem.«

»Okay, ich geb mein Funkgerät an Gaffar weiter. Du musst ihn zur Landezone navigieren. Er spricht allerdings kein Englisch, also musst du dir einen Übersetzer organisieren.«

»Klar, Mitch. Kein Problem.«

»Fred«, funkte Rapp. »Hörst du mich?«

»Bestätigt.«

»Lagebericht.«

»Ich kann eure Leute sehen und bin bereit zur Landung.«

»Sammle sie ein und heb ab. Halt dich bereit.«

»Roger.«

Er pulte das Earpiece aus dem Ohr und gab es Gaffar. »Die Landezone liegt in östlicher Richtung. Knapp acht Kilometer, mäßig anspruchsvolles Terrain. Leg trotzdem ein anständiges Tempo vor, pass auf, dass du dich nicht selbst in die Luft jagst, und fall nicht in irgendwelche Gruben.«

»Was wirst du tun?«

»Die Typen lang genug aufhalten, um dir einen guten Vorsprung zu verschaffen.«

»Nein, ich lass dich nicht allein. Wir sollten ...«

»Du kannst mir hier nicht helfen. Geh schon, ich hol dich später ein.«

Der Araber wandte sich zögernd um und kroch ein paar Meter weiter, bevor er sich aufrappelte und in ein zügiges Lauftempo verfiel.

Rapp gewöhnte sich an das plötzliche Schweigen. Es ging kein Wind mehr und nichts um ihn herum regte sich. Er war komplett auf sich allein gestellt. Eine angenehme Abwechslung nach dem anstrengenden Babysitter-Job der letzten Stunden.

Es dauerte nicht lange, bis seine friedliche Illusion zerschmettert wurde. Nicht vom Geräusch sich nähernder Trucks, sondern von einem leisen Rascheln unter ihm. Kurz darauf erhaschte er die schattigen Umrisse eines Mannes, der für den Bruchteil einer Sekunde die Deckung verließ und sofort zurückzuckte. Rapp wartete ab. Kurz darauf wiederholte sich das Spiel. Diesmal zeigte sich der andere etwas länger. Wieder verzichtete Rapp auf jede Reaktion.

Endlich löste sich die Silhouette von der Umgebung des Trucks und kletterte langsam die Anhöhe hinauf. Rapp ließ ihn in der Hoffnung, dass seine Begleiter durch die trügerische Sicherheit leichtsinnig wurden und ihm folgten. Als der andere schon kurz vor Rapp war, zeigte sich jedoch, dass die anderen Überlebenden nichts riskierten und die angeforderte Verstärkung abwarteten.

Er gab einen einzigen Schuss ab und traf den Gegner im Magen. Er überschlug sich mehrmals und landete unten am Straßenrand. Einige Schreie folgten, doch keiner war dumm genug, dem verwundeten Kameraden zu Hilfe zu eilen. Kaum überraschend. Nun, er hatte es wenigstens probiert.

Einige Minuten verstrichen lautlos, dann erschienen die ersten Scheinwerfer im Süden. Rapp verfolgte ihre Annäherung, während im Tal aufgeregtes Geplapper einsetzte. Insgesamt vier Fahrzeuge. Gaffar musste mit dem aktuellen Vorsprung auskommen.

Rapp stand auf und lief in die Wüste, bevor der Konvoi unter ihm auf der Straße hielt. Er ging davon aus, etwa doppelt so schnell wie Gaffar zu sein. Allerdings musste er etwas langsamer machen, weil die einzige Möglichkeit, die Landezone zu finden, im Nachverfolgen der Spuren im fahlen Mondlicht bestand.

Er war höchstens einen halben Kilometer weit gekommen, da setzten die Schüsse ein. Die Verstärkung schien kein Risiko eingehen zu wollen und ballerte im Vollautomatikmodus drauflos. Egal, das juckte ihn nicht. Vermutlich pulverisierten sie den Felsvorsprung, hinter dem er sich eben noch verschanzt hatte, und stürmten dann die Position mit voller Mannstärke. Der IS war nicht gerade für subtile Methoden bekannt.

Er legte weitere 500 Meter zurück und verlor Gaffars Fußabdrücke auf einem Felsplateau kurzzeitig aus den Augen. Da er ihn für clever genug hielt, nicht wahllos die Richtung zu wechseln, lief er stur geradeaus weiter und entdeckte kurz darauf weitere Spuren im Sand auf der anderen Seite.

Allerdings gab es nicht nur gute Nachrichten. Hinter ihm rückten mehr als zehn Lichtkegel von Taschenlampen näher. Der vordere Mann nutzte die künstliche Beleuchtung optimal aus und schien rasch aufzuholen. Rapp überlegte kurz, Gaffars Spuren zugunsten der Geschwindigkeit links liegen zu lassen, doch das wäre zu diesem Zeitpunkt unklug gewesen. Vor ihm lag noch ein längerer Abschnitt Wüste.

Im Osten zeigte sich ein matter Glanz am Horizont. Dank des zusätzlichen Lichts kam er schneller voran, allerdings beraubte es ihn auch seiner Deckung. Er blickte sich um und veranschlagte den Abstand des nächsten Verfolgers auf mindestens 600 Meter. Ein machbarer Schuss mit passender Ausrüstung und entsprechendem Training, aber damit rechnete er bei diesen Gegnern nicht. Die warfen nichts als jugendlichen Dschihadi-Übermut in die Waagschale.

Die Frage war trotzdem, wie lange er noch durchhielt. Hatte Marcus ihn bereits geortet? War Fred in der Lage, notfalls mitten in eine Streitmacht von geschätzt 30 Bewaffneten hineinzufliegen?

Seine Frage wurde quasi sofort beantwortet. Das Donnern von Rotoren ertönte direkt vor ihm. Dank der aufziehenden Dämmerung beschleunigte er die Schritte, so schnell es die Lunge hergab, und vergrößerte den Abstand zwischen sich und den Jägern. Er musste nur noch etwas an Höhe gewinnen, damit der Chopper kurz aufsetzen und ihn an Bord nehmen konnte.

So lange schien Mason nicht warten zu wollen. Er fegte über ihn hinweg und wich nach Norden aus, bis der Lärm der Bordkanone die Luft erschütterte. Rapp schaute sich um und bekam mit, wie das Licht der Laserzieleinheit über die IS-Truppe strich. Er stürmte weiter, ließ das Gewehr fallen, um so viel Ballast wie möglich loszuwerden, und lief einen steilen Abhang hinab. Ein riskantes Manöver, weil die Terroristen sich damit kurzzeitig über ihm befanden, aber die hatten aktuell andere Sorgen.

Die Bordkanone verstummte und wurde vom Flattern der Rotoren abgelöst. Der Heli flog niedrig genug, dass der Druck der Fallwinde ihn erreichte. Die Kufen schwebten noch 60 Zentimeter über dem Boden, da warf Rapp sich bereits durch die Luke. Mason zog den Vogel rauf, während Mohammed seinen restlichen Körper in den Vogel hievte. Gaffar eröffnete erneut das Feuer. Die Terroristen brachten ein paar Schüsse zustande, doch keiner davon landete auch nur halbwegs in ihrer Nähe. Sie flogen dem Sonnenaufgang entgegen.

6

Rabat, Marokko

»Der Saudi und seine Männer sitzen wieder im Auto und sind unterwegs«, teilte Charlie Wicker über Maslicks Knopf im Ohr mit. »Alghani schwirrt in nördlicher Richtung ab. Er hat zwar den Aktenkoffer dabei, aber der ist so leicht, dass kein Geld drin sein kann.«

»Verstanden. Gib mir Bescheid, wann ich loslegen soll.«

»In etwa einer Minute.«

»Okay.«

Maslick hätte es vorgezogen, den Kurier während des Treffens mit Alghani auszuschalten, aber da kamen zu viele unkontrollierbare Faktoren ins Spiel. In dem Wohnhaus lebten nicht weniger als 30 Menschen, darunter neun Frauen und zwölf Kinder. Außerdem ging es in dem Basarviertel zu beengt zu, um mit einem Fahrzeug durchzukommen. Sie hätten also zu Fuß reingehen und die Zielperson zurück zum Wagen schleifen müssen. Zwar herrschte zu dieser Stunde nicht so viel Betrieb auf den Straßen, aber in ihrem Metier schlug Murphys Gesetz stets dann zu, wenn man es am wenigsten brauchen konnte.

Die Strategie, für die sie sich am Ende entschieden, war ziemlich simpel. Für seinen Geschmack waren solche Vorgehensweisen die besten. Es gab nämlich nur einen Fluchtweg, der für den Rückzug des Kuriers infrage kam – eine Gasse, kaum breit genug für ein Auto. Maslick sollte sich dem Mercedes von vorn nähern, McGraw von hinten. So wollten sie das Zielfahrzeug direkt unterhalb von Wicks Posten auf dem Dach einkesseln, den Hurensohn rausholen und verschwinden. Im Idealfall dauerte das kaum eine Minute. Mit etwas Glück bekam niemand etwas davon mit.

Doch dieser elegante, kleine Plan hatte sich gerade in einen Haufen Scheiße verwandelt. Statt eines dürren Ägypters mittleren Alters, der in einem mobilen Schrotthaufen durch die Gegend fuhr, bekam er es mit drei Männern zu tun – zwei davon eindeutig bewaffnet –, die sich in einem gepanzerten Fahrzeug verschanzten.

»Mas, du hast ein Go«, erklang Wickers Stimme im Ohr.

Er ließ den Motor an und lenkte den Wagen auf die dunkle Straße. Ein Mann mit Hackenporsche schlurfte in seine Richtung. Wahrscheinlich wollte er dem frühmorgendlichen Einkaufsstress entgehen. Maslick fuhr rechts an ihm vorbei und schrammte sich dabei einen Teil des Seitenspiegels an der Mauer der dicht gedrängt stehenden Gebäude auf. Verflucht. Die Karre war bloß gemietet.

»Okay, Mas. Du hast etwa 100 Meter Vorsprung und fährst auf der Parallelstraße. Behalt das Tempo nach dem Abbiegen bei, dann sollte das Timing perfekt passen.«

Er fuhr noch knapp 25 Meter weiter und bog dann links ab, fuhr konstant mit gemütlichen 20 Sachen und näherte sich einer T-Kreuzung.

»Alles bestens. Er ist noch 50 Meter entfernt. Bruno schließt von hinten zu ihm auf.«

»Roger.« Maslick steuerte nach rechts und wurde sofort von den Scheinwerfern des Zielfahrzeugs im Rückspiegel geblendet.

Das änderte die Lage. Von wegen perfektes Timing! Auf keinen Fall konnten sie den Wagen nun unauffällig einkesseln. Stattdessen musste er voll auf die Bremse steigen und zulassen, dass der Mercedes ihn von hinten rammte. Das reichte zwar nicht, um alle Insassen zu verletzen, aber das Auslösen der Airbags dürfte sie lange genug ablenken. Wick hatte Munition geladen, die auch die kugelsichere Heckscheibe durchdrang. Damit konnte er den Mann auf dem Rücksitz problemlos ausschalten. Trotzdem versprach das Ganze hektisch und vor allem zeitkritisch zu werden.

Sie konnten es zwar immer noch schaffen, den Kurier zu schnappen – dummerweise wohl den falschen –, ließen aber zwangsläufig zwei Autowracks und zwei Leichen zurück, was nicht mehr viel mit dem unauffälligen Zugriff der Ursprungsversion zu tun hatte. Keine ideale Lösung, aber auch keine so schwerwiegende Komplikation, dass sie alles abblasen mussten. Rapp hatte bei solchen Operationen in der Vergangenheit oft genug Porzellan zerschlagen.

»Mas, hörst du mich?« Wieder Wick.

»Ja. Schieß los.«

»Es gibt einen Treffer für das Foto, das ich an Langley geschickt habe. Mit 79-prozentiger Wahrscheinlichkeit haben wir es bei dem Mann auf dem Rücksitz mit Seiner Königlichen Scheißheit Prinz Talal bin Musaid von Saudi-Arabien zu tun.«

»Du verarschst mich.«

»Nö.«

Maslick brach der Schweiß aus, obwohl kühle Luft durchs Fenster hereinwehte. Das Zielfahrzeug befand sich nur noch knapp 20 Meter hinter ihm und kam rasch näher. Ihnen lief die Zeit davon, weil sich die Straße kurz darauf verbreiterte und der Mercedes mit seiner kraftvollen Motorisierung ihn dann problemlos überholen könnte.

Mittlerweile ging es nicht länger um eine dreckige Flott-rein-Zugriff-flott-raus-Entführung, sondern um eine dreckige Flott-rein-Zugriff-flott-raus-Entführung eines Mitglieds der saudischen königlichen Familie. Übel, aber noch keine Vollkatastrophe. Immerhin trieben sich Tausende dieser weitgehend unbekannten Prinzen in der Weltgeschichte rum, deswegen machte er sich nicht gleich in die Hose. Sein Job lautete, den IS-Geldkurier abzuliefern. Was Rapp und Irene Kennedy mit ihm anstellten, war allein ihre Angelegenheit.

Sie fuhren nun ganz dicht hinter ihm. Er konnte die zwei Männer auf dem Vordersitz im Rückspiegel bereits deutlich erkennen. Maslick wurde bewusst, dass es sich möglicherweise – höchstwahrscheinlich sogar – um Angestellte der saudischen Botschaft handelte, die einen VIP-Gast herumkutschierten. Keine Terroristen. Keine Kriminellen. Nur ein paar Ex-Soldaten, die sich ein bisschen was zur Rente dazuverdienten.

»Mas, ich bekomm grad weitere Infos rein. Bin Musaid ist 39. Seine Frau und zwei Kinder leben in Riad, er selbst kommt viel rum. Reist in die USA, nach Kanada und Europa. Er hat früher für die saudische Regierung gearbeitet, ist jedoch vor ein paar Jahren ausgestiegen. Was er aktuell macht, weiß niemand.«

Mas fühlte sich zunehmend verunsichert. »Das sind aber 'ne Menge konkrete Infos über 'nen x-beliebigen Prinzen.«

»Könnte dran liegen, dass er kein x-beliebiger Prinz ist, sondern der Neffe von König Faisal.«

»Was? Wiederhol das.«

»Ich sagte, dass der CIA vermutlich so viele Infos über ihn vorliegen, weil er König Faisals Neffe ist. Der Sohn seiner toten Schwester, soweit ich's rauslese.«

Fuck!

Im Rückspiegel verfolgte er, wie sich Bruno McGraw 30 Meter hinter dem Mercedes in Position brachte. Es fiel Maslick schwer, sich auf diesen Anblick zu konzentrieren, weil er in seinen Gedanken von der Vorstellung bedrängt wurde, für den Tod zweier unschuldiger Angestellter der Botschaft verantwortlich zu sein und den Neffen des Königs eines der wichtigsten amerikanischen Verbündeten im Nahen Osten zu ergreifen. Damit drohte nicht länger nur etwas diplomatisches Gequengel seitens der Marokkaner, sondern es drohte eine internationale Krise – mit zwei Mordfällen on top. Natürlich zog so etwas zwangsläufig einen formalen UN-Protest nach sich. Und Ansprachen amerikanischer Politiker, die sich mit großspurigem Geschwafel über eine außer Kontrolle geratene CIA echauffierten. Gefolgt von Forderungen nach dem Rücktritt Irene Kennedys. Und er selbst befand sich mittendrin in diesem Schlamassel.

»Mas«, plärrte Bruno McGraw im Ohrteil. »Wie sieht's aus? Du bist gleich am Ende des engen Abschnitts.«

Maslick streckte die Hand nach dem Satellitenhandy auf der Ablage des Armaturenbretts aus, doch ihm blieb keine Zeit, um eine Freigabe anzufordern. Sein Fuß schwebte kurz über dem Bremspedal, dann rammte er stattdessen das Gas nach unten.

»Abbruch. Ich wiederhole: Abbruch. Wick, hol das Geld aus dem Apartment. Bruno, setz dich nach Westen ab. Wir treffen uns in zwei Stunden am Flieger.«

7

Kurz vor Washington, D.C.

Die Gulfstream G550 der CIA setzte zum abschließenden Landeanflug an, schwebte der untergehenden Sonne entgegen und unterschritt die Baumlinie. Rapp lag ausgestreckt auf dem Sofa und hielt das Telefon ans Ohr.

»Wenn du ›bereit‹ sagst, Mitch, was genau meinst du damit?«

»Damit meine ich, dass mein Wagen neben dem verfluchten Rollfeld parkt, wie du's mir versprochen hast.«

Dieses kleine Flugfeld nutzte Rapp bevorzugt, wenn er zügig nach D.C. kommen wollte. Ruhig und abgelegen, lag es trotzdem nur gut eine Stunde Fahrt von seinem Haus entfernt.

»Also ... was das betrifft«, antwortete Craig Bailer nervös. »Gunter ist noch nicht ganz fertig mit dem Subwoofer.«

»Wer ist Gunter?«

»Der Schweizer, der den Sub für dich baut. Hör zu, Mitch, der Typ ist Künstler. Künstler darf man nicht hetzen. Glaub mir, das Warten wird sich lohnen. Du bekommst nicht bloß eine Anlage, die richtig fetzt, sondern ich bin auch noch 40 Kilo Kevlar losgeworden, ohne die Integrität der Karosserie zu beeinträchtigen. Ach ja, ein eingebautes Mobiltelefon mit Verschlüsselung und Internetzugang gibt's noch als Bonus obendrauf.«

»Und inwiefern hilft mir das, wenn ich jetzt 40 Meilen nach Hause laufen muss?«

»Ich hab Claudia doch gesagt, dass es nicht rechtzeitig klappen wird. Habt ihr zwei …«

Rapp kappte die Verbindung.

Die Bemühungen, sein Privatleben zu regeln, waren gerade erfolgreich genug gewesen, um ihn daran zu erinnern, dass ein Privatleben eine verdammte Belastung darstellte. Nach der Ermordung seiner Frau hatte er so gut wie jeden Ballast abgeworfen. Familie, Freunde, Besitztümer. Seitdem fühlte sich sein Dasein zugegebenermaßen ziemlich leer an, aber eben auch herrlich unkompliziert. Ein spärlich möbliertes Einzimmerapartment, ein zuverlässiges Back-up-Team und die Arbeit. Die Abwesenheit weiterer Störfaktoren sorgte dafür, dass alles wie am Schnürchen lief.

Rapp setzte sich auf und sah aus dem Fenster. Der verlassene Landeplatz führte ihm nachdrücklich vor Augen, dass es mit dem einfachen, angenehm stumpfsinnigen Leben vorbei war. Mit großer Begeisterung und Beharrlichkeit zerstört von Claudia Gould.

Ihr Ehemann war einer der besten privaten Auftragskiller weltweit gewesen, bis Stan Hurley ihm die Kehle rausriss. Rapp hatte Claudia und ihrer Tochter falsche Identitäten und ein neues Leben in Südafrika verschafft, doch die Tarnung hielt nicht lange. Die Russen machten sie ausfindig und zwangen ihn, sie zurück in die USA zu holen. Als Dank dafür, dass sie ihm bei der

Inneneinrichtung seines neuen Hauses half, ließ er die zwei bei sich einziehen. Eine provisorische Lösung, die sich so langsam zum Dauerzustand entwickelte.

Inzwischen hatten er und Claudia sich auf eine unausgegorene, platonische Form des Zusammenlebens verständigt, die sich zunehmend wie die Frühphase des Kalten Kriegs anfühlte. Er fand immer neue Entschuldigungen, sie nicht zurück nach Kapstadt zu schicken, brachte aber nicht den Mut auf, eine ernste Beziehung mit ihr anzufangen. Selbst nach so vielen Jahren empfand er den Tod seiner Frau als klaffende, eiternde Wunde. Er hatte zwar festgestellt, dass ihn so schnell nichts umbringen konnte, doch ein weiterer solcher Verlust hätte ihm womöglich doch den Rest gegeben.

Was ihn zurück zu diesem verlassenen Landeplatz brachte. Wollte ihm Claudia damit, dass sie nicht auftauchte, etwas mitteilen? Zum Beispiel dass er ihr entweder einen Antrag machen oder sie ziehen lassen sollte? Es wäre ein berechtigter Hinweis gewesen, auch wenn es nicht zu ihr gepasst hätte. Sie zog es vor, solche Themen direkt anzusprechen. Aus gutem Grund. In direkten Auseinandersetzungen war sie eine tödliche Gegnerin.

Die Räder der Gulfstream touchierten die Landebahn. Rapp schnappte sich den Seesack und ging nach vorn zum Ausstieg. Er sprang auf den Asphalt und drehte sich instinktiv vom Cockpit weg. Die Piloten hatten sein Gesicht bisher nicht gesehen. Er zog vor, dass es so blieb.

Der Privatjet hob sofort wieder ab und ließ ihn mit den zunehmend längeren Schatten allein. Sein Handy steckte in der Tasche, aber er wollte es nicht benutzen. War es ihm tatsächlich entgangen, dass die Beziehung zu Claudia ein so kaputtes Stadium erreicht hatte, dass sie ihn hier stehen ließ? Oder zwang sie ihn damit, sich zusammenzureißen und über ihre Situation konkrete Gedanken zu machen? In jedem Fall war ihr Verhalten gerechtfertigt. Er lief Gefahr, alles zu versauen.

Ein Fahrzeug näherte sich, allerdings nicht Claudias Audi Q5. Rapps Hand wanderte zur Glock unter der Jacke, entspannte sich jedoch, als er den SUV von Scott Coleman erkannte. Der Geländewagen rollte neben ihm aus. Er warf das Gepäck auf die Rückbank und ließ sich auf den Beifahrersitz gleiten.

»Wie ist es gelaufen?«, erkundigte sich Coleman.

»Alle sind heil rausgekommen.«

»Hast du Gaffar mein Jobangebot ausgerichtet?«

Rapp schüttelte den Kopf. »Wie sich rausstellte, war er erst Künstler, dann Soldat. Er will Englisch lernen und bei einer Werbeagentur anheuern.«

»Echt jetzt?«

Rapp verfolgte die vorsichtigen Bewegungen von Colemans Arm beim Einlegen des Gangs. Die Verletzungen, die sich der ehemalige SEAL in Pakistan zugezogen hatte, waren deutlich schlimmer als seine eigenen. Ein kleines Wunder, dass er noch lebte, und ein deutlich größeres, dass er aus eigener Kraft laufen konnte. Er schuftete hart in der Reha, aber die zögerlichen Fortschritte schleuderten weiteren Sand in Rapps gut geöltes Getriebe. Colemans Firma, SEAL Demolition and Salvage, diente ihm seit geraumer Zeit als primäres Back-up. Solange sein Gründer außer Gefecht gesetzt war, musste er einem hadernden Joe Maslick das Kommando überlassen. Er hielt Mas zwar für einen hervorragenden Operator, aber an Scott Coleman kam er definitiv nicht ran.

»Wo ist Claudia?«, fragte Rapp. Es brachte nichts, dem Thema auszuweichen.

»Ich glaube, die Kleine veranstaltet heute eine Pyjamaparty. Sie ist mit den Vorbereitungen beschäftigt.«

Er staunte selbst, wie erleichtert er über diese Information war.

Sie hatte nicht damit gerechnet, dass er heute zurückkam, und dass Freundinnen bei Anna übernachteten, war nicht weiter ungewöhnlich. Wahrscheinlich zerbrach er sich ganz umsonst den Kopf.

»Und wieso bist *du* hier?«

»Irgendeiner musste ja dafür sorgen, dass dein Hintern heil zu Hause landet.«

Das kaufte er dem Freund nicht ab. Längere Zeit zu sitzen, fiel ihm schwer. Er hätte jemand anders schicken können. Nein, da steckte mehr dahinter. Es lag auf der Hand, worum es ging.

»Was ist in Rabat passiert?«, wollte er wissen.

Coleman antwortete nicht sofort, sondern gab kräftig Gas. »Es hat Probleme gegeben.«

»Sind welche von unseren Jungs verletzt?«

»Nö, allen geht's gut.«

»Und der Ägypter?«

»Es gab keinen Ägypter, Mitch. Unsere Infos waren Schrott. Als Kurier tauchte ein saudischer Prinz auf.«

»Haben wir ihn?«

»Es ist so …«

»*Haben wir ihn?*«

»Nein.«

»Warum nicht, verflucht?«

»Er fuhr in einer gepanzerten Limousine durch die Gegend, begleitet von zwei Leibwächtern und …«

»Willst du damit sagen, dass Mas, Bruno und Wick mit einem Bodyguard-Duo und ein bisschen Blech überfordert sind?«

»Nein, ich will damit sagen, dass es sich bei dem fraglichen Prinzen um Faisals Neffen handelt.«

»Ist mir doch scheißegal. Ich hab dir den Auftrag gegeben …«

»Mitch, bitte. Lass mich ausreden. Wir haben Mas ins kalte Wasser geworfen und ihm angekündigt, dass er's mit einem namenlosen IS-Kurier zu tun bekommt. Unter den veränderten Rahmenbedingungen wollte er keinen Alleingang starten. Und um Rücksprache mit Irene zu halten, war die Zeit zu knapp.«

»Also hat er ihn einfach ziehen lassen?«

»Wenn du's so formulierst … ja.«

Rapp bemühte sich, seine Wut im Zaum zu halten. Die Saudis kamen ständig davon. Dabei handelte es sich um eine antidemokratische Monarchie und den weltweit größten Steigbügelhalter für Terrororganisationen. Und sie finanzierten unzählige Koranschulen, die eine nicht enden wollende Flut von Radikalen ausspuckten, um die Getöteten nahtlos zu ersetzen. Und jetzt rauschte auch noch König Faisals nutzloser Neffe mit einer Aktentasche voller Kohle, die für den IS bestimmt war, unbehelligt durch Marokko?

»Haben wir Beweise?«

»Dass bin Musaid in dem Fahrzeug saß? Keine hieb- und stichfesten, aber ein halbwegs anständiges Foto, das Wick per Zielfernrohr gemacht hat.«

»Wo ist er jetzt?«

»Noch nicht wieder auf unserem Radar aufgetaucht. Wir beobachten …«

»Ich meinte Maslick.«

»Ach so … irgendwo in Europa. Er hat vermutlich Schiss heimzukommen, weil er dir nicht in die Augen sehen kann.«

Sie fuhren schweigend rund fünf Minuten weiter, bevor Coleman wieder etwas sagte. »Du weichst dem Thema zwar ständig aus, aber das geht nicht länger. Wir müssen drüber reden, wer mich vertritt, bis ich wieder alles auf die Reihe kriege. Du brauchst eine verlässliche Rückendeckung. Ich garantier dir, wenn du Mas noch mal in den Chefsessel setzt, schmeißt er hin. Und ich möchte mich nicht dafür verantwortlich fühlen, wenn eine weitere Mission den Bach runtergeht oder du angeschossen wirst. Irene würde mir das nie verzeihen.«

Rapp wusste, dass sein Freund recht hatte. Die Hoffnung, dass Coleman innerhalb von ein paar Monaten fit würde, erfüllte sich nicht. Es konnte durchaus noch ein Jahr dauern. Oder, obwohl sich aktuell niemand mit dem Gedanken auseinandersetzen wollte, er kam gar nicht mehr zurück.

»Es ist deine Firma, Scott, nicht meine. Tu, was du für richtig hältst.«

Coleman schien sich etwas zu entspannen. »Aber es ist dein Arsch da draußen. Ich will, dass du dich mit meiner Entscheidung wohlfühlst.«

»Hast du jemand Konkreten im Blick?«

»Mike Nash und ich haben ein paar Ideen durchgespielt. Dabei sind auch ein paar Namen gefallen, die er für mich durchcheckt. Eine andere Möglichkeit wäre, die Last auf zwei Schultern zu verteilen, indem man beispielsweise Einsatzleitung und Logistik aufsplittet.«

»Dann würdest du dich um die Logistik kümmern?«

Der frühere SEAL schüttelte den Kopf. »Ich hab im Moment mehr als genug auf dem Zettel.«

Rapp fühlte sich zunehmend unwohl mit der Richtung, die diese Unterhaltung einschlug. Je länger sie sich mit einer Übergangslösung beschäftigten, desto mehr fühlte es sich danach an, als käme Coleman nicht wieder. Sie waren quasi gemeinsam in diesem Geschäft aufgewachsen. Über die enge Freundschaft hinaus, die sie verband, vertrauten sie einander auf eine Weise, die er sich mit niemand anders vorstellen konnte.

Scott schien seine Gedanken zu lesen. Eine weitere Facette ihrer Beziehung, die sich kaum ersetzen ließ. »Es ist nur vorübergehend, Mitch. Ich brauch das, okay? Ich mach mir derzeit viel zu viel Stress, dass du oder einer meiner Jungs über den Jordan geht. Das kann ich im Moment nicht.«

»Wann ist Mike mit seinen Background-Checks fertig?«

»In ein, zwei Tagen. Er kümmert sich um geeignete Kandidaten für den Einsatzbereich, ich um die Besetzung der Logistik.«

»Und?«

Wieder zögerte Coleman mit der Antwort und schien es plötzlich ungemein fesselnd zu finden, das optimale Überholmanöver für einen Truck auszutüfteln, der über die Landstraße kroch. Er schien ihn schonend auf etwas vorbereiten zu wollen. Rapp hatte keine Ahnung, worum es ging.

»Es gäbe kaum eine bessere Lösung als Claudia«, platzte es schließlich aus ihm heraus.

Zum zweiten Mal, seit er eingestiegen war, musste Rapp gegen aufkeimende Wut ankämpfen. Normalerweise reagierte er nicht so schnell angefressen, aber er litt unter Colemans Situation. Einer der besten Operators, die er kannte, mühte sich aktuell damit, morgens halbwegs schmerzfrei aus den Federn zu kommen. Er fühlte sich, als hätte er seine Kameraden im Stich gelassen. Auf keinen Fall wollte er sich künftig bei jedem kurzen Gang zum Supermarkt Sorgen um Claudia machen müssen.

»Nein«, blockte er ab. »Sie riskiert bereits genug damit, in meiner Nähe zu sein.«

»Damit wir uns richtig verstehen, Mitch. Ich hab mich nicht mit ihr in Verbindung gesetzt. Sie hat ihrerseits Kontakt gesucht. Wir wissen beide, dass Louis Gould in erster Linie so erfolgreich war, weil sie im Hintergrund die Denkarbeit übernahm.«

»Das Thema ist hiermit erledigt, Scott.«

Coleman zuckte die Achseln. »Von mir aus. Was mich angeht, hab ich's so gut wie vergessen. Ich fürchte nur, dass Claudia es dir nicht so leicht machen wird.«

8

RABAT, MAROKKO

Prinz Talal bin Musaid betrat den klimatisierten Innenraum des Learjet 75 und quittierte die Verbeugung des Piloten, der im Durchgang zum Cockpit stand, mit einem unwirschen Achselzucken. Er hatte den Mann nie zuvor gesehen und legte keinen Wert auf solche Ehrenbekundungen. Das Personal, das ihn in der Vergangenheit geflogen hatte, schien gut ausgebildet zu sein. Er unterstellte, dass es sich bei diesem Piloten nicht anders verhielt.

»Willkommen, Eure Hoheit. Die Vorbereitungen für Ihren Rückflug nach Riad sind abgeschlossen.«

»Bringen Sie mir einen Drink.« Bin Musaid nahm Platz im Passagierbereich.

Desinteressiert beobachtete er, wie der Pilot die Einstiegsluke schloss und davoneilte, um einen Single Malt Whisky für seinen einzigen Passagier einzuschenken.

»Habe ich Ihre Erlaubnis zum Abheben?«, fragte er, als er dem Prinzen den Drink mit einer weiteren Verbeugung überreichte.

Dieser nickte und nippte am Kristallglas. Nicht seine bevorzugte Marke, aber für den relativ kurzen Flug konnte er damit leben. Er genoss die dunkle Flüssigkeit frei von Schuldgefühl – genau wie er es auch bei Frauen, Drogen und Glücksspiel tat. Wieso auch nicht? Immerhin hatten ihm alte Männer, die seine Jugend und Energie fürchteten, das Erbe vorenthalten. Allah zeigte sicher Verständnis, dass er sich in diese bedeutungslosen Sünden flüchtete, bis das Schicksal ihm gnädig gesinnt war und der Sturm, der sich im Nahen Osten zusammenbraute, die westlichen Störenfriede vertrieb, die sich bei ihnen eingenistet hatten.

Die Triebwerke fuhren hoch und er hing der Frage nach, was eigentlich mit den Beträgen passierte, die er dem IS zur Verfügung stellte. Wurden sie über dessen ausgeklügeltes finanzielles Netzwerk nach Amerika weitergeleitet? Landeten sie nach der Geldwäsche auf dem Konto eines angesehenen Kreditinstituts? Befanden sie sich bereits in der Hand strenggläubiger Männer, die damit eine ruhmreiche Attacke in die Wege leiteten?

Welches Ziel nahmen sie wohl ins Visier? Ein Stadion? Eins der dekadenten Einkaufszentren, wie es sie in den Vereinigten Staaten an jeder Ecke gab? Oder gar das Kapitol während einer Sitzung ihrer Politiker?

Ihre Freiheit machte die Amerikaner schwach. Wie sollte eine Gesellschaft sich selbst schützen, solange sie nicht den zu Höherem Berufenen die Kontrolle über jeden Aspekt ihres Lebens überließ? Wie sollte sie jemals über den grauen Durchschnitt hinauskommen, wenn sie sich von den Launen des Mobs beeinflussen ließ?

Sein eigenes Land taumelte derzeit einem ganz ähnlichen Schicksal entgegen. König Faisal und die politischen Führer vor ihm hatten Allah den Rücken gekehrt. Der Alte verschanzte sich hinter den Mauern eines prunkvollen Palasts und ließ sich nur sporadisch in der Öffentlichkeit blicken, um dem einfachen Volk gegenüber seine Ergebenheit zu heucheln, obgleich es seine Lügen zunehmend durchschaute. Er hatte der göttlichen Allmacht längst abgeschworen und ließ sich lieber von der Macht Amerikas blenden.

Wie bei allen Pakten mit dem Teufel zeigten sich auch bei diesem langsam die Schattenseiten. Der enorme Apparat konservativer Koranschulen, die das Haus Saud finanzierte, täuschte die breite Masse nicht länger über seine Exzesse hinweg, sondern ließ sie die Wahrheit durchschauen. Der König sah sich mit einem unlösbaren Dilemma konfrontiert. Seine Strategie, die USA öffentlich zu verdammen, während er in Wahrheit ihren Krieg gegen fundamentalistische Kräfte des Islams guthieß, flog ihm zunehmend um die Ohren. Und den Amerikanern dämmerte so langsam, dass die Milliarden, die sie in saudisches Öl investierten, in die Ausbildung exakt jener Terroristen flossen, in deren Bekämpfung sie weitere Milliarden steckten.

Dieses zunehmende Ungleichgewicht kulminierte in den jüngsten Aktionen des IS. Sie hatten radioaktive Substanzen aus Pakistan in ihren Besitz gebracht, um damit die Ölförderung im arabischen Raum nachhaltig zum Erliegen zu bringen. Das ausbrechende Wirtschaftschaos hätte Faisal und seine Lakaien zur Flucht in den Westen gedrängt, woraufhin die Streitkräfte des wahren Islam die Kontrolle nicht nur über Saudi-Arabien, sondern über fortschrittliche Waffen im Wert von mehreren Billionen Dollar übernommen hätten, die die Amerikaner ans hiesige Militär verscheuert hatten.

Ein großartiger Plan, der leider vereitelt worden war. Der Mörder Mitch Rapp hatte die Umsetzung verhindert. Nun buckelte und kuschte König Faisal gegenüber den USA noch stärker als bisher – und er bettelte Männer wie diesen Rapp förmlich an, für stabile Verhältnisse vor den Palasttoren zu sorgen, damit er seine letzten Lebensjahre in Ruhe fristen konnte. Danach war es Faisal sowieso egal, was mit seinem Land und der Religion geschah, über die er eigentlich eine schützende Hand halten sollte.

Das Flugzeug nahm auf der Startbahn ein wenig zu abrupt Tempo auf. Bin Musaid hätte um ein Haar den Drink verschüttet. Erst wollte er einen Fluch in Richtung Cockpit ausstoßen, überlegte es sich jedoch anders. Bald würde er eine Position als Führer des arabischen Volkes bekleiden. Ein König unter Königen, Gottes Vertreter auf Erden. Sich mit solchen Lappalien abzugeben, war unter seiner Würde. Ein kurzer Hinweis an einen seiner Mitarbeiter nach der Landung genügte, damit dieser Pilot nie mehr im Cockpit einer Maschine Platz nahm.

Bin Musaids Telefon läutete. Er blickte nach unten und las den Namen des kürzlich ernannten saudischen Geheimdienstchefs Aali Nassar auf dem Display. Er ignorierte den Anruf.

Nassar war zweifellos ein einflussreicher Mann und hatte seine Intelligenz dadurch unter Beweis gestellt, dass er sich mit bin Musaid verbündete, aber er entstammte dem gewöhnlichen Bürgertum. Das schien er zu vergessen, während seine Macht schrittweise anwuchs. Seine Leistungen waren zweifellos beeindruckend, aber er bereitete damit lediglich den Boden für die nächste Generation saudischer Aristokraten. Sobald bin Musaid seinen rechtmäßigen Platz an der Spitze des Hauses Saud einnahm, würde er Nassars Bemühungen selbstverständlich angemessen belohnen. Gleichzeitig gedachte er, dem Mann seinen Status als Diener in Erinnerung zu rufen. Ein wertvoller Diener, durchaus, aber eben trotzdem etliche Stufen unter ihm angesiedelt.

Die Maschine erreichte die endgültige Flughöhe und der Pilot kam zu ihm geeilt.

»Eure Hoheit, Aali Nassar versucht, Sie zu erreichen. Er bat mich nachzufragen, ob Ihr Handy möglicherweise nicht richtig funktioniert.«

Bin Musaid funkelte ihn an. »Mein Handy funktioniert einwandfrei.«

»Dann verstehe ich nicht, Eure Hoheit, wieso …«

»Es interessiert mich nicht, was du verstehst oder nicht verstehst!«

Der Pilot nahm den Rüffel kommentarlos hin und zog sich ins Cockpit zurück. Bevor bin Musaid erneut an seinem Drink nippen konnte, tauchte der Mann erneut auf. Diesmal mit einem Telefon in der Hand.

»Es tut mir leid, aber er meint, es sei dringend.«

Bin Musaid schnaufte wütend und entriss ihm das Gerät.

»Was ist?«

»Sie sind persönlich hingeflogen? Sie sollten das Geld doch dem Ägypter bringen, damit er die Übergabe erledigt.«

»Hüte deine Zunge und überleg dir, mit wem du sprichst, Aali. Es war mein Geld und ich wollte den Mann kennenlernen, der es in Empfang nimmt.«

»Ich soll meine Zunge hüten? Sie sind ein solcher Idiot!«

»Wie redest du denn mit mir?«, brüllte bin Musaid. »Du hockst nur in deinem Büro in Riad, hantierst mit fremdem Geld und arbeitest daran, die eigene Karriere voranzutreiben. Ohne die Unterstützung meiner Familie wäre das nicht möglich. Du wärst selbst ein Nichts.«

»Haben Sie sich mal überlegt, dass jemand Sie dabei beobachten könnte und herausfindet, dass Sie darin verwickelt sind?«

»Ausgeschlossen.«

»Sie sind mit einem Wagen hingefahren, den Ihnen die Botschaft zur Verfügung gestellt hat! Ist Ihnen überhaupt klar, welches Risiko Sie in Ihrer gedankenlosen Arroganz eingegangen sind? Haben Sie …«

Bin Musaid hämmerte auf die Auflegen-Taste und schleuderte das Telefon an die Kabinendecke. Was bildete sich dieser Aali Nassar ein, so mit ihm zu reden? Er war nichts als ein Bettler. Einer von Tausenden austauschbarer Bürokraten, die der Regierung Saudi-Arabiens auf der Tasche lagen. Der Umstand, dass er sich der Unterstützung des nutzlosen alten Tattergreises erfreute, der sich König schimpfte, schien ihm zu Kopf gestiegen zu sein.

Der Pilot schien ein zweites Telefon zu besitzen, denn es klingelte sofort wieder. Diesmal war er sicher nicht so dumm, es ihm zu bringen. Bin Musaid kippte den restlichen Inhalt des Glases in einem Schluck hinunter und goss sich in der Bordküche einen zweiten Whisky ein. Vermutlich brauchte er noch einen dritten und vierten, um die Erinnerung an das zurückliegende Gespräch und den Umstand zu verdrängen, dass man ihn zur Rückkehr nach Riad zwang.

Er beschloss, nur so lange zu bleiben, wie es unbedingt nötig war, um den Schein zu wahren. Sobald er die familiären Verpflichtungen abgehakt hatte, würde er abreisen. Vielleicht nach New York? Dort gab es eine Frau, die ihn faszinierte. Außerdem reizte es ihn, sich unter die ungläubigen Bewohner dieses Landes zu mischen. Sich an ihrer Ignoranz zu weiden, weil sie nicht ahnten, was ihnen bevorstand.

»*Allahu akbar!*«

Auf den abrupten Ausruf des Piloten folgte ein brutales Absacken der Spitze des Flugzeugs. Der Rumpf vibrierte heftig. Bin Musaid wollte zum Cockpit stürzen, doch die Nase der Learjet senkte sich noch weiter. Einen Moment später schwebte er schwerelos durch die Luft, von Panik erfüllt. Die Maschine stieß durch die Wolkendecke und gab den Blick auf die Erde frei, die auf sie zuraste.

Er wollte schreien, doch es kam eher ein Wimmern dabei heraus, verschluckt vom Rauschen der Luft und dem ohrenbetäubenden Aufheulen der Triebwerke. Ebenso abrupt kehrte das Gewicht zurück und er knallte auf den Boden, kugelte vorbei an Essensresten, zerbrochenen Tellern und Flaschen mit Alkohol, bevor er mit Wucht gegen einen Tisch krachte.

Die Schwerkraft nahm zu, bis es sich anfühlte, als würde er von der Hand Gottes auf den Boden gedrückt. Die Luft wurde aus seinen Lungenflügeln gequetscht und Urin lief ihm am Bein entlang, während sich seine Wahrnehmung auf grelles Sonnenlicht, das Dröhnen in den Ohren und den unerträglichen Druck reduzierte.

Genauso plötzlich, wie es begonnen hatte, war es vorbei.

Die Belastung für den Körper ebbte ab und das Motorengeräusch wurde zu jenem beruhigenden Surren, das schon so lange zum Soundtrack seines Lebens gehörte. Ein strahlend blauer Himmel blitzte hinter dem Fenster auf und er konzentrierte sich darauf, holte keuchend Luft und versuchte vergeblich, sich aufzurappeln. Auf einmal stand der Pilot vor ihm, ragte kurz über ihm auf, bevor er ein Telefon auf seine Brust fallen ließ. Bin Musaid griff mit zitternden Händen danach und hielt den Hörer ans Ohr. Einen Moment später hörte er Aali Nassars spöttische Stimme.

»Wir verstehen uns, Eure Hoheit?«

9

Östlich von Manassas, Virginia

»Wollen wir doch mal schauen, ob sie mich endlich in der Datenbank gespeichert haben.« Coleman schob den Arm durchs offene Wagenfenster und drückte den

Daumen gegen den Scanner. Nach einer kurzen Pause schwang das Tor auf.

Rapps Haus stand vor den Toren von Washington, D. C. Ursprünglich war hier ein ganzes Wohngebiet mit zehn Grundstücken geplant gewesen, doch sein unanständig reicher Bruder Steven hatte kurzerhand die übrigen neun Areale aufgekauft. Dadurch residierte Rapp nun auf über 400.000 Quadratmetern auf einer Spitzkuppe, umgeben von Ackerland. Eine nette Geste, die allerdings dafür sorgte, dass er fast schon zu abgeschieden lebte. Wäre die komplette 9th Armored Division zu ihm ausgerückt, hätte er es vermutlich erst nach einer Woche mitbekommen.

Steven, um clevere Ideen nie verlegen, hatte das Dilemma gelöst, indem er den Rest der Luxusparzellen zum symbolischen Preis von einem Dollar an Freunde und Kollegen weiterveräußerte. Ein Secret-Service-Agent im Ruhestand hatte bereits auf einem Grundstück im Norden den Grundstein gelegt, Mike Nashs Frau entschied sich nach langem Hadern für ein Areal etwas weiter östlich.

»Das ist meins«, sagte Coleman und zeigte durch die Windschutzscheibe auf einen bewaldeten Hügel neben dem Schuppen, den Anna gerade für das Pony herrichtete, das sie sich zum Geburtstag wünschte. »Ich liebäugele mit einem Haus im Western-Contemporary-Stil. Einer wie ich hat ein bisschen Klasse verdient, findest du nicht?«

Rapp nickte stumm. Ihm selbst wäre diese Lösung nie eingefallen, aber genau diesem kreativen Um-die-Ecke-Denken verdankte sein Bruder den Aufstieg zum Milliardär. Innerhalb von zwei Jahren würde Rapp von

Nachbarn umgeben sein, die schießen konnten und auf deren Loyalität er zählen konnte. Außerdem würde Anna ein paar Spielgefährten in ihrem Alter bekommen. Ein perfektes Szenario für alle Beteiligten. Nun durfte er es bloß nicht versauen.

Sie fuhren über eine leichte Anhöhe und die von Spotlights angestrahlte Mauer um sein Anwesen geriet in Sicht. Das Kupfertor mit der grünen Patina öffnete sich beim Näherkommen. Rapp runzelte die Stirn. Garantiert hatte Claudia die Überwachungskameras im Blick gehabt und es geöffnet. Aufgrund des Scheinwerferlichts konnte sie allerdings unmöglich erkennen, wer im Fahrzeug saß. Darüber musste er dringend ein ernstes Wort mit ihr reden.

Das moderne einstöckige Haus war überwiegend von seiner verstorbenen Frau entworfen worden. Seine einzige Bedingung hatte gelautet, dass es keine direkten Fenster nach außen geben durfte. Sie und ihr Architekt hatten einen hervorragenden Job abgeliefert, damit man von den verstärkten Außenwänden, der soliden Dachkonstruktion und den zahlreichen Maßnahmen zur Abwehr ungebetener Besucher nichts mitbekam.

Coleman fuhr einen Halbkreis und bremste vor einer ausgesprochen hässlichen Skulptur, die Claudia heiß und innig liebte.

»Sieht aus, als wäre ein Hyundai aus einem Transporthubschrauber gefallen und in deinem Vorgarten gelandet«, kommentierte Scott das Kunstwerk.

Rapp ignorierte die Bemerkung und trat hinaus in die kühle Nachtluft. Er stieß die Wagentür zu und beugte sich durchs offene Fahrerfenster. »Kommst du noch kurz mit rein?«

Coleman schüttelte den Kopf. »Nach allem, was ich weiß, warten da drin zwölf kleine Mädchen. Mit so einer Streitmacht leg ich mich nicht freiwillig an.«

Statt sich abzuwenden, hielt Rapp sich weiterhin am Türrahmen fest. »Läuft's gut bei dir?«

»Mit jedem Tag besser. Sie sagen, nächsten Monat bin ich fit genug, um mich an der Viertelmeile auf dem Laufband zu versuchen. Ich bin heilfroh, wenn endlich Schluss mit dem Rundendrehen im Pool und der ganzen Krankengymnastik ist.«

Rapp wollte sich gerade zurückziehen, zögerte jedoch, als er mitbekam, wie sich Coleman mit schmerzverzerrter Miene in seine Richtung drehte. »Eins hab ich zum Thema Claudia noch zu sagen.«

»Übertreib's nicht, Scott.«

»Wieso? Willst du etwa 'nen Kerl verprügeln, der am Stock geht?«

»Wenn's sein muss.«

»Versetz dich mal für eine Minute in ihre Lage, Mitch. Wär deine Frau noch am Leben und du hättest mit ihr ein Kind zur Welt gebracht, würdest du dann alles aufgeben? Den Kick? Die Befriedigung, etwas zu tun, das du besser als jeder andere beherrschst? Wärst du den ganzen Tag zu Hause geblieben, um den fürsorglichen Vater zu geben? Genau das verlangst du nämlich umgekehrt von ihr.«

»Gute Nacht, Scott.«

Rapp sah ihm nach, bis er durchs Tor gerollt war, und lief dann zur Vordertür. Im sonst so makellosen Eingangsbereich lagen überall Schuhe und kleine Rucksäcke verteilt. Eine Spur aus farbigen Legosteinen führte aus unerfindlichen Gründen ins Gästeklo.

Ein Großteil des Hauses bestand aus bodenhohen Glasfronten, die sich zu einem raffiniert bepflanzten und gestalteten Innenhof hin öffneten. Er durchquerte ihn und betrat durch eine Schiebetür den hochmodernen Küchenbereich, von dem sein Architekt ihm eingeredet hatte, dass er ihn unbedingt brauchte. Die dunkelhaarige Frau darin quetschte gerade eine letzte Pfanne in den Geschirrspüler und wirbelte zu ihm herum. Ihre Frisur war etwas in Unordnung und ein Klecks von etwas, das verdächtig nach Senf aussah, klebte an der linken Wange, aber er fand sie trotzdem atemberaubend.

Rapp zeigte auf die Teller, die jeden freien Zentimeter bedeckten. »Ich nehme an, die Gerüchte von einer Pyjamaparty stimmen?«

»Am besten fliegst du zurück in den Irak. Dort ist es sicherer.« Grinsend kam sie über die Granitfliesen näher und schlang die Arme um ihn.

Er erwiderte die Zärtlichkeit mit einer gewissen Zurückhaltung. Jedes Mal wenn sie ihn berührte, verspürte er die gleiche verwirrende Mischung aus Adrenalinkick und tiefer Gelassenheit. Dass er sich daran zunehmend gewöhnte, bereitete ihm Sorgen. Solche Gewohnheiten nahmen selten ein gutes Ende.

Sie zog sich zurück und widmete sich wieder dem Aufräumen. »Hast du gegessen? Tut mir leid, ich hatte bislang keine ruhige Minute, um dir was vorzubereiten.«

Er setzte sich an die zentrale Kücheninsel und suchte die Überreste auf den Tellern ab. Schließlich entschied er sich für einen fast unberührten Hotdog. »Ich werd schon satt. Du scheinst sowieso grad im Stress zu sein.«

»Du hast ja keine Ahnung«, antwortete sie auf Französisch – die Sprache, mit der sie sich am wohlsten fühlte. »Ist bei eurer Operation alles glatt gelaufen? Sind alle sicher zurück?«

»Mehr Improvisation, als mir lieb war.« Er knabberte an dem kalten Würstchen. »Aber keine ernsthaften Verletzungen.«

»Und Joe? Hat er sein erstes Mal als Chef gut gemeistert?«

Es fühlte sich merkwürdig an, mit ihr über solche Themen zu reden. Von Anna hatte er den Job so gut wie möglich ferngehalten. Claudia hingegen kannte die Welt, in der er sich bewegte, aus eigener Erfahrung. Sie verstand, was ihn beschäftigte. Was auf dem Spiel stand.

»Hätte besser laufen können.«

Sie hörte kurz auf, Teller in der Spüle zu stapeln, und blickte ihn fragend an. »Es ist doch hoffentlich alles in Ordnung?«

Er angelte sich eine Tüte Kartoffelchips. »Ja, aber es war trotzdem ein Schlag ins Wasser.«

»Ehrlich? Was ist passiert?«

Er betrachtete sie, wie sie mit dem Rücken zum Waschbecken dastand. Eine komische Frage. Sie unterhielten sich zwar grundsätzlich über seine Jobs, aber er ging nie zu sehr ins Detail, und für gewöhnlich hakte sie auch nicht nach. Warum diesmal?

Zu den Erfolgsgeheimnissen eines effektiven Verhörs gehörte, mehr zu wissen, als das Gegenüber einem zutraute. Es kam ihm vor, als wäre er diesmal auf der falschen Seite des Befragungstisches gelandet. Hatte Coleman ihr Details über Maslicks gescheiterten Einsatz gesteckt und gehofft, sie so zum Einstieg zu überreden? Nein, das passte nicht zur verschwiegenen Art des Ex-SEALs. Damit blieb nur eine Möglichkeit übrig.

Irene.

»Ach, bloß ein bisschen Pech«, relativierte er.

Sie musterte ihn mit ihren mandelförmigen Augen, als wäre ihr bewusst, dass sie ihr Blatt überreizt hatte. »Und es gab nichts, was man dagegen tun konnte?«

»Göttliche Fügung«, stellte Rapp vage in den Raum. Die Unterhaltung ließ sich vermutlich nicht vermeiden, aber zumindest wollte er sich die Einzelheiten nicht zu leicht entlocken lassen.

Sie gab sich geschlagen. »Hat Scott mit dir über mich gesprochen?«

»Ja.«

»Es ist sehr anstrengend, mit dir ein Gespräch zu führen.«

Er schlang den Rest des Hotdogs herunter. »Echt?«

»Ich spiele mit dem Gedanken, eine weitere Skulptur vors Haus zu stellen«, kündigte sie an. »Allerdings eine deutlich größere.«

Er drängte das Grinsen zurück. »Okay, du hast gewonnen. Scott und ich haben darüber gesprochen, aber ich halte es für keine gute Idee.«

»Warum nicht?«

»Weil es gefährlich genug ist, in meiner Nähe zu sein, ohne dass du in meine Geschäfte verwickelt bist. Und weil Anna ihre Mutter hier braucht.«

»Es geht nicht ums operative Geschäft, Mitch, das weißt du. Und du weißt auch, dass du Joe und Marcus zu sehr unter Druck setzt. Irgendwann brechen sie dir weg.«

»Claudia …«

»Ich bin noch nicht fertig.«

»Von mir aus. Red weiter.«

»Du hast ein Leben. Ein klares Ziel. Herausforderungen. Ich liebe es, Zeit mit Anna zu verbringen, aber das allein reicht mir auf Dauer nicht. Was ist, wenn sie es in ein paar Jahren satthat, dass ihre Mutter ständig wie eine Glucke um sie rumschwirrt? Du sagtest eben selbst, dass Joes Operation nicht so gut gelaufen ist. Ich stell dir jetzt eine Frage und erwarte eine ehrliche Antwort. Wäre es anders gewesen, wenn ich die Planung übernommen hätte?«

Die Antwort war ein solides *Wahrscheinlich.* Sie war enorm talentiert und stellte hohe Ansprüche an sich selbst. Er ging davon aus, dass sie die Identität des Prinzen früh genug ermittelt hätte, um die Situation in enger Abstimmung mit Langley ruhig und überlegt zu klären.

»Ich weiß nicht«, sagte er stattdessen.

»Aber vielleicht schon?«

»Ja, vielleicht.«

»Ich könnte dir helfen, die Arbeit für dich und Scotts Leute sicherer zu machen. Von seinem Büro aus. Nicht vor Ort.«

»Ich hab kein gutes Gefühl dabei, Claudia. Mir ist klar, worauf du hinauswillst, aber es gibt eine Menge andere Jobs, bei denen das Risiko nicht so groß ist. Warum besorgst du dir keinen von denen?«

»Du kannst mir keine Vorschriften machen, für wen ich arbeiten darf und für wen nicht, Mitch.«

Das stimmte. Streng genommen war sie seine Mitbewohnerin – ein Umstand, der ihr nur zu deutlich bewusst war. Wieso fühlte er sich immer von starken, sturen Frauen angezogen? Eine stumme Jasagerin hätte sein Leben um vieles leichter gemacht.

»Können wir dieses Gespräch bitte später fortsetzen?«, bat er.

»Ist das eine Verzögerungstaktik oder meinst du das ernst?«

Sie und Coleman schienen sich darauf eingeschossen zu haben, ihm auf die Nerven zu gehen.

»Lass mich erst mal duschen und eine Nacht drüber schlafen, okay? Wir reden weiter, sobald wir die Kontrolle über das Haus zurückerobert haben.«

Dass sie sich wieder den Tellern widmete, verriet ihm, dass sie mit dem Vorschlag einverstanden war. Er zog sich mit der Chipstüte ins Schlafzimmer zurück. Auf dem Weg dorthin schaute er kurz durch die offene Tür in Annas Zimmer. Die Mädchen schliefen tief und fest – auf dem Bett, auf dem Boden, in einem Meer von Kuscheltieren. Eine deutliche Erinnerung daran, dass der Alltag außerhalb seiner Welt weiterging. In gewisser Weise kämpfte er genau dafür. Dass Mädchen in Ruhe ihre Pyjamapartys feiern konnten.

10

IN DER NÄHE VON RIAD, SAUDI-ARABIEN

Soldaten hasteten vor Aali Nassar hin und her. Sie konzentrierten sich darauf, provisorische Quartiere aufzubauen, Fahrzeuge zu warten und Waffen einsatzbereit zu machen. Sie bereiteten eine Terrorabwehroperation gegen einen der führenden IS-Köpfe an der Grenze zum Irak vor. Mit großer Wahrscheinlichkeit hatte Nassars

Assistent den Kommandanten der Basis verständigt und vor dessen aktueller Laune gewarnt, damit alle Mitarbeiter einen weiten Bogen um den Chef des saudischen Geheimdienstes machten.

Nassar war nach wie vor stinksauer über den Zwischenfall in Rabat. Talal bin Musaid hatte es geschafft, sogar eine denkbar simple Aufgabe zu vermasseln. Um ein Haar hätte er Nassar damit alles zerstört, was er in den letzten sechs Monaten aufgebaut hatte.

Er spürte den Blick der Männer auf sich, während er die lehmige Piste entlanglief. Ihre Augen glänzten, zum Teil lag das an der Wüstensonne, zum Teil daran, dass sie ihn bewunderten. Dass man ihn zum Nachfolger von Prinz Khaled bin Abdullah ernannt hatte, war eine außerordentliche Entwicklung. Es gab jedem einzelnen dieser Soldaten die Hoffnung, dass er eines Tages trotz seiner bürgerlichen Herkunft einen hohen Posten bekleiden konnte. Vor Nassars Beförderung war es üblich gewesen, wichtige Regierungsfunktionen ausschließlich mit Mitgliedern der königlichen Familie zu besetzen. Die einzige Ausnahme bildete das Energieministerium. Ein Eingeständnis des Königs, dass die Aufgabe zu wichtig war, um sie einem der unterbelichteten Idioten anzuvertrauen, die im Haus Saud herumspazierten.

Inzwischen scharten sich die Kräfte des radikalen Islams vor den Toren und bedrohten nicht nur das gemeine Volk, sondern auch die Monarchen, die über es herrschten. Seitdem auch seiner Familie Gefahr seitens der Dschihadisten drohte, deren Aufkommen sie selbst befördert hatte, entschied König Faisal, dass ein gewisser Grad an Kompetenz notwendig war, um sie in ihre Schranken zu weisen.

Ein unfassbar junger Mann in der Uniform eines Colonels tauchte aus einem Zelt auf. Statt Nassar ebenfalls aus dem Weg zu gehen, eilte er gezielt in dessen Richtung. Maheer Bazzi war jüngst zum Anführer der saudi-arabischen Spezialeinheiten ernannt worden. Ein unglaublich eifriger und loyaler Bursche, allerdings hoffnungslos überfordert auf diesem Posten. König Faisal hatte sich verpflichtet gefühlt, den Mann für seine Rolle bei der Rettung der saudischen Ölfelder vor einer konzertierten Aktion des IS zu belohnen. Über den Umstand, dass Bazzi an der Ermordung seines Vorgängers durch Mitch Rapp alles andere als unschuldig war, schien Faisal dabei gnädig hinwegzusehen.

»Direktor Nassar.« Mit einem knackigen Salut kam der Jüngere vor ihm zum Stehen. »Es ist mir ein Vergnügen, Sie zu sehen, Sir. Ist Ihnen bekannt, dass der König auf dem Weg hierher ist?«

Nassar hatte es vor knapp einer Stunde erfahren und tappte trotz diskreter Erkundigungen seiner Mitarbeiter nach wie vor im Dunkeln, was die Gründe betraf. Der ältliche Monarch verließ die schützenden Mauern seines Palasts nur noch in seltenen Fällen. Was mochte dringend genug sein, um ihn hinaus in eine Welt zu locken, die er zu fürchten gelernt hatte?

»Seine Hoheit und ich haben wichtige Angelegenheiten zu besprechen. Dies schien mir ein passender Ort und eine passende Gelegenheit zu sein«, verkündete er selbstbewusst und schluckte seine Missachtung für den vorwitzigen Colonel herunter. Der andere war ein mäßig gläubiger Muslim, der sein Herz auf der Zunge trug und nichts anderes wollte, als König und Land bestmöglich zu dienen. Nassars Leute hatten nichts Belastendes über ihn in Erfahrung bringen können. Weder fanden sich Ansatzpunkte für eine Erpressung, noch würde er sich mit Geld, Frauen oder der Aussicht auf Macht locken lassen.

In Verbindung mit dem Umstand, dass er das Wohlwollen des Herrschers genoss, machte ihn das zu einem Mann, den es bei erstbester Gelegenheit loszuwerden galt. Glücklicherweise stand eine solche Gelegenheit unmittelbar bevor.

»Ist alles bereit?«, fragte Nassar. Turbinen heulten irgendwo neben ihm auf. Er verzichtete auf die Mühe, den Kopf zu drehen, und unterstellte, dass es sich um Faisals Airbus A380 handelte. Obwohl man aus Riad nur ungefähr eine Stunde mit dem Auto unterwegs war, hatte sich der Tattergreis für den Flieger entschieden. Wahrscheinlich um sich der übertriebenen Verhätschelung durch Ehefrauen und Ärzte nicht länger als nötig zu entziehen.

»Ja, Sir. Der Geheimdienst hat gerade bestätigt, dass General Al-Omari unterwegs und dem Zeitplan leicht voraus ist.«

»Könnte das zum Problem werden?«

Bazzi schüttelte den Kopf. »Ich habe unsere Strategie zeitlich flexibel gestaltet. Wir werden eine halbe Stunde früher als vorgesehen aufbrechen, ohne dass es die übrigen Parameter beeinträchtigt.«

Nassar nahm das mit einem kaum sichtbaren Nicken zur Kenntnis. Dabir Al-Omari rangierte fast an der Spitze der IS-Kommandostruktur. Vor der Irakinvasion hatte er zu den talentierten jungen Offizieren von Saddam Hussein gehört und stellte sein strategisches Genie nun Mullah Sayid Halabi zur Verfügung, angelockt von dessen immensem Charisma. Ihn in die Finger zu bekommen, würde den Terroristen einen empfindlichen Schlag versetzen. Colonel Bazzi freute sich darauf, seinem geliebten König diesen Dienst zu erweisen.

»Ich habe vollstes Vertrauen in Sie«, erklärte Nassar. »Trotzdem habe ich beschlossen, diesen Einsatz persönlich zu überwachen.«

»Aber, Sir, der General wird von einem enormen Security-Apparat begleitet. Ich kann Ihre Sicherheit nicht garantieren. Erlauben Sie, dass ich …«

»Das verstehe ich. Deshalb mache ich weder Sie noch den König für mein Wohlergehen verantwortlich.« Er rang sich ein Lächeln ab und klopfte dem Jüngeren auf die Schulter. »Sie werden feststellen, dass meine Leute gute Arbeit leisten und ich sehr gut allein auf mich aufpassen kann.«

Der Airbus flog über sie hinweg und verschluckte Bazzis Erwiderung. Nassar lief zur Landebahn und fühlte sich mit jedem Schritt nervöser. Er war in seinen Bemühungen, die Autorität der Monarchie seines Landes zu untergraben, mit großer Behutsamkeit vorgegangen. Bestand dennoch die Möglichkeit, dass jemand etwas gemerkt hatte? Er hielt es für unwahrscheinlich. Selbst wenn der König zufällig auf Anzeichen gestoßen wäre, hätte er die Spur niemals zu Nassar persönlich verfolgen können. Für die weiteren Schritte würde eine Entdeckung des Komplotts trotzdem einen empfindlichen Schlag bedeuten.

Eine Gruppe von Soldaten eilte im Laufschritt herbei, um eine Treppe vor den Ausstieg der Maschine zu schieben. Nassar stieg die Stufen hoch, als einer von Faisals Personenschützern gerade die Luke öffnete. Der Mann trat zur Seite und verbeugte sich respektvoll.

»Seine Hoheit wartet hinten auf Sie, Direktor.«

Nassar durchquerte den luxuriösen Passagierbereich und traf König Faisal allein auf einer Couchgarnitur in der Nähe des Heckschotts an. Neben ihm hing eine Sauerstoffmaske aus der Decke, den dazugehörigen Tank hatte man unauffällig versteckt. 86 Jahre Lebenszeit und Hunderttausende amerikanischer Zigaretten hatten dem Monarchen ein Emphysem und eine Herzinsuffizienz beschert. Laut Erkenntnissen von Nassars Leuten verschonte ihn der Krebs bedauerlicherweise.

»Wie mir zugetragen wurde, schreiten die Vorbereitungen für den morgigen Einsatz in akzeptabler Geschwindigkeit voran«, verzichtete Faisal auf überflüssige Förmlichkeiten, wie er sie als jüngerer Herrscher so gern ausgekostet hatte. Da ihm nicht mehr viele Atemzüge blieben, setzte er sie mit Bedacht ein.

»Das entspricht auch meinem Kenntnisstand, Eure Hoheit.«

»Ich hörte außerdem, dass Sie sich persönlich einbringen wollen.«

»Sie sind wahrlich hervorragend informiert.«

»Halten Sie das für klug?«

»Das Risiko, das ich eingehe, ist minimal. Die Bedeutung der Mission ist nicht zu unterschätzen. Wenn wir entschlossen vorgehen, liegt die Ergreifung oder Tötung von Mullah Halabi im Bereich des Möglichen.«

»Ist das etwas, das wir selbst in die Hand nehmen werden?«

»Nein, Hoheit. Ich halte es für wesentlich angebrachter, den Amerikanern den Vortritt zu lassen.«

Faisal nickte. Seine bläulich verfärbten Lippen formten einen humorlosen Strich. Diese Strategie verfolgte der

König seit Jahrzehnten: den Westen die eigenen Privilegien schützen lassen und den Verbündeten schrittweise unterwandern. Das funktionierte allerdings nicht mehr lange, und Faisal wusste das besser als jeder andere. Er gehörte zu den intelligentesten Herrschern überhaupt und durfte für sich in Anspruch nehmen, wohl auch der selbstsüchtigste zu sein. Er erkannte die wachsende Bedrohung durch Dschihadisten und die Probleme, die aus einer direkten Konfrontation erwuchsen. Deshalb unternahm er alles, damit es erst nach seinem Tod dazu kam.

»Und wie steht es mit der anderen Angelegenheit?«

»Sie sprechen von Tha'labah?«

»Das wissen Sie genau.«

Tha'labah war ein saudischer Blogger, der die Monarchie verachtete und seine Kritik zunehmend unverblümt in der Öffentlichkeit äußerte.

»Wir untersuchen die Sache intensiv, Eure Exzellenz.«

»›Untersuchen‹? Wäre Khaled noch mit der Leitung unseres Geheimdiensts betraut, hätte er dieses Hindernis längst aus der Welt geschafft.«

Das ließ sich kaum bestreiten. Prinz Khaled war nicht nur ein völliger Schwachkopf gewesen, sondern hatte seine Bestrafungen so maßlos überzogen, dass es fast schon komisch wirkte. Er liebte es, Leute an den Pranger zu stellen, die der königlichen Familie Steine in den Weg legten, und schreckte selbst vor öffentlichen Hinrichtungen nicht zurück. Bedauerlicherweise rief jeder getötete Agitator mindestens 1000 weitere auf den Plan.

»Darf ich daran erinnern, dass Sie es genau aus diesem Grund für nötig hielten, Khaled aus dem Amt zu entfernen, Eure Hoheit? Jedes direkte Vorgehen gegen

Tha'labah macht ihn nur zum Märtyrer. Die Nachricht von seinem Tod würde sich in den sozialen Netzwerken wie ein Lauffeuer verbreiten und jeden, der davon liest, zu Vergeltungstaten motivieren.«

»Aber er unterhält Verbindungen zum IS«, protestierte Faisal. »Wollen Sie damit andeuten, dass wir nichts gegen ihn unternehmen können?«

Der alte Narr tat sich schwer damit, die Entwicklungen in der Welt nachzuvollziehen, die ihn umgab. Loyalitätsbekundungen besaßen längst keinen Wert mehr und waren im schlimmsten Fall nichts als bedeutungslose Floskeln zur Eigenvermarktung. Der IS war nicht nur eine Organisation, sondern verkörperte vor allem eine Ideologie. Seine Konzepte vergifteten die saudi-arabische Jugend genau wie zuvor die irakische oder syrische. Und er würde sich bald zur dominanten Kraft im Nahen Osten aufschwingen.

»Sie haben mich wegen meiner Diskretion ins Boot geholt, Eure Majestät. Und damit ich Ihre Familie vor solchen Entwicklungen schütze.«

»Was ist mit den Amerikanern?«

»Sie dürften wohl kaum gegen Tha'labah vorgehen. Meinungsfreiheit gehört für sie zu den unantastbaren Prinzipien.«

Faisal hatte sich die Sauerstoffmaske vors Gesicht gezogen und starrte seinen Geheimdienstchef an, während er gierig daran saugte. Aufgrund der sinkenden Ölpreise konnte er sein Volk nicht länger durch monetäre Zuwendungen gefügig halten. Sie wandten sich schrittweise gegen ihn, angeheizt vom Fanatismus, den man ihnen in den Wahhabiten-Koranschulen eingebläut hatte, die er selbst mitfinanziert hatte.

Seine gute Beziehung zum Westen hatte eine Barriere zwischen ihm und dem eigenen Land errichtet. Zu allem Überfluss erkannten die Amerikaner allmählich, dass es grotesk war, Milliarden in einen Staat zu pumpen, dessen Wertesystem allem widersprach, wofür sie einstanden. Zumal sich der Fokus in Saudi-Arabien zunehmend vom Erdöl, bei dem sie zu den führenden Exporteuren gehörten, hin zum Terrorismus verlagerte.

Der IS ließ sich besiegen. Das war noch das Einfachste. Doch die Idee hinter dem Islamischen Staat ließ sich nicht so leicht zerstören. Verschwand der IS, würde das entstehende Vakuum schnell durch eine Nachfolgeorganisation ausgefüllt. Ähnliches hatte sich im Laufe der Geschichte wiederholt bewahrheitet. So oder so würden sich extremistische Kräfte am Ende durchsetzen. Blieb die Frage, ob Saudi-Arabien diese Kräfte anführte oder von ihnen verschlungen wurde.

Der König setzte die Atemmaske ab und ließ seinen knöchrigen Körper tiefer in die Polsterung sinken. »Der Präsident der Vereinigten Staaten hat nach einem Treffen mit unserem Botschafter verlangt. Über die Gründe wissen wir bislang nichts. So etwas hat es vorher noch nie gegeben. Haben Sie eine Idee, was dahintersteckt?«

»Leider nein.« In Wahrheit fiel ihm sofort Prinz bin Musaids Alleingang in Marokko ein.

»Der Botschafter ist ziemlich beunruhigt. Er glaubt, dass ihm bewusst vorab keine Tagesordnung geschickt wurde, weil man ihm keine Gelegenheit geben will, sich auf das Gespräch vorzubereiten.«

Das war so offensichtlich, dass man keine Worte darüber verlieren musste, doch der saudi-arabische Botschafter in den USA war ein sabbernder Trottel, der es natürlich trotzdem tat. Dummerweise war er auch der Cousin von König Faisal.

»Möchten Sie, dass ich an der Besprechung teilnehme, Eure Hoheit?«

Der König lächelte. »Ich ging davon aus, dass Sie das strikt ablehnen, Aali.«

Unter normalen Umständen hätte er das getan, aber da die Amerikaner unter Umständen wussten, was in Rabat passiert war, hielt er es für unklug, den Botschafter allein zu dem Termin zu schicken.

»Wie üblich ordne ich mich vollkommen Ihren Interessen unter«, meinte er.

»Sie sind Präsident Alexander noch nie begegnet, oder?«

»Nein, Hoheit.«

Für einen Mann in seiner Position hatte er überhaupt nur wenige Amerikaner getroffen. Das lag daran, dass er es so wollte. Er hasste diese arroganten Schnösel, die Interesse am Frieden heuchelten und doch nur an Geld interessiert waren. Sie hatten das Privileg, ihrem Gott zu dienen, längst persönlichem Status und Wohlergehen untergeordnet.

Präsident Joshua Alexander ging sogar noch einen Schritt weiter. Er attackierte den saudischen Lebensstil seit den frühen Tagen seiner politischen Karriere und versuchte, das Königreich in einen modernen, säkularen Mischmasch aus östlichen und westlichen Werten zu transformieren.

Er beabsichtigte, die Jünger Allahs zum selben Pakt mit dem Teufel zu verführen, den er und seine Landsleute abgeschlossen hatten.

»Dann ist jetzt die passende Gelegenheit dafür.«

»Es wird mir eine Ehre sein, Eure Hoheit.«

Faisal nickte majestätisch. »Falls Ihre Aktion gegen General Al-Omari erfolgreich verläuft, verschafft uns das eine ideale Ausgangsposition in Bezug auf die Amerikaner.«

Er bedeckte den Mund erneut mit der Maske. Seine nächsten Worte klangen deshalb verzerrt, blieben aber verständlich. »Ja ... wenn wir den Amerikanern Al-Omaris Kopf liefern, wird sie das noch eine Weile länger ruhigstellen.«

11

ÖSTLICH VON MANASSAS, VIRGINIA

»Und das?«, fragte Irene Kennedy und deutete auf eine teilweise fertiggestellte Konstruktion aus Backsteinen.

Der Nachmittag verwöhnte sie mit warmen Temperaturen. Nur ein paar weiße Wolken im Osten verschleierten den Himmel. Claudia hatte den Rasen mit einem John-Deere-Traktor gemäht, der zu ihren neuen Lieblingsspielzeugen gehörte. Der Geruch von frischem Gras hing in der Luft.

»Ich glaube, das soll ein Freiluft-Pizzaofen werden.«

Kennedy nippte zurückhaltend an ihrem Wein und konnte sich das Lächeln kaum verkneifen.

»Was ist?«

»Die meisten von uns hätten eine Menge Geld drauf gewettet, dass ein ›Freiluft-Pizzaofen‹ im Universum von Mitch Rapp keinen Platz hat.«

»Vielleicht steckt doch mehr in mir, als manche glauben.«

Ihr Lächeln vertiefte sich. »Das Haus ist traumhaft, Mitch. Von der Lage ganz zu schweigen. Ich kann nachvollziehen, warum du dich dafür entschieden hast.«

»Es sind noch ein paar Grundstücke frei, falls du Interesse hast. Ich denke, ich könnte Steven überreden, dir eins für die Hälfte zu überlassen. Das wären dann 50 Cent.«

Sie schüttelte den Kopf. »Danke, aber ich bin durch und durch Stadtmensch. Allerdings hoffe ich, dass du mich bald mal wieder einlädst.«

Rapp nickte und legte bei seinem Bier deutlich weniger Zurückhaltung an den Tag. Er und Irene hatten eine Art Bruder-Schwester-Beziehung entwickelt. Trotzdem sahen sie sich außerhalb der Arbeit nur selten. Das lag wohl daran, dass ihr Leben aus ständigem Chaos bestand und die normalen Sachen, mit denen sich normale Menschen beschäftigen, dabei auf der Strecke blieben. Selbst heute waren sie und ihr Teenager-Sohn nicht seinetwegen gekommen. Sondern wegen Claudia.

Er hörte, wie Anna hinter ihnen auftauchte, da spürte er bereits ein Zupfen am Hosenbein.

»Darf ich Tommy den Schuppen zeigen?«

Mit fragender Miene drehte er sich zu Irene, doch die hatte sich abgewandt und tat, als bewunderte sie die Gestaltung des Gartens. Schon wollte er Anna auffordern, ihre Mutter um Erlaubnis zu bitten, doch dann entschied er sich dagegen. Kennedy stellte ihn auf die Probe.

»Sicher. Aber passt auf, da liegen eine Menge Geräte und scharfkantiges Werkzeug rum. Seid vorsichtig, okay?«

Sie grinste und sah die CIA-Chefin an. »Mom sagt, ich soll fragen, ob du noch ein Glas Wein trinken möchtest.«

»Nein, vielen Dank, Süße. Eins genügt.«

Anna rannte zu Kennedys Sohn, der vor der Skulptur im Garten stand und sie mit zur Seite gelegtem Kopf musterte.

»Tommy!«, rief Rapp ihm zu. »Du hast das Kommando. Tu nichts, wofür ich dir hinterher das Genick brechen muss.«

Der Teenager streckte beide Daumen nach oben und joggte zum Tor, wo er Anna einen spielerischen Schubser verpasste.

Kennedy beobachtete, wie sie zu zweit die Straße entlangliefen, und sprach erst wieder, als sie zwischen den Bäumen abgetaucht waren. »Erschreckend, oder? Ich treffe jeden Tag Entscheidungen über Leben und Tod, aber nachts lieg ich wach und mach mir Sorgen um Tommy.«

»Stimmt. Ich glaube, ich tu mich ziemlich schwer damit, mich an ein normales Leben zu gewöhnen.«

»Im Ernst? Ich hab das Gefühl, du kriegst das großartig hin.«

»Hat Claudia dir das erzählt?«

Ihre einzige Antwort bestand in einem weiteren zögerlichen Nippen am Weinglas.

»Was gibt's Neues vom kleinen Prinzen?« Rapp wechselte zu einem Thema, bei dem er sich wohler fühlte.

»Der Präsident hat den saudischen Botschafter zum Gespräch einbestellt.«

»Aus dem Idioten wird er nichts rausbekommen. Der lässt sich von keinem was sagen.«

»Seh ich genauso. Allerdings wird ihn angeblich Aali Nassar begleiten.«

»Der neue Geheimdienstchef? Interessant. Hattest du schon mit ihm zu tun?«

»Nicht persönlich. Er ist auf jeden Fall ganz anders als sein Vorgänger. Eine starke Persönlichkeit, intelligent und ehrgeizig.«

»Ist das für uns besser als Khaleds dumme, radikale und frauenfeindliche Masche? Oder eher schlimmer?«

»Einen Ansprechpartner wie Nassar in Saudi-Arabien zu haben, halte ich für äußerst nützlich. Potenziell könnte es natürlich auch gefährlich sein. Was den Nahen Osten angeht, läuft es leider meist auf Letzteres hinaus. Da ich ebenfalls an dem Treffen teilnehme, werde ich dir hinterher eine bessere Einschätzung liefern können.«

»Und in welcher Atmosphäre wird das Ganze stattfinden?«

Sie dachte kurz über ihre Antwort nach. »Der Präsident ist wütend. Genau genommen kann ich mich nicht erinnern, ihn je so wütend erlebt zu haben.«

Rapp konnte das sehr gut nachvollziehen. Die für die Öffentlichkeit freigegebenen 28 Seiten aus dem Bericht über die Beteiligung der Saudis an den Anschlägen vom 11. September stellten nur die Spitze des Eisbergs dar. Die Agency war aufgefordert worden, ihre weiteren Erkenntnisse zu diesem Thema für sich zu behalten. Man überließ es König Faisal, wie er mit den unzähligen Mitverschwörern aus seiner Regierung ins Gericht ging. Politische Stabilität und die Ölversorgung blieben auf diese Weise gewährleistet, trotzdem lehnte Rapp das Vorgehen entschieden ab. Zum damaligen Zeitpunkt hatte er als junger, unerfahrener Agent allerdings keinen Einfluss auf solche Entscheidungen nehmen können.

»Und du bist es auch, Irene?«

»Wütend? Ja. Es würde mich überraschen, wenn Faisal etwas über die Aktivitäten seines Neffen wüsste. Selbst du wirst zugeben müssen, dass die saudische Regierung seit 9/11 zwar nicht der verlässlichste, aber zumindest ein halbwegs kooperativer Partner im Kampf gegen den Terror ist.«

»Faisal pfeift allerdings auf dem letzten Loch. Der Mann verbringt den Großteil seiner Zeit verbarrikadiert hinter den Palastmauern mit Schläuchen in der Nase.«

Sie nickte gedankenverloren. »Er wird bald sterben, dann müssen wir uns mit völlig neuen Rahmenbedingungen arrangieren. Darüber mache ich mir jetzt noch keine Gedanken. Die Frage, die es akut zu beantworten gilt, lautet eher, ob es sich bei Rabat um einen isolierten Vorfall oder den Baustein einer größeren Verschwörung handelt. Die Kräfte, die das Machtvakuum nach Faisals Tod ausfüllen wollen, legen es womöglich auf engere Verbindungen zu den jungen Radikalen in der Region an, um ihre Macht zu festigen.«

»Vielleicht habe ich einen Fehler gemacht, Irene. Vielleicht hätte ich zulassen sollen, dass der IS Faisals Dreckloch von einem Königreich ausräuchert. Wie oft müssen wir uns denn noch mit diesem Mist auseinandersetzen? Wir lassen sie nach dem tödlichsten Terrorangriff der US-Geschichte vom Haken, und jetzt sind wir wieder am selben Punkt angelangt. Mir kommt das vor wie bei einer kaputten Schallplatte, die ständig an dieselbe Stelle springt.«

»Du hast keinen Fehler gemacht. Wir haben weiterhin großen Einfluss auf die Saudis. Zuzulassen, dass ihr Land in die Hände des Islamischen Staats fällt, hätte unweigerlich zur Katastrophe geführt.«

»Manchmal bin ich mir da nicht so sicher. Es scheint tagtäglich schlimmer zu werden. Wenn alles abbrennt, können wir noch mal bei null anfangen.«

»Keine schlechte Idee. Aber so weit sind wir noch nicht, Mitch. Einen letzten Hoffnungsschimmer seh ich weiterhin.«

»Dann hast du bessere Augen als ich. Glaubst du ernsthaft, dass das Treffen mit Nassar eine Lösung bringen wird?«

»Vermutlich nicht. Ich gehe davon aus, dass die Saudis alles abstreiten. Leider haben wir keine konkreten Beweise. Anders wär's, wenn wir bin Musaid erwischt hätten …«

Sie ließ die Bemerkung im Raum stehen und sah ihn an.

»Schon gut, Irene. Sag es ruhig.«

»Okay, wie du willst. Du musst einen Ersatz für Scott finden. Nicht für immer, aber so lange, bis er wieder fit ist. Ich hab gehört, er denkt drüber nach, seine Aufgaben in Operatives und Logistik aufzuteilen. Das halte ich für eine hervorragende Idee.«

Wie auf Kommando tauchte Claudia mit einem frischen Bier auf. Sie reichte es ihm und strahlte. »Das Essen ist in etwa einer halben Stunde fertig. Na, worüber redet ihr gerade?«

12

Ironischerweise hatte das Haus früher mal dem US-Auftragnehmer gehört, den man mit dem hoffnungslosen Unterfangen betraut hatte, den Irak neu aufzubauen. Amerikas Politiker hatten den alten Fehler wiederholt, eigene Maßstäbe auch in diesem Winkel der Welt anzusetzen. Sie hielten das Streben nach Gerechtigkeit für den dominanten Verhaltenszug der Menschheit und bildeten sich ein, dass er sich durchsetzte, sobald das Böse ausgelöscht wäre. Dabei strebten die Menschen in Wirklichkeit vor allem nach Chaos. Den Amerikanern war es lediglich gelungen, diesen Drang im bisherigen Rahmen ihrer kurzen Geschichte erfolgreich zu unterdrücken.

Colonel Maheer Bazzi kroch vorwärts, um das Grundstück besser überblicken zu können. Das Hauptgebäude war aus Stein und antiken Holzbalken errichtet worden und schmiegte sich an die Klippen. Bäume sprossen vor der es umgebenden Mauer aus aufgestapelten Felsblöcken in die Höhe, Weinranken klammerten sich an den grauen Untergrund und verdeckten ihn fast vollständig. Durch den Schleier des Nachtsicht-Oszilloskops wirkte alles wie ausgestorben. Eine gewollte Täuschung, um die Aufmerksamkeit der amerikanischen Drohnen nicht auf das Gelände zu lenken.

Bazzi schwenkte die Restlichtverstärkerröhre nach rechts und entdeckte einen Mann, der über die freie Fläche kroch; dort, wo sich früher das Eingangstor befunden hatte. Vier weitere Bewaffnete näherten sich von Norden her, noch zwei, aus seiner aktuellen Position nicht zu erkennen, kamen aus Richtung Osten. Keiner von ihnen gehörte zu seinen Teams. Sie alle waren Aali Nassar unterstellt.

Bazzis Protest beim König war auf taube Ohren gestoßen. Faisal ließ sich im Winter seines Lebens zunehmend auf Kompromisse ein. Bazzi behielt zwar das Oberkommando für den Zugriff, Nassars Elitetruppen übernahmen jedoch die operative Umsetzung.

Es stimmte zwar, dass Nassar ihm mit gewissem Respekt begegnete, doch Bazzi wusste genau, dass er nur so tat, um dem König zu gefallen, Nassar hielt ihn für zu unerfahren und hasste ihn wegen seiner früheren Zusammenarbeit mit den Amerikanern. Außerdem vermutete der andere, dass er Mitch Rapps Tötung des ehemaligen Befehlshabers der Special Forces mitbekommen hatte und sie gezielt vertuschte.

Diese Vermutungen hatten nichts damit zu tun, dass Nassar paranoid war. Tatsächlich lieferten sie nur einen weiteren Beleg für seine Kompetenz. Denn er lag damit richtig. Bazzi hielt die amerikanische Regierung zwar für einen hoffnungslosen Haufen, aber Mitch Rapp mit seinem enormen Wissen über den Nahen Osten wusste genau, was getan werden musste, um Bedrohungen im Zaum zu halten.

Und vieles schien darauf hinzudeuten, dass die Machthaber in Washington nach den vielen Fehlschlägen der Vergangenheit anfingen, Rapp zuzuhören. Bazzi hielt es für die einzige Hoffnung, das Chaos in seinem Land ins Lot zu bringen. Geriet Saudi-Arabien in die Mühlen der heimtückischen Komplotte von Faisals Nachfolgern, drohte das Königreich im Rahmen endloser Bürgerkriege von der Landkarte getilgt zu werden.

Nassar, zweifellos ein mächtiger Einflussfaktor, war ein wandelnder Widerspruch. Ein Mann, förmlich zerfressen von Ehrgeiz, wobei ihm jeglicher Patriotismus abging. Er hatte es zwar geschafft, den König von seiner Ergebenheit zu überzeugen, doch in Wirklichkeit war ihm der Herrscher völlig gleichgültig, ebenso wie das Reich, das er regierte, und die rund 30 Millionen Untertanen.

Deshalb hatte sich Bazzi auf die für ihn untypische Strategie verlegt, aus dem Hintergrund zu führen. Sowenig er Aali Nassar traute, noch weniger traute er Nassars Männern.

Das Team befand sich endlich auf Position. Gerade wollte er grünes Licht für den Vorstoß geben, als sich das als überflüssig erwies.

Sie rückten ohne seinen Befehl vor. Er sah zu, wie sie auf dem Gelände ausschwärmten, und verlor die meisten aus den Augen, weil sie sich hinter einer hohen Mauer verschanzten. Unter das gedämpfte Knattern schallgedämpfter Sturmfeuergewehre mischte sich das undisziplinierte Grollen vollautomatischer Waffen, als sich General Al-Omaris Leute gegen die Eindringlinge zur Wehr setzten.

Bazzi lief den sanften Abhang hinunter und zwang sich zu langsamen Schritten. Normalerweise stürzte er instinktiv zum Brennpunkt des Geschehens, doch diesmal hielt er sein Überleben für zu wichtig. Am liebsten wäre er an dieser Operation gar nicht beteiligt gewesen, doch er hätte es als Anmaßung gegenüber dem König empfunden, um eine Freistellung zu bitten.

Die Schüsse verstummten, als er sich noch etwa 50 Meter von der Mauer entfernt befand. Er aktivierte das Kehlkopfmikrofon. »Ist der Innenhof gesichert?«

Es kam keine Antwort.

»Ich wiederhole: Ist der …«

»Gesichert«, versetzte einer der Soldaten schroff.

Bazzi schob sich vorsichtig durch die Lücke im Mauerwerk und musterte den von Mondlicht beschienenen Hof. Nassars Männer hatten sich weiträumig verteilt und alle entscheidenden taktischen Stellungen eingenommen. Drei tote Bewaffnete lagen mit dem Gesicht im Dreck.

»Verletzte auf unserer Seite?«

»Keine.«

Das Rattern der Maschinengewehre setzte rechts von Bazzi ein. Er warf sich zu Boden und rollte sich in eine Position ab, die es ihm erlaubte, mit seinem Heckler & Koch G36 auf die Mündungsblitze in einer Baumreihe in 15 Metern Entfernung zu zielen. Er drückte ab und spürte das Aufbäumen der Waffe, während sie ihre Projektile ausspuckte. Ein Schatten löste sich aus der Deckung und nutzte den aufgewirbelten Staub der Einschläge als Tarnung für den Gegenangriff. Die Kugeln furchten kaum fünf Zentimeter von Bazzi entfernt den Boden auf, dann gelang es ihm endlich, dem Feind einen Brusttreffer zu verpassen. Der Mann stürzte rücklings in einen alten Brunnenschacht.

Stille setzte ein und er forschte in der Dunkelheit nach weiteren Angreifern. Niemand außer Nassars Männern, die ihn stumm anstarrten. Keiner hatte einen Schuss zu seiner Unterstützung abgegeben.

Es war klar, dass sein weiteres Überleben davon abhing, sich eine völlig neue Qualität von Überlebensstrategien zu überlegen. Er durfte sich nicht länger auf seinen Dienstrang als Captain der Special Forces verlassen. Er galt als Günstling des Königs und damit als unkalkulierbarer Faktor in den bevorstehenden Machtquerelen.

Bazzi lief zu den Männern, die sich an der Vordertür des massiven Gebäudes versammelt hatten. Er wartete zunächst, bis sie eingetreten waren, dann folgte er. Es musste schnell gehen. Drinnen hielt sich weiteres Sicherheitspersonal auf, das vermutlich bereits in Deckung ging. Nassars Team durfte sich auf keinen Fall aufhalten lassen. General Al-Omari musste in den Hubschrauber verfrachtet werden, bevor IS-Kämpfer als Verstärkung eintrafen.

Er achtete darauf, dass sich keiner von Nassars Männern hinter seinen Rücken schlich, ging allerdings ohnehin nicht davon aus, dass sie einen Angriff auf ihn wagten. Zuzulassen, dass jemand vom Personal des Generals ihn erschoss, war etwas ganz anderes, als selbst den tödlichen Schuss zu setzen. Eines Tages mochte es dazu kommen, weil Nassar gegen seine niedere Herkunft aufbegehrte, doch vorerst würde er es nicht wagen, den Leiter der saudi-arabischen Special Forces ermorden zu lassen.

Sie ließen den Flur hinter sich und erreichten ein Treppenhaus, das sie zwang, sich aufzuteilen. Da niemand seine Befehle zu akzeptieren schien, verzichtete er darauf, welche zu erteilen. Am liebsten hätte er sich einfach nach draußen an die Mauer zurückgezogen, doch König Faisal erwartete einen erschöpfenden Bericht. Er gedachte, seine Pflichten zu erfüllen, und schloss sich den Männern an, die das Erdgeschoss erkundeten, während die andere Hälfte nach oben ausschwärmte.

Auf ein abruptes Aufblitzen zu ihrer Rechten folgte die ohrenbetäubende Schockwelle einer Granate. Die zwei führenden Soldaten brachen zusammen, ihre zwei Nachfolger lieferten sich ein Feuergefecht mit dem Angreifer oder den Angreifern im Raum dahinter. Bazzi sprintete instinktiv zu ihnen und huschte in geduckter Haltung zu den beiden Getroffenen. Bei dem einen war ein Splitter in den Hals eingedrungen. Erfolglos mühte er sich, durch blutbespritzte Lippen etwas hervorzuquetschen. Trotz seines relativ jungen Alters hatte Bazzi ähnliche Situationen bereits erlebt und wusste, dass der andere im Sterben lag. Der Zweite war ohnmächtig, aber die Flakweste hatte einen Großteil der Granatsplitter abgefangen. Er schleifte ihn in ein leeres Zimmer und blickte sich mehrfach suchend um – eher wegen Nassars Männern als wegen denen Al-Omaris. In so einer Lage ließ sich eine tödliche Verletzung der eigenen Leute leicht als Unfall deklarieren.

In dem Zimmer gab es noch eine zweite Tür. Er schob sie auf und überprüfte den Korridor dahinter, bevor er hineinglitt. Die Geräuschkulisse der Schusswechsel hielt an, wurde jedoch zunehmend leiser, während er die Räume an den Seiten absuchte. In den meisten gab es nichts als vier karge Steinwände, doch in den zwei hinteren fand er opulente Schlafzimmermöbel vor. Ganz am Ende des Trakts stieß er auf einen abgeschlossenen Durchgang. Nassars Leute waren noch beschäftigt, also feuerte er auf den Riegel und entschied, lieber solo weiterzumachen als mit handverlesenem Personal des Geheimdienstchefs.

Bazzi stellte sich seitlich neben den Rahmen und schob die Tür behutsam auf. Einen Moment später rauschten drei Projektile vorbei und schlugen in die Wand auf der gegenüberliegenden Seite des Flurs ein. Er riskierte einen kurzen Blick hinein und konnte dank des Mondlichts, das durch ein Fenster ohne geschlossene Läden eindrang, gewisse Einzelheiten erkennen. Das Mobiliar war noch protziger als in den vorherigen Räumen und die Abmessungen waren noch ein gutes Stück großzügiger. Er ging von knapp 100 Quadratmetern aus. Der Schütze hatte sich hinter dem Bett postiert und schien mit einer Pistole bewaffnet zu sein. Garantiert der General, der einen letzten Versuch unternahm, sich und seine Familie zu schützen.

»Ergeben Sie sich, General! Ich verspreche Ihnen, dass in diesem Fall Ihre Frau und die Kinder verschont werden.«

Zwei weitere Schüsse peitschten durch die Luft. Bazzi schob die Waffe um die Zarge und feuerte eine kurze Salve auf den massiven Holzrahmen der Schlafstätte ab.

»Komm rein, damit ich dich sehen kann, du saudischer Feigling.«

Bazzi wich zurück. »Seien Sie doch vernünftig, General.«

»Glaubst du, ich lass mich einfach mitnehmen?«

»Wenn Sie mich zwingen, Sie zu erschießen, wird man stattdessen Ihre Familie verhören. Was wären Sie für ein Mann, so etwas zuzulassen?«

Erneut ließ er die Waffe durch die Öffnung gleiten, diesmal feuerte er nicht blind, sondern durchs Visier. Al-Omari hielt dagegen. Ersticktes Flüstern hinter dem Bett veranlasste den General schließlich, seine Pistole auf die Matratze zu werfen und sich mit erhobenen Händen hinzustellen.

»Ich hab ihn«, gab Bazzi per Funk durch.

Die Schüsse am anderen Ende des Korridors verstummten und er hörte, wie unzählige Stiefeltritte in seine Richtung polterten. Einen Augenblick später hatten Nassars Männer Al-Omari und seine Familie umstellt.

»Fesselt sie und bringt sie in den Innenhof«, befahl Bazzi. »Ich fordere den Helikopter an.«

»Verstanden«, bestätigte Aali Nassar. »ETA in knapp einer Minute.«

Die Operation war einigermaßen gut verlaufen. Sie hatten Al-Omari und seine Familie unverletzt in Gewahrsam genommen, es gab nur ein Opfer auf ihrer Seite. Bazzi lebte noch, was Nassar für suboptimal hielt, aber dass er bei der Erstürmung umkam, hätte sowieso mehr Probleme aufgeworfen als gelöst. Der junge Militärbefehlshaber ließ sich bei einer späteren Gelegenheit noch direkt ausschalten.

Der Pilot aktivierte einen Scheinwerfer. Nun konnte Nassar Einzelheiten von Al-Omaris Anwesen erkennen. Die einzige Stelle, die eben genug für eine Landung war, schien der Innenhof zu sein. Prompt setzte der Mann am Steuer zum Sinkflug innerhalb der Mauern an und wirbelte dabei eine dichte Staubwolke auf, die den jungen Colonel einhüllte, der geduckt zu ihnen gerannt kam.

Er stoppte, als Nassar aus der Luke sprang. Sein Blick zuckte zwischen dem Gesicht des Geheimdienstchefs und dem Aktenkoffer in dessen Hand hin und her.

»Direktor Nassar. Was tun Sie denn hier? Man sagte mir, Al-Omari werde nach Medina gebracht.«

»Es gab eine Planänderung«, verkündete Nassar. »Wir werden mit der Befragung vor Ort beginnen.«

»Sir, das ist nicht sicher. Die Einheimischen dürften mitbekommen haben, dass wir hier sind.«

»Genau das ist doch das Problem, Colonel. Die Nachricht, dass wir Al-Omari gefangen genommen haben, wird sich rasch verbreiten. Damit wird alles, was wir ihm an Informationen entlocken, relativ bald nutzlos sein. Wenn es überhaupt Hoffnung gibt, den Aufenthaltsort von Mullah Halabi schnell genug in Erfahrung zu bringen, um ihn zu finden, müssen wir sofort handeln.«

Er betrachtete sein Gegenüber abfällig. »Wenn du Angst hast, lass ich dich von meinem Helikopter in eine sicherere Umgebung bringen.«

»Das wird nicht nötig sein«, meinte Bazzi, der auf das vorgeschriebene ›Sir‹ verzichtete, weil der andere ihn beharrlich duzte, als nähme er ihn nicht für voll. Ein sinnloser Akt des Widerstands. »Soll ich Ihnen den Koffer abnehmen?«

Nassar überreichte ihn mit einem zufriedenen Lächeln. Sollte der andere ruhig glauben, dass sich darin Utensilien befanden, um die Wahrheit aus ihrem Gefangenen herauszubekommen.

Er folgte dem jungen Offizier durchs Gebäude in das hintere Schlafzimmer, wo man General Al-Omari an einen Stuhl gefesselt hatte. Frau und Kinder kauerten in einer Ecke am Boden.

»Schafft seine Familie raus«, befahl Nassar.

Zwei seiner Untergebenen kümmerten sich darum, zwei andere blieben an Ort und Stelle. Sie richteten die Mündungen ihrer Gewehre auf den hilflosen Iraki.

»Aali Nassar.« Der Gefesselte spuckte auf den Boden. »Was treibst du so weit weg von deinem behaglichen

Zuhause? Und wer übernimmt es in deiner Abwesenheit, König Faisal in den Hintern zu kriechen?«

»Sie werden Ihrem polemischen Ruf vollauf gerecht.«

»Genau wie du deinem Sinn fürs Dramatische.«

Nassar zückte die Waffe und zielte auf Al-Omaris Stirn. Der General blickte ihn trotzig an, während sich ein zunehmend nervöserer Colonel Bazzi fragte, worauf das Ganze hinauslief.

»Sir, sagen Sie mir bitte, was Sie vorhaben. Mir wurde angekündigt, dass Sie diesen Mann und seine Familie nach Saudi-Arabien zurückholen. Mir ist bewusst, dass die Zeit drängt, aber wir schweben in diesem Gebäude in höchster Gefahr. Im Fall eines Angriffs riskieren wir, überhaupt keine Informationen zu erhalten.«

Nassar nickte ruhig, dann schwenkte er die Mündung und verpasste Bazzi einen gezielten Kopfschuss. Der Mann schlug hart auf den Steinboden, eine dunkle Blutpfütze umfloss seinen Oberkörper. Ein zweiter Treffer erwischte den Toten am Oberschenkel, ein dritter am Hals. Damit kamen bei der anschließenden Untersuchung keine lästigen Fragen auf.

»Schneidet den General los und lasst uns allein«, befahl Nassar und holsterte seine Waffe. Einer der Untergebenen kappte die Plastik-Einwegfesseln und zog sich mit seinem Kameraden in den Flur zurück.

»Was geht hier vor?«, wollte der General wissen, der viel zu verwirrt war, um aufzustehen.

Nassar starrte auf den Mann hinab, der mit Fug und Recht als sein IS-Gegenstück durchging. Al-Omari war kein besonders heller Bursche, aber das musste er auch gar nicht sein. Diese Rolle war Mullah Halabi zugedacht und er füllte sie glänzend aus. Al-Omari musste lediglich kompetent genug sein, um Befehle zu befolgen. Dass er dazu in der Lage war, hatte er oft genug bewiesen. Gemeinsam bildeten beide eine tödliche Kombination. In einem größeren Ausmaß, als es selbst die listige Irene Kennedy durchschaute.

»Uns ist beiden bewusst, dass das saudische Königreich nach dem Tod von Faisal zusammenbrechen wird, General. Er hat es versäumt, einen Nachfolger aufzubauen, und das anstehende Tauziehen um die Macht wird der Regierung den Rest geben. Die Amerikaner wissen, dass die Nachkommen des Königs allesamt geistig unterbelichtet sind. Aus diesem Grund werden sie davon Abstand nehmen, einen von ihnen zu unterstützen.«

»Deshalb bist du gekommen? Um mir Sachen zu erzählen, die ich längst weiß?«

»Nein, ich bin hier, weil der Aufstieg eines Kalifats, das den gesamten Nahen Osten einschließt, unabwendbar ist. Und ich halte den Islamischen Staat für die geeignete Instanz, um diesen Aufbruch in eine neue Ära einzuleiten. Der Mullah beweist mit seinen Plänen große Weisheit und Weitsicht.«

»Ach wirklich?« Al-Omaris Stimme zeigte erwachendes Interesse. »Und welche Pläne sollen das sein, Aali?«

»Der IS wird früher oder später eine massive Angriffswelle gegen die Vereinigten Staaten einleiten, um die amerikanische Bevölkerung gegen ihre muslimischen Mitbürger aufzuhetzen. Sobald diese sich zunehmend in die Ecke gedrängt, gettoisiert und verfolgt fühlen, proben sie irgendwann den Aufstand. Das wird den Trend verstärken, dass Amerika sich nach außen abschottet. Da sie durch ihre eigenen Energiequellen zunehmend unabhängiger von Zulieferungen aus dem Ausland werden, führt es zwangsläufig dazu, dass sie ihr strategisches Engagement im Nahen Osten nicht länger für sinnvoll erachten. Sie werden sich aus der Region zurückziehen und Mullah Halabi erhält freie Hand, um die gesamte islamische Welt zu vereinnahmen.«

»Sehr clever«, kommentierte Al-Omari. »Aber genug mit dem Gerede. Du willst doch etwas.«

»Natürlich«, antwortete Nassar, der keinen Grund mehr sah, an Förmlichkeiten festzuhalten. »Euer jüngst gescheitertes Attentat in Saudi-Arabien hätte die Ölversorgung über Jahre hinweg lahmgelegt, genau wie das Land selbst. Eine unkluge Entscheidung. Wir verfügen über gewaltige militärische, geheimdienstliche und finanzielle Mittel. Gerade von letzteren habt ihr erst kürzlich dank der Anstrengungen von Prinz bin Musaid profitiert.«

»Hast du dafür etwa im Hintergrund die Fäden gezogen?«

»Natürlich. Glaubst du, ein geistig schlichtes Gemüt wie bin Musaid sei fähig, so etwas im Alleingang in die Wege zu leiten? Ich verfüge über ein umfassendes Netzwerk aus Mitgliedern des Königshauses und reichen Privatleuten, die mit euch und euren Absichten sympathisieren. Und ich bin bereit, mich als Vermittler einzubringen, damit ihr davon profitiert.«

»Der König wird dir auf die Schliche kommen und dich hinrichten lassen.«

»Der König wird nur eins tun: sterben.«

»Willst du ihn umbringen?«

Nassar schüttelte den Kopf. »Nein, das erledigt die Zeit für mich.«

»Und was verlangst du im Gegenzug?«

»Das werde ich mit Mullah Halabi unter vier Augen besprechen.«

Nassar klappte den Aktenkoffer auf und weidete sich am verblüfften Gesichtsausdruck des Generals, als er die Bündel von Euroscheinen entdeckte. »Ich möchte, dass du ihm meinen Wunsch nach einem Treffen zusammen mit diesem Geschenk überbringst.«

»Und wenn ich mich weigere?«

Auf den ersten Blick handelte es sich um eine merkwürdige Frage von einem Mann in seiner Position, doch Nassar hatte damit gerechnet. Der andere hielt ihn für eine Bedrohung, weil er ihm sowohl intellektuell als auch hinsichtlich seiner Ausbildung und der Ressourcen, auf die er zugreifen konnte, klar überlegen war. Eines Tages mochte die Notwendigkeit entstehen, den General abzulösen, doch vorläufig hielt er es für angebracht, Al-Omaris Befürchtungen zu zerstreuen.

»Warum solltest du? Ich bin mir sicher, dass wir beide ein tolles Team abgeben werden. Ich regle in Saudi-Arabien alles, was nötig ist, du an der Seite von Mullah Halabi.«

13

Langley, Virginia

Rapp rollte in die Tiefgarage des CIA-Hauptquartiers und trat das Gaspedal des Chargers für einen Moment voll durch. Der Motor war stark genug, um ihn in die

Polsterung des Sportsitzes zu drücken, schaffte es jedoch nicht, die Klänge des neuen Radiohead-Albums zu übertönen, das aus den Boxen dröhnte. Er hätte es Craig Bailer gegenüber nie zugegeben, aber das Warten hatte sich wirklich gelohnt. Das Soundsystem übertraf alles, was er bisher gehört hatte, das geringere Gewicht der gepanzerten Karosserie machte sich sofort bemerkbar und die nervige Verzögerung beim Zünden des Turbos trat auch nicht mehr auf. Es würde gar nicht so leicht sein, etwas zu finden, worüber er lästern konnte.

Ein paar Männer in Anzügen sprangen entsetzt aus dem Weg, bevor er die ebenfalls exzellenten neuen Bremsen drückte und auf eine Rampe fuhr, die ihn in die untere Ebene brachte. Wie üblich ließ er den ihm zugewiesenen Stellplatz links liegen und entschied sich wahllos für einen anderen. Egal wie gut die Karre gesichert war, eher fror die Hölle zu, als dass er in eine Parklücke fuhr, die säuberlich mit seinem Namen beschriftet war.

Er joggte über den Asphalt zu einem nur für autorisiertes Personal freigegebenen Aufzug und lehnte sich gegen die Rückwand, während dieser ihn in den sechsten Stock transportierte. Wenn es möglich war, ersparte er sich Besuche in Langley, doch derzeit konnte sich Mike Nash kaum aus dem Büro loseisen. Irene Kennedy überließ ihm sowohl das Lavieren mit Kongressabgeordneten als auch mit der Presse, weshalb Mike selten mehr als ein paar Stunden außerhalb des Beltways verbrachte. Im Moment war es Rapp allerdings fast lieber, bei der CIA reinzuschauen, als zu Hause rumzuhocken, wo ihm Claudia ständig mit Colemans Jobangebot in den Ohren lag.

»Ich hab gehört, der Einsatz im Irak lief weitgehend problemlos«, begrüßte ihn der altgediente Marine, als Rapp sein Büro betrat.

Mitch ließ sich auf einen Stuhl plumpsen und legte die Füße auf Nashs Schreibtisch. »Im Gegensatz zu Rabat.«

»Ja, Mas ist wieder in den Staaten, aber er traut sich nicht her. Scott und ich haben ihm zwar versichert, dass du ihm keine Vorwürfe machen wirst, aber er glaubt uns kein Wort. Das wirst du ihm selbst verklickern müssen.«

Nash liebte es, den Diplomaten zu spielen. In diesem Fall hatte er vermutlich recht.

»Ich ruf ihn nachher auf der Heimfahrt an.«

Die Antwort schien Mike zufriedenzustellen. Er zog eine Mappe aus der Schublade. Bei diesem Termin ging es nicht um Joe Maslick, sondern darum, einen vorübergehenden Ersatz für Coleman auf der Einsatzseite zu finden. Rapp war nicht besonders optimistisch, was geeignete Kandidaten betraf, doch er musste sich wohl oder übel damit auseinandersetzen. Nur rumzusitzen und auf eine Wunderheilung zu warten, brachte sie nicht weiter.

»Ich glaube, wir haben ein paar brauchbare Anwärter«, mimte Nash den Zuversichtlichen. Ein Anflug von Nervosität in der Stimme verriet, dass er nicht daran glaubte, Rapps Segen zu bekommen.

»Leg los.«

»Fangen wir mit Gary Fielder an.«

»Der Typ mit dem Hirnschaden?«

»Es ist kein *Hirnschaden,* Mitch, sondern eine angeborene neurale Erkrankung, die verhindert, dass er Angst verspürt. Ich denk mir das nicht aus, es gibt ganze Aufsätze zu dem Thema.«

»Nein.«

»Das war's schon? Einfach nein? Gary ist ein solider Operator mit jahrelanger Einsatzerfahrung.«

»Wie ein tapferer Soldat in Gefahrensituationen reagiert, kann ich einschätzen«, meinte Rapp. »Aber jemand, für den Angst ein Fremdwort ist? Das ist mir zu unkalkulierbar.«

»Aber …«

»Der Nächste.«

»Okay. Du willst Gary nicht. Vergiss Gary. Anthony Stanton.«

»Wie alt ist der Typ?«

»Nicht so alt wie Scott.«

»Haben sie dem nicht die Hüfte weggeballert?«

»Längst ersetzt. Vergiss nicht, du brauchst auch noch ein neues Knie.«

Rapp schüttelte den Kopf. »Ich respektiere Tony, glaub mir, aber da hast du den einzigen Kerl auf diesem Planeten ausgesucht, in dessen Körper noch mehr Blei steckt als in meinem.«

»Ich dachte mir, dass du so was sagst, aber den Schuss ins Blaue war's wert. Sorry, das Wortspiel musste sein. Hier ist einer, den du bestimmt nicht erwartet hast. Die Japaner haben angeboten, uns Yoshi auszuleihen. Und jetzt sag nicht, *den* hältst du nicht für solide.«

»Der frisst notfalls Nägel«, musste Rapp gestehen. »Dafür versteh ich höchstens die Hälfte von allem, was er sagt, und über Funk sinkt die Quote auf zehn Prozent.«

Nash stieß einen lauten Seufzer aus und blätterte ein paar Sekunden in den Unterlagen. »Okay, Chet Washington werd ich dir vermutlich nicht schmackhaft machen können.«

»Nein.«

»Oder Seth.«

»Himmel, niemals.«

»Brandon Tra…«

»Nein.«

Nash klappte die Mappe zu. »Ich werd das Gefühl nicht los, du machst das mit Absicht.«

»Wenn Scotts Vertretung Mist baut, ist das für dich kein Thema. Aber ich werd dann tot sein.«

»Ich würde sagen, du hast meine volle Aufmerksamkeit.«

»Grischa Asarow.«

Rapp starrte ihn an, als hätte er nicht richtig gehört. »Du möchtest, dass ich Scott durch den Mann ersetze, der schuld an seiner momentanen Verfassung ist?«

Nash schwenkte die Hände als Friedensangebot. »Das war nicht meine Idee, Mitch. Scott selbst hat ihn vorgeschlagen. Er macht sich Sorgen um dich und seine Jungs und hält Asarow für die optimale Besetzung.«

»Und das war der letzte Name auf deiner Liste?«

»Leider, ja.«

Rapp setzte sich etwas aufrechter hin. »Maslick ist ein guter Mann. Sein erstes Kommando lief ein bisschen holprig, aber das ging uns seinerzeit nicht anders. Beim nächsten Mal wird es bestimmt besser klappen.«

»Nein, dann wirft er hin, Mitch. Ich garantier dir, wenn du ihm noch einmal das Kommando überträgst, dreht er sich um und geht.«

»Ich werd mit ihm reden. Wie steht's mit dem Thema Logistik?«

»Darum haben wir uns nicht gekümmert.«

»Was soll das heißen? Wieso nicht?«

»Du kennst die Antwort, Mann. Scott will Claudia. Irene will Claudia. Und Claudia will Claudia. Na, erkennst du das Muster? Einen Namen, der immer wieder auftaucht?«

»Dieser Gefahr setz ich sie nicht aus.«

»Dann sind wir keinen Schritt weitergekommen.«

»Doch, ich werd Mas überreden, den Ops-Job zu übernehmen, und du besorgst mir ein paar geeignete Profile von Logistikern.«

»Muss das wirklich sein, Mitch? Wenn ich das mache, kriegt es Claudia mit, die wird es brühwarm an meine Frau weitertratschen und die macht mir dann die Hölle heiß.«

Rapp ging zur Tür. »Es ist mir scheißegal, was bei dir zu Hause abgeht oder was Irene von der Sache hält. Ich gebe dir und Scott 48 Stunden, um mir eine Liste zusammenzustellen.«

14

Weisses Haus
Washington, D.C.

Irene Kennedy betrat das Oval Office. Präsident Alexander bewunderte gerade durchs Fenster die sonnendurchflutete Landschaft. Normalerweise hätte er sich umgedreht, um sie zu begrüßen und die typische Südstaaten-Warmherzigkeit an den Tag zu legen, die man ihm nachsagte. Heute schien er ihr Eintreffen gar nicht zur Kenntnis zu nehmen.

Für einen Politiker war Alexander ein überraschend vernünftiger und anständiger Mann. Seine Gegner bemühten sich nach Kräften, ihn wegen seines guten Aussehens und des einnehmenden Lächelns mit den sympathischen Grübchen als naiv und schwach hinzustellen. Doch diese Vorwürfe zielten weit an der Realität vorbei. Er war ein sehr intelligenter, pragmatischer Mann, stets besorgt um das Wohl seines Landes. Wie jeder in seiner Position machte er aus politischen Gründen gelegentlich Fehler, aber zumindest zögerte er vorher und war sich der Folgen bewusst.

Die amerikanischen Wähler hätten schockiert zur Kenntnis genommen, dass keinesfalls Naivität oder ein schwaches Rückgrat die Achillesferse ihres Staatsoberhaupts war, sondern seine Impulsivität. Statt sich für einen kurzen Augenblick aufzuregen oder mit sarkastischen Bemerkungen Dampf abzulassen, staute er Ärger und Wut in sich an, bis er irgendwann regelrecht explodierte. Kennedy hatte ihn nie direkt darauf angesprochen, aber bei einer Cocktailparty hatte die alternde Mutter des Präsidenten das Thema angeschnitten. Sie behauptete steif und fest, er sei schon als Säugling so gewesen.

Kennedy nahm vor seinem Schreibtisch Platz. Wie üblich stand eine dampfende Tasse Tee auf einem Rollwagen für sie bereit. »Guten Tag, Mr. President.«

Er antwortete nicht. Das bevorstehende Treffen schien seine Aufmerksamkeit voll zu beanspruchen. Von allen Problemen, mit denen er sich herumschlagen musste, nervte ihn Saudi-Arabien wohl am meisten. Immerhin verfügte das Land über ausreichend Ressourcen, um seinen Bürgern ein Leben im Wohlstand zu ermöglichen und als Achse des Guten in der Region zu fungieren. Stattdessen wurden die Ressourcen verpulvert, um eine Handvoll Monarchen noch reicher zu machen und den Kreislauf aus Gewalt und Elend am Laufen zu halten, der dem Nahen Osten so zusetzte. Er fand, dass es ohnehin genug Krisen auf der Welt gab. Da musste man nicht noch Schweiß und Geld verschwenden, um künstlich geschaffene zu bekämpfen.

Als Alexander sich endlich setzte, trug er das entspannte Lächeln zur Schau, das die Welt so gut kannte. »Irene. Welch seltenes Vergnügen. Sie scheinen in letzter Zeit viel lieber Mike Nash vorzuschicken, damit der sich mit uns Politikern abgibt.«

Der Präsident liebte es, Leute, die für ihn arbeiteten, auf die Schippe zu nehmen, doch bei seinen Witzen schwang meistens ein wahrer Kern mit. Er erwartete eine Antwort und zog es vor, wenn sie ehrlich ausfiel.

»Er macht einen guten Job, Sir.«

Alexander nickte. »Passen Sie gut auf ihn auf, Irene. Ich glaube zwar nicht, dass er scharf auf Ihren Sessel ist, aber es würde mich nicht wundern, wenn er eines Tages auf meinem landet.«

Ihre Augenbrauen zuckten kurz in die Höhe. Darüber hatte sie sich nie Gedanken gemacht, aber wenn sie es sich recht überlegte, war es gar nicht so unwahrscheinlich. Der Präsident scherzte nie, wenn es um Politik ging.

»Nun, ich bin sicher, es wird mir fast genau so viel Spaß machen, für ihn zu arbeiten, wie ich die Zusammenarbeit mit Ihnen genossen habe.«

Das war ihre subtile Revanche. Alexander hasste es, wenn man auf das Ende seiner politischen Laufbahn anspielte.

»Hören Sie schon auf, Irene. Ich komm mir sonst vor wie ein Truthahn, kurz bevor er in die Röhre geschoben wird.«

Sie griff nach ihrem Tee, insgeheim erleichtert, dass ihre Bemerkung die herrschende Anspannung etwas gelockert hatte.

»Haben Sie mitbekommen, dass der Botschafter kneift?«, fragte der Präsident. »Er behauptet allen Ernstes, er habe sich eine Lebensmittelvergiftung zugezogen. Es kommt also nur Nassar.«

»Das überrascht mich nicht wirklich, Sir. Eine dringende Unterredung einzuberufen, ohne einen Grund dafür zu nennen, dürfte König Faisal beunruhigen. Zumal er sich darüber im Klaren ist, dass Botschafter Alawwad ...«, sie überlegte, wie sie es am besten formulieren sollte, »... nicht gerade der Fähigste ist.«

»Sagen Sie es ruhig, er ist geistig nicht ganz auf der Höhe. Das gilt meines Wissens jedoch nicht für Aali Nassar. Was wissen wir über ihn?«

»Ein früherer Armeeoffizier mit beträchtlicher Einsatzerfahrung. Er studierte in Oxford, ermöglicht durch ein Stipendium, das König Faisal für begabte Kinder aus Familien der saudischen Arbeiterklasse auflegte. Mit Anfang 30 wechselte er vom Militär zum Geheimdienst und machte Karriere. Als Höhepunkt löste er zuletzt Prinz Khaled als Leiter des General Intelligence Directorate ab.«

»Religiös?«

»Er genoss eine streng muslimische Erziehung und scheint nach wie vor praktizierender Gläubiger zu sein. Allerdings halte ich ihn vor allem für pragmatisch und ehrgeizig. Insofern ist schwer einzuschätzen, inwieweit seine religiösen Überzeugungen real sind. Vielleicht gaukelt er sie auch bloß vor, weil ihm bewusst ist, dass man es in seiner Position erwartet.«

»Noch ein angehender Politiker.«

»Gut möglich.«

Alexander lehnte sich auf dem Stuhl zurück und musterte Irene nachdenklich. »Ich finde es verdächtig, dass sie Nassar für diesen Termin einfliegen lassen. Wissen sie von Prinz bin Musaids Abstecher nach Marokko? Schöpfen sie Verdacht, dass wir ihn dort entdeckt haben?«

»Wir sollten uns nicht auf voreilige Schlussfolgerungen verlegen«, mahnte Kennedy. »Aktuell deutet alles darauf hin, dass König Faisal sich an das im Nachgang von 9/11 geschlossene Abkommen mit uns hält. Es gibt keine Anzeichen für regierungsfinanzierten Terrorismus oder Unterstützung für Extremisten seitens des Königshauses.«

»Bis jetzt.«

»Ja, Sir. Allerdings zählt Prinz bin Musaid nicht gerade zum inneren Machtzirkel. Ich halte ihn eher für ein schwarzes Schaf.«

»Mit anderen Worten: ein undankbarer Versager, der sich übergangen fühlt und sich dafür rächen will?«

»Solange uns keine anderen Erkenntnisse vorliegen, sollten wir davon ausgehen.«

»Sie sind wirklich eine Stimme der Vernunft, Irene. Wenn ich nur wüsste, wie Sie das hinbekommen.«

»Tief im Herzen bin ich eben Optimistin, Sir.«

Darüber musste er laut lachen. Die Entspannung hielt jedoch nicht lange an. Seine Sekretärin schob den Kopf zur Tür herein und verkündete die Ankunft von Aali Nassar.

»Schicken Sie ihn rein.«

Kennedy war bisher nie im selben Raum mit dem Saudi gewesen. Sie musste zugeben, dass er eine beeindruckende Erscheinung war. Gut 1,90 groß, mit breiten

Schultern und schmalen Hüften, trotz seiner Anfang 60 durchtrainiert wie ein Soldat. Ein dunkler, sauber getrimmter Bart und der charakteristische Bürstenschnitt, der an den Schläfen grau wurde. Er lächelte höflich und reichte dem Präsidenten die Hand.

»Es ist mir eine große Ehre, Sir. Bitte erlauben Sie mir, Botschafter Alawwads Abwesenheit zu entschuldigen. Er ist ziemlich krank.«

»Lassen Sie mich wissen, wenn ich etwas für ihn tun kann.«

»Das wird nicht nötig sein. Die ausgezeichneten Ärzte Ihres Landes haben alles im Griff.« Sein Akzent klang eher britisch als arabisch. Man merkte, dass er jahrelang in England studiert hatte.

Als Alexander seine Hand losließ, wandte sich Nassar Kennedy zu. »Dr. Kennedy. Nachdem wir schon so oft miteinander telefoniert haben, freut es mich, Sie endlich persönlich kennenzulernen.«

»Ich bin froh, dass Sie zufällig gerade in der Gegend waren, Direktor Nassar.«

Seine Augen blitzten bei ihrer Bemerkung fast unmerklich auf. Sie wussten beide, dass das Timing für seine US-Reise alles andere als Zufall war.

»Setzen Sie sich«, bat Alexander. Nassar entschied sich für einen ledernen Ohrensessel und verfolgte schweigend, wie Kennedy und der Präsident sich nebeneinander niederließen.

»Ich will nicht lange um den heißen Brei herumreden«, erklärte der Präsident. »Uns liegen Informationen vor, wonach Prinz Talal bin Musaid kürzlich in Marokko eine Million US-Dollar in bar an einen Unterhändler des Islamischen Staats übergeben hat.«

Kennedy beobachtete die Reaktion des Besuchers aufmerksam. Für einen Moment gab es gar keine. Eindeutig überlegte er, was er darauf erwidern sollte. Für sie stellte sich die Frage, ob er von bin Musaids Aktion gewusst hatte oder ihn die Eröffnung vollkommen überraschte. Sie musste ihm zugutehalten, dass man ihm nicht anmerkte, was von beidem zutraf.

»Verzeihung, Mr. President, aber es fällt mir schwer, das zu glauben. Von wem stammen diese Informationen?«

»Wir hatten ein Team vor Ort, das den Boten bei der Übergabe abfangen sollte.«

»Wollen Sie damit andeuten, dass sich der Prinz in Ihrem Gewahrsam befindet?«

Eine groteske Frage. Immerhin hätte Nassar längst Bescheid gewusst, wenn der Neffe des Königs in Marokko verschwunden wäre. In Anbetracht dessen kam ihr der Einwurf heuchlerisch vor. Der Präsident sagte nichts. Vielleicht war ihm dieser Aspekt entgangen.

»Unser Team wollte keinen diplomatischen Zwischenfall riskieren und traf deshalb die Entscheidung zum Rückzug.«

»Dann verstehe ich nicht, worum es geht. Es handelt sich also um reine Spekulation? Ich kann Ihnen versichern, dass unsere Regierung und das Königshaus gleichermaßen entschlossen den weltweiten Terror bekämpfen. Und dieser Kampf wurde bisher äußerst erfolgreich geführt.«

»So wie beim jüngsten Einsatz gegen General Al-Omari?«

So viel zu ihrer Vermutung, dass Alexander Nassars widersprüchliche Bemerkung entgangen war.

»Unsere Operation lief absolut nach Plan«, antwortete Nassar. »Bedauerlicherweise trafen wir Al-Omari nicht an.«

»Entspricht das unserem Kenntnisstand, Irene?«, wollte der Präsident von seiner Geheimdienstchefin wissen.

In dieses unruhige politische Fahrwasser wollte sie sich nicht begeben, wenn es sich irgendwie vermeiden ließ. »Unsere Informationen über den Aufenthaltsort des Generals waren zutreffend«, formulierte sie vorsichtig.

»Nun, ich war dabei«, konterte Nassar. »Vermutlich haben sich Ihre Analysten auf falsche Informationen gestützt. Wir sind uns sicher einig, dass das in Bezug auf den Nahen Osten häufiger vorkommt.«

Er gab sich keine Mühe, seine Beleidigung freundlich zu verpacken.

»Absolute Sicherheit gibt es selten«, erwiderte sie, bevor der Präsident sich einschalten konnte. Ihre Verärgerung war sichtbar und sie brauchte einen Moment, um sich unter Kontrolle zu bringen.

»Ich glaube, auch bei Ihren Anschuldigungen gegen Prinz bin Musaid handelt es sich um einen Beleg für diese fehlende absolute Sicherheit«, nahm Nassar die Vorlage dankbar auf. »Wer sind Ihre Zeugen? Angeheuertes Personal aus dem privaten Sektor? Das sind für mich Söldner, deren Wort nichts zählt. Haben Sie konkrete Beweise zu bieten?«

»Ja, ein Foto.«

»Ach ja? Und dieses Foto ist eindeutig?«

Nun, dieser Mann würde vermutlich kein Foto der Welt als eindeutig akzeptieren. Vor allem nicht dieses, das bei unvorteilhaften Lichtverhältnissen durch eine Zieloptik entstanden war.

»Direktor Nassar.« Kennedy registrierte dankbar, dass der Präsident ihr die Gesprächsführung überließ. »Es mögen zwar keine unumstößlichen Beweise vorliegen, aber wir führen schließlich auch keinen Prozess, sondern unterhalten uns als Verbündete. Wir wollten Ihnen diese Erkenntnis nicht vorenthalten, weil die Möglichkeit besteht, dass der Prinz einen weiteren Angriff auf Ihr eigenes Land finanziert.«

»Ehrlich gesagt empfinde ich das als beleidigende Unterstellung.«

»Das steht Ihnen natürlich zu. Allerdings hat er auf ein Fahrzeug der Botschaft und deren Personal zurückgegriffen, um zur Übergabe gefahren zu werden. Wir können Sie mit einem genauen Zeitplan und den entsprechenden Routen versorgen. Es dürfte ein Leichtes für Sie sein, diese Angaben bestätigen zu lassen.«

»Der Fakt, dass sich der Prinz in Marokko aufhielt und dort einen Wagen angefordert hat, bestätigt mitnichten diese ungeheuerliche und unbewiesene Anschuldigung. Wen hat er denn dort angeblich getroffen?«

»Einen Mann, der bekannt dafür ist, finanzielle Angelegenheiten des IS zu regeln.«

»Und befindet er sich in Ihrem Gewahrsam und kann Ihre Darstellung stützen?«

»Nein.« Kennedy wollte ihm nicht brühwarm erzählen, dass sie Hayk Alghani auf ihre Seite gezogen hatten.

»Dann ist mir schleierhaft, wieso Sie mich überhaupt zu diesem Treffen einbestellt haben.«

Der Präsident hatte endgültig genug. Kennedy zuckte zusammen, als er die Sessellehne wuchtig nach vorn schnellen ließ. »Zunächst einmal wurden nicht Sie zu diesem Treffen einbestellt, sondern Alawwad. Und zweitens ist Ihnen der Inhalt unseres Abkommens bekannt, der es Ihrer Regierung untersagt, extremistische Gruppierungen zu unterstützen oder deren Unterstützung zu dulden.«

»Im Gegenzug haben Sie sich verpflichtet, Bedrohungen unserer Monarchie abzuwenden. Um ehrlich zu sein, zweifeln wir an der Ernsthaftigkeit Ihrer Bemühungen. Immerhin unterstützen Sie Israel, machen dem Iran eindeutige Avancen und konzentrieren sich vermehrt auf ...«

»Ich glaube, Sie interpretieren da etwas zu viel in die Zusicherungen meines Vorgängers hinein.« Es fiel Alexander offenkundig schwer, seine Verärgerung zu zügeln. »Wir haben uns lediglich bereit erklärt, das Ausmaß zu verschweigen, in dem Ihre Regierung an den Anschlägen des 11. Septembers beteiligt war, und Ihnen zu helfen, dass sich ein solcher Vorfall nicht wiederholt. Es ging mitnichten darum, die politische Weltbühne künftig rein nach Ihren Vorstellungen zu beackern. Saudi-Arabien verfügt über das drittgrößte Verteidigungsbudget aller Staaten, trotzdem hat selbst Norwegen mehr Einsätze gegen IS-Truppen geflogen als Sie. Und jedes Mal, wenn Sie – oder *wir* – diesbezüglich aktiv werden, beschweren Sie sich über die schleichende Unterwanderung Ihres Glaubens durch christliche Kreuzzügler. Wir nehmen das hin, aber sobald sich Ihre Königsfamilie erneut auf direkte Schulterschlüsse mit Terroristen einlässt, ist das Maß voll.«

»Es scheint, dass wir beide unsere Partnerschaft als nicht ideal empfinden, Mr. President. Aber so unvollkommen sie auch sein mag, sie wird weiterhin Bestand haben. Sollte die Wahrheit über 9/11 an die Öffentlichkeit kommen, würde das meinem Land ohne Zweifel großen Schaden zufügen. Allerdings glaube ich, dass das amerikanische Volk eher die Verschleierungstaktik Ihrer Regierung als unser Verhalten anprangern wird. Und selbst wenn Sie persönlich am Zustandekommen dieser Vereinbarung nicht beteiligt waren, werden sich die entsprechenden Vorwürfe gegen Sie richten.«

Der Präsident erstarrte. Kennedy hatte keine Ahnung, wie er reagieren würde. Dass ein ausländischer Diplomat dem Staatsoberhaupt der Vereinigten Staaten offen drohte, war ein absolutes Novum.

Sie sah keine Möglichkeit, deeskalierend einzuwirken. Auf die Schnelle fiel ihr lediglich eine Möglichkeit ein, um zu verhindern, dass die unverschämte Breitseite von Nassar den Präsidenten aus der Haut fahren ließ.

»Es war uns ein Vergnügen, mit Ihnen zu reden, Direktor«, setzte sie einseitig einen Schlusspunkt für das Gespräch. »Ich bin sicher, Sie werden der Angelegenheit mit der Gründlichkeit nachgehen, für die Sie bekannt sind.«

Als Alexander sitzen blieb, nickte der saudische Geheimdienstchef nur kurz in seine Richtung und verließ den Raum. Kennedy hatte insgeheim damit gerechnet, dass der Präsident explodierte, sobald die schalldichte Tür ins Schloss fiel, doch er blieb einfach stumm sitzen. Sie ließ sich in den Sessel sinken, aus dem Nassar gerade aufgestanden war, als hoffte sie, damit die Erinnerung an seine Anwesenheit auszulöschen.

Eine schier endlose Minute verstrich, bis Alexander etwas sagte. »Im Prinzip hat er mir damit gerade zu verstehen gegeben, dass ich ihn mal am Abend besuchen kann, oder?«

»Ich glaube, Sie interpretieren da zu viel rein, Sir. Ich …«

»Reden Sie nicht mit mir wie mit einem dummen Kind, Irene. Ich finde das langsam nicht mehr witzig.«

»Sir, so hören Sie mir doch zu. Direktor Nassar ist kein Diplomat, sondern ein Soldat und Spion, den wir mit äußerst heiklen Fakten konfrontiert haben. Zudem ist die Lage im Nahen Osten instabil, König Faisal liegt im Sterben und …«

»Die Lage im Nahen Osten ist instabil, weil diese saudischen Hurensöhne ihr Geld in den religiösen Fundamentalismus pumpen, um davon abzulenken, dass sie ihr eigenes Volk ausnehmen. Und wenn sie nicht gerade damit beschäftigt sind, doktern sie an den Ölpreisen rum, um unsere Energiewirtschaft zu ruinieren.«

»Aber damit hat Direktor Nassar doch nichts zu tun. Es …«

»Ich war noch nicht fertig. Vergessen wir nicht, dass Frauen in Saudi-Arabien so gut wie keine Rechte haben und die Regierung nach wie vor Menschen wegen angeblicher Hexerei hinrichten lässt. Die diplomatischen Beziehungen zu diesem Land stellen unsere moralische Integrität und Würde schon seit geraumer Zeit auf die Probe, aber sie waren notwendig. Sind sie das nach wie vor?«

Sie erinnerte sich, dass Mitch Rapp ihr kürzlich eine ganz ähnliche Frage gestellt hatte.

»Alles in allem bin ich davon überzeugt, dass sie nach wie vor notwendig sind, Sir.«

»Man kann den Teufel nur bekämpfen, wenn man ihn gut kennt. Ist es das, worauf Sie hinauswollen, Irene? Lassen Sie mich Ihnen eine Frage stellen. Was ist, wenn diese Sache nicht allein auf dem Mist von bin Musaid gewachsen ist? Was, wenn König Faisal inzwischen zu alt und zu krank ist, um mitzukriegen, dass seine Leute sich mit Terroristen verbündet haben?«

»Diesem Verdacht werden wir nachgehen.«

Alexander blickte ins Leere. »Auf Faisals Unterstützung können wir nicht zählen. Er hat eine Schwäche für dieses kleine Arschloch. Er ist der Sohn seiner toten Schwester, nicht wahr? Und selbst wenn es diese Schwäche nicht gäbe, wäre uns allen bewusst, dass seine Zeit bald abläuft. Er wartet nur noch auf den Tod. Soll sich doch sein Nachfolger um diese Probleme kümmern.«

»Das halte ich für eine zutreffende Einschätzung, ja.«

»Und was ist mit Nassar? Der König setzt großes Vertrauen in ihn. Sie halten ihn für ehrgeizig. Ist er ehrgeizig genug, um sich Gedanken darüber zu machen, wer nach dem Tod des Alten das Ruder übernimmt? Wenn ich mir die Anwärter so anschaue, sehe ich da nichts als einen Haufen Versager.«

»Die saudische Monarchie zu stürzen, wäre kein leichtes Unterfangen, Sir. Trotzdem werden wir diesen Aspekt in unserer Analyse berücksichtigen.«

»In Ihrer Analyse.« Alexander lachte verbittert. »Ich kann's kaum erwarten, sie zu lesen.«

15

»26! Komm schon, Mitch. Du schaffst mindestens 30.«

Wegen der Schmerzen, die wie Dolche auf seine alte Ellbogenverletzung einstachen, hielt er 30 für eine ganz miese Idee. Anna seufzte theatralisch, als er sich von der Klimmzugstange fallen ließ und den schmerzenden rechten Arm rieb. Das Studio, das Claudia im Keller eingerichtet hatte, war klasse – besser ausgestattet als jeder Fitnessclub im Umkreis von 50 Meilen. Dass der Trainingsbereich in der Mitte vom Pool getrennt wurde, hielt er zwar für etwas ungünstig, aber sie mochte es, wie sich dadurch die verglaste Front des Weinkellers an der nördlichen Wand spiegelte. Und wer hätte es gewagt, dieser Frau zu widersprechen?

»Du könntest mehr schaffen«, beschwerte sich Anna.

»Und du könntest gleich im Pool landen.«

Er jagte sie durch den Raum. Die Kleine jauchzte vor Vergnügen und duckte sich hinter einer Hantelablage. Er hatte sie fast in die Enge getrieben, da ertönte Claudias vorwurfsvolle Stimme hinter ihm.

»Hab ich das ganze Equipment nur gekauft, damit ihr Fangen spielen könnt?«

Mit schuldbewusstem Blick drehten sie sich zu ihr um.

»Ich wollt dich zudecken, aber du warst gar nicht im Bett. Es ist schon nach neun.«

»Hier unten gibt's keine Uhr, Mami.«

Claudia schaute sich im ausladenden Fitnessbereich um und stellte fest, dass ihre Tochter recht hatte. »Das

133

ist keine Entschuldigung. Marsch, nach oben. Wenn ich gleich raufkomme, hast du gefälligst deine Zähne geputzt und liegst unter der Decke, junges Fräulein.«

»Okay.« Die Kleine rannte an Rapp vorbei, verpasste ihm einen leichten Tritt gegen das Schienbein und verkrümelte sich. Am liebsten hätte er zur Verfolgung über die Treppe angesetzt, aber das wäre zu offensichtlich gewesen. Er ging Claudia schon viel zu lange aus dem Weg.

»Jetzt wird sie gar nicht mehr einschlafen.«

»Tut mir leid. Aber hier unten gibt's wirklich keine Uhr.«

»Das ändere ich gleich morgen«, versicherte sie. »Was hältst du davon, wenn wir ein bisschen reden?«

»Hm, ich bin grad mitten im Workout«, sagte er und bereute die Bemerkung sofort.

»Ach, dabei hab ich euch zwei also gerade gestört? Beim Workout?«

Schachmatt.

»Ich kann das Programm ja abkürzen.«

»Vielen Dank.«

Sie starrten sich einige Sekunden lang nur an. Das war seine Paradedisziplin. Wenn sie darauf wartete, dass er etwas sagte, blieben sie die ganze Nacht hier unten.

»Ich muss etwas *tun*, Mitch. Seit dein Haus fertig ist, habe ich keine richtige Aufgabe mehr. Natürlich ist es toll, sich um Anna zu kümmern, es ist das Wichtigste auf der Welt für mich. Aber das allein füllt mich nicht aus.«

»Du kümmerst dich immerhin auch um mich.«

»Du kämst notfalls in einem Zelt in Afghanistan zurecht«, meinte sie und machte eine weit ausholende Geste. »Bedeutet dir das alles überhaupt etwas?«

»Vor ein paar Monaten hätt ich es verneint«, antwortete er ehrlich. »Das Drecksloch, in dem ich gehaust habe, hielt mir den Regen genauso gut von der Pelle wie jede andere Wohnung. Aber inzwischen bedeutet mir dieses Haus eine Menge.«

»Und wir? Ich und Anna?«

Er dachte lange über ihre Frage nach und stellte fest, dass er sich geirrt hatte. Das Haus war ihm völlig egal. Der Beton, das Glas und die überteuerten Möbel waren nicht dafür verantwortlich, dass er sich hier wohlfühlte. Nein, das lag an Claudia und Anna.

Claudia schlüpfte zurück unter die Decke und drückte ihren nackten Körper gegen den von Mitch. Ihre Atemfrequenz beschleunigte sich für einen Moment, bevor sie in den sanften Rhythmus zurückkehrte, dem er die letzten drei Stunden gelauscht hatte.

Nun gab es kein Zurück mehr, was sie und die Kleine anging. Er dachte an seine verstorbene Frau und daran, wie sehr er sie geliebt hatte. An sein ungeborenes Kind und was es ihm bedeutet hätte. Und natürlich an die Rolle, die Claudia beim Tod von beiden gespielt hatte.

Beobachteten sie ihn gerade von da oben? Und falls ja, fühlten sie sich verraten? Oder waren sie wütend, weil seine Erinnerung an sie jeden Tag ein bisschen mehr verblasste? Verspürten sie vielleicht sogar Erleichterung, weil er endlich über sie hinwegkam?

Ironischerweise hatten die zurückliegenden Stunden nicht nur eine neue Phase ihrer Beziehung eingeläutet, sondern ihm auch Gelegenheit gegeben, den Streit um ihre Anstellung bei Coleman erneut zu vertagen. Claudia Vorschriften zu machen, war nicht länger eine Option – wenn es denn überhaupt je eine gewesen war. Gut möglich, dass sie morgen feststellte, dass Scott besser als die Agency bezahlte, und den Vorschlag in den Raum stellte, dass *er* derjenige sein sollte, der zu Hause bei Anna blieb.

Das Telefon klingelte. Er riss es hastig vom Nachttisch, um nicht die Frau zu wecken, mit der er inzwischen mehr als bloß die Wohnung teilte. »Ja? Was?«

»Tut mir leid, dass ich so spät noch anrufe, Mitch. Hätten Sie kurz Zeit für mich?«

Normalerweise wäre er jetzt in die Höhe geschossen, aber das machte sein Körper nicht länger mit. Wenn der Präsident der Vereinigten Staaten ihn mitten in der Nacht anrief, blieb ihm heutzutage nichts anderes übrig, als vorsichtig von der Matratze zu gleiten und ins Bad zu trotten.

»Da bin ich wieder, Sir. Entschuldigen Sie.« Er zog die Tür hinter sich zu. »Natürlich hab ich Zeit für Sie.«

»Shit. Sie sind nicht allein. Was für ein mieses Timing.«

Verdammt mies. Aber bei Weitem nicht so mies wie vor ein paar Stunden. »Schon gut, Sir. Gibt es ein Problem?«

»Es gibt immer ein Problem. Das bringt das Leben mit sich, für das wir uns entschieden haben, nicht wahr?«

In seiner Stimme schwang ein merkwürdiger Unterton mit, den Rapp nicht kannte. Frust und Wut, keine Frage. Aber noch etwas anderes. Etwas, das selbst dieser ausgefuchste Politiker nicht ganz kaschieren konnte.

»Das stimmt wohl, Sir.«

»Es gibt etwas, worüber ich mit Ihnen sprechen muss. Aber nicht am Telefon.«

»Soll ich gleich morgen Vormittag ins Weiße Haus kommen?«

»Um ehrlich zu sein, will ich auch nicht, dass jemand etwas von diesem Gespräch mitbekommt.«

Die Bemerkung faszinierte Rapp, aber sie machte ihn auch unruhig. Er war schon sehr lange in diesem Geschäft unterwegs und noch nie vom Präsidenten telefonisch um ein geheimes Treffen gebeten worden. Für gewöhnlich stimmte Alexander solche Termine mit Irene Kennedy ab, weil er es für ratsam hielt, nicht mit einem Mann in Verbindung gebracht zu werden, dessen Job zwar jeder kannte, über den aber niemand gern redete.

»Wie es aussieht, sind wir beide hellwach, Sir. Wollen wir uns direkt jetzt treffen? Ohne den üblichen Verkehr bin ich in spätestens einer Stunde im Regierungsviertel.«

»Ich möchte Sie auf keinen Fall von etwas abhalten«, protestierte Alexander schwach, obwohl sein Tonfall verriet, dass es genau darum ging.

»Ist kein Problem.«

»Ich danke Ihnen, Mitch.«

Rapp legte auf und schlich ins Schlafzimmer, um sich etwas anzuziehen. Als er aus dem begehbaren Kleiderschrank auftauchte und gerade in den Flur huschen wollte, rief ihm Claudia hinterher: »Mitch? Wer war das?«

»Arbeit. Ich muss los.«

»Wann bist du zurück?«

»In ein paar Stunden«, wand er sich.

»Oh«, kam die Antwort. Es klang, als hätte sie eher mit ein paar Monaten gerechnet. »Am Kühlschrank hängt ein Post-it. Könntest du die Sachen mitbringen, die draufstehen? Sonst hat Anna nichts zum Frühstücken.«

»Klar.«

Sie schloss die Augen und wälzte sich auf die Seite.

War das alles? Seine verstorbene Frau hätte ihn ins Kreuzverhör genommen, wo er hinwollte, mit wem er sich traf und wieso das Ganze nicht bis zum nächsten Tag warten konnte.

Ein Teil der Anspannung, die er aufgrund der neuen Qualität ihrer Beziehung verspürt hatte, löste sich in Luft auf. Vielleicht würde es doch nicht so schwierig, wie er glaubte.

16

WEISSES HAUS
WASHINGTON, D. C.

Rapp rollte mit Claudias Q5 vor das Tor zum Weißen Haus und fuhr die Scheibe mit einem Tastendruck nach unten, als der Pförtner zu ihm kam.

»Guten Morgen, Charlie.«

Der Mann beäugte ihn verwundert und checkte die Liste der angemeldeten Besucher auf seinem Klemmbrett. »Sie stehen nicht drauf, Mitch.«

Ein Running Gag, an dem sie sich gegenseitig hochzogen. Er stand nie auf der Liste.

»Öffnen Sie einfach das verdammte Tor und trinken Sie weiter Ihren Kaffee.«

Er grinste, wie er es jedes Mal tat, und ließ Rapp passieren.

Präsident Alexander hatte es ernst gemeint, dass niemand von dem Treffen etwas mitbekommen sollte. Kein Wachposten weit und breit; und die LEDs, die signalisierten, dass die Überwachungskameras liefen, leuchteten nicht.

Er lief durchs Halbdunkel zur einen Spaltbreit geöffneten Tür des Oval Office. Der Präsident saß am Schreibtisch, trug die gewohnte Brille mit Metallrand und überflog ein Schriftstück.

»Sir?«

»Kommen Sie rein«, sagte Alexander. »Schließen Sie die Tür hinter sich.«

Rapp tat es und setzte sich vor den Schreibtisch.

»Kann ich Ihnen was bringen, Mitch?«

»Nein danke.«

In der entspannten Fassade, die der mächtigste Mann der Welt gegenüber der Öffentlichkeit üblicherweise zur Schau trug, zeigten sich kleinere Risse. Bei ihren Unterredungen kam das häufiger vor, denn wenn Rapp ins Weiße Haus beordert wurde, gab es in der Regel eine Krise von größeren Ausmaßen. Am heutigen Morgen kamen ihm die Risse allerdings besonders tief vor.

»Ich nehme an, Sie wissen über den Zwischenfall mit Prinz bin Musaid in Marokko Bescheid?«

»Ja, Sir. Es tut mir leid. Solange Scott außer Gefecht gesetzt ist, laufen wir auf Reserve.«

Er nickte. »Ist Ihnen auch bekannt, dass ich ein Gespräch mit Aali Nassar geführt habe?«

»Irene erwähnte so etwas.«

»Was genau hat sie Ihnen erzählt?«

»Dass es ziemlich suboptimal lief.«

»Sie hat Ihnen also verschwiegen, dass dieser Mistkerl mehr oder weniger den Reißverschluss runtergezogen und Amerika aufgefordert hat, vor ihm auf die Knie zu gehen?«

In ihrer betont nüchternen Art hatte Kennedy diesen Fakt durchaus umschrieben.

»Nassar ist kein Diplomat. Er …«

»Fangen Sie nicht auch noch an. Den Vortrag hat mir Ihre Vorgesetzte auch schon gehalten.«

Alexander lief unruhig auf und ab. Rapp musste ständig den Stuhl drehen, um Blickkontakt zu halten.

»Ich gehe davon aus, Sie sind auch über den Deal im Bilde, den Amerika nach 9/11 mit der saudischen Regierung eingegangen ist?«

Rapp nickte. Vermutlich wusste er sogar besser darüber Bescheid als Alexander selbst. Die Regierung hatte die CIA seinerzeit aufgefordert, sämtliche Ermittlungen einzustellen, doch die Führungsebene der Agency legte diese Anweisung eher locker aus und sammelte fleißig weiter belastendes Material. Dieses war auf einem Datenträger in Irene Kennedys Büro archiviert und nur die neue CIA-Direktorin kannte den Code zur Entschlüsselung. Mit den Namen, Adressen und Bankkonten in diesen Dateien ließ sich aktuell zwar nicht mehr viel anfangen, weil die meisten Beteiligten tot waren oder im Altersheim dahinsiechten. Relevant blieb aber die Erkenntnis, dass Saudi-Arabien zweigleisig fuhr und außer auf die Ölreserven auch auf die Kräfte des radikalen Islams setzte, um sich über Wasser zu halten.

»Ich weiß einiges darüber«, blieb er vage.

»Halten Sie bin Musaid für einen Einzelkämpfer, der ohne Wissen des Königs agiert?«

»Ich weiß zu wenig darüber, um das zu beurteilen.«

»Dann spekulieren Sie.«

Rapp überlegte. »Es würde mich überraschen, wenn Faisal eingeweiht wäre. Er will sich bloß Ärger vom Leib halten, bis er unter der Erde liegt. Was den Prinzen betrifft, den halte ich für einen verwöhnten Schnösel, der glaubt, von seiner Familie unfair übergangen worden zu sein. Gut vorstellbar, dass es bloß ein kindischer Racheakt ist.«

Alexander huschte weiter unruhig durch den Raum und verarbeitete, was er gerade gehört hatte. »Ich sehe das ganz ähnlich wie Sie. Nur was ist, wenn wir uns irren? Ich befürchte, dass bin Musaid nicht clever genug ist, um so etwas in eigener Regie durchzuziehen. Wie hat er diese Kontakte hergestellt und die Übergabe organisiert? Beides ist keine Zauberei, aber man muss schon ein gewisses Maß an Initiative und Beharrlichkeit an den Tag legen – Tugenden, durch die er bisher eher selten aufgefallen ist.«

Die Wut des Präsidenten schien wie eine Rakete himmelwärts zu schießen. Rapp hatte zwar Gerüchte über Alexanders aufbrausendes Temperament aufgeschnappt, war bisher aber nie selbst Zeuge eines solchen Ausbruchs geworden.

»Dieses Abkommen war einer der größten Fehler, die dieses Land je gemacht hat«, schimpfte der Präsident und wirbelte zu Rapp herum. »Diese königlichen Arschlöcher interessiert doch alles einen Scheiß. Es sei denn, sie profitieren davon. Die würden ohne Zögern ihr eigenes Land, Amerika und den Rest der Welt opfern, solange ihnen jemand dafür einen weiteren Rolls-Royce mit Goldbeschlägen in die Garage stellt.«

Inzwischen sprach Alexander so laut, dass Rapp unauffällig zur Tür schielte, um sich zu vergewissern, dass er sie richtig geschlossen hatte.

»Was, wenn es nur die Spitze des Eisbergs ist, Mitch? Faisal wird innerhalb der nächsten zwei Jahre sterben.

Für seinen Nachfolger bedeutet das, er kann sich aussuchen, wen er unterstützt. Die Radikalen oder uns.«

»Ich halte es für wahrscheinlicher, dass er sich halbherzig mit beiden ins Bett legen wird, um die maximalen Vorteile mitzunehmen.«

»Das ist inakzeptabel!«, wetterte der Präsident.

»Sir, halten Sie es nicht für angebracht ...«

»Ich werde *nicht* der Mann sein, der zusieht, wie diese Wichser dekadent in Londoner Nachtclubs abhängen, während unsere Soldaten zu ihrer Verteidigung im Wüstensand verbluten. Entweder sind sie für oder gegen uns. Und wenn sie sich für Letzteres entscheiden, werde ich sie zertreten wie lästige Käfer.«

Rapp fand sich nur selten in der Position wieder, als Stimme der Vernunft aufzutreten, doch er musste Alexander zur Räson bringen. »Ich schlage vor, Sie besprechen das in aller Ruhe mit Irene. Sie kann ...«

»Sie denken, ich hätte den Verstand verloren, oder?«

»Nein, Sir. Aber ich verstehe nicht ganz, wie ich Ihnen helfen soll.«

»Das verrat ich Ihnen gern. Sie werden mir helfen, dass diesen Hurensöhnen die Furcht Allahs in die Adern schießt!«

»Können Sie das etwas genauer erklären?«

»Ich könnte ihnen die härtesten Wirtschaftssanktionen in der Geschichte ihres Landes um die Ohren klatschen, und wissen Sie, was diese königlichen Riesenärsche tun würden? Nach Paris fliegen, um ihre Sorgen in Wein für 10.000 Dollar die Flasche zu ertränken, während ihr eigenes Volk verhungert. Die einzige Möglichkeit, sie auf Kurs zu bringen, besteht darin, eine Strafe zu verhängen, die sie *selbst* trifft. Von jetzt an müssen sie kapieren, dass es um ihre *eigenen* Ärsche geht.«

»Und was schwebt Ihnen vor, wie wir das anstellen?«

Alexander machte Anstalten, sich hinter den Schreibtisch zu setzen, doch dann ließ er sich neben Rapp auf den Sessel fallen. »Indem Sie ein ernstes Gespräch mit Prinz bin Musaid führen. Und ich halte es für ratsam, dass er am Ende dieses Gesprächs nicht mehr unter den Lebenden weilt.«

»Sir?«

»Sie haben mich richtig verstanden.«

»Da bin ich mir nicht sicher.«

»Ich will, dass Sie den Ausmaßen dieser Verschwörung auf den Grund gehen und eine deutliche Botschaft an alle Beteiligten schicken, dass wir vor nichts zurückschrecken.«

»Und wie soll ich diese Botschaft übermitteln?«

»Indem Sie alle umbringen, die darin verwickelt sind. Einem anderen Prinzen hat man mal nahegelegt, dass es besser sei, gefürchtet als geliebt zu werden. Wenn die neue saudische Regierung antritt, muss ihr bewusst sein, dass es nur eine angemessene Antwort gibt, wenn Amerika sie auffordert, über ein Stöckchen zu springen. Nämlich: Wie hoch?«

Erschöpft lehnte sich Alexander zurück. »Sie wirken überrascht.«

»Für einen Politiker war das gerade ganz schön Klartext.«

»Da ich gerade so einen Lauf habe, bekommen Sie gleich einen Nachschlag: Dieses Gespräch hat nie stattgefunden. Die CIA darf nicht involviert werden. Wenn Sie sich dazu entschließen, es zu tun, und erwischt werden, lasse ich Sie fallen wie eine heiße Kartoffel. Die Saudis sollen zwar erfahren, dass ich verantwortlich bin, aber sie dürfen es auf keinen Fall beweisen können.«

»Verstanden.«

»Also, was denken Sie?«

Rapp zuckte die Achseln. »Sie wissen, dass Sie damit bei mir auf offene Ohren stoßen. Sonst hätten Sie mich nicht angerufen.«

Alexander lächelte. Die Gewitterwolken über seinem Kopf schienen sich verzogen zu haben. »Lassen Sie mich Ihnen einen Rat geben, Mitch. Sie sollten jetzt sagen, dass das für Sie das Allerletzte ist. Dann vergessen wir diese Unterhaltung und plaudern ein bisschen über die Chancen der Redskins in dieser Saison.«

Als Rapp das Weiße Haus verließ, musste er feststellen, dass Claudias Wagen nicht mehr auf seinem Platz stand. Da Autodiebstähle im Regierungsviertel seltener waren als Schnee in der Sahara, konnte das nur eins bedeuten.

Sein Verdacht erhärtete sich, als ein Lincoln Navigator vor ihm bremste. Er öffnete die Hecktür und rutschte auf die Rückbank.

»Du bist früh wach, Irene.«

Wie üblich war sie makellos gekleidet, trug einen grauen Hosenanzug und akribisch gewienerte Schuhe, hatte die dunklen Haare ordentlich frisiert. »Ich konnte nicht schlafen.«

Das Schweigen dehnte sich aus, bis sie auf eine weitgehend autofreie Pennsylvania Avenue abbogen. Dann meinte sie: »Der Präsident ist wütend auf bin Musaid und die saudische Regierung.«

»Tatsächlich?«

»Hat er das nicht angesprochen?«

Rapp schüttelte den Kopf. »Nö, er wollte bloß meine Einschätzung hören, ob das Football-Team des Weißen Hauses bei der Stadtmeisterschaft dieses Jahr einen Stich macht.«

Mit dieser Bemerkung verriet er alles, ohne sie zur Mitwisserin zu machen.

»Alexander ist ein guter Mann. Ich empfinde das für meine Laufbahn als großes Glück. Du solltest es auch tun. Wir haben beide für kluge, vernünftige Regierungen gearbeitet.«

»Stimmt.«

»Trotzdem bleibt er ein Politiker.«

»Da erzählst du mir nichts Neues, Irene.«

»Er wird dich nicht bloß im Regen stehen lassen«, fuhr sie fort. »Mit Neutralität macht man sich auf internationalem Terrain keine Freunde. Er wird alles tun, was in seiner Macht steht, um dich zur Strecke zu bringen. Und damit meine ich nicht bloß, dass er dich irgendwo einsperrt. Amerika kann nicht riskieren, dass einem Feind dein Wissen in die Hände fällt.«

»Aha.«

Sie schaute aus dem Fenster und betrachtete für ein paar Sekunden die vorbeiziehenden Gebäude. »Wenn ich's richtig mitbekommen habe, läuft es mit Claudia gerade richtig gut.«

Er hatte keine Ahnung, was sie damit andeuten wollte. Wusste sie Bescheid? Die Frau verfügte über eine Intuition, die einem Selbstsicherheit verlieh, solange man selbst davon profitierte, aber einen in den Wahnsinn trieb, wenn sie gegen einen eingesetzt wurde. Er zog es vor, nichts darauf zu erwidern.

»Du stehst am Anfang eines glücklichen neuen Lebens, Mitch. Ich will dir zwar nicht raten, dich zur Ruhe zu setzen, aber du solltest dich zumindest nicht von der nächstbesten Klippe stürzen. Mach dir erst mal in Ruhe Gedanken, was du dir für dich selbst und die Menschen in deiner Nähe wünschst.«

»Willst du darauf hinaus, dass er sich irrt, Irene? Dass *ich* mich irre? Dann sag's mir. Du weißt, dass ich bisher immer auf dich gehört habe.«

Sie sah stur aus dem Fenster. Schließlich entdeckte Rapp Claudias Q5, der in zweiter Reihe am Straßenrand parkte. Der Fahrer bremste daneben.

Ungewohnterweise hielt Kennedy ihm die Hand hin. »Wie immer du dich entscheidest, Mitch, ich wünsch dir viel Glück.«

Als Rapp zu Hause ankam, blinzelte die Sonne bereits hinter dem Horizont hervor. Er war nicht auf direktem Weg hergefahren, sondern hatte extra einen Umweg genommen, um nachzudenken. Welche Schlussfolgerungen er aus seinen Überlegungen ziehen sollte, wusste er selbst nicht so genau.

Anna begrüßte ihn im Flur. Sie trug noch ihren Pyjama und rieb sich den Schlaf krümelweise aus den Augen. »Hast du meine Frühstücksflocken mitgebracht?«

Er schwenkte die Einkaufstüte. »Mach dich fertig für die Schule. Ich kümmer mich drum.«

»Nein«, protestierte sie. »Ich will, dass Mami es macht.«

»Okay, aber jetzt leg einen Zahn zu, sonst kommst du zu spät.«

Sie verschwand im Gang und er lief durch den verglasten Innenhof zur Küche. Claudia stand am Kühlschrank und bereitete Kaffee mit einer Maschine zu, die aus dem Inventar der NASA zu stammen schien.

»Wie ist deine Besprechung gelaufen?«, fragte sie.

»Welche Besprechung? Ich war bloß einkaufen.«

»Ah.« Sie schob ihm eine Tasse hin. Dunkle peruanische Röstung. Wie immer schmeckte es sensationell.

»Es gibt einige Baustellen, um die ich mich kümmern muss«, kündigte er an, während sie das raffinierte Prozedere wiederholte, um ihre eigene Tasse zu füllen.

»Baustellen, von denen du im Supermarkt erfahren hast?«

»Ganz genau.«

»Wie lange wirst du weg sein?«

Er wusste nicht, was er darauf antworten sollte. Dieser Job passte in kein bekanntes Muster. Er hatte zwar schon in der Grauzone des US-Geheimdienstapparats operiert, aber noch nie außerhalb davon. Befehle zu missachten war deutlich leichter, als gar keine Befehle zu haben.

»Eine Weile.«

Sie rutschte auf einen Barhocker und sah ihn an. An seine zurückhaltenden Antworten hatte sie sich längst gewöhnt. »Unter der Hand?«

»Schlimmer.«

»Komplett außerhalb des Radars?«

Er nippte an seinem Kaffee. Verflucht, er glaubte ja selbst nicht, dass er sich auf so etwas einließ.

»Wärmer.«

Sie klatschte aufgeregt in die Hände. »Völlig auf dich allein gestellt?«

Zögernd nickte er.

»Dann läuft es also auf ein Verbrechen raus«, stellte sie mit glänzenden Augen fest. »Und nur einer hier an diesem Tisch weiß, wie man das perfekte Verbrechen plant.«

17

Aali Nassar sah aufs Handgelenk. Vier Uhr morgens. Durchs Fenster des Fliegers konnte er den Tankwagen erkennen, der sich dem Jet näherte, und die Lichter des Terminals dahinter. Die Helligkeit blendete ihn und er blinzelte, um wieder deutlich zu sehen. Ohne Erfolg. Seit seinem Treffen mit dem US-Präsidenten fand er keine Ruhe mehr. Die Müdigkeit drohte ihn zu übermannen.

Es gab keine Entschuldigung für sein dummes, unvorsichtiges Verhalten im Oval Office. Sein Hass auf Joshua Alexander und das Land, das er vertrat, hatte seine Vernunft kurzzeitig in den Hintergrund gedrängt. Statt ein sorgfältig vorformuliertes Dementi vorzutragen, hatte er sich eine Egoschlacht mit dem Mann geliefert, der als mächtigster Politiker der Welt galt. Sein Verlangen, den Amerikaner seine Geringschätzung spüren zu lassen und ihn wie einen inkompetenten Narren hinzustellen, war zu groß gewesen.

Er beruhigte sich damit, dass der Präsident letzten Endes machtlos war. Sich gegen Saudi-Arabien zu stellen, führte zu heftigen wirtschaftlichen und geopolitischen Konsequenzen. Kennedy würde den obersten Mann im

Staat sicher darauf hinweisen, dass Nassar als Bürokrat ungeübt in den komplexen Herausforderungen der Politik war. Bestimmt hörte er auf sie. Ganz anders sah es mit den gewaltbereiten, instabilen Elementen im verlängerten Arm der Administration aus. Mit Personen wie Mitch Rapp.

Nassar hatte die Sicherheitsvorkehrungen für Prinz bin Musaid massiv verstärkt. Trotzdem blieb er ein naheliegendes Ziel für die CIA, möglicherweise sogar mit dem Befehl, ihn zu töten. Trauten sie sich das? Bin Musaid war zwar ein kompletter Idiot, aber der letzte überlebende Verwandte König Faisals aufseiten der Schwester, die er mehr als alles andere verehrte.

Ein Mann im Overall steckte den Kopf durch die Einstiegsluke des Jets und wechselte ein paar Worte mit Nassars Sicherheitschef, ehe er wieder verschwand.

»Sir, der Tankschlauch hat sich verklemmt und sie befürchten, dass ein Feuer ausbrechen könnte. Man bittet uns, die Maschine zu verlassen, bis das Problem beseitigt ist.«

»Wie lange?«

»Es sollte nicht mehr als ein paar Minuten dauern, aber sie dürfen die Arbeiten erst in Angriff nehmen, wenn der Jet vollständig geräumt ist.«

Nassar stieß einen frustrierten Seufzer aus, lief dann aber gehorsam zum Ausgang. In Westafrika festzusitzen, durfte er sich nicht erlauben. Er musste handeln, solange Joshua Alexander schockiert über eine angemessene Reaktion nachgrübelte, und schnellstmöglich zu Faisal gelangen, bevor der König von Dritten erfuhr, was vorgefallen war. Die Wogen zu glätten, hielt er für eine seiner leichtesten Übungen. Der alte Narr vertraute ihm blind.

Nassar folgte seinen beiden Personenschützern über das Rollfeld zu einem kleinen Bau am äußeren Rand. Er lag weit entfernt vom Hauptterminal. Je weiter sie sich vom Flugzeug entfernten, desto dunkler wurde es. Sein Angestellter brauchte ein paar Sekunden, um den Lichtschalter zu finden, dann winkte er Nassar herein.

Er fand sich in einer Art Schuppen mit verrostetem, ausgemustertem Equipment wieder. »Das ist inakzeptabel«, protestierte er. »Organisieren Sie mir einen angemessenen Warteraum. Notfalls sollen sie ein Gate im ...«

Er verstummte, als sein Blick einen Schatten an der hinteren Wand streifte. Bruchteile von Sekunden später traten drei Männer ins grelle Licht der Glühbirne, die von der Decke hing. Nassars Reaktionszeit, geschliffen in Jahren bei den saudischen Sondereinsatzkräften, war auch im hohen Alter erstaunlich kurz geblieben. In diesem Moment ließ ihn seine Verwirrung jedoch zögern. Er erkannte sofort, dass keiner dieser Männer aus der Region stammte. Zwei davon, im Wüstentarnmuster und mit Schals vor dem Gesicht, ignorierte er. Stattdessen konzentrierte er sich auf die Person in der Mitte. Sie war ähnlich groß und schwer wie Nassar, hatte ebenfalls einen militärischen Kurzhaarschnitt und einen getrimmten Bart. Vor allem trug sie genau denselben Anzug und dieselbe Pilotenbrille, wie er sie im Jet zurückgelassen hatte.

Der Saudi stürmte zur offenen Tür des Verschlags, doch im letzten Moment hielt ihn einer seiner Securityleute fest. Statt ihn zu beschützen, rammte er Nassar mit dem Gesicht voran auf die dreckigen Holzbohlen.

Ein grelles Aufblitzen am Hauptterminal, dann folgten eine Explosion und eine Maschinengewehrsalve. Einmal mehr sah er sich mit dem seltenen Umstand konfrontiert, nicht die leiseste Ahnung zu haben, was vor sich ging. Hatte sein Wachmann die Detonation erwartet und ihn deshalb zu Boden gestoßen? Oder musste er Verrat in den eigenen Reihen befürchten?

Die Antwort erhielt er einige Sekunden später, als sich zwei der Männer aus dem rückwärtigen Teil des Schuppens auf ihn warfen. Draußen raste ein Fahrzeug mit fest montiertem Bordgeschütz in ihre Richtung und feuerte wahllos auf die Jets und Hubschrauber, an denen es vorbeikam. Der Mann, der wie Nassar angezogen war, drängte mit seinen Leibwächtern ins Freie.

»Ihr arbeitet für die CIA, was?«, rief er ihnen hinterher. »Überlegt euch, was ihr tut, sonst werden eure Familien den Preis für euren Verrat bezahlen! Ich werde …«

Einer der Männer erwischte ihn an den Haaren und riss den Kopf brutal in den Nacken, um ihn mit einem Klebeband über dem Mund zum Schweigen zu bringen. Plastikfesseln wurden um Hand- und Fußgelenke geschlungen, während er hilflos zusah, wie seine Security zusammen mit dem Doppelgänger über das Rollfeld spurtete und mit den Pistolen auf den heranrollenden Truck schoss.

Eine weitere Explosion erschütterte das Terminal, dann sprangen sie bereits in seinen Privatjet und schlossen in größter Eile die Luke. Der Treibstoffschlauch war mittlerweile entfernt worden. Sofort rollte das Flugzeug Richtung Startbahn, dicht gefolgt vom Truck. Als es Sekunden später abhob, keuchte Nassar erstickt auf. Das lag weniger am Klebeband, sondern vielmehr an der Erkenntnis, was ihm blühte.

Er war selbst schuld. Seine Arroganz und sein immenser Hass auf die Amerikaner hatten ihn abgelenkt. Dass sie zu schwach und feige waren, um gegen ihn vorzugehen, erwies sich als teurer Irrtum. Als Irrtum, der einen langsamen Tod durch die Hände Mitch Rapps versprach.

18

BALTIMORE, MARYLAND

»Bist du sicher, dass wir hier richtig sind?« Claudia spähte über das Armaturenbrett zu den halb verfallenen Ruinen, die sie umgaben. Um die Jahrhundertwende hatte man in diesen aus Ziegeln und Stein errichteten Hallen Lokomotiven gebaut, jetzt standen die meisten von ihnen leer.

»Ich bin sicher«, bestätigte Rapp.

Er wendete und fuhr an der geschwärzten Außenmauer eines Gebäudes entlang. Sie rumpelten über das Kopfsteinpflaster, das eher aus Lehm als aus Steinen bestand. Die kürzlich neu eingebauten Schalldämpfer der Limousine steckten die Erschütterungen problemlos weg.

»Eine ziemlich deprimierende Gegend«, kommentierte Claudia und wandte sich dem Computer auf ihrem Schoß zu.

»Was haben wir?«, wollte Rapp wissen.

»Was ziemlich Feines. Kommt mir wie eine vollständige Liste aller Bankkonten und Zugangsdaten von Prinz bin Musaid vor. Hat Marcus sie dir besorgt?«

»Lass es mich so formulieren: Sie lag zufällig auf seinem Schreibtisch, als ich vorbeigelaufen bin.«

»Was bist du doch für ein Glückspilz«, freute sie sich und tippte eifrig auf die Tasten.

»Ich hab herausgefunden, dass alle Konten noch aktiv sind. Ein klasse Ausgangspunkt, um noch einigen weiteren Besitztümern des Prinzen auf die Spur zu kommen.«

»Echt? Sachen, die Marcus entgangen sind?«

Sie nickte. »Auslandskonten und Tarnfirmen vor allem. Die Einkünfte wurden mithilfe von Kreditinstituten gewaschen, die den USA nicht unbedingt freundlich gesinnt sind. Überwiegend Banken im Iran, in Syrien und Nordkorea.«

»Klingt, als wäre das kein Hindernis für dich.«

Sie zuckte die Achseln. »Ich habe früher dieselben Netzwerke genutzt.«

»Und du gehst davon aus, dass dir nichts entgangen ist?«

»Solange er nicht noch gewaltige Summen irgendwo in bar versteckt. Aber das bezweifle ich. Nach meiner Erfahrung tragen Männer wie er ihr Geld lieber zur Bank. Bei diesen Instituten muss er sich keine Sorgen machen, dass jemand die Kohle findet.«

»Musste«, korrigierte Rapp.

»Musste«, bestätigte sie.

»Hast du eine sichere Verbindung?«

»Über 4G.«

»Dann zieh das gesamte Guthaben ab.«

»Jetzt gleich?«

»Yep.«

Sie grinste, machte ein paar weitere Eingaben und drückte mit theatralischer Geste die ENTER-Taste.

»Und?«

»Sei nicht so ungeduldig. Solche Transfers dauern … okay. Alles da.«

Sie hielt ihm den Laptop hin, sodass er den Bildschirm erkennen konnte. Ihre frisch gegründete Firma, Orion Consulting, verfügte aktuell über liquide Mittel von mehr als 70 Millionen Dollar.

»Das sollte für eine Weile reichen, um Munition und Lederjacken zu kaufen, die längst aus der Mode sind.«

»Und damit sind Musaids Konten komplett leer geräumt?«

»Abgesehen von einem Rest in Höhe von umgerechnet 28.000 Dollar.«

»Wieso lässt du ihm den?«

»Damit die Banken die Konten nicht schließen und ihn benachrichtigen.«

»Hat er einen Dispo?«

»Ja, bei zwei von ihnen.«

»Okay, dann reiz den bis ans Limit aus und hol uns auch die restlichen 28 Riesen.«

Dafür brauchte sie ebenfalls nur wenige Sekunden. »Erledigt. Jetzt ist Prinz Talal bin Musaid ganz schön angearscht. So nennt ihr Amerikaner das doch, oder? In Kürze werden mehrere größere Hypothekenraten fällig, außerdem weitere Zinszahlungen, Gehälter und Steuern. Alle Abbuchungen werden platzen. Damit bleibt ihm nur das, was er aktuell in der Tasche mit sich rumträgt. Wenn er das ausgegeben hat, kann er nicht mal mehr einkaufen gehen.«

»Und du glaubst, dass du problemlos verfolgen kannst, wo er gerade steckt?«

»Ich gehe fest davon aus, dass er sich nach Europa absetzt. Dort lebt sein Bruder, ein erfolgreicher Geschäftsmann, der sich von seinen saudischen Wurzeln und dem Königshaus losgesagt hat. Sobald der Prinz feststellt, dass seine Konten trockengelegt wurden, wird er ihn um Geld, Rat und Schutz anbetteln.«

Mit etwas Glück erfüllte sich ihre Prophezeiung. Ein unkalkulierbarer Faktor blieb, ob Nassar und Faisal den kleinen Prinzen warnten, dass ihm die CIA auf die Schliche gekommen war. Bin Musaid war allerdings trotz seiner Dummheit sicher schlau genug, um zu erkennen, dass ihn kein dahergelaufener Hacker um sein komplettes Vermögen erleichtert hatte. Sobald er eins und eins zusammenzählte, dürfte ihm klar werden, dass eine ausländische Regierung hinter dem Manöver steckte. Blieb die Frage, ob jemand in Saudi-Arabien für ihn die Kohlen aus dem Feuer holte. Wie weit lehnte sich der König aus dem Fenster, um einen seiner dämlichen Neffen zu beschützen? Immerhin hatte er davon mehr als genug.

»Sobald bin Musaid Saudi-Arabien den Rücken kehrt, ist er völlig isoliert und leichte Beute für uns. Wir müssen bloß …«

Claudias Telefon klingelte. Sie brachte ihn mit erhobenem Finger zum Schweigen, bevor sie abnahm.

»*Bonjour, chérie!*«

Das musste Anna sein. Rapp zog die Stirn in Falten und machte sich klar, dass solche Anrufe ab sofort Teil seines Lebens waren. Das hieß nicht, dass er sich nicht erst mal dran gewöhnen musste.

»Natürlich darfst du. Das hört sich toll an. Wie hoch? Na, dann sei aber vorsichtig, okay? Denk dran, was letztes Mal passiert ist.«

Die Kleine wohnte bei Irene. In erster Linie kümmerte sich ihr Sohn um sie, zu dem sie sofort einen Draht gefunden hatte. Wie sich herausstellte, hatte Tommy schon immer eine kleine Schwester gewollt und nahm es deshalb wie selbstverständlich hin, dass seine Freizeit und seine Würde als Teenager stark in Mitleidenschaft gezogen wurden.

»Ja, natürlich. Bald. Pass auf die Pfützen auf!«

Sie legte auf. »Alles okay?«, erkundigte sich Rapp.

»Alles bestens. Ihr Leben war schon immer chaotisch. Sie hat sich dran gewöhnt. Manchmal frag ich mich, ob sie sich langweilt, wenn es mal in ruhigeres Fahrwasser gerät.«

»Und du?«

»Ich?«

»Ja, wie kommst du mit deiner neuen Aufgabe zurecht?«

»Ganz wunderbar.«

»Du kannst jederzeit einen Rückzieher machen.«

»Wieso sollte ich?«

»Da fallen mir Hunderte von Gründen ein. Ich will jedenfalls nicht, dass du dich dazu gezwungen fühlst, Claudia. Wenn es dir zu heikel wird oder du lieber zu Anna nach Hause fahren willst, kannst du es jederzeit tun. Du schuldest mir nichts.«

»Hör auf, dir ständig Gedanken zu machen, Mitch. Ich mach so was schließlich nicht zum ersten Mal.«

Sie hielten neben einer Reihe parkender Fahrzeuge, zu denen auch Scott Colemans SUV gehörte, und stiegen aus. An einer schlichten Stahltür empfing sie ein einzelner Knopf, über dem eine Messingplakette mit der Aufschrift ›SD&S, Inc.‹ hing. Nach dem Umzug in die neuen Räumlichkeiten hatte Coleman entschieden, nur noch diese Kurzform des Firmennamens SEAL Demolition and Salvage zu verwenden. Die unauffälligste Möglichkeit, um trotzdem sicherzustellen, dass ihn alle Lieferungen erreichten.

Rapp klingelte. Ein Summen ertönte und die Tür sprang auf. Drinnen sah es deutlich besser aus, als man es von draußen erwartet hätte. Frisch gestrichene Wände, freigelegte Ziegelsteine und sorgsam restaurierte Industriemaschinen, die ebenfalls über den wahren Zweck des Unternehmens hinwegtäuschten und eher an ein frisch gegründetes Technik-Start-up erinnerten.

»Wir sind im Konferenzraum«, rief Coleman von hinten.

Rapp und Claudia setzten sich durch einen von Büros flankierten Gang in Bewegung, deren Erscheinungsbild vom neurotischen Ordnungszwang Charlie Wickers bis hin zur desaströsen Ansammlung von Essensverpackungen und teilweise zerlegten Waffen Bruno McGraws das komplette Spektrum abdeckte.

Im Konferenzraum fiel einem abgesehen von den Leuten am Tisch überhaupt nichts ins Auge. Überwiegend handelte es sich um frühere Special Ops – Coleman, McGraw, Joe Maslick und Wick. Die einzige Ausnahme bildete Bebe McCade, deren großmütterliches Äußeres darüber hinwegtäuschte, dass sie zu den besten Überwachungsexpertinnen des Planeten zählte.

Claudia verpasste Rapp einen unauffälligen Schubser und er beließ es bei einer genickten Begrüßung für Maslick. Er sah ihn zum ersten Mal seit den Vorbereitungen der Marokko-Operation wieder. Der frühere Delta wirkte nach wie vor extrem angespannt. Wie üblich lag Claudia richtig. Sofort nach dem Gruß entspannte er sich merklich.

Rapp stand am Kopf der Tafel und ging davon aus, dass alle damit rechneten, dass er Claudia jetzt zur Vertretung für Colemans Logistikaufgaben ernannte.

Weswegen er tatsächlich gekommen war, fiel ihm deutlich schwerer.

»Ich habe Irene heute Morgen mein Rücktrittsgesuch übergeben«, verkündete er.

Das erwartete schockierte Schweigen trat ein. Schließlich entfuhr es Coleman: »Was redest du da?«

»Ich rede darüber, dass die Verletzungen, die ich mir bei unserer letzten Mission zugezogen habe, schwerwiegender sind, als die Ärzte anfangs dachten. Ich muss mir eingestehen, dass ich meinen Job nicht länger so erledigen kann, wie es nötig ist. Damit eins klar ist, für euch läuft alles weiter wie gewohnt. Cary Donahue wird mich ersetzen und will dich als direkten Stellvertreter, Scott. Ihr kennt ihn alle. Ich weiß, dass ihr ihm denselben Respekt entgegenbringt wie mir.«

»Kann ich Claudia für die Logistik bekommen?«, fragte Coleman mit einer Gelassenheit, die Mitch massiv irritierte.

»Nein«, kam ihre prompte Antwort. »Mitch und ich werden für eine Weile verreisen.«

»Im Ernst? Verreisen? Lasst mich raten. Vogelbeobachtungen in Neuseeland? Ein kleiner Abstecher zum Boogie-Boarden nach Hawaii?«

»Ich weiß nicht mal …«

»Was soll die Scheiße?«, fluchte Coleman und pfefferte den Notizblock gegen die Wand. »Mitch Rapp quittiert den Dienst bei der CIA, weil er sich in Pakistan ein paar Schrammen zugezogen hat? Was zum Teufel bezweckst du damit?« Er schnappte sich den Gehstock neben dem Stuhl und fuchtelte damit herum. »Sieh mich gefälligst an.«

»Es gibt Angelegenheiten, um die ich mich kümmern muss«, erklärte Rapp.

»Ach ja? Und zwar?« Coleman zeigte mit der Stockspitze nacheinander auf alle Anwesenden. »Jeder von uns hat für dich Blut vergossen, Mitch. Und jetzt spazierst du hier rein und tischst uns die dämliche Geschichte auf, dass du in den Sonnenuntergang reiten willst?«

Einige von Colemans Leuten wichen unwillkürlich zurück, doch so schnell ließ er Rapp nicht von der Leine. Er schien zu glauben, dass er nach allem, was sie zusammen durchgestanden hatten, etwas Besseres verdiente. Und damit lag er richtig.

»Ich muss etwas erledigen, wobei du und deine Jungs mir nicht helfen könnt, Scott.«

»Haben wir uns je beschwert?«

»Schlimmer als der Mist unten in Nigeria kann's eh nicht mehr werden«, stellte Bruno McGraw fest und erntete allgemeine Zustimmung.

»Worüber reden wir hier?«, fragte Wicker. »Was Extremeres als eine Black-Op? Was ist denn das Schlimmste, was passieren könnte? Dass ich sterbe oder vorm FBI fliehen muss? Scheiß drauf, ich bin dabei.« Weiteres Kopfnicken.

»Keiner auf der Welt kann dir das Wasser reichen. Es war mir eine Ehre, mit dir zu dienen«, verkündete Rapp. »Aber jetzt musst du Cary dieselbe Loyalität entgegenbringen wie mir.«

Er winkte sie zur Tür und Claudia setzte sich in Richtung Flur in Bewegung. Sie wirkte merkwürdig angefasst. Ihm ging es ähnlich, aber er wollte sich nichts anmerken lassen. »Danke für alles, was ihr getan habt. Und viel Glück.«

19

Aali Nassar erlangte schrittweise das Bewusstsein zurück. Er nahm das Brummen eines Automotors und das Knirschen von Reifen auf einer Schotterpiste wahr. Man hatte ihm die Augen verbunden und die Hände hinter den Rücken gefesselt. Sie schienen das Ziel noch nicht erreicht zu haben, an dem er seinen persönlichen Schlussstrich vermutete. Die schwelende Wut über den Verrat seiner Leute war kalter Angst gewichen. Bot sich eine Gelegenheit zur Flucht? Sein letzter Kampfeinsatz lag Jahre zurück, aber was man im Training gelernt hatte, vergaß man nie.

Wie viele Männer saßen im Auto? Niemand sprach, aber er roch ihren Schweiß. Die Hitze deutete darauf hin, dass die Fenster geschlossen waren. Vielleicht weil sie auf einer belebten Straße fuhren? Er hörte keine Außengeräusche, aber das musste nicht zwangsläufig bedeuten, dass sie durch eine Einöde fuhren.

Er hatte keine Vorstellung, wie schnell sie unterwegs waren, aber er wusste mit ziemlicher Sicherheit, was ihn am Ende dieser Reise erwartete. Konnte er die Tür entriegeln, ohne dass jemand mitbekam, dass er bei Bewusstsein war? Am Griff ziehen? Sich nach draußen katapultieren und überleben? Machte es überhaupt einen Unterschied?

Nun, ein schneller Tod per Schleudertrauma wäre allemal besser als das, was Mitch Rapp mit ihm vorhatte.

Nassar bewegte sich mit quälender Langsamkeit und spitzte die Ohren, um es sofort mitzubekommen, wenn jemand reagierte. Er hatte kaum einen Zentimeter geschafft, da wurde das Fahrzeug langsamer und hielt schließlich ganz. Die Tür, gegen die er sich lehnte, wurde aufgerissen und jemand zerrte ihn gewaltsam ins Freie.

»Wir wissen, dass Sie wach sind, Direktor«, erklärte eine körperlose Stimme. »Laufen Sie, sonst säg ich Ihnen persönlich die Beine ab.«

Nassar rappelte sich auf die tauben Füße auf und stolperte langsam vorwärts, auf beiden Seiten von fremden Händen gestützt. Das Geräusch einer aufschwingenden Tür drang an seine Ohren, da stolperte er bereits über die Schwelle und wäre fast mit dem Gesicht voran auf den Boden geknallt.

Die Augenbinde wurde abgenommen und er blinzelte ins Licht. Kein Betonbunker, womit er eigentlich gerechnet hatte. Stattdessen fand er sich in einer geräumigen Umgebung mit rohen Holzwänden und zweckmäßiger Architektur wieder, die ihm keinerlei Anhaltspunkte lieferte, wo er sich befand. Den Mann, der ihm entgegensah, erkannte er hingegen sofort.

Er saß auf einer leicht erhöhten Plattform, auf der wahllos bunte Teppiche drapiert waren. Traditionelle Kleidung ganz in Schwarz, ein Tuch verdeckte die Haare, ließ das bärtige Gesicht jedoch frei. Nicht Mitch Rapp, nein. Nassar fand sich vor Mullah Sayid Halabi wieder. Dem Anführer des IS.

»Guten Abend, Direktor. Man trug mir zu, Sie wollten mich sehen?«

Nassar begegnete dem blassblauen Blick des Mullahs mit angemessener Unterwürfigkeit. Aus dem Augenwinkel nahm er weitere Männer wahr. General Al-Omari stand rechts von Halabi, die anderen Gesichter konnte er nicht auf Anhieb namentlich zuordnen. Vorwiegend ehemalige irakische Offiziere und Berater von Saddam Hussein.

»Ja«, antwortete er. Die Begleiterscheinungen der Droge, die man ihm verabreicht hatte, erschwerten das Sprechen. Allah sei Dank, dass wenigstens sein Verstand hellwach war.

»Aus welchem Grund?«

»Um eine Allianz zwischen dem IS und dem saudi-arabischen Staat auszuhandeln.«

»Sie sprechen also für den König?«, vergewisserte sich Halabi, obwohl er die Antwort zu kennen schien.

»Nein. Der König und der übrige Hofstaat haben dem Islam den Rücken gekehrt.«

»Ich verstehe. Also sprechen Sie für sich allein. Aus rein egoistischen Interessen.«

»Mein Interesse gilt ausschließlich der erfolgreichen Errichtung eines Kalifats. Saudi-Arabien wird Sie dabei unterstützen.«

Der Mullah schwieg. Die Antwort schien ihm nicht zu genügen. Davon, was er in den nächsten Minuten hörte, hing ab, ob er Nassar am Leben ließ oder umbrachte.

»Der IS-Angriff auf die saudi-arabischen Ölfelder und der Umstand, dass Mitch Rapp ihn vereitelte, haben das Band zwischen König Faisal und Amerika enger werden lassen.«

Die Pupillen des Mullahs verengten sich. Ob es an seinem Hass auf die CIA-Agenten oder der Erwähnung des Fehlschlags lag, ließ sich schwer deuten. Die Frage war, wie offen er reden würde. Er hatte sich mit kompetenten Beratern umgeben, doch hörte er auch auf ihre Empfehlungen?

»Diese Aktion hätte im Erfolgsfall zu Chaos in der Region geführt und den Islamischen Staat als neue Ordnungsmacht etablieren können. Aber der Plan war von Anfang an fehlerbehaftet. Der IS hätte zwar die Kontrolle übernommen, aber worüber genau? Über ein gespaltenes, gewalttätiges Gebiet mit Tausenden zerstrittener Fraktionen, zum Teil unterstützt von Amerikanern, Russen, Europäern und selbst Asiaten. Auf dieser Basis eine territoriale Einheit zu begründen, die ihre inneren Angelegenheiten im Griff hat und sich vor Bedrohungen von außen schützen kann, wäre schwierig, wenn nicht gar unmöglich gewesen.«

»Aber Sie wissen, wie man dieses Problem löst?«, fragte Halabi.

»Wie man es löst? Nein. Aber Sie haben die Möglichkeit, sich die Dienste Saudi-Arabiens zunutze zu machen. Ein Staat, dessen Militärapparat zu den mächtigsten in der Region zählt. Aktuell konzentriert er sich darauf, Ihre Strukturen zu zerschlagen. Aber Faisal hat noch keinen Nachfolger benannt. Ich kann Ihnen versichern, dass die potenziellen Kandidaten allesamt schwach und korrupt sind.

Die Frage lautet also: Wer wird beim künftigen König hinter den Kulissen die Fäden ziehen: Sie oder die Amerikaner?«

Halabi wechselte kurze Blicke mit seinen Beratern, ehe er antwortete: »Also wollen Sie meine Hilfe, um Ihren eigenen Einfluss in Saudi-Arabien zu vergrößern und damit Einfluss auf die Thronfolge Faisals zu nehmen? Oder verfolgen Sie gar noch ehrgeizigere Pläne und wollen die saudische Monarchie beerdigen und sich selbst zum Anführer aufschwingen?«

Nassar neigte unterwürfig das Haupt. »Was immer Ihren Interessen am dienlichsten ist.«

In Halabis starrem Blick mischte sich spontan Belustigung. Fast als hätte er in Nassars Seele geblickt und dessen lächerliche Absichten erkannt.

»Sie müssen schon etwas deutlicher werden, Direktor. Ich werde Sie so schnell wie möglich nach Hause zurückbringen lassen. Meine Männer können Ihre Abwesenheit nicht mehr lange unter der Decke halten.«

Nassar fühlte, wie ein Teil der Anspannung von ihm abfiel, als er begriff, dass er hier und heute nicht sterben musste. Ein beträchtlicher Teil der Anspannung blieb jedoch erhalten, nachdem er inzwischen wusste, dass es sich bei den ihm vermeintlich loyal ergebenen Wachen um Diener Halabis handelte. Wie weit mochte der lange Arm des Mullahs in die saudischen Regierungskreise hineinreichen?

»Ich erwarte, dass Sie sämtliche Planungen für Terrorakte auf saudischem Boden umgehend einstellen, und brauche Ihre Unterstützung, um die zunehmend heftigeren Kampagnen gegen den König in den sozialen Medien einzudämmen. Der König hört auf mich, aber er hört auch auf die Leute von der amerikanischen CIA. Ich muss ihn davon überzeugen, dass diese ihm nicht helfen können, sondern ihm eher schaden. Er muss zu der Einschätzung gelangen, dass ich, nur ich allein, in der Lage bin, seine Dynastie zu schützen.«

»Und was erhalte ich im Gegenzug? Das Versprechen, zu einem späteren Zeitpunkt auf Ihre Loyalität zählen zu können, genügt mir nämlich nicht.«

»Wenn ich es richtig verstehe, wollen Sie den Amerikanern innerhalb der eigenen Grenzen einen schweren

Schlag versetzen, damit sich die Aggressivität der US-Bevölkerung gezielt gegen die dort lebenden Muslime wendet und diese sich leichter vom IS rekrutieren lassen und von ihrem Gastland abwenden. Meine Behörde wird als führende Quelle für nachrichtendienstliche Erkenntnisse zu muslimischen Migranten und Flüchtlingen auf amerikanischem Boden konsultiert. Es wäre uns ein Leichtes, diese Daten zu manipulieren, um Ihren Agenten eine unbemerkte Infiltration zu ermöglichen. Außerdem verfügen wir über das Wissen, welche Ziele auf amerikanischem Boden nur unzureichend geschützt sind und bei Angriffen für erhebliche Störungen sorgen können – neuralgische Knotenpunkte der Stromversorgung, Dämme, Einkaufszentren, Sportarenen … um nur ein paar Beispiele zu nennen. Nicht zuletzt werden wir über die Mehrheit der CIA-Einsätze vorab informiert. Wir könnten Sie beispielsweise warnen, wenn …«

»Und Sie haben Geld«, unterbrach Halabi.

Die Amerikaner gingen inzwischen äußerst geschickt vor, wenn es um das Abfangen von Überweisungen und das Beschlagnahmen von Bankkonten ging. In Verbindung mit dem Boykott der Ölverkäufe durch IS-nahe Quellen hungerten sie den Islamischen Staat schrittweise aus. Kämpfer mussten Kürzungen ihres Solds hinnehmen, die Wartung der Ausrüstung wurde zunehmend vernachlässigt und die Schmiergelder, um lokale Anführer gefügig zu machen, flossen nicht länger.

»Natürlich. Viele der Saudis, die Ihre Organisation finanziell unterstützen, haben das auf meinen Rat hin getan. Prinz bin Musaid zum Beispiel.«

»Die Geldübergabe war nicht erfolgreich.«

»Nein? Meines Wissens hat der Prinz das Geld bei Ihrem Mann abgeliefert. Haben Sie es denn nicht erhalten?«

Halabi gab keine Antwort. Sein Schweigen verblüffte ihn. Laut Irene Kennedy befand sich der IS-Kontaktmann nicht in amerikanischer Gefangenschaft. Hatten sie ihn womöglich auf ihre Seite gezogen? Hatte er die CIA auf den bevorstehenden Austausch hingewiesen? Nicht auszuschließen, aber Nassar hielt es für unklug, in seiner jetzigen Lage eine solche Theorie laut auszuformulieren.

Der Mullah ergriff das Wort und wechselte das Thema. »Dieser Einblick in CIA-Operationen, von dem Sie sprechen … Ich gehe davon aus, dass die Amerikaner Ihnen vieles verschweigen. Sie überschätzen den Nutzen Ihrer Informationen. Überzeugen Sie mich, indem Sie mir etwas liefern, wovon ich bisher nichts weiß.«

Nassar lächelte. Auf einen solchen Wunsch war er bestens vorbereitet. »Wie Sie wünschen. General Al-Omaris Haus ist nicht das einzige, das der Feind kennt.« Er nickte mit dem Kopf in Richtung Fares Wazir – eines Mannes, der Jahre in der Leitungsebene von Saddam Husseins Geheimpolizei verbracht hatte. »Der Mossad hat General Wazirs Operationsbasis ausfindig gemacht. Die USA bereiten innerhalb der nächsten zwei Tage einen Zugriff vor.«

»Unmöglich«, entfuhr es Wazir. »Ich …«

»Sie und Ihre Familie bewohnen das obere Stockwerk eines Gebäudes in Tal Afar«, enthüllte Nassar betont gelangweilt. »Einige Blocks nördlich vom Stadtzentrum, wenn ich mich richtig erinnere.«

Das brachte den anderen zum Schweigen. Vor allem schien die Information Mullah Halabi zufriedenzustellen. Er hatte den ersten Test bestanden.

»Ich habe unser Gespräch sehr genossen, Direktor Nassar. Wie ich schon sagte, halte ich es für wichtig, dass Sie zeitnah nach Hause zurückkehren. Ich erwarte eine Zahlung von fünf Millionen Euro bis Ende der Woche. Wir werden uns bezüglich der Übergabedetails rechtzeitig mit Ihnen in Verbindung setzen.«

»Fünf Millionen?«, fragte Nassar. »Bei allem Respekt, ein solcher Betrag …«

Ihm wurde ein Sack über den Kopf gezogen. Einen Moment später schleiften ihn die Männer aus dem Gebäude.

20

In der Nähe von Dominical, Costa Rica

»Hier sind Ihr Chardonnay und ein Mineralwasser«, sagte die Bedienung.

Claudia griff mit zittrigen Fingern nach dem Weinglas.

Die ansonsten leere Terrasse bot eine Aussicht auf in voller Blüte stehende Bäume und Sträucher und eine Felsformation, die sich aus dem Meer erhob. Rapp hörte, wie die Wellen dagegenschwappten, saß jedoch mit dem Rücken zum spektakulären Panorama. Normalerweise bevorzugte er eine Wand hinter sich, doch in diesem Gartenrestaurant gab es lediglich wacklige Trennwände. Nichts, was eine Kugel aufgehalten hätte.

An diesem speziellen Tag rechnete er zwar nicht mit einer Schießerei, konnte die Möglichkeit aber auch nicht völlig auszuschließen. Grischa Asarow, der Mann, wegen dem sie hier waren, gehörte eindeutig zu den gefährlichsten Gegnern, denen er sich je gestellt hatte. Nach der Beinahe-Ermordung von Scott Coleman lieferte er sich ein Duell mit Rapp, das ihn entschieden zu sehr ans Limit brachte. Am Ende hatte der CIA-Agent zwar den Sieg davongetragen, allerdings fühlte sich ein Sturz von einer Bohrinsel mit buchstäblich brennenden Haaren nicht unbedingt wie ein Triumph an. Allzu viele weitere von dieser Art von Schlagabtausch würde er nicht überstehen.

»Wo ist er?«, wollte Claudia wissen, bevor sie die Hälfte des Glases mit einem Schluck leerte. »Wir sind jetzt seit zwei Tagen in Costa Rica und haben nachmittags immer in diesem Restaurant gegessen. Weiß er möglicherweise gar nicht, dass wir in Costa Rica sind?«

»Er weiß es.«

Claudias verstorbener Ehemann war einer der renommiertesten Auftragskiller überhaupt gewesen und hatte Asarow gefürchtet. Diese Furcht hatte er auf sie übertragen. Rapp konnte nicht widerstehen, sie diesbezüglich auf die Probe zu stellen. Bisher bestand sie mit einer soliden Zwei plus.

»Das Kleid steht dir großartig«, versuchte er die Anspannung zu lösen.

Sie kippte den restlichen Wein hinunter. »Mein absoluter Favorit. Darin möchte ich später mal begraben werden. Wär doch passend, oder?«

Rapp lenkte die Aufmerksamkeit der Bedienung auf sich, deutete auf Claudias leeres Glas und hielt zwei Finger hoch.

»Wo ist er?«, wiederholte Claudia nervös. »Wahrscheinlich beobachtet er uns. Wartet genüsslich ab und genießt es, uns schwitzen zu sehen.«

»Ich glaube, das liegt bloß an der Hitze.«

»Ist *das* der passende Zeitpunkt, um einen Sinn für Humor zu entwickeln?«

Die Kellnerin erschien und stellte ein volles Glas vor Claudia ab. Sie wollte ihm das zweite servieren, doch er signalisierte ihr, dass beide für seine Begleitung gedacht waren.

»Ich will dich bloß ein bisschen aufheitern.«

»Lass es lieber.«

Er lächelte sie beruhigend an, während er beobachtete, wie Grischa Asarow aus seinem Truck stieg und hinter ihrem Rücken auftauchte. Dass er nicht allein kam, wertete Rapp als gutes Zeichen. Er und Cara Hansen waren seit seinem Rücktritt aus den Diensten des russischen Präsidenten quasi unzertrennlich. Eine 30-jährige amerikanische Surflehrerin mit zum Beruf passender athletischer Figur, wirrem blondem Haarschopf und einem Gesicht, das immer auf leichten Sonnenbrand hindeutete. Ihr zaghaftes Lächeln wirkte aufrichtig, schien aber dauerhaft in ihre Mimik eingemeißelt zu sein. Nach allem, was er hörte, gab es kaum jemanden, der sie nicht mochte. Der Grund dafür war unschwer zu erkennen.

»*¡Hola, Isabella!*«, grüßte sie beim Betreten der Terrasse. »*¿Podemos sentarnos al lado de las flores?*«

Rapp verstand genug, um zu erkennen, dass Asarow nicht vorschrieb, wo sie sich hinsetzten, und dass der Tisch neben den Blumen zwar eine ausgezeichnete Wahl für ein vorgezogenes Abendessen war, aus taktischer Sicht jedoch eine tödliche Falle.

Claudias Körperhaltung versteifte sich, aber es gelang ihr, sich nicht umzudrehen. »Sind sie das?«

»Mhm.«

»Wieso hast du mich nicht gewarnt?«

»Ich wollte nicht, dass du Rotwein auf dein Totenkleid kleckerst.«

»Du bist so witzig. Vielleicht wärst du doch besser Alleinunterhalter geworden.«

Er lächelte bloß und ignorierte Cara und Asarow, während sie ihre Bestellung aufgaben. Nach einer wohl bemessenen Pause blickte ihn der Russe direkt an und flüsterte seiner Begleiterin etwas ins Ohr. Kurz darauf erhoben sie sich und kamen zu Rapp. Claudia schien es für eine gute Gelegenheit zu halten, ihren zweiten Wein zu leeren und sich am dritten Glas festzuklammern.

»Mitch?«

»Grischa?« Rapp mimte den Überraschten, stand auf und schüttelte ihm die Hand. »Was machen Sie denn hier?«

»Ich wohne wenige Kilometer von hier entfernt.«

»Ehrlich? Das wusste ich nicht.«

Asarow wandte sich an Cara. »Ich möchte dir Mitch vorstellen. Wir kennen uns aus Saudi-Arabien.«

»Hi«, grüßte sie und hielt ihm die Hand hin. »Ich bin Cara. Sind Sie auch in der Ölbranche tätig?«

»Genau.«

Sie waren sich schon einmal begegnet. Allerdings war es ziemlich dunkel gewesen und er hatte einen Schalldämpfer gegen die Stirn ihres Freundes gedrückt. Er fragte sich, welche Erklärung Asarow ihr für diesen Vorfall aufgetischt hatte.

»Und das ist Claudia«, setzte der Russe die Vorstellungsrunde fort.

Sie zuckte merklich zusammen, weil er ihren Namen kannte, schaffte es aber, die Begrüßung mit einem halbwegs entspannten Lächeln über sich ergehen zu lassen. Ihre Zwei plus verbesserte sich zu einer vorläufigen Eins minus.

»Haben Sie schon mal den Wanderweg hinter dem Restaurant ausprobiert?«, fragte Asarow. Sein Akzent klang jetzt deutlich weicher und glich sich dem Spanisch an, das um sie herum gesprochen wurde.

»Nein, den kenn ich nicht«, antwortete Claudia.

»Wie wär's, wenn du mit ihr eine Runde spazieren gehst, Cara?«

»Gern. Um diese Zeit sind Tukane unterwegs. Nehmen Sie Ihren Wein ruhig mit. Die Strecke ist nicht besonders anspruchsvoll.«

Rapp beobachtete, wie die beiden Frauen das Sonnendeck verließen und im umliegenden Dschungel abtauchten.

»Darf ich mich zu Ihnen gesellen?«, erkundigte sich Asarow höflich.

»Bitte.«

Sie setzten sich und Rapp nutzte die Gelegenheit, den anderen genauer zu betrachten. Die Schnitte von den Scherben, die sein Gesicht aufgeschlitzt hatten, waren längst verheilt. Die verbliebenen Narben wurden von Sonnenbräune kaschiert. Er hatte ein paar Kilo zugelegt und wirkte nicht mehr ganz so trainiert wie der professionelle Ausdauersportler von einst. Die blond gefärbten Haare, ungefähr die gleiche Schattierung wie bei Scott Coleman, rundeten den veränderten Look ab.

Der Großteil der Veränderungen betraf allerdings nicht das Äußere. Er war außerordentlich talentiert und gut ausgebildet, hatte jedoch einen Großteil seines Erwachsenenlebens als Handlanger von Maxim Krupin zugebracht. Jetzt wirkte er fast glücklich. Zumindest so glücklich, dass Rapp sich fragte, ob es ein Fehler gewesen war herzukommen.

»Urlaub?« Asarow nippte an einem Eiswasser. »Oder haben Sie ein Team ins Land geschmuggelt, ohne dass ich davon weiß?«

»Kein Team. Nur wir zwei.«

»Warum, wenn ich fragen darf? Sie hatten zwei Chancen, mich zu töten, und haben beide ungenutzt verstreichen lassen. Ich nehme an, Ihre Leute beschatten mich. In diesem Fall sollten Sie wissen, dass ich nicht länger in Kontakt mit der russischen Regierung stehe.«

Das deckte sich mit seinen Erkenntnissen. Asarows erstes Projekt nach dem Abstoßen seiner Besitztümer im Ausland, die er nicht länger brauchte, war ein Surfkurs gewesen. Dass er früher Biathlet auf olympischem Niveau gewesen war und mit einer diplomierten Ausbilderin schlief, hatte da sicher nicht geschadet. Mit Ausnahme eines kleinen Zusammenstoßes mit drei besitzergreifenden Einheimischen auf Hawaii – einer von ihnen lernte gerade wieder zu laufen – hatte es anfangs keine nennenswerten Zwischenfälle gegeben.

Kürzlich jedoch hatte er die Verbindungen zu der erfolgreichen Consultingfirma, die er viele Jahre als Deckmantel für seine Aktivitäten benutzte, wiederaufgenommen, einen neuen Geschäftsführer bestellt und sich selbst zum Chef des Aufsichtsrats ernannt. Keine besonders fordernde Aufgabe, aber auch keine, auf die er finanziell angewiesen zu sein schien. Soweit es die Agency beurteilen konnte, verfügte er über ein Vermögen von über 100 Millionen Dollar und gab monatlich weniger als 2000 davon aus.

Rapps Schweigen machte den Russen skeptisch. »Ich nehme an, Ihrem Freund Scott Coleman geht es gut?«

»Ja, in einem Jahr oder so dürfte er wieder ganz der Alte sein. Deswegen bin ich nicht hier.«

»Sondern?«

»Wie fühlt sich's an, eine ruhige Kugel zu schieben?«, hielt Rapp dagegen, der die Frage vorerst nicht beantworten wollte.

»Ich genieße es. Ich genieße vor allem die Zeit mit Cara. Die Freiheit. Wie steht's mit Ihnen? Ich muss zugeben, dass mich Ihr Verhältnis mit Claudia Gould in Anbetracht der gemeinsamen Vorgeschichte überrascht.«

»Manchmal muss man die Vergangenheit ruhen lassen.«

»Eine erfrischende Sichtweise, aber keine, die ich einem Mitch Rapp zugetraut hätte. Wie geht es ihrer Tochter? Anna, nicht wahr? Nach Ihrer verstorbenen Frau benannt. Wie alt ist sie inzwischen? Sechs?«

»Sieben.«

»Ah«, sagte er in einem Tonfall, der verriet, dass es ihm herzlich egal war, und trank einen weiteren Schluck.

»Sagen Sie …« Rapp spähte unauffällig über die Schulter, ob Cara zurückgekommen war. »Was halten Sie von einem kleinen Nebenjob?«

Asarow gelang es nicht, seine anfängliche Überraschung zu verstecken, doch dann nickte er. »Ich habe den Anführer Ihres Back-up-Teams ausgeschaltet. Sie brauchen einen Ersatz und finden, dass ich Ihnen was schulde.«

»Nein, ich bin da in etwas verwickelt, in das ich Scott und seine Jungs nicht reinziehen will.«

»Verstehe. Und wenn ich Nein sage?«

»Dann essen wir gemeinsam zu Abend und sehen uns danach vermutlich nie wieder.«

Asarow blickte an ihm vorbei zur Wolkenfront, die sich am Horizont auftürmte. »Wie lange wird es dauern?«

»Nur ein paar Wochen. Auf keinen Fall länger als einen Monat.«

»Details?«

»Es gibt da jemanden, mit dem ich mich unterhalten will.«

»Darf ich davon ausgehen, dass er umgekehrt kein Interesse daran hat?«

»Davon können Sie ausgehen.«

»Aber Ihre Regierung hält eine Begegnung im Gegensatz zu Ihnen nicht für wichtig?«

»Stimmt ebenfalls.«

»Um persönliche Rache geht es schon mal nicht. Sonst würden Sie sich persönlich drum kümmern.«

»Ich freue mich sehr auf dieses Gespräch«, erwiderte Rapp aufrichtig. »Aber meine persönliche Zufriedenheit steht nicht im Vordergrund.«

»Klingt spannend. Wie steht's mit der Bezahlung?«

Rapp zuckte die Achseln. »Ich könnte Ihnen eine Menge Kohle anbieten, aber das Teuerste, was Sie sich im letzten halben Jahr geleistet haben, war ein neues Surfbrett.«

Asarows Augenbrauen zuckten in die Höhe. Er dachte nach. »Wie wär's mit der amerikanischen Staatsbürgerschaft?«

»Machbar. Aber es wäre einfacher, Cara zu heiraten und sie auf diese Weise zu bekommen. Außerdem leben Sie in Costa Rica. Wollen Sie etwa freiwillig Steuern ans US-Finanzamt abführen?«

»Auch wieder wahr. Allerdings sind wir uns sicher einig, dass ein Mann mit meinen Fähigkeiten nicht umsonst arbeiten sollte.«

Rapp zückte die Brieftasche, zog einen einzelnen Dollarschein heraus und legte ihn auf den Tisch. Der Russe starrte ein paar Sekunden darauf, dann steckte er ihn in die Tasche. »Einverstanden. Aber Sie übernehmen das Abendessen.«

21

RIAD, SAUDI-ARABIEN

Das Telefon auf Aali Nassars Schreibtisch summte. Er schnappte sich den Hörer. »Ja?«

»Aali, wie geht es Ihnen?«, fragte König Faisal. »Ist alles in Ordnung?«

Nassar stieß einen erleichterten Seufzer aus. Womöglich verfrüht, aber zumindest hatte das Warten ein Ende. Bei seinen mehrfachen Anrufen im Palast seit der Rückkehr nach Riad ließ man ihn jedes Mal wissen, der König sei gerade indisponiert. Grundsätzlich ließen sich diese gelegentlichen Unterbrechungen in der Kommunikation mit der schlechten Gesundheit des Monarchen erklären, doch er musste auf der Hut sein. Vielleicht hatte Faisal die Anrufe auch gezielt geblockt, nachdem er von dem desaströsen Treffen mit Präsident Alexander erfahren hatte. Hatten die Amerikaner ihn auf ihre Verdachtsmomente bezüglich Talal bin Musaid hingewiesen?

»Ich bin wohlauf, Eure Majestät. Und Sie?«

»Reden wir nicht von mir. Es hieß, Sie hätten sich bei der Verteidigung gegen diese Feiglinge in Mauretanien ernsthafte Verletzungen zugezogen.«

»Ich kann Ihnen versichern, dass diese Berichte massiv übertrieben sind.«

In Wirklichkeit waren sie erstunken und erlogen. Er hatte die Geschichte in Umlauf setzen lassen, in einen verzweifelten Kampf mit den Terroristen verwickelt worden zu sein.

Die Berichte über seine Heldentaten überschritten allmählich die Grenze zum Unglaubwürdigen, doch niemand zog sie in Zweifel.

»Übertrieben? Bescheidenheit steht Ihnen nicht gut zu Gesicht, Aali. Die Terroristen selbst verbreiten Schilderungen über Ihre mutigen Taten.«

Dahinter steckte natürlich Mullah Halabi. Dass der IS-Anführer bereits seinen Einfluss geltend machte, um Nassars Ruf in Saudi-Arabien aufzupolieren, hielt er für ein ermutigendes Signal.

»Ich habe lediglich getan, was ich für nötig hielt, Eure Majestät.«

Der König lachte. »Nun, Aali, falls Ihnen das Thema nicht zu trivial ist, berichten Sie mir doch kurz von Ihrer Unterredung mit dem Präsidenten.«

Nassar musste spontan grinsen. Der alte Mann wusste noch nichts. Offenbar erwies sich seine ursprüngliche Annahme als zutreffend. Das amerikanische Staatsoberhaupt besaß nicht genug Rückgrat, um Konsequenzen aus dem Affront zu ziehen.

»Nun, sie erwies sich als deutlich komplizierter als erwartet, Majestät.«

»Ach? Inwiefern?«

Nassar legte eine dramatische Pause ein, um die Durchschlagskraft seiner Nachricht zu erhöhen. »Die Amerikaner glauben, dass Talal bin Musaid kürzlich nach Marokko gereist ist, um dort eine Zahlung an den IS zu überbringen.«

»Was reden Sie da? Das ist ja lächerlich«, tobte der König, bevor ein wilder Hustenanfall losbrach. So heftig, dass Nassar sich ernsthaft fragte, ob der alte Narr möglicherweise gerade abkratzte.

Bedauerlicherweise kriegte sich Faisal wieder ein. »Ist da etwas Wahres dran, Aali?«

»Meiner Meinung nach nicht, Majestät. Die Anschuldigung fußt auf dem Bericht eines einzelnen Agenten und einem lächerlich unscharfen Foto. Es stimmt zwar, dass sich der Prinz zum fraglichen Zeitpunkt in Marokko aufhielt, aber seine Sicherheitsleute und die Angestellten der Botschaft sind bereit, unter Eid auszusagen, dass er sich nicht mal in der Nähe des angeblichen Übergabepunkts aufhielt.«

»Konnten Sie schon direkt mit ihm sprechen? Haben Sie Talal mit den Vorwürfen konfrontiert?«

»Nein, Majestät. Wir …«

»Ich werde ihn sofort in den Palast zitieren.«

Eine erwartbare Reaktion, aber eine mit potenziell desaströsen Folgen. Immerhin bestand die Gefahr, dass dieser Idiot von Prinz unter Druck etwas ausplauderte.

»Sir, davon rate ich entschieden ab. Geben Sie mir etwas Zeit, dann werde ich den Amerikanern seine Unschuld beweisen. Und dann löst sich die ganze Angelegenheit in Luft auf, ohne dass jemand davon erfährt.«

»Ich bin nicht überzeugt, dass das funktionieren wird, Aali. Präsident Alexander ist nicht dafür bekannt, solche Vorwürfe leichtfertig zu erheben.«

»Da stimme ich zu, Majestät. Er ist ein beeindruckender Mann, der sehr überlegt handelt. Das macht ihn trotzdem nicht unfehlbar. Sollte ich mich irren und meine Untersuchungen den Prinzen nicht zweifelsfrei von allen Vorwürfen entlasten, empfehle ich eine Vorladung, um sich zu erklären. Aber wieso sollten Sie ihn mit etwas behelligen, das meiner Überzeugung nach nicht stimmt?«

Faisal antwortete nicht sofort. Nassar lauschte dem rasselnden Atem auf der anderen Seite der Leitung. »Sie haben mich bisher nie enttäuscht, Aali. Und Ihre Heldentaten in Mauretanien haben mir einmal mehr vor Augen geführt, dass Sie der richtige Mann sind, um unseren Geheimdienst zu führen. Ich werde Ihren Rat beherzigen und zunächst Ihren Bericht abwarten.«

»Danke, Majestät.«

Faisal trennte die Verbindung und Nassar lehnte sich im Stuhl zurück. Das Gespräch war besser gelaufen als erwartet. Nun konnte er sich in aller Ruhe Gedanken machen, wie er den Störfaktor namens bin Musaid am besten beseitigte. Ferner ging er nicht davon aus, dass die Amerikaner sich jetzt noch beim König meldeten, um sich über Nassars Tonfall bei dem Meeting zu beschweren. Selbst wenn sie es taten, könnte er seinen Auftritt damit entschuldigen, wie sehr es ihn schockiert hatte, dass so schwere Anschuldigungen gegen ein Mitglied der Herrscherfamilie erhoben wurden.

Es klopfte. Das bärtige Gesicht Mahja Zamans erschien im Türspalt. »Du hast gerade mit dem König telefoniert, nicht wahr? Kannst du trotzdem eine Minute für einen Normalsterblichen wie mich erübrigen?«

Nassars Eltern hatten im Haushalt der Familie Zaman als Dienstboten gearbeitet. Weil er und Mahja ungefähr im gleichen Alter waren, hatte sich zwischen den beiden eine enge Freundschaft entwickelt. Sie besuchten als Jugendliche dieselbe Koranschule, und es war Mahjas Vater gewesen, der Nassar für das königliche Universitätsstipendium vorschlug. Mahja und Nassar hielten an ihrer Freundschaft fest, teilten sich ein Zimmer in Oxford und reisten in den Semesterferien gemeinsam durch Europa. Bei ihrer Rückkehr nach Saudi-Arabien hatte sich Nassar beim Militär verpflichtet – die beste Möglichkeit für den Sohn einer Arbeiterfamilie, seinen gesellschaftlichen Status zu verbessern – und Zaman entschied sich, das lukrative Bauunternehmen seiner Familie zu übernehmen. Trotz ihrer unterschiedlichen Karrieren verloren sie sich nie aus den Augen.

»Du siehst gesünder aus, als ich dachte«, meinte Zaman, als Nassar vor den Schreibtisch trat und ihn umarmte.

»Ach, alles halb so wild.«

»Halb so wild? Ich las, dass du auf ein Panzerfahrzeug springen musstest, um diese Hunde eigenhändig zu töten. Allah sei gepriesen, dass du mit dem Leben davongekommen bist.«

Nassar forderte den Freund auf, sich zu setzen, und ließ sich auf dem Stuhl neben ihm nieder. Die Bürotür war geschlossen, trotzdem rückte er dicht an den anderen heran und flüsterte.

»Ich muss dich noch einmal um deine Hilfe bitten, Mahja.«

Eine verschwörerische Miene trat auf Zamans Gesicht. »Du weißt, dass ich dir und Gott jederzeit zu Diensten bin.«

Die Ausbildung an der Madrasa hatte den Freund stärker geprägt als ihn. Er war nach wie vor äußerst fromm und sehnte sich aufgrund seines privilegierten Lebens nach etwas Tiefgreifenderem als dem Anhäufen von mehr und mehr Reichtum.

Genau wie Prinz bin Musaid machte ihn diese nagende Leere zu einem nützlichen Gehilfen, aber damit endeten die Gemeinsamkeiten auch schon. Der Prinz war ein verwöhnter Junge, der ständig am Rande eines Wutanfalls stand. Zaman dagegen hielt er für stark, loyal und clever. Diese Qualitäten machten ihn zu einem schlagkräftigen Kämpfer. Allerdings musste ihm Nassar deshalb auch mehr anvertrauen, als ihm lieb war. Zaman ließ sich nicht ohne Rückfragen wie ein Bauer auf dem Schachbrett hin und her schieben. Aufgrund seiner Intelligenz verlangte er nach nachvollziehbaren Motiven und ertappte andere bei der kleinsten Lüge.

»Zum Glück ist es zwar eine wichtige, aber keine besonders komplizierte Aufgabe.«

Zaman nickte. »Worum geht es?«

»Wir müssen eine weitere Barzahlung abwickeln.«

»Wo?«

»In Brüssel. Du führst das Geld in deinem Privatflugzeug mit, steigst um in ein Auto und fährst damit zu einer Adresse in Molenbeek, die ich dir nenne.«

»Und dann?«

»Nichts. Damit ist deine Aufgabe erfüllt. Lass die Schlüssel stecken und geh einfach weg. Das Auto wird ein paar Stunden später abgeholt. Ein direkter Kontakt mit dem Abholer ist nicht erforderlich.«

»Kameras?«

»Nicht an der Stelle, wo du aussteigst.«

»Um welche Summe geht es?«

»Fünf Millionen Euro.«

Die Höhe des Betrags überraschte Zaman. »Fünf Millionen? Soll das heißen, dass du mit Mullah Halabi in Kontakt getreten bist?«

»Richtig.«

»Ausgezeichnet! Glaubst du, der Kontakt wird sich auszahlen?«

»Möglich.«

In Wirklichkeit hatte er das längst. Abgesehen von den Legenden, die der IS über seine übermenschlichen Fähigkeiten beim Angriff in Mauretanien in Umlauf gebracht hatte, registrierte er bereits eine spürbare Abnahme antimonarchischer Tiraden in den sozialen Netzwerken.

Nach der Übergabe der fünf Millionen rechnete Nassar mit einer Beschleunigung dieses Trends. Seine Strategie ging auf gleich zwei Ebenen auf: Die erfundenen Heldentaten steigerten seine Beliebtheit beim einfachen Volk, die Reduzierung der Hetze gegen das Königshaus half ihm, bei Faisal Punkte zu sammeln.

»Wird das Geld für einen Angriff auf die Amerikaner zum Einsatz kommen?«

»Da bin ich mir nicht sicher, aber ich gehe davon aus.«

Zaman grinste. »Wahrscheinlich erleb ich dich eines Tages noch als Kalifen, der über Ländereien von Mali bis Tadschikistan regiert.«

»Wenn mich Allahs Ruf ereilen sollte, diese Aufgabe zu übernehmen, werde ich ihm selbstverständlich dienen.«

Zaman klopfte dem Freund auf die Schulter. »Aalglatt wie eh und je, Aali. Kein Wunder, dass die englischen Studentinnen damals bei dir Schlange standen.«

22

VOR DEN TOREN CHICAGOS

Donatella Rahn huschte durch die schmale Gasse und wich den Pfützen aus, die der Regen anschwellen ließ. Ihre langen dunklen Haare verbarg sie unter einer Mütze. Außerdem trug sie eine Sonnenbrille, die ein Gesicht verdeckte, mit dem sie früher eine Menge Geld verdient hatte.

Sie wich einer Wasserfontäne aus, die aus einer abgebrochenen Regenrinne schoss, und nutzte die Gelegenheit für einen raschen Blick über die Schulter. Der Regen hatte zwar die meisten Fußgänger von den Straßen vertrieben, trotzdem wollte sie sich nicht länger als unbedingt nötig der Gefahr einer Entdeckung aussetzen. Nur Amateure begingen den Fehler, ihr Glück zu sehr zu strapazieren.

Sie glitt in eine schmale Nische und drückte den Rücken gegen die dreckigen Ziegelsteine. Es regnete nun heftiger, was ihr Sichtfeld stärker als erwartet einschränkte. Wenn man es positiv sah, galt das immerhin auch für die Gegenseite. Selbst für den unwahrscheinlichen Fall, dass jemand sie bemerkte, bekam er nicht mehr als eine vage menschliche Silhouette zu Gesicht, die Zuflucht vor dem Sturm suchte.

In der Mitte der Gasse stand ihr Opfer in geduckter Haltung neben einer Mülltonne. Sein Begleiter schnipste ein Feuerzeug an. Die Flamme loderte unter einem Löffel, mit dem sie die Drogen erhitzten, die sie sich am Nachmittag besorgt hatten. Weil sie einen Großteil ihrer Jugend auf ähnliche Weise an ähnlichen Mülltonnen verbracht hatte, kannte sie die Prozedur und alles, was man dafür brauchte. Nicht dass es eine Rolle spielte. Sie war nicht wegen der Drogen hier.

Was die Frage aufwarf: Weswegen *war* sie hier?

Viele Jahre hatte sie ein schillerndes Leben geführt, als italienisches Model auf den Laufstegen internationaler Metropolen gestanden, dann im Auftrag des Mossad gemordet, zuletzt auf eigene Rechnung. Sie hatte Terroristen ebenso getötet wie bestens ausgebildete feindliche Soldaten oder Industriemagnaten. Jeder hatte sie respektiert, gefürchtet oder ihre Dienste in Anspruch genommen. Gleichgesinnte, Regierungen und Milliardäre mit blaublütiger Abstammung. Und jetzt weichten ihre Klamotten durch, weil sie einer verschlagenen und bedeutungslosen Kreatur namens Jimmy Gatton auflauerte.

Er war drogenabhängig, dealte gelegentlich oder bot seinen Körper als Stricher an. Das alles war ihr vollkommen gleichgültig. Sie interessierten ausschließlich seine Talente als Kleinkrimineller. Vor drei Wochen war sie in die Wohnung zurückgekehrt, die man ihr aufgezwungen hatte, und fand sie verwüstet vor. Stereoanlage, Fernseher und Laptop waren verschwunden.

Der Inhalt jedes Schranks und jeder Schublade verteilte sich auf dem Fußboden, genau wie die Vorräte aus ihrem Kühlschrank.

Donatellas Wut hatte sich schnell wieder verzogen. Die Sachen gehörten ihr sowieso nicht. Es konnte ihr eigentlich egal sein. Zumal sie selbst als junge Frau ähnliche Brüche durchgezogen hatte, um an Geld für Stoff zu gelangen.

Sie war von Zimmer zu Zimmer gelaufen, hatte wahllos Sachen mitgenommen – Kochgeschirr, Zahnbürste, ein von der Wand gerissenes Thermometer – und den Rest zurückgelassen. Schritt für Schritt nistete sich ein ungutes Gefühl in ihrem Magen ein. Der Einbruch war schlampig durchgezogen, übertrieben auf Verwüstung ausgerichtet, allerdings schien dem Ganzen eine gewisse Gründlichkeit anzuhaften. Sie erreichte ihr Schlafzimmer und verspürte eine gewisse Beklommenheit. Erwartungsgemäß stand die Kleiderschranktür offen und der Inhalt lag verteilt auf dem Teppich. Dass der Einbrecher die versteckte Luke an der Rückwand entdeckt hatte, brachte sie allerdings aus dem Konzept. Der Riegel war mit einem Fleischerbeil zertrümmert worden, das noch in der Gipskartonplatte steckte.

Donatella stand wie erstarrt da. Ein trockenes Gefühl breitete sich in ihrer Kehle aus. Als es ihr endlich gelang, genauer nachzusehen, wuchs ihr Entsetzen mit jedem zusätzlichen Schritt. Die einmaligen Designerstücke und Schuhe, überwiegend in einem früheren Leben für sie maßgeschneidert, lagen nicht nur überall verstreut wie die anderen Gegenstände in der Wohnung herum. Jemand hatte sie bewusst zerstört. Der Dieb schien bei seiner hartnäckigen Suche nach dem Geheimraum mit ungleich größeren Schätzen gerechnet zu haben. Mit Juwelen, Waffen oder Kunst. Eventuell auch mit Drogen. Stattdessen war er nur auf jahrzehntealte Haute Couture von Valentino, Gucci und Louis Vuitton gestoßen.

In seinem Zorn hatte er wie ein Berserker gewütet. Dem Geruch nach zu urteilen, schien er sogar auf einige Stücke uriniert zu haben. Sie starrte auf die vernichteten Überreste ihrer alten Existenz und hatte zum ersten Mal seit den Teenagertagen als Obdachlose auf den Straßen das Gefühl, in Bedeutungslosigkeit zu versinken. Es fehlte nicht mehr viel und sie würde völlig verschwinden.

Donatella erinnerte sich, wie sie auf das Beil gestarrt hatte, mit einem Mal fasziniert von der glänzenden Schneide. Sie hatte stets darauf geachtet, dass sie gut geschärft war, wie bei allen Klingen in ihrem Besitz. War das der Schlüssel zur Lösung? Aber wie lautete überhaupt das Problem?

Sie verlor aus dem Blick, wie lange sie dastand und grübelte. Wie schon so viele Male zuvor, war es ihre Wut, die sie am Ende rettete. Nein, sie ließ nicht zu, sich davon unterkriegen zu lassen. Nicht nach allem, was sie bereits durchgemacht hatte.

Zuletzt hatte sie es sogar überstanden, dass Mitch Rapp sie ins Zeugenschutzprogramm des FBI abservierte. Daraufhin zog sie von einer eintönigen Vorstadthölle in die nächste, versuchte sich sogar eine Zeit lang an ehrlicher Arbeit. Da ließ sie sich doch nicht von einem dahergelaufenen Plünderer den Lebensmut nehmen!

Nachdem sie ihre Ausrüstung für den Einsatz noch mal sorgfältig überprüft hatte, trat Donatella aus der Nische und schlich durch den strömenden Regen in die Mitte der Gasse. Nicht mehr lange, bis die vorbereiteten

Drogen vom Löffel in die Venen wanderten. Sie wollte zuschlagen, bevor Gatton in seinem Rausch nichts mehr von seiner Bestrafung mitbekam.

Die beiden Männer blickten auf, als sie aus dem Dunst auftauchte, anfangs verwirrt, dann zunehmend fasziniert. Gatton trat ihr als Erster in den Weg. Das Haar hing ihm klatschnass in der Stirn, trotzdem erkannte sie das Gesicht vom Fahndungsfoto.

Die Polizei hatte auf den Einbruch weitgehend gleichgültig reagiert. Natürlich konnte sie sich wegen einer solchen Lappalie auch nicht an ihre Kontaktleute beim FBI wenden. Im Gegenteil, die hätten verschnupft darauf reagiert, dass sie sich so hartnäckig an Relikte einer Vergangenheit klammerte, an deren Auslöschung sie so hart arbeiteten. Also setzte Donatella den Einfluss ein, den sie seit jeher auf Männer ausübte, um einem örtlichen Ermittler die Information zu entlocken, wer hinter der Tat steckte. Bei Drinks in einem intimen, kleinen Restaurant zeigte er sich äußerst verständnisvoll und räumte ein, dass sie allen Grund hatte, sich auf persönlicher Ebene verletzt zu fühlen. Danach verriet er ihr, dass er den Täter zwar kannte, die Beweislage für einen Prozess jedoch zu dünn war. Am Ende riet er ihr, das Geld von der Versicherung einzustecken und die Angelegenheit zu vergessen.

»Du bist hübsch«, raunte Gatton. Der Regen verschluckte die Bemerkung fast vollständig. Außerhalb der Gasse wäre sie selbst dann untergegangen, wenn er laut gesprochen oder es sogar gebrüllt hätte.

Sie wollte sich an ihm vorbeischieben, doch er verstellte ihr erneut den Weg. Sein Begleiter hockte hinter dem Müllcontainer und verfolgte das Ganze beiläufig. Ihm ging es gerade nur um den nächsten Schuss.

»Was hast du da in der Hand?«, wollte Gatton wissen. Gierig starrte er auf den 20 Zentimeter langen Zylinder, den sie zwischen perfekt manikürten Nägeln schwenkte. »Vielleicht das, was ich haben will?«

Gatton schien zur gleichen Schlussfolgerung wie sie gelangt zu sein: Was in dieser Gasse passiert, bleibt in dieser Gasse.

Er rückte ihr dichter auf die Pelle. »Ich bin sicher, du hast 'ne ganze Menge, was ich haben will.«

Donatella drückte die Taste, um die Sprungfeder des Schlagstocks zu lösen, und ließ ihn zu voller Länge ausfahren. Gatton zuckte nicht mal. Die meisten Leute taten sich schwer damit, gänzlich unerwartete Beobachtungen zu verarbeiten. Bei ihm dauerte es besonders lange. Sie schwang die Waffe und ließ sie gegen seine Rippen klatschen, statt den naheliegenden Kopftreffer anzupeilen. Er stöhnte so laut, dass man es selbst über den Niederschlag hinweg hörte. Das Gleiche galt für das befriedigende Geräusch, mit dem seine Knochen brachen.

Er taumelte nach rechts und sie setzte sofort nach, ließ den Stock fest genug von hinten gegen seine Beine zischen, dass sie ihm wegklappten. Sein Gesicht verzerrte sich zu einer Maske aus Schmerzen, als er auf den nassen Asphalt traf. Er bekam nicht genug Luft, um zu schreien.

Aus dem Augenwinkel nahm sie wahr, wie Gattons Kumpel ein Messer aus der Tasche zog. Sie drehte sich zu ihm und konterte seinen fassungslosen Blick mit einem kühlen Starren. Er wirkte sogar noch verwirrter als Gatton. Dass sie eine Waffe bei sich trug und sie zur Selbstverteidigung nutzte, schien er zu begreifen, aber nicht, dass sie stehen blieb, statt sich in die Sicherheit der nächsten Straße zu flüchten.

»Haben wir zwei noch was zu regeln?«, fragte sie eben laut genug, dass er es mitbekam.

Das war anscheinend nicht der Fall, denn er raffte seinen Drogenkrempel zusammen und rannte davon.

Donatella schüttelte ihren Regenschirm aus und betrat die Parkgarage. Ihr Herz schlug etwas schneller, ansonsten hatte sie den Vorfall bereits verdaut. Ihre Haare saßen weiterhin perfekt, das Make-up war makellos und an der Kleidung zeigten sich weder Knitterfalten noch Blut.

Sie glitt hinter das Steuer des grauen Ford Focus, den ihr das FBI überlassen hatte – aus reiner Gehässigkeit, wie sie glaubte –, und steckte den Schlüssel in die Zündung. Gerade wollte sie ihn im Schloss umdrehen, da erstarrte sie, weil ihr jemand vom Rücksitz aus die Mündung einer Waffe ans Ohr drückte.

Ein Cop? Hatte man sie beobachtet? Falls ja, was sollte sie tun? Einen Kleinganoven umzubringen mochte ein triviales Delikt sein, aber bei ihren Kontakten vom Federal Bureau kam es sicher nicht gut an.

Ach was, Unsinn. Ein Polizist versteckte sich wohl kaum auf dem Rücksitz und wartete, bis ein Verdächtiger ins Auto stieg.

Ein früherer Feind? Zweifelhaft. Sie hielt zwar nicht viel vom FBI, aber ihre Identität zu verschleiern, bekamen sie durchaus hin. Ein Straßenräuber? Ein Vergewaltiger? Interessante Vorstellung. Auf diese Weise könnte sie nach langer Zeit mal wieder zwei Männer an einem Tag erledigen.

»Was zum Teufel sollte das gerade?«

Selbst nach all den Jahren erkannte sie die Stimme auf Anhieb.

»Mitch?« Sie drehte sich langsam um.

»Du hast meine Frage nicht beantwortet.«

»Er hat mich bestohlen.« Die unterdrückte Wut brach sich wieder Bahn. »Genau wie du.«

Sie schob die Waffe zur Seite, legte ihm die Hände um den Nacken und drückte so fest zu, wie sie es hinbekam. »Du hast mir das angetan, du Bastard! Ich hatte bildhübsche Männer! Bildhübsche Frauen! Eine herrliche Wohnung in Mailand! Sieh, was du aus mir gemacht hast!«

Er befreite sich aus ihrem Griff und presste ihren Rücken so fest gegen das Armaturenbrett, dass ihr die Luft wegblieb.

»Du selbst hast dir das angetan, Donatella. Wie oft musste das Bureau dich jetzt schon umsiedeln? Zweimal? Nach allem, was ich gerade mitbekommen habe, legst du's auf einen Hattrick an.«

»Was willst du hier, Mitch? Ich bin dir doch eh egal. Schon seit Langem.«

»Das ist nicht wahr, und das weißt du auch. Meine Güte, musst du immer so eine Diva sein?«

»Wirst du mich nach Iowa schicken?«

Die Lieblingsdrohung des FBI. Und nach den Vorfällen in Dallas vor zwei Jahren hatten sie keinen Zweifel daran gelassen, dass sie es ernst meinten.

Er schüttelte den Kopf. »Ich habe einen Job, der dich interessieren dürfte.«

»Eine Metzgerei, die einen neuen Geschäftsführer sucht?«

»Das wirst du mir ewig vorhalten, was? Es war bloß ein Vorschlag. Immerhin isst du gern gut und kannst prima mit Messern umgehen.«

Sein Mobiltelefon klingelte und er hielt den Hörer ans Ohr. »Nein, die Gasse nördlich davon … mhm … Das ist mir so was von egal. Verscharrt ihn von mir aus im Wald oder verfüttert ihn an die Schweine. Hauptsache, ihr werdet ihn los. Ja … Einer, aber der machte auf mich nicht den Eindruck, als ob er damit zur Polizei geht. Vergesst ihn. Ich weiß, wer der Täter ist … Ja, ich bin euch was schuldig. War's das jetzt? Schön …« Er legte auf. »Wo waren wir?«

»Du hast was von einem Job erwähnt.« Ihre Augen verengten sich misstrauisch. »Wieso kommst du zu mir? Kriegen Scott und seine Pfadfinder das ausnahmsweise mal nicht hin? Die laufen doch sogar über Wasser. Lass mich raten, die Sache hat 'nen femininen Touch?«

Seine Augen zuckten leicht hin und her. Den meisten wäre es entgangen, doch sie kannten sich schon so lange, dass Donatella in seiner Miene las wie in einem offenen Buch. Ein Lächeln umspielte ihre Lippen. »Nein, damit hat es nichts zu tun. Du willst ihnen den Job nicht zumuten und handelst auf eigene Faust.«

»So was in der Art.«

Sie grinste breit und lehnte sich gegen das Armaturenbrett. »Was steckt für mich drin?«

»Was willst du?«

»Heim nach Italien. Und eine Anschubfinanzierung für meine eigene Modekollektion.«

»Hör auf mit dem Quatsch, Donatella. Du weißt, dass ich das nicht hinbekomme.«

»Du bekommst alles hin.«

»Der Mossad will dich tot sehen.«

»Das könnten Irene und du mit einem einzigen Anruf aus der Welt schaffen.«

»Mag sein, aber das gilt nicht für die Hamas. Die Jungs und Mädels sind enorm nachtragend. Ganz zu schweigen von den Feinden, die du dir gemacht hast, als du unter eigener Regie losgezogen bist. Lass dir was anderes einfallen.«

»Wie wär's, wenn du mir was vorschlägst?«

»Möchtest du nicht vorher wissen, worum es bei dem Job überhaupt geht?«

»Nicht wirklich.«

»Also schön. Ein neues Gesicht und eine neue Identität. Ein nettes Penthouse in New York mit Blick auf den Central Park. Du hältst Abstand zur Modebranche, aber ich spendier dir eine Vernissage in einer Kunstgalerie.«

»Kunst?« Daran hatte sie noch nie gedacht. »Ich mag Kunst.«

»Ich weiß«, meinte er und verstaute die Glock im Holster unter dem Arm. »Du hast mich ständig zu Ausstellungseröffnungen mitgeschleift.«

»Weil ich fand, dass dir ein bisschen Kultur guttut. Ich fürchte, es hat nicht viel geholfen.«

23

Tal Afar, Irak

Anthony Staton schob sich an der zerschmetterten Wand entlang, bis er im Mondlicht einen kurzen Blick auf das Zielobjekt erhaschte. Ein Betonbau, der durch den Krieg und die jüngste Eroberung der Stadt durch den IS beträchtliche Schäden erlitten hatte. Das Erdgeschoss war ausgebrannt, dafür hatte man die komplette obere Etage zu einer Luxuswohnung umgebaut. Von außen sah es gar nicht danach aus. Jemand schien großen Wert darauf zu legen, dass das Gebäude als nicht bewohnt wahrgenommen wurde. Jeden Nachmittag wurden pünktlich vor Sonnenuntergang Verdunklungsrollos an allen Fenstern heruntergelassen.

Nachdem die Agency die Wohnung lokalisiert hatte, wäre er am liebsten mit einem Flammenwerfer losgezogen, um den ganzen Komplex in Schutt und Asche zu legen. Alternativ mit einem Laserpointer draufzeigen, warten, bis eine Drohne über der Stelle auftauchte, und per Fernzünder das Bombardement eröffnen.

Zu seinem Bedauern sah der Plan etwas anderes vor. Der ehemalige irakische General, der seinen fetten Hintern in diesem maßgeschneiderten Penthouse schaukelte, schien zu wichtig zu sein, um pulverisiert zu werden. Irene Kennedy wollte ihn lebend. Darum blieb Staton nichts anderes übrig, als durch vom IS eingenommene Straßenzüge zu streifen, mit einem Rumpfteam als Verstärkung für Notfälle. Schnell und überschaubar lautete die nachvollziehbare Devise, doch er fühlte sich unangenehm verwundbar. Am liebsten hätte er die Op einem anderen überlassen, aber bei der Agency herrschte gerade ein Riesendurcheinander. Scott Coleman saß mit Pech bald im Rollstuhl, Joe Maslick schlug sich eher schlecht als recht und Mitch Rapp hatte die Glock an den Nagel gehängt. Dass er Letzteres noch erlebte, hätte er niemals erwartet.

»Hier Forward One«, drang eine Stimme aus dem Headset. »Ich bin auf Position. Alles ruhig. Wir könnten Glück haben.«

Staton kam prompt ein Klischee aus den billigen Italowestern in den Sinn, die er so liebte. *Es ist ruhig. Zu ruhig.*

Sie hatten sich gegen einen Zugriff mitten in der Nacht entschieden, wenn auf den Straßen kein Betrieb mehr herrschte, weil das Team sonst viel zu sehr auffiel. Stattdessen suchten sie sich eine Zeit am späten Abend aus, in der noch ein paar Leute durch die Gegend streiften, aber mehr daran interessiert waren, nach Hause zu kommen, als neugierige Fragen zu stellen.

Trotzdem war deutlich weniger los als erwartet. Auf dem Hinweg begegneten ihm nur zwei Patrouillen, denen er problemlos auswich. Entweder entpuppte sich dieser Einsatz als Spaziergang oder das dicke Ende kam noch. Aufgrund seiner Erfahrungen ging er eher von Letzterem aus. Man bekam im Leben nichts geschenkt.

Er tastete hinter dem traditionellen Gewand nach dem Schalter für das Kehlkopfmikro. »Ich hab das Ziel im Blick und bin gleich auf Position. Bleibt auf alles gefasst. Ich hab ein mulmiges Gefühl.«

»Das hast du doch immer, Tony. Verstanden.«

Eine Wäscheleine verband die Spitze des Zielgebäudes mit einer verlassenen Ruine auf der anderen Straßenseite. Ein Vortrupp hatte sie durch eine Kevlar-Variante ausgetauscht, von der sie schworen, dass sie genauso aussah und niemand den Unterschied beim Anfassen merkte. Staton bezweifelte es zunächst, doch nach den Hosen zu urteilen, die an der Leine baumelten, war die Täuschung perfekt.

Drei seiner Männer sollten daran entlangrutschen, um aufs Dach zu gelangen, das Schloss einer Wartungsluke aufbrechen und in Fares Wazirs Apartment runterschleichen. Dort sollten sie die Wachen ausschalten, die

Familie betäuben und den Ex-General über die Leine auf die andere Straßenseite schaffen. Das Beste, was sie aufgetrieben hatten, um ihn zu einer geeigneten Landezone zu transportieren, war ein Leiterwagen aus Holz, wie man ihm hier auf den Straßen überall begegnete. Ein Restrisiko blieb. Die Planung – angefangen bei der Wäscheleine über die unklare Menge an Sicherheitspersonal bis hin zum Karren – war für seinen Geschmack zu sehr mit der heißen Nadel gestrickt. Scott Coleman hätte seinen Spaß daran gehabt, Staton erinnerte die Situation eher an ein brennendes Pulverfass.

»Sind alle auf Position?«, fragte er in die Runde und erhielt von jedem eine Bestätigung.

»Dann haben wir ein Go.«

Ein einzelner Mann kam die Straße entlang in seine Richtung. Staton ignorierte ihn. Er schien fast 100 Jahre alt zu sein und sein humpelnder Gang hatte so gar nichts mit der Dringlichkeit der übrigen Passanten gemein. In seinem Alter fürchtete er den IS wahrscheinlich nicht mehr.

Über seinem Kopf überquerte eine dunkle Gestalt die Kevlarleine, so rasch, dass es nur jemandem aufgefallen wäre, der konkret darauf achtete. Eine zweite folgte, dann eine dritte.

Eine Stimme ertönte knackend im Ohrteil. »Wir haben das Dach eingenommen. Scheint alles sauber zu sein.«

»Verstanden. Weitermachen. Vergesst nicht, die Position der Leine anzupassen.«

»Bin dran«, verkündete eine andere Stimme.

Das Seilende an der verlassenen Ruine sollte eine Etage nach unten versetzt werden, damit bei der anschließenden Flucht ein Gefälle vorhanden war und das Vorankommen beschleunigte. Mit dem zusätzlichen Ballast von Wazirs Körper war das Manöver zwar etwas riskant, aber es galt, die Zeitspanne, in der Unbeteiligte sie entdecken konnten, so weit wie möglich abzukürzen.

»Das Schloss sieht genau so aus, wie wir's erwartet haben«, meldete einer seiner Leute über Funk. »Gar kein Pro…«

Staton duckte sich instinktiv, als ein greller Blitz aufflackerte, begleitet von einer dumpfen Explosion. Er brauchte einen Moment, um zu verarbeiten, dass sich das Dach samt seinem Team in Tausende brennender Betonbrocken verwandelt hatte, die durch die Luft segelten. Der alte Mann auf der Straße blieb stehen und starrte auf den gewaltigen Feuerball, bevor er seinen Weg fortsetzte, als wäre nichts gewesen.

»Rückzug!«, bellte Staton ins Kehlkopfmikro. »Ich wiederhole: sofortiger Rückzug!«

Er rannte los und überlegte, was zur Hölle gerade passiert war. Hatten seine Männer versehentlich eine Sprengfalle ausgelöst? Quasi ausgeschlossen, immerhin hatten sie die Anweisung erhalten, gezielt nach entsprechenden Vorrichtungen zu suchen und vor dem Aufbrechen des Schlosses Meldung zu machen, falls sie etwas fanden.

Mündungsblitze zuckten auf dem Gebäude gegenüber auf. Genau an der Stelle, wo der fürs Versetzen des Kabels zuständige Kamerad sich gerade aufhielt.

Staton stieß sich von der Mauer in seinem Rücken ab und sprintete nach Norden zum Rest des Teams. Er hatte nur wenige Meter zurückgelegt, als weitere Blitze die Nacht erhellten. Er versuchte, den Standpunkt der Schützen zu lokalisieren, doch es gelang ihm nicht. Die

Schüsse schienen von überall zu kommen. Aus jedem Fenster. Von jedem Dach. Aus jedem Torbogen. Der alte Mann ging zu Boden und Staton wirbelte nach rechts, während er vergeblich nach Deckung Ausschau hielt. Die erste Kugel erwischte ihn am künstlichen Hüftgelenk, von dem alle dachten, dass es ihm eine frühzeitige Rente garantierte. Danach folgten weitere Einschläge in so kurzer Folge, dass er sie nicht auseinanderhalten konnte. Ihre Wucht drängte ihn zunächst zur Seite und riss ihn dann zu Boden. Die Dunkelheit hatte sich vollständig verzogen, ersetzt durch tausendfaches Mündungsfeuer.

Er entdeckte die ausgebrannten Überreste eines Autos in der künstlichen Beleuchtung und wollte hinkriechen. Allerdings nagelten ihn weitere Treffer in den Rücken förmlich fest und drückten ihn unbarmherzig in den Staub. Er betätigte den Abzug der eigenen Waffe. Das laute Aufröhren mischte sich kurz unter die lärmende Kulisse der übrigen Schützen, ehe alles still wurde.

Aali Nassar legte das Telefon auf dem Sitzpolster der Limousine ab und gönnte sich ein seltenes Lächeln. Der König hatte persönlich angerufen, um seine Dankbarkeit über den aktuellen Rückgang der monarchiefeindlichen Postings im Internet zum Ausdruck zu bringen. Er ahnte nicht, dass die Entwicklung auf Sayid Halabis Konto ging.

Darüber hinaus wurden die fünf Millionen Euro, die der Mullah verlangte, gerade in Mahja Zamans Privatjet gebracht. Die Hälfte stammte aus seiner eigenen Tasche, den Rest steuerten zwei loyal ergebene Unterstützer bei. Sämtliche Vorbereitungen waren abgeschlossen und er ging davon aus, dass der Transfer glatt über die Bühne ging.

Selbst die Schwierigkeiten, die Talal bin Musaid bescherte, schienen sich in Wohlgefallen aufzulösen. Berichten zufolge befand er sich auf dem Weg nach Monaco, um seinem Bruder einen Besuch abzustatten. Ihn außerhalb der saudischen Grenze zu wissen, war hilfreich, denn Nassar fand, dass die Vorteile, den Prinzen kurzfristig auszuschalten, die Nachteile übertrafen. Er hielt es zwar für unwahrscheinlich, dass Präsident Alexander den Mut aufbrachte, gegen bin Musaid vorzugehen und das fragile Gleichgewicht zwischen ihren beiden Ländern ins Wanken zu bringen, aber einen unautorisierten Zugriff seitens CIA oder Mossad wähnte er durchaus im Bereich des Möglichen.

Er hielt all diese Entwicklungen für Geschenke Allahs, doch sie allein hätten nicht ausgereicht, um die Mundwinkel eines Mannes nach oben zu ziehen, der an diese Bewegung nicht gewöhnt war. Nein, das Lächeln hatte ihm die Nachricht über den Rücktritt von Mitch Rapp auf die Lippen geholt. Das Ausmaß der Verletzungen, die sich der CIA-Spion in Saudi-Arabien zugezogen hatte, schien offenbar schwerwiegender zu sein, als es in Geheimdienstkreisen anfangs kursierte.

Sein Telefon vibrierte. Eine verschlüsselte E-Mail von Irene Kennedy. Statt der erwarteten Nachricht fand sich nur der Link zu einer Propaganda-Website des IS. Neugierig klickte er darauf und wartete, dass das Video geladen wurde. Als die Wiedergabe einsetzte, bekam er kurzzeitig Beklemmungen in der Brust.

Es handelte sich um einen raffiniert geschnittenen Clip, der den Angriff einer kleinen Gruppe von US-Einsatzkräften festhielt. Den Schauplatz des Geschehens konnte er auf Anhieb zuordnen: Fares Wazirs Wohnung im Irak. Nassar fuhr den Wiedergabebalken an den Anfang zurück und sah sich den Film ein zweites Mal an. Seine Faust krampfte sich ums Telefon, als das Dach von Fares Wazirs Penthouse wegflog und Schüsse aus allen Richtungen einsetzten. Die Luftaufnahme zoomte auf einen Mann, der über die Straße lief und spasmisch zuckte, weil er von unzähligen Treffern gleichzeitig niedergestreckt wurde. Er ging zu Boden und feuerte mit seiner eigenen Waffe nutzlos in eine Steinwand, dann blieb er reglos liegen. Es folgten schnelle Schnitte, unterlegt mit aufrüttelnder, triumphaler Musik – Leichen von Amerikanern, die aus den Gebäuden geschleppt wurden, die kaum erkennbaren Überbleibsel der Opfer auf dem Dach, ein blutiger Körper, durch die Straßen geschleift.

Er schloss die Website und wählte eine Nummer, die Mullah Halabi ihm gegeben hatte. Er war nicht davon ausgegangen, sie so bald benutzen zu müssen; vor allem nicht in Reaktion auf eine so niederschmetternde Dummheit. Überraschenderweise meldete sich der IS-Anführer persönlich.

»Sie sind noch spät wach, Direktor.«

»Ich habe gerade das Video vom Angriff auf Fares Wazirs Penthouse gesehen.«

»Glorreich, nicht wahr?«

»Glorreich?« Nassar starrte unwillkürlich auf die Trennscheibe zum Fahrer, obwohl er wusste, dass sie schalldicht war. »Das ist nackter Irrsinn! Ich habe Ihnen diese Information gegeben, um Wazir die Flucht zu ermöglichen, bevor die Amerikaner eintreffen. Irene Kennedy hat mir gerade eine E-Mail geschickt. Darin befand sich ausschließlich der Link zum Video, weiter nichts. Ich kann Ihnen versichern, dass ihr Mangel an Diplomatie pure

Absicht war. Sie wollte mir damit verdeutlichen, dass sie die undichte Stelle in meiner Behörde vermutet.«

»Damit liegen Sie vermutlich richtig.«

»Warum haben Sie es dann getan? Sie gefährden damit meine Stellung und die Möglichkeit, Sie weiterhin mit Informationen zu versorgen.«

»Weil Sie es gebraucht haben, Aali.«

»Was? Wieso habe ich es *gebraucht*?«

»Weil Sie eine Illusion von Stärke ausstrahlen, in Wahrheit aber schwach sind. Grundsätzlich ließe sich das mit Ihrer Herkunft aus ärmlichen Verhältnissen entschuldigen, allerdings haben Ihnen die reichen Gönner der Familie ein sorgenfreies Leben und ein Studium in Oxford ermöglicht. Natürlich sind mir die Auszeichnungen Ihrer militärischen Laufbahn bekannt, aber Sie haben sich auf sorgfältig durchgeplante Unternehmungen ohne Risiko und Leidenschaft beschränkt. Jetzt spüren Sie zum ersten Mal, wie es ist, wenn einem echte Gefahr droht. Die Augen der Amerikaner, die auf Ihnen ruhen; die Nervosität, weil Sie befürchten müssen, dass eine feindliche Drohne direkt über Ihnen kreist. Wird man Ihren Verrat bemerken? Und falls ja, auf welche Weise wird man sich an Ihnen rächen?«

»Wenn die Amerikaner mich töten, lösen sich die finanziellen Mittel und Informationen, mit denen ich Sie unterstütze, in Luft auf. Der König …«

Halabi brach in schallendes Gelächter aus, das Nassar prompt zum Schweigen brachte. »Sie kommen da schon heil raus, Aali. Vor allem jetzt, wo die CIA den Weggang von Mitch Rapp verkraften muss. Aber seien Sie sich Ihrer Sache nie zu sicher. In Ihrer momentanen Lage wird Ihr Glaube an den Allmächtigen auf eine harte Probe gestellt.

Ob Sie bestehen, hängt davon ab, ob sie wirklich ihm dienen oder eigene Interessen verfolgen.«

Es brachte nichts, mit dem Mann zu streiten.

»Ich diene Gott allein.«

»Gut, Aali. Gut. Und natürlich gilt Ihnen mein Mitgefühl, dass der General Ihnen solche Schwierigkeiten beschert. Sagen Sie, was ich für Sie tun kann, um das Gleichgewicht wiederherzustellen.«

Das Angebot überraschte und erleichterte Nassar gleichermaßen. Halabi schien zu erkennen, wie wertvoll er für ihn war und dass es sich lohnte, ihn als loyalen Unterstützer an seiner Seite zu behalten.

»Prinz Talal bin Musaid ist unterwegs nach Monaco«, sagte Nassar.

»Ah. Darf ich davon ausgehen, dass er für Sie nicht länger von Nutzen ist, Sie es aber für zu heikel halten, ihn persönlich aus dem Verkehr zu ziehen?«

»Ja.«

»Dann werde ich meine Kontakte in Europa spielen lassen und die Angelegenheit für Sie regeln.«

24

Östlich von Juba, Südsudan

Es ging ihm auf den Zeiger.

Nein, das war die Untertreibung des Jahrhunderts. Es roch nach einer Katastrophe. Nach meterhohem Blut.

Kent Blacks Fuß fühlte sich plötzlich zu schwach an, um ihn vom Gaspedal zu nehmen. Er ließ den

Tempomaten des Trucks übernehmen. Eine Staubwolke vor den Fenstern hüllte das Fahrzeug ein und isolierte ihn in der stickigen Hitze der Fahrgastzelle.

Die Straße war kaum mehr als eine provisorisch angelegte Piste in einer endlosen Weite aus von der Sonne getrocknetem Lehm. Das Navi behauptete, dass die Richtung stimmte, und er zählte die Minuten bis zur Ankunft herunter. Das machte es nicht besser.

Er hasste den Südsudan. Als Scharfschütze der Armee hatte man ihn mehrmals in den Irak und nach Afghanistan geschickt, aber das ließ sich nicht vergleichen. Zwar handelte es sich auch dabei um verdorrte, staubige Drecklöcher, aber damals hatte er wenigstens Verstärkung gehabt. Und ein paar Hügelkuppen, hinter denen man in Deckung gehen konnte. Die eintönige Landschaft, in die er gerade vordrang, erinnerte dagegen an ein überbelichtetes, verschwommenes Foto einer gigantischen Leere. Black empfand den Anblick als beklemmend. Wahrscheinlich hatte Kariem genau deshalb diesen Ort für ihr Treffen ausgewählt.

Waffenhandel hatte nie besonders weit oben auf seiner Liste von Wunschkarrieren gestanden, aber welche Wahl blieb ihm schon? Sein lukrativer Job als Auftragskiller, der 5000-Dollar-Anzüge trug und Supermodels datete, hatte ihn kürzlich mit Volldampf in eine unüberwindbare Straßenblockade namens Mitch Rapp krachen lassen. Ihre Begegnung endete damit, dass Rapp versprach, ihn unter der Bedingung zu verschonen, dass er sich nach einer neuen Methode zum Geldverdienen umsah.

Also hatte Black sich eine Karte geschnappt und nach abgelegenen Flecken gesucht, wo man einen Mann mit seinen Talenten zu schätzen wusste. Der Südsudan, wo die Menschen ständig an der Schwelle zwischen Bürgerkrieg und kurzzeitigem Waffenstillstand lebten, schien ideal zu passen. Er stellte sich vor, ein paar dreckige Jobs für die dortige Regierung zu übernehmen, bis Mitch Rapp ihn aus dem Gedächtnis verbannt hatte. Dummerweise schienen die Leute an der Macht kaum vernünftiger zu agieren als die Rebellentruppen, die sie bekämpften. Am Ende entschied er, beide Seiten aus sicherem Abstand zur Front zu unterstützen. Das erwies sich nicht nur als lukrativer, sondern vor allem als ungefährlicher.

Bis jetzt.

Kariem war mit Abstand der psychotischste Rebellenanführer, mit dem er es je zu tun bekommen hatte – ein Typ, der einen Diener kurzerhand mit Benzin übergoss und anzündete, wenn der ihm zu viel Sahne in den Kaffee schüttete. Wenn er aus der Geschichte der Menschheit eins gelernt hatte, dann, dass sich die größten Geistesgestörten am Ende meistens durchsetzten. Insofern sprachen gewichtige Argumente für diese Allianz, zugleich hielt er sie für extrem riskant. Deshalb hatte Black bisher immer einen seiner Helfer losgeschickt, wenn es um eine Lieferung für den Kerl ging.

Wie gesagt, bis jetzt. Gestern hatte Kariem verlangt, dass Black persönlich antanzte – für die Übergabe etlicher überschüssiger AKs und von ein paar Panzerfäusten, die so marode waren, dass sie neben dem potenziellen Opfer den Benutzer wahrscheinlich gleich miterledigten.

Er fragte sich nach dem Grund. Sollte er für seine gute Arbeit belohnt werden? Wohl kaum. Wollte der andere ihn mit einer Kettensäge in Stücke schneiden? Schon wahrscheinlicher. Es wäre nicht der erste Fall gewesen, bei dem ein Lieferant der Rebellen als Patchwork unter der Erde landete.

Eine Kolonne von Militärfahrzeugen – alle mit bescheidenem Gewinn von ihm organisiert – tauchte am Horizont auf. Er beschleunigte, damit das Schleichtempo nicht seine Verunsicherung verriet, hielt mit quietschenden Bremsen vor dem Kontingent der Rebellen und stieß die Fahrertür auf.

»General«, sprach er sein Gegenüber mit dem Titel an, den dieser sich selbst verliehen hatte. »Wie schön, Sie zu sehen. Wie läuft's an der Front?«

Kariem war eine einschüchternd hoch aufgeschossene Erscheinung mit dunkler Haut, die seine leicht gelblich wirkenden Augen besonders betonte. Das eine blickte stur geradeaus, das andere schielte leicht. Offenbar das Ergebnis einer Kopfverletzung in der Kindheit.

»Haben Sie die Waffen dabei?«

»Natürlich.«

»Taugen sie was?«

»Aber ja.«

Kariem nickte. Es störte ihn weniger, dass Gewehre streikten und seinen Soldaten um die Ohren flogen. Personal ließ sich billig organisieren. Waffen kosteten mehr, also sollten sie gefälligst etwas taugen.

Black musterte die Mienen der Rebellen, die ihn umringten, und quälte sich ein gelassenes Lächeln ab. Manche hockten auf den glühend heißen Kühlerhauben der Fahrzeuge, andere pirschten herum und beäugten ihn misstrauisch. Insgesamt etwa 20 Mann. Ein Drittel davon schien betrunken oder auf Drogen zu sein. Alle bewaffnet.

Falls die Sache aus dem Ruder lief, würde er durch eine der Patronen sterben, die er diesen Arschlöchern übersteuert angedreht hatte. Bevor es dazu kam, beabsichtigte er allerdings, General Warmduscher ein paar Löcher in den Schädel zu verpassen. Der Nahkampf gehörte nicht unbedingt zu seinen Spezialitäten, aber das war gar nicht nötig. Es genügte, wenn er flott zog und abdrückte, ehe einer von Kariems alkoholisierten Schergen rausfand, wie er sein Gewehr von der Schulter bekam.

»Mir wurde zugetragen, dass Sie Waffen an meine Feinde verkaufen«, erklärte Kariem. Sein Gesicht war eine leblose Maske, wie bei den erschossenen Banditen, die in alten Western mit stoischer Miene im Sarg aufgebahrt wurden. Verdammt Nerven zermürbend.

»Ich weiß nicht, wovon Sie reden«, log Black. »Wer erzählt Ihnen so was?«

»Einer meiner Leute. Er hat für Abdo gekämpft und meinte, den beliefern Sie auch.«

»Sekunde mal. Sie und Abdo sind doch Verbündete!«

Bis vor einem Monat hatte das gestimmt, doch die Allianz war an irgendeiner Lappalie zerbrochen, die selbst seine Truppen nicht ganz durchschauten. Keiner konnte einem Amerikaner einen Vorwurf machen, wenn er neu in die Gegend kam und nicht sofort alles kapierte, da sich die Landkarte der Loyalitäten ständig aufgrund irgendeiner afrikanischen Rebellion veränderte. Zumindest klammerte sich Black an diese Hoffnung.

Kariem starrte ihn noch eine Weile an, bevor seine Hand an die Hüfte fuhr. Black nestelte an einem imaginären Reißverschluss herum, um rechtzeitig an die Beretta zu kommen, die er hinter den Hosenbund geschoben hatte. Es erwies sich als unnötig. Statt einer Waffe zückte der Afrikaner einen kleinen Lederbeutel, der einen fast golfballgroßen Diamanten enthielt.

Zwei Minuten später blieb Black in einer Staubwolke zurück, besagten Klunker sicher in der Tasche verstaut. Er lehnte sich gegen den Jeep, den man ihm überlassen hatte, und beobachtete, wie sich der Truck voller Waffen schwertat, Anschluss an die Kolonne des Generals zu halten. Der kalte Angstschweiß wich dem Schweiß der Hitze und der Befürchtung, mitten im Nichts in dieser alten Möhre festzusitzen und auf die Flip-Flops an den Füßen als einziges Fortbewegungsmittel angewiesen zu sein.

Alles nur wegen diesem verfluchten Mitch Rapp!

Der Jeep der Rebellen schlug sich überraschend wacker. Black überquerte den Weißen Nil und erreichte die Ausläufer von Juba. Nach Stunden, in denen er nichts als Staub und Felsen zu Gesicht bekommen hatte, genoss er die grünere Landschaft mit den majestätischen Bäumen und bewirtschafteten Äckern. Nicht dass man davon allzu viel sah. Auch in diesem Fall hatte der ständig auf- und abebbende Bürgerkrieg Spuren an der Stromversorgung der Stadt hinterlassen und tauchte sie in permanente Düsternis.

Er musste sich auf den einzigen funktionierenden Scheinwerfer am Jeep verlassen, um sicher ans Ziel zu kommen, wich Fußgängern, Fahrrädern und gelegentlich frei laufenden Tieren aus. Schließlich bog er in eine ruhige Seitenstraße ab, die vor einer alten Kirche in einer Sackgasse endete. Die blassgelben Mauern waren von der Statik her noch in Ordnung, ebenso wie das Dach, aber damit hörte es auch schon auf. Die Fenster waren mit Brettern verbarrikadiert, der Glockenturm hatte schwere Schlagseite und das Kreuz an dessen Spitze lag in zwei Teile zerbrochen unweit der Außenmauern.

Nicht viel, aber immerhin ein Zuhause.

Er drückte den Knopf des Funksensors in der Tasche, und die massiven Pforten, die einst die Christen der Stadt begrüßt hatten, fuhren gerade so weit auseinander, dass er hindurchfahren konnte. Er parkte den Jeep inmitten der umgestürzten Kirchenbänke und lief zum Wohnbereich im hinteren Teil. Die Kisten, denen er dabei sonst ausweichen musste, glänzten durch Abwesenheit. Der Verkauf an Kariem hatte seinen Lagerbestand quasi auf null reduziert. Er musste erst mal den Diamanten über seinen Kontakt in New York verscheuern, um Nachschub finanzieren zu können. Um es positiv zu sehen, verschaffte ihm der Mangel an Inventar Gelegenheit, sich Gedanken darüber zu machen, an welchen Kunden er weiterhin festhalten wollte. Geschäfte mit der Regierung unter der Hand hielt er zwar für sicher, aber er musste sich vor Abdos Misstrauen hüten. Der Gute war zwar deutlich dümmer als Kariem, aber mindestens genauso brutal und skrupellos. Vermutlich würde er ein Nein zu weiteren Lieferungen nicht so einfach hinnehmen.

Am besten grübelte er bei ein paar Bier darüber nach, die er im Kühlschrank hinter dem Schreibtisch bunkerte. Hoffentlich war der Strom heute Nachmittag nicht wieder ausgefallen. Es gab nichts Schlimmeres, als haarscharf einer Enthauptung entkommen zu sein und mit lauwarmer Plörre vorliebnehmen zu müssen.

Er schob die Tür auf und erstarrte. Ein Mann saß am Schreibtisch. Dunkelhäutig, struppiges Haar, etwas vorzeigbarerer Bart. Natürlich erkannte er ihn sofort.

Black wirbelte herum und sprintete zum Mittelschiff, hechtete über die Reste des Altars und musste feststellen, dass ihn ein Schatten am Weiterkommen hinderte. Er wollte ausweichen, doch ohne genau zu begreifen, was passierte, wurden ihm die Beine weggefegt und er kullerte unkontrolliert über den mit Gerümpel übersäten Steinboden. Als er sich aufrappeln wollte, um weiterzurennen, hielt ihm eine Frau eine Klinge unters Kinn.

Wo zur Hölle kam die jetzt her? Die Bitch trug eine strahlend weiße Hose und eine Bluse, auf der weder Staub noch Schweißflecken prangten. Wie war das bei diesem Klima überhaupt möglich?

Sie starrte ihn an. Das lange Haar hing an beiden Seiten des Gesichts herunter. Black stand sonst eher auf jüngere Frauen, die sich leicht beeindrucken ließen, doch dieses Weib hatte Klasse. Ihr Alter ließ sich schwer schätzen – der athletische Körperbau deutete auf Ende 20 hin, die dezenten Falten im Gesicht eher auf Anfang 40.

Er hörte Schritte und mühte sich, das Näherkommen des Mannes zu verfolgen, ohne sich einen Schnitt in die Kehle einzufangen. Endlich konnte er ihn genauer erkennen. Mit einem Ausdruck leichter Enttäuschung musterte er Black vorwurfsvoll.

»Mitch! Du kannst mich doch nicht von einer Braut umbringen lassen. Schon gar nicht von einer, die so heiß aussieht.«

Die Frau zog die Klinge ein Stück vom Hals weg und strahlte Rapp an. »Ich mag ihn.«

»Was Besseres hast du nicht gefunden? Waffenhändler für die verfeindeten Parteien eines Bürgerkriegs?« Rapp ließ sich hinter Blacks Schreibtisch auf den Stuhl sinken und fischte ein Bier aus dem Kühlschrank.

»Komm schon, Mann. Du wolltest, dass ich dir nicht mehr in die Quere komme. Ist der Südsudan etwa nicht weit genug weg? Noch ein paar Meter, und die Welt ist zu Ende.«

Da hatte er nicht ganz unrecht. Immerhin hielt sich der Kleine an seine Anweisungen.

»Hinsetzen, Kent.«

Er folgte der Aufforderung und schöpfte Hoffnung, weil Rapp zur Abwechslung mal seinen Alias benutzte.

In Wirklichkeit hieß er Steve Thompson. Den Namen Kent Black hatte er sich ausgedacht, weil es eher dem Image eines wohlsituierten Auftragskillers entsprach, das er pflegen wollte. Eigentlich stammte er aus einer mittellosen Familie in Montana und hatte in seiner Kindheit noch weniger Annehmlichkeiten genossen als hier in Afrika. Sein Vater war ein durchgeknallter Überlebenskünstler gewesen, der viel Zeit investierte, sich auf den vermeintlich bevorstehenden Weltuntergang vorzubereiten, und in den freien Minuten seinen Sohn verprügelte. Zumindest bis zu seinem abrupten Verschwinden. Die Umstände waren bis heute ungeklärt. Man fand nie eine Leiche, sprach den jüngeren Thompson von allen Verdachtsmomenten frei und schob ihn in ein Pflegeheim ab.

Später machte er Karriere bei der Army als Ranger und exzellenter Scharfschütze. Blöderweise erinnerte ihn jeder Commander, dem er unterstellt wurde, früher oder später an seinen Vater. Irgendwann schmiss man ihn wegen wiederholter Befehlsverweigerung aus der Truppe.

Rapp hatte kurzzeitig überlegt, Black anzuheuern, als dieser auf der Straße landete, verabschiedete sich aber bald von der Idee. Der Kerl verfügte zweifellos über Talent, aber auf ihn war kein Verlass und sein moralischer Kompass hätte den nächsten TÜV kaum überstanden. Nicht unbedingt CIA-Material, aber allemal tauglich für den idiotischen Job, den ihm der Präsident untergejubelt hatte.

»Mal im Ernst, Mitch. Du willst, dass ich aus dem Südsudan abhaue? Ein Wort genügt. Wo willst du mich hinhaben? Borneo? Sibirien? Ich könnte …«

»Klappe.«

Er hielt den Mund und zappelte auf dem Stuhl hin und her wie ein Schüler, der zum Direktor zitiert worden war.

»Willst du einen Job?«

Der Jüngere machte keinen Hehl aus seiner Überraschung. »Wie meinst du das?«

»Wie wohl?«

»Es heißt, du hast der Agency den Rücken gekehrt.«

»Stimmt.«

»Also bist du jetzt dein eigener Chef?«

»So in der Art.«

»Und du willst, dass ich … für dich arbeite?«

»Eigentlich schon, aber ich bekomm langsam meine Zweifel.«

»Nicht nötig.« Black sprang halb vom Sitz. »Ich bin dabei.«

»Interessiert dich gar nicht, was ich von dir will?«

»Nicht wirklich.«

Solche Gespräche führte er in letzter Zeit entschieden zu oft. »Was die Bezahlung angeht …«

»Da mach ich mir keine Sorgen. Du sorgst gut für deine Leute.«

Er lief ein paar Schritte ziellos hin und her. Ein breites Grinsen umspielte seine Lippen. »Astrein. Mitch Rapp gibt mir 'nen Job.«

25

Prinz Talal bin Musaid stieg aus dem Jet seines Bruders und stakste unsicher die Stufen hinunter. Er fand nicht mal Zeit, sich zu beschweren, wie nachlässig das Personal mit seinen teuren Lederkoffern umging, sondern konzentrierte sich darauf, festen Boden unter die Füße zu bekommen. Die Ankunft in Monaco und mehrere Gläser Hennessy hatten nicht genügt, um ihn zu beruhigen.

Er griff schließlich zu einer Notlüge und behauptete, seine eigene Maschine werde gerade repariert, damit sein Bruder ihm den Flieger überließ. In Wahrheit befand sich der Vogel in perfektem Zustand, aber bin Musaid fehlten die Mittel, ihn aufzutanken oder die Landegebühren zu entrichten. Seine Bankkonten – sogar die geheimen – waren komplett geplündert worden. Die Kreditkarten hatte man mit Verdacht auf betrügerische Aktivitäten gesperrt, die voll ausgereizten Dispos ließen keinerlei Manövriermasse. Hinzu kamen Pfändungen von allen Seiten – entweder weil er Kredite nicht rechtzeitig zurückgezahlt hatte oder Steuerzahlungen ausstanden, um die er sich generell nie gekümmert hatte. Wäre sein Bruder nicht in die Bresche gesprungen, wäre er vermutlich selbst daran gescheitert, genug Bargeld aufzutreiben, um sich ein Ticket für einen Linienflug zu leisten.

Ein schwarzer Mercedes fuhr vor. Allerdings stieg nicht hinten sein Bruder aus, sondern dessen Frau öffnete die Tür auf der Fahrerseite.

»Eure Hoheit«, grüßte sie mit einem höflichen Lächeln. »Es tut gut, Sie zu sehen.«

Er war ihr seit über einem Jahr nicht mehr begegnet und hatte den Kontakt bewusst gemieden. Als sein Bruder anfing, sich mit dieser spanischen Bürgerlichen zu treffen, waren ihm die Gründe sofort klar gewesen. Ihre Jugend, ihre Schönheit, vermutlich auch ihre Qualitäten im Schlafzimmer. Dass es zu einer Heirat kam, verstand er trotzdem nicht. Seines Wissens gab es nicht mal weitere Ehefrauen oder Verhältnisse.

Bin Musaid verfolgte schweigend, wie sie die Verladung des Gepäcks beaufsichtigte und ihn aufforderte, auf dem Sitz neben ihr Platz zu nehmen. Er stieg stattdessen hinten ein. Sein Bruder war wegen der Beziehung zu dieser Frau enterbt worden, doch das schien ihn nicht zu stören. Er verdiente ohnehin eine Menge Geld mit europäischen Immobilien und war nicht auf die finanzielle Unterstützung der Familie angewiesen.

»Es tut mir leid, dass Hossein Euch nicht persönlich abholen konnte.« Sie ließ den Motor an. »Er sitzt im Büro fest.«

Ihr Arabisch war stark akzentbehaftet und machte ihn nur noch wütender. Ihm blieb jedoch keine andere Wahl, als sich zu beherrschen. Sein Bruder ging seit mehr als einem Jahrzehnt eigene Wege und machte keinen Hehl daraus, wem seine Loyalitäten galten. Dieser Ungläubigen und ihren drei nach verkommenen westlichen Ritualen aufgezogenen Gören.

»Was führt Euch nach Monaco?«, fragte sie. Sein Bruder ahnte garantiert, dass es ihn auf seinen Reisen oft in die Nähe verschlug, er sich aber grundsätzlich nie bei ihnen meldete. Vermutlich hatte er dieses Weib darauf angesetzt, ihn auszuhorchen, weshalb sich das geändert hatte. Bin Musaid verzichtete auf eine Antwort.

Aali Nassar hatte es hervorragend hinbekommen, Zweifel an bin Musaids Beteiligung an der Rabat-Affäre zu säen. Trotzdem schien der König nicht restlos von seiner Unschuld überzeugt zu sein. Diese Zweifel versetzten den Prinzen in eine prekäre Lage. Dass sein Bruder ein unabhängiges Leben in Europa führte, empfand er deshalb als großes Geschenk Allahs. Bin Musaid wollte weder dem König noch Nassar anvertrauen, dass sein Vermögen verschwunden war, weil er dann mit strafrechtlichen Ermittlungen rechnen musste, bei denen unschöne Details ans Licht kamen. Er verließ sich darauf, dass die Anwälte und Buchhalter seines Bruders diskrete Ermittlungen einholten, damit er auf Basis ihrer Erkenntnisse die nächsten Schritte planen konnte. Falls lediglich Hacker zugeschlagen hatten, ließ sich der König sicher dazu bewegen, Druck auf die beteiligten Kreditinstitute auszuüben, damit sie das durch ihre unzureichenden Sicherheitsvorkehrungen verschwundene Geld ersetzten. Steckte mehr dahinter, musste er andere Vorkehrungen treffen.

»Werdet Ihr lange bleiben?«, bohrte seine Schwägerin nach.

»Schweig, Weib!«

Er erkannte sofort den Fehler seines Temperamentsausbruchs und übte sich in Beschwichtigungen. »Ich bitte um Entschuldigung. Es war ein langer Flug. Nun, so lange auch wieder nicht.«

Nein, er machte sich selbst etwas vor. Je länger er darüber nachdachte, desto unwahrscheinlicher schien es ihm, dass ein Hackerangriff dahintersteckte. Immerhin waren alle seine Konten betroffen. Unter dem Strich schien das Ganze darauf ausgelegt zu sein, ihn aus der Reserve zu locken und zu erniedrigen. Ein Großteil der Guthaben war so spurlos verschwunden, dass sie nie existiert zu haben schienen. Mit Ausnahme von drei Millionen Dollar, die in seinem Namen an jüdische Wohltätigkeitsorganisationen und Mädcheninternate gespendet worden waren.

Nein, die Wahrheit schien deutlich heikler zu sein. Er musste sie seinem Bruder so lange wie möglich verschweigen. Warum sollte dieser das Leben von Frau und Kindern aufs Spiel setzen, um einem Verwandten Asyl zu bieten, zu dem er höchst sporadisch Kontakt pflegte?

Bin Musaid schaute durchs Autofenster auf die verschwenderische Umgebung der Stadt, die er so gut kannte. Was würden die Mitarbeiter seines Bruders herausfinden? Sein vorrangiger Verdacht galt der CIA, doch Aali Nassar wirkte überzeugt, dass der schwache amerikanische Präsident niemals eine solche Aktion gegen ein prominentes Mitglied des saudischen Königshauses genehmigen würde. Steckten die Juden dahinter? Die Iraner? Oder dachte er zu naiv? Nassar war enorm aufgebracht gewesen, als er von seiner persönlichen Beteiligung an der Geldübergabe in Rabat erfuhr. Wollte er ihn dafür bestrafen? Wenn ja, agierte er womöglich sogar mit Billigung des Königs?

Er konnte es sich schwer vorstellen, hielt es aber nicht für ausgeschlossen, dass ihm sogar körperliche Gefahr drohte. Ein anderer Grund, weshalb er seinen Bruder für ein Gottesgeschenk hielt. Sein Stab von Bodyguards und die Präsenz von Frau und Kindern im Haus dürften zumindest die Amerikaner von einem Zugriff abhalten. Umgekehrt bedeutete es leider auch, dass bin Musaid ihre Anwesenheit nicht nur tolerieren, sondern sich mit ihnen gut stellen musste.

Er beugte sich vor und musste sich zwingen, seine Schwägerin mit geheuchelter guter Laune anzustrahlen. »Wie geht es dir überhaupt, Carmen?«

»Mir? Och, gut«, stammelte sie. Dass er sich für ihr Befinden interessierte, überraschte sie natürlich.

»Und den Kindern? Ich freue mich schon sehr, Zeit mit ihnen zu verbringen, während ich hier bin.«

26

JUBA, SÜDSUDAN

Rapp öffnete die Tür zum Büro im hinteren Teil von Kent Blacks Kirche. Ein kühler Lufthauch umfing ihn. Da er Claudias Fähigkeiten nach wie vor auf die Probe stellen wollte, hatte er ihr die Organisation überlassen. Sie beeindruckte ihn einmal mehr. Nicht nur dass ein Projektor fertig verkabelt unter der Decke hing, selbst die Reparatur der Klimaanlage war ihr gelungen.

Stühle reihten sich an der Wand auf. Dort saß das Schurkenkabinett, das er als Ersatz für Scott Colemans fehlerfrei arbeitendes, absolut loyales Team zusammengestellt hatte. Blacks Müll war vom Schreibtisch verschwunden. Stattdessen stand dort ein Eimer mit Bier auf Eis. Wo sie Eiswürfel in einer Stadt aufgetrieben hatte, in der ständig das Licht ausging und der Strom ausfiel, war ihm ein Rätsel, aber er nahm das Geschenk dankend entgegen, schnappte sich eine Flasche und setzte sich auf den freien Platz am hinteren Ende der Stuhlreihe. Er fühlte sich noch nicht bereit, diesen Leuten den Rücken zuzukehren.

Claudia nickte ihm kurz zu und wirkte ein bisschen nervös. Seine einzige Reaktion bestand darin, den Flaschenverschluss aufzudrehen. In dieser Situation war sie nicht die Frau, mit der er schlief, sondern seine verantwortliche Logistikerin. Es wurde Zeit, das Treffen zu eröffnen.

Sie dimmte das Licht und holte mit der Fernbedienung des Projektors das erste Bild auf die Leinwand. »Dies ist eine drei Monate alte Aufnahme von Prinz Talal bin Musaid. Er ist der Neffe von König Faisal, der Sohn seiner Lieblingsschwester. Sie und bin Musaids Vater sind beide tot und haben ihm ein beträchtliches Vermögen hinterlassen. Pech für ihn, dass sich dieses Vermögen vor ein paar Tagen in Luft aufgelöst hat und nun auf Konten von Mitch geparkt ist.«

»Ohne Scheiß?«, fragte Black. »Über wie viel Geld reden wir?«

Rapp wollte ihn schon auffordern, die verdammte Klappe zu halten, entschied dann aber abzuwarten, wie Claudia mit dieser Störung ihres Meetings umging.

»Bleiben wir beim Thema, okay, Kent?«

Sie holte das Bild einer beeindruckenden Villa auf die Leinwand, direkt in eine steile Anhöhe gebaut. Das Anwesen wurde von einer Mauer mit imposantem Eingangstor umschlossen. In beiden Fällen schien es eher um die architektonische Wirkung als um tatsächliche Sicherheit zu gehen.

»Wir befinden uns in der glücklichen Lage, dass bin Musaid kürzlich Saudi-Arabien verlassen hat und zu seinem Bruder nach Monaco gereist ist. Er scheint ihm anvertraut zu haben, was passiert ist, denn ein Team seiner Mitarbeiter geht der Spur des vermissten Vermögens nach.«

»Werden sie damit Erfolg haben?«, erkundigte sich Asarow.

»Nein.«

»Was wissen wir über den Bruder und das Haus?«, wollte Donatella wissen.

»Laut übereinstimmenden Berichten ist Hossein bin Musaid ein erfolgreicher, ehrlicher Geschäftsmann. Relativ weltmännisch, mit einer Christin verheiratet. Drei Kinder im Grundschulalter. Er spendet häufig an wohltätige Organisationen, die weder politische noch religiöse Interessen verfolgen. Was das Haus angeht, so gibt es zwei Wachmänner und einen weiteren Angestellten, der wohl vorrangig als Chauffeur eingesetzt wird. Keiner von ihnen mit militärischem Background oder sonderlich gut ausgebildet. Im Großen und Ganzen genau das, was man von einem wohlhabenden, beliebten Mann erwartet, der an seriösen Unternehmungen beteiligt ist.«

»Zivilisten also«, stellte Black fest. »Wie sollen wir mit ihnen umgehen?«

»Wie mit Porzellanpuppen«, antwortete Rapp. »Keiner von ihnen darf auch nur einen Kratzer abbekommen.«

»Das macht es nicht gerade einfach. Verlässt bin Musaid das Haus ab und zu?«

»Seit Beginn unserer Beschattung kein einziges Mal«, antwortete Claudia.

»Worauf läuft es dann hinaus?«, hakte Black nach. »Sollen wir am helllichten Tag eindringen, wenn die

Kinder und der Bruder nicht im Haus sind? Und die Wachen? Legen wir die so lange schlafen? Ich bräuchte einen Taschenrechner, um die Formel durchzurechnen, was da alles schiefgehen kann.«

»Wir holen ihn nicht aus dem Haus«, stellte Rapp fest.

»Aber Claudia sagte doch eben, dass er es nie verlässt.«

Rapp leerte sein Bier und griff zu einem neuen. »Talal bin Musaid dürfte kaum den Rest seines Lebens im Spielzimmer seiner Nichten zubringen. Irgendwann wird er scharf auf Alkohol und Frauen sein.«

»Das schätze ich ähnlich ein«, meinte Asarow. »Als reicher Saudi wird er früher häufig in Monaco gewesen sein. Wissen wir, wo er da am liebsten hingeht?«

»Gut, dass du fragst.« Claudia rief die Aufnahme eines Gebäudes auf, vor dem pervers teure Karossen parkten. »Das ist das Terry's. Ein äußerst exklusiver Club auf einem Hügel mit Blick auf Monte Carlo. Der Prinz ist Mitglied und verbringt dort in der Regel seine Abende.«

»Ich bin als Gast der Kunden meiner Beratungsfirma schon häufig dort gewesen«, erklärte Asarow. »Es gibt ein paar bewaffnete Türsteher, aber die sind eher auf die Abschreckung von Pöblern als auf ernste Bedrohungen vorbereitet. Im Gebäude gibt es Überwachungskameras. Von weiteren Sicherheitsmaßnahmen wüsste ich nichts.«

»Wie kommt man rein?«, fragte Rapp.

»Gar nicht, wenn man kein Mitglied ist oder von einem begleitet wird.«

»Dann melden wir uns halt bei diesem elitären Club an.«

»Unmöglich«, warf Claudia ein. »Es gibt eine Warteliste mit bestimmt 100 Anwärtern. Die meisten von ihnen sind noch reicher, als es bin Musaid je gewesen ist.«

»Wenn wir so sicher sind, dass er dort hingehen wird, könnten wir ihn doch auf dem Weg dorthin abfangen«, schlug Black vor.

»Keine Ahnung, warum ihr Männer immer so kompliziert denkt«, meldete sich Donatella zu Wort. »Machen wir es nicht komplizierter, als es sein muss. Falls sich der Laden nicht grundsätzlich von anderen Clubs unterscheidet, die ich kenne, erhalten attraktive Frauen dort auch ohne Mitgliedschaft Zutritt. Ich geh rein, verwickle den Prinzen in ein Gespräch und zieh mich mit ihm auf ein Hotelzimmer zurück. Dort reicht's, gezielt mit einer Nadel zuzustechen.«

»Ich glaube kaum, dass das funktionieren wird.« Claudia wirkte skeptisch.

»Warum nicht?«

»Weil du zwar recht hast, was den Zutritt für attraktive Frauen angeht, aber die sind in der Regel höchstens halb so alt wie du.«

Rapp verkrampfte, aber zu seiner Erleichterung ließ Donatella den Eispickel im Designer-Handtäschchen. Sie machte lediglich eine abfällige Geste. »Unreife Kinder.«

Sie hatte recht, wusste er. Kein anständiger Mann würde sich auf einen jugendlichen Hungerhaken stürzen, wenn ein Rasseweib wie Donatella Rahn mit ihm flirtete. Allerdings durfte er diese Überlegung auf keinen Fall laut aussprechen.

»Mir gefällt die Vorstellung nicht, dass du da allein reingehst«, protestierte er stattdessen.

Sie griff nach hinten und schob eine Hand auf sein Knie. Offensichtlich wollte sie damit Claudia ärgern. Deren sauertöpfischer Miene zufolge klappte das.

»Wie wär's, wenn du mich begleitest, Mitch? Wie in alten Zeiten.«

»Ich halte Donatellas Plan für sinnvoll«, schaltete sich Asarow ein. »Mit einer kleinen Änderung. Nicht Mitch, sondern ich begleite sie. Zur Klientel von Terry's gehören eine Menge Leute aus der Ölindustrie. Früher oder später wird jemand auftauchen, den ich kenne. Dann ist es ein Leichtes, dass wir uns einfach dranhängen.«

»Mich überzeugt die Idee nicht«, widersprach Claudia. »Laut meinen Recherchen hat sich bin Musaid in der Vergangenheit mit deutlich jüngeren, deutlich blonderen Frauen umgeben.«

»Vermutlich waren sie auch weniger jüdisch«, räumte Donatella ein. »Das seh ich nicht als Problem.«

»Aber …«

»Worüber reden wir hier eigentlich?«, eilte Black unerwartet Rapp zu Hilfe. »Jeder Mann, den ich kenne, würde lieber den linken Hoden verlieren, als sich eine Nacht mit Donatella entgehen zu lassen. Das klappt auf jeden Fall!«

»Und wenn nicht?«, blieb Claudia skeptisch.

»Dann wechseln wir zu Plan B«, meinte Rapp. »Ich sehe allerdings auch kein Risiko. Für den Fall, dass Donatella nicht bei ihm landet, ziehen sie und Grischa nach ein paar Drinks einfach von dannen.«

»Und wie schaffen wir es …« Sie verstummte, als Fahrzeuglärm vor der Kirche ertönte. Alle sprangen auf. Black lief zum Vordereingang.

»Claudia, du gehst hinten raus«, entschied Rapp. »Donatella, begleite sie.«

»Aber wieso denn?«, protestierte Donatella. »Ich …«

»Ruhe! Ich mach dich persönlich dafür verantwortlich, dass Claudia nichts zustößt, hörst du? Ist dir klar, was ich damit meine?«

Sie runzelte die Stirn und blickte die Jüngere an. »Keine Sorge. Ich werd nicht zulassen, dass deinem französischen Mädchen auch nur ein Haar gekrümmt wird.«

Als Rapp und Asarow das Kirchenschiff erreichten, hatte Black bereits das Eingangsportal aufgeschlossen. Er wollte gerade einen der beiden Flügel zu sich heranziehen, da wurde von außen mit so viel Wucht dagegengedrückt, dass er fast umgefallen wäre. Eine Flut von Einheimischen in schmutzigen Kampfanzügen drängte herein, schwärmte aus und richtete ihre Sturmgewehre auf vermeintlich wahllose Ziele. Sie waren klug genug, um nach potenziellen Bedrohungen Ausschau zu halten, aber zu jung und schlecht trainiert, um zu wissen, wo sie danach suchen mussten.

Einige Augenblicke später betrat ein Älterer in etwas weniger verwahrlostem Aufzug die Kirche. Er hatte offenbar das Sagen, schien seinen Rang allerdings eher Alter und Brutalität zu verdanken als besonderer Kompetenz. In jedem Fall schien seine Ankunft die bunt durchmischte Lumpenarmee einzuschüchtern. Die Mündungen der Gewehre zielten auf Rapp, Asarow und Black, doch die Aufmerksamkeit galt eindeutig ihrem Anführer.

»NaNomi!«, begrüßte Black den Neuankömmling, nachdem er das Gleichgewicht wiedergefunden hatte. »Ich freu mich, dich zu sehen! Wie geht es Abdo? Ich hoffe, er hat sich einen hübschen Malariaschub eingefangen!«

»Er hat von deinem Treffen mit Kariem erfahren«, antwortete der Afrikaner. »Er behauptet, dass du uns künftig keine Waffen mehr verkaufen willst.«

»Was für ein Unsinn! Du bist mein bester Kunde, Kariem ist bloß ein Arschloch. Natürlich beliefere ich euch weiter wie gewohnt.«

»Dann möchte ich etwas kaufen.«

Black stieß einen leisen Pfiff aus. »Ärgerlicherweise ist mir gerade der Nachschub ausgegangen. Ich erwarte in Kürze eine neue Lieferung. Du wirst der Erste sein, den ich anrufe.«

Der Afrikaner packte Black an den Haaren und riss ihm den Kopf in den Nacken. Rapp schob die Hand unauffällig zur Pistole unter dem Hemd und wartete ab. Aus dem Augenwinkel registrierte er, dass Asarow das Gleiche tat.

»Es sei denn, du rufst nicht an!«, brüllte der Afrikaner. »Es sei denn, du legst unseren Nachschub trocken, damit Kariem uns abmurksen kann!«

Er zog ein gewaltiges Kampfmesser aus der Scheide und hielt es Black drohend an den Hals. Rapp reagierte nicht, weil er es für reine Show hielt. NaNomi war sicher nicht gekommen, um seinen besten Waffenhändler aufzuschlitzen. Es ging bloß darum, ihm zu zeigen, dass er es ernst meinte.

»Das ist nicht wahr!«, versetzte Black mit Nachdruck. »Die beiden Typen dahinten sind Lieferanten von mir. Ich wollte gerade eine Bestellung aufgeben, als ihr hier reingeplatzt seid.«

Der Afrikaner ließ los. Als Black keuchend auf dem Boden zusammensackte, hatte er Asarow bereits erreicht.

»Wer bist du?«

Asarow verneigte sich respektvoll. »Ich bin Grischa.«

»Ein Russe.«

»Ja, Sir.«

»Stimmt es, was Kent da sagt? Wirst du ihm Waffen verkaufen?«

»Das werde ich, Sir.«

NaNomi wandte sich an Rapp. »Und du? Wer bist du?«

Rapp starrte ihn stumm an.

»Ich hab dir eine Frage gestellt!« Das Messer zuckte nach oben.

Für diesen Schwachsinn fehlte ihnen die Zeit. Sie mussten den Schlachtplan für die Monaco-Operation finetunen und logistische Vorbereitungen treffen, bevor bin Musaid das Haus seines Bruders für einen Besuch im Terry's verließ. Das konnten sie vergessen, solange dieser Spinner hier seine Klinge Gassi führte.

Die Stille hielt an, bis Black das Wort ergriff. »Das ist Mitch. Ein Amerikaner. Sie unterbieten sich gegenseitig. Ich will den besten Preis für Abdo herausschlagen.«

»Stimmt das?«, wollte NaNomi wissen.

Statt einer Antwort griff Rapp nach dem Handgelenk des Afrikaners, kugelte ihm den Arm aus und brach ihn am Ellbogen. NaNomi fiel die Klinge aus der Hand. Rapp fing sie auf und trieb sie von oben so fest durch den Schädel, dass die Spitze am Kinn austrat.

Die Reaktionen fielen wie erwartet aus. Asarow stand einfach nur da und beobachtete die weitere Entwicklung. Black stürmte davon und verschanzte sich hinter einer umgestürzten Kirchenbank. NaNomis Leute erstarrten.

Rapp hielt es für unwahrscheinlich, dass einer dieser jungen Guerillakämpfer je eine selbstständige Entscheidung getroffen hatte. Nun standen sie vor einer der unmöglichen Sorte. Sollten sie NaNomi rächen, selbst wenn es bedeutete, die Männer umzubringen, die ihren Anführer mit Waffennachschub versorgten?

Oder sollten sie ignorieren, was gerade geschehen war, und in ihrem Unterschlupf Bericht erstatten? Vielleicht die weißen Männer in ihre Gewalt bringen und mitnehmen?

Stattdessen warteten sie verzweifelt, dass jemand ihnen eine klare Anweisung gab. Rapp tat ihnen den Gefallen.

»Haut ab«, raunte er. »Sagt Abdo, er bekommt seine Waffen nächste Woche. Wir geben ihm einen Nachlass von 40 Prozent auf den üblichen Preis.«

Einige Sekunden standen sie einfach nur da. Schließlich setzte sich auf der rechten Seite einer von ihnen Richtung Ausgang in Bewegung. Damit schien er die anderen aus ihrer Trance zu reißen. Sie schlossen sich an.

»Wartet mal.« Rapp deutete auf die Leiche zu seinen Füßen. »Habt ihr nicht was vergessen?«

Zwei der Jungs eilten zu ihm und schleiften das, was von NaNomi übrig war, ins Freie. Kurz darauf rasten die Wagen über die Zufahrt davon.

»Verdammt, was sollte das denn?« Black ließ das Messer fallen, das er hinter der Bank versteckt hatte. »Warum hast du das gemacht?«

Als Rapp keine Antwort gab, übernahm Asarow. »NaNomi wurde hergeschickt, um dir zu drohen, Kent. Er hatte den klaren Auftrag, Waffen zu besorgen, und wäre geblieben, bis deine nächste Lieferung eintrifft. Für solche Ablenkungen haben wir keine Zeit.«

»Ablenkungen? Ihr habt gut reden, ihr lebt hier nicht und müsst euch mit diesen Psychos arrangieren. Wisst ihr, was Abdo mit dem letzten Kerl angestellt hat, der ihn bescheißen wollte? Er ließ ihm Hackfleisch auf den Schwanz schmieren und dann eine Hyäne auf ihn hetzen. Nicht irgendeine Hyäne, sondern sein persönliches

Haustier. Ja, richtig gehört, der Kerl hält eine waschechte Hyäne als Schoßhündchen.«

Rapp setzte sich zum Büro in Bewegung. »Du grübelst zu viel, Kent. Mach dich locker, Kumpel.«

27

FÜRSTENTUM MONACO

»Na, was meint ihr?«, fragte Claudia. Sie stand mit ausgebreiteten Armen am Rand des Docks.

Die Jacht war rund 50 Meter lang. Die drei Decks glänzten im Schein der aufgehenden Sonne. Eine Gangway war am Heck angedockt, aber soweit Rapp es beurteilen konnte, hielt sich niemand an Bord auf.

»Klassisches Understatement«, urteilte er.

Sie führte die Gruppe in einen ausgedehnten Wohnbereich, ein Meer aus poliertem Messing, schimmerndem Holz und hochwertigem Mobiliar. An Backbord gab es sogar eine futuristische Bar samt Spüle.

»Bevor mich hier alle für verrückt erklären«, meinte sie und wandte sich an die kleine Runde, »versichere ich euch, dass ein solcher Kahn in Monaco tatsächlich als Understatement durchgeht. Wir können ihn auch bei der späteren Flucht benutzen. Und für den Fall, dass Beweise verschwinden müssen, habe ich eine Karte mit allen Untiefen in der Gegend organisiert. Es gibt sogar eine Landefläche für Hubschrauber und ein Motorboot, das man bei Bedarf zu Wasser lassen kann. Vor allem gibt es genug Schlafzimmer und Bäder für alle.«

»Wie steht's mit der Crew?«, hakte Rapp nach.

»Kongolesen. Sie gehen heute Abend an Bord. Ich hab schon mal mit ihnen zusammengearbeitet. Gute Seeleute, sehr diskret. Es würde mich wundern, wenn sie insgesamt mehr als zehn Wörter Englisch verstehen.«

»Klingt gut durchdacht«, lobte Asarow.

Claudias Lächeln wirkte etwas gequält. Der Russe machte ihr Angst.

»Ich muss zugeben«, räumte Donatella ein. »Die kleine Französin schlägt sich wacker.«

»Allerdings«, fand Black. »Sagte ich dir doch gleich.«

»Ich habe Leute auf die Beschattung des Terry's angesetzt und Fotos von jedem, der den Laden betritt und verlässt«, fuhr Claudia fort. »Ihr könnt euch die Aufnahmen auf dem Tablet anschauen, das drüben auf dem Tresen liegt. Grischa, wie wär's, wenn du gleich mal nachsiehst, ob dir jemand bekannt vorkommt?«

Er setzte sich auf einen der Barhocker und griff nach dem Pad.

»Seit dem Briefing in Juba hat sich eine Änderung ergeben«, erläuterte Claudia. »Zwei Bodyguards wurden aus Saudi-Arabien eingeflogen. Frühere Armeesoldaten, die schon öfter für bin Musaid im Einsatz waren. Sie halten sich bei ihm im Haus seines Bruders auf. Wir können davon ausgehen, dass sie ihn begleiten, wenn er das Grundstück verlässt.«

»Wie werden sie entlohnt? Ich dachte, wir hätten ihm jeden Penny weggenommen?«

»Die haben wohl irgendwann mal einen Vorschuss bekommen. Da kann man nichts machen.«

»Stufen wir sie als Zivilisten ein?«, fragte Black. »Oder können wir sie ausschalten?«

»Claudia?«, reichte Rapp die Entscheidung weiter.

»Keine Verbindungen zum organisierten Terrorismus. Ex-Soldaten, die irgendwie über die Runden kommen müssen.«

»Da hast du deine Antwort«, stellte Rapp fest.

»Na toll«, knurrte Black.

»Das dürfte es deutlich kniffliger gestalten, bin Musaid aus dem Hotelzimmer rauszubekommen. Wenn sie im Wagen oder in der Lobby warten, ist es kein größeres Problem, aber wehe sie beziehen Posten im Flur vor dem Zimmer. Dann kriegen wir Schwierigkeiten.«

»Stimmt.« Claudia schaltete einen großformatigen Fernseher ein und schloss ihren Laptop per HDMI an. Das Foto einer luxuriösen Hotelsuite erschien.

»Wir haben dieses Zimmer im Metropole für Donatella angemietet, damit sie den Prinzen dort … verführen kann. Im Nebenraum sind wir einquartiert.«

»Gibt es eine Aufnahme vom Flur vor der Suite?«

»Natürlich.« Sie rief die passende Datei auf. Rapp trat ein paar Schritte vor, um die Details zu begutachten.

»Anstelle der Aufpasser würd ich mich nicht direkt neben die Tür stellen, sondern an beiden Enden des Gangs postieren. Zugangswege?«

»Das Treppenhaus befindet sich links außerhalb des Bildausschnitts, rechts gibt es Aufzüge.«

»Kameras?«

»Ja, aber die kann ich problemlos deaktivieren.«

Rapp nickte. »Okay, Grischa und ich werden damit fertig. Wir legen sie mit Elektroschockern schlafen und schleifen sie in die Suite, sobald Donatella uns ein Zeichen gibt.«

»Wie schaffen wir die Leiche raus?«, überlegte Black.

»Ich seh keinen Grund, der gegen den Klassiker spricht.« Rapp grinste grimmig.

»Wäschewagen?«, tippte Donatella.

»Ganz genau.«

Claudia holte das Porträt einer Frau in der Dienstkleidung eines Zimmermädchens auf den Schirm. Sie schob einen Wagen, in dem bin Musaid problemlos Platz finden dürfte.

»So ein Exemplar wird in Donatellas Suite bereitstehen. Ich lass noch eine passende Uniform für sie schneidern.« Sie beäugte das frühere Model. »Konfektionsgröße 36?«

Donatellas Augen verschossen Giftpfeile.

»Fallen solche klapprigen Wäschewagen auf dieser Luxusetage nicht auf?«, warf Rapp hastig ein. Er kannte die Antwort, wollte aber vermeiden, dass die beiden Frauen sich noch länger mit tödlichen Blicken attackierten.

»Doch«, antwortete Claudia, ohne den Blickkontakt zu Donatella zu unterbrechen. »Aber wir müssen ihn ja nur ein kurzes Stück zum Aufzug schieben. Dann hack ich mich in die Steuerung ein und schick euch ohne Zwischenhalt runter in den Keller.«

»Was soll ich machen?«, forschte Black nach seinem Teil in diesem Puzzle.

»Für dich hab ich eine Wohnung etwas östlich vom Terry's angemietet. Dort gibt es eine großzügige Privatterrasse, auf der du dein Gewehr aufbauen kannst. Die Entfernung beläuft sich auf über 500 Meter, aber für die ganze Woche ist quasi Windstille vorausgesagt.«

»Klingt ja eh nicht danach, als ob ich auf irgendwas schießen müsste.« Es klang enttäuscht.

»Im Idealfall brauchen wir dich nur zum Auskundschaften«, sagte Rapp. »Aber du weißt ja selbst, wie selten der Idealfall eintritt.«

Claudia richtete das Wort an den Russen, der sich gerade mit der Bourbonauswahl der Bar beschäftigte. »Was entdeckt, Grischa?«

»Ich kenne zwei der Männer auf diesen Fotos gut, einen weiteren beiläufig vom Sehen.«

»Okay. Zeigst du mir, um wen es geht? Dann knöpf ich sie mir vor und bring in Erfahrung, ob sie in nächster Zeit Reservierungen im Club haben. Wie wär's, wenn der Rest von euch sich schon mal ein Schlafzimmer aussucht?«

Black setzte sich sofort mit seinem Seesack in Bewegung. Donatella ließ sich mehr Zeit und legte einen kurzen Zwischenstopp bei Rapp ein. »Ein sehr romantisches Boot, nicht wahr? Was hältst du davon, wenn wir uns nachher auf dem Oberdeck treffen? Sagen wir um Mitternacht?«

»Hör auf, Donatella.«

»Ach ja, deine kleine Französin. Sie ist wirklich niedlich. Frag sie doch, ob sie dazustoßen will.«

Rapp lehnte sich am Bug gegen die Reling und betrachtete die Lichter der Stadt. Am Anleger zu seiner Linken tummelten sich auf einer Jacht, die ihre an Größe noch übertraf, lautstark eine Horde von Kids, die er auf höchstens Anfang 20 schätzte. Der Champagner floss in Strömen. Nach und nach legten die Mädels ihre Bikinioberteile ab. In ihrem Alter hatte er sein Stipendium an der Syracuse University, eine Freundin aus der Vorstadt und ein Sixpack Busch Beer noch für das höchste der Gefühle gehalten.

Er hörte Schritte hinter sich an Deck und musste sich gar nicht erst umdrehen. Er lebte lange genug mit Claudia zusammen, um zu wissen, dass sie es war.

»Die anderen schlafen«, wisperte sie und schlang die Arme um ihn. »Kommst du ins Bett? Oder willst du da rüber und mitfeiern?«

»Es ist eine schöne Nacht. Ich wollte noch ein bisschen draußen bleiben. Hast du mit Anna telefoniert? Wie geht es ihr?«

»Gut. Sie ist mit Irene unterwegs, um sich Tommys Lacrosse-Match anzusehen. Ich soll dich dran erinnern, dass du dich immer schön anschnallst.«

Sie hatten der Kleinen erzählt, dass seine Verletzungen aus Pakistan von einem Autounfall stammten. Seitdem war sie besessen davon, ihn zu größerer Vorsicht am Steuer zu ermahnen.

»Hast du alle Details ausgeklügelt?«

»Fast. Die Kameras in der Tiefgarage sind die letzte Baustelle. Seltsamerweise komm ich da deutlich schlechter ran als an die im Gebäude. Ich denke, bis morgen Nachmittag ist das auch abgehakt.«

»Mit etwas Glück läuft es völlig reibungslos ab.«

»Oh, das bezweifle ich.«

Er schaute sie an. »Gibt es Probleme, die du mir verschwiegen hast?«

»Was den Prinzen betrifft? Nein.«

»Sondern?«

»Ich mach mir Sorgen, Mitch. Das ist keine gewöhnliche Black-Op. Du hast keinerlei Rückendeckung. Ist dir mal die Idee gekommen, dass du möglicherweise den Rest deines Lebens auf der Flucht vor früheren Freunden und Kollegen zubringen wirst?«

»Sie würden mich nie finden. Die meisten würden es gar nicht erst wollen.«

»Selbst wenn das stimmt, ändert sich dadurch alles. Ich habe das alles hinter mir. Die ständigen Umzüge, die Tarnidentitäten, die fehlende Stabilität. Für dich würde es sogar bedeuten, deine Heimat zu verlieren.«

»Ich käm damit klar.«

»Das hoff ich.«

»Ist das alles?«

»Nein.«

»Dacht ich's mir.«

»Ich mach mir Sorgen um dein Team. Sie sind alle enorm kompetent, vor allem Grischa, aber ich halte sie weder für zuverlässig noch für sonderlich loyal. Sie sind eben nicht Scott.«

»Das wird schon klappen.«

»Bist du sicher? Da hätten wir einen russischen Auftragsmörder, dem nur eins wichtig ist: die Frau, die in Costa Rica auf ihn wartet. Sollte er seine Rückkehr zu ihr gefährdet sehen, wird er uns kurzerhand im Stich lassen. Dann gibt's da noch eine soziopathisch veranlagte Frau, die dir nur hilft, weil du ihr im Gegenzug ein neues Leben versprochen hast. Und schließlich einen Jungen, der nicht mit dir zusammenarbeiten will, sondern *sein* will wie du. Was meinst du, wie lange es dauert, bis er einen auf ›Big Mitch‹ macht?«

»Wenn du es so formulierst, klingt es wirklich ziemlich übel.«

»Ich mein's ernst.«

»Ich weiß. Es ist dein Job, dir über solchen Kram den Kopf zu zerbrechen. Du hast mit allem recht, was du sagst. Aber ich seh keine andere Möglichkeit, es durchzuziehen.«

Sie betrachtete ihn, als wollte sie noch etwas sagen.

»Hör zu, Claudia. Zwischen Donatella und mir herrschte zehn Jahre lang Funkstille. Wir hatten eine kurze Romanze, von der wir beide wussten, dass sie zu nichts führt. Lass dich von ihr nicht provozieren. Sie mag es halt, Leute aus der Reserve zu locken.«

Claudia betrachtete ihn noch einige Sekunden lang, dann zog sie an seiner Hand. »Komm mit ins Bett. Ich hab da eine Idee, wie wir unsere Probleme für eine Weile vergessen.«

28

Donatella Rahn lief die Treppe zum Oberdeck der Jacht hinauf und nippte an einem Mineralwasser. Sie hatte sich einen Schal um die Schultern gelegt. Mehr brauchte sie nicht. Selbst jetzt, nach zehn Uhr abends, lag die Temperatur noch bei knapp über 20 Grad.

Der Rest ihres bunten Haufens hielt sich ebenfalls dort auf. Es sagte einiges, dass sie sich weitgehend aus dem Weg gingen. Sie hielt es genauso und ließ sich in einem leeren Deckchair nieder, um die anderen unauffällig zu beobachten.

Kent Black legte dicht an der Reling eine endlose Serie von Liegestützen hin. Sie hielt ihn für einen exzellenten Schützen, nur viel zu jung und auf Wirkung bedacht. Es war unschwer zu übersehen, dass Mitch sein großes Idol war und er ihn regelrecht vergötterte. Der heilige Rapp. Der große, schreckliche Killer von Oz. Sie kannte ihn, seit er seine ersten Gehversuche im Geschäft gemacht hatte, und hielt ihn für extrem talentiert, aber mit dieser Entwicklung hätte sie nie gerechnet.

Grischa Asarow wandte ihr den Rücken zu und redete wie so oft auf sein Satellitentelefon ein. Eine bemerkenswerte Erscheinung, die gelassenes Selbstvertrauen ausstrahlte, allerdings auch die leichte Schwermut, die mit russischen Einsatzkräften untrennbar verbunden zu sein schien. Claudia gelang es mehr schlecht als recht, ihre Angst vor ihm zu überspielen, während Rapp keinen Hehl aus seinem Respekt machte. Donatellas gespitzte Ohren verrieten ihr, dass Asarow immer mit demselben Gesprächspartner telefonierte. Wie er hieß, konnte sie nicht mit Sicherheit sagen. Wahrscheinlich eine Cara, aber da er beim Sprechen nie in Donatellas Richtung schaute und leise sprach, konnte es genauso gut auch ein Carl sein.

Sie richtete ihre Aufmerksamkeit zum Tisch, an dem Rapp und seine kleine Französin in gedämpftem Tonfall etwas besprachen. Was fand er bloß an dem Mädchen?

Bedauerlicherweise lag die Antwort auf der Hand. Zunächst mal ihre offensichtliche Jugend. Sie war auf keinen Fall älter als Mitte 30. Hinzu kamen das hübsche Gesicht und der makellose Körper – und natürlich ihre unbestreitbare Kompetenz. Den Namen Dufort kaufte sie ihr nicht ab. Es bestand kein Zweifel daran, dass es sich um die Frau handelte, die durch ihre Arbeit im Hintergrund maßgeblich zum Erfolg des dahingeschiedenen Louis Gould beigetragen hatte. Jemanden zu erschießen war manchmal gar nicht so leicht. Fast genauso schwierig war es, sicherzustellen, dass man an der richtigen Stelle stand, wenn man abdrückte. Jeder wusste, dass Gould sich dafür bei seiner Frau bedanken musste.

Zum Schluss konzentrierte sich Donatella auf Rapp. Den Mann, wegen dem sie alle auf diesem Schiff zusammenhockten. Er begriff einfach nicht, dass sie füreinander bestimmt waren. Stattdessen hatte er sich mit dieser blauäugigen Reporterin eingelassen. Anna Reilly. So schwer es ihr fiel nachzuvollziehen, dass er sich von Claudia Gould angezogen fühlte, bei deren idealistischer Vorgängerin war es ihr ein vollkommenes Rätsel.

Donatella richtete die Augen auf die Lichter der Stadt, behielt Rapp dabei aber unauffällig im Blick. Was, wenn der kleinen Französin etwas zustieße? Verschaffte das Ausschalten der Konkurrentin ihr eine Chance, die vor Jahren so heftige Affäre wiederzubeleben?

Sie nippte am Wasser und wandte den Blick endgültig von ihrem ehemaligen Geliebten ab. Nein. Er würde rausfinden, dass sie dahintersteckte, und dann drohte ihr eine Erfahrung, die sie mit so vielen teilte: eine sehr kurze, sehr endgültige Begegnung mit der Mündung seiner Glock.

Ein Telefon klingelte. Claudia nahm ab und sprach ein paar Worte in den Hörer, die sie nicht verstand, legte dann auf.

»Der Prinz hat das Haus seines Bruders verlassen und fährt zum Terry's«, sagte sie dann laut in die Runde.

Asarow spähte zwischen den Vordersitzen hindurch, während Rapp nach einer Lücke auf dem überfüllten Parkplatz von Monacos exklusivstem Club Ausschau hielt. Der ehemalige CIA-Agent trug einen nicht allzu teuren Anzug und hatte die Haare zu einem Pferdeschwanz zurückgebunden. In Kombination mit seiner körperlichen Erscheinung und dem wachsamen Blick ging er daher ohne Weiteres als einer der Bodyguards durch, die im Terry's arbeiteten. Natürlich endeten die Gemeinsamkeiten mit diesen Männern damit auch schon wieder. Rapp war einzigartig und faszinierte ihn.

Asarow hatte einen Großteil seines Lebens in Ausbildung und körperliches Training investiert. Seine sportliche Begabung war schon in jungen Jahren entdeckt worden und man hatte ihn in ein sowjetisches Biathlon-Camp geschickt. Später schloss er sich einer russischen Spezialeinheit an, wo er völlig neue Talente entdeckte und einsetzte. Schließlich stellte ihn Präsident Krupin ein und schliff seine Fähigkeiten mithilfe einiger der besten Coaches weltweit.

Mit Rapp verbanden ihn gewisse Parallelen. Der Amerikaner hatte in der Jugend als Leichtathlet und beim Lacrosse serienweise Pokale gesammelt und sich eine Weile in der Triathlon-Community getummelt. Doch es gab auch große Unterschiede zwischen ihnen: Rapp war ein Naturtalent. Dass es ihm gleich zweimal gelungen war, Asarow zu besiegen, obwohl sein Training wesentlich lückenhafter war und seine Krankenakte trotz seiner Jugend dicker ausfiel als bei vielen Senioren, konnte der Russe nur mit Mühe nachvollziehen. Dafür verstand er allerdings, dass Rapp als Freund mindestens genauso verlässlich wie als Feind tödlich war.

Diese Erkenntnis veranlasste ihn, sich für eine Weile von Cara und ihrem gemeinsamen Leben loszureißen. Die Gelegenheit, Rapp aus nächster Nähe bei der Arbeit zu beobachten, und der Nervenkitzel, der ihm mehr fehlte, als er geglaubt hatte, zählten zu den angenehmen Begleiterscheinungen. Vor allem war der Amerikaner aber jemand, dem er vertraute und der allen den Rücken freihielt, die sich ihm gegenüber loyal verhielten. Er konnte sich keinen besseren Verbündeten vorstellen als den einzigen Mann, der ihn in seinem eigenen Spiel übertrumpfte.

»Schau dich um, Grischa«, sagte Rapp. Er ignorierte das Winken der Parkwächter und fuhr zu einer Stelle, von der aus sie einen guten Blick auf die eintreffenden Gäste hatten.

»Mach ich, aber ich kenn keinen dieser Männer.«

Rapp telefonierte über die Freisprechanlage des BMW-M5-Soundsystems. »Claudia, kannst du grob abschätzen, wann der Prinz hier eintrifft?«

»In etwas weniger als zwei Minuten, wenn er die grüne Welle mitnimmt.«

»Kent. Lagebericht.«

»Ich bin gleich fertig mit Aufbauen. In 30 Sekunden kann ich loslegen.«

»Meine Güte!« Donatella klang wie üblich leicht gereizt. »Was soll der ganze Aufwand? Ich könnte einfach reinlaufen und bin Musaid innerhalb von ein paar Minuten überreden, mich in meine Suite zu begleiten. Stattdessen hocken wir hier rum und warten, bis Grischa jemanden erkennt, der uns mit reinnimmt. Ich hab so was schon tausendfach gemacht, Mitch. Und weißt du was? Ich bin sehr gut ohne dich klargekommen.«

Asarow sah zu der Frau, die neben ihm auf der Rückbank saß. Sie gehörte fraglos zu den betörendsten Kreaturen, denen er je begegnet war. Doch dafür musste man einen hohen Preis bezahlen. Die magische Anziehungskraft rührte nicht allein von ihrer Schönheit her, denn es gab eine Menge attraktiver Frauen. Erst die Aura von Gefahr, die sie umgab, sorgte für den gewissen Kick. Und von Tag zu Tag wirkte sie ein bisschen bedrohlicher. Ihm war nicht entgangen, dass Rapp und sie mal ein Paar gewesen waren, und es ließ sich kaum übersehen, dass sie hoffte, diese Beziehung neu aufleben zu lassen.

Der Fakt, dass Rapp so an Claudia hing, brachte die Italienerin mehr auf die Palme, als sie sich selbst eingestand. Donatella war inzwischen in einem Alter, in dem ihr unwiderstehliches Äußeres zwangsläufig verblasste und damit auch ihre Macht über Männer. Die Art, wie Rapp die deutlich jüngere Claudia Gould anhimmelte, machte ihr das schmerzlich bewusst.

Führte dieser Konflikt am Ende zu einer Dummheit? Konnte er ihr in einem Kampf vorbehaltlos vertrauen? Interessante Fragen, doch in dieser Phase nicht die, die es zu stellen galt. Er verließ sich normalerweise nicht auf die Einschätzung anderer Leute, aber für Rapp machte er eine Ausnahme. Wenn der Amerikaner fand, dass sie einen Platz in diesem Team verdiente, dürfte es auch stimmen.

Kent Black meldete sich über Lautsprecher zu Wort. »Alles bereit. Ich habe Sichtkontakt zum Wagen des Prinzen. Gebt mir 'ne Sekunde, dann sag ich euch, wie viele Leute drinsitzen.«

Donatella Rahn verfolgte die Unterhaltung nur mit halbem Ohr. Sie konzentrierte sich auf zwei Mädchen, die über den Parkplatz zum Eingang flanierten. Beide Anfang 20, dünn, hoch aufgeschossen und in teuren Designerklamotten. Die Linke trug Chanel aus der diesjährigen Kollektion und fühlte sich darin offensichtlich nicht wohl. Die andere stakste unsicher auf längst aus der Mode gekommenen Jimmy Choos neben ihr her.

Frisch von einem osteuropäischen Bauernhof eingeflogen, mutmaßte sie. Der verzweifelte Versuch, die von Gott mitgegebene Schönheit einzusetzen, um sich ein besseres Leben aufzubauen. Sie wurden zwar reingelassen, dürften aber für keinen der Gäste außerhalb des Schlafzimmers von Interesse sein. Und selbst dort verhielten sie sich vermutlich kaum raffinierter als schlabbernde Ferkel am Futtertrog.

»Okay«, meldete Black. »Vorn sitzen zwei Männer, hinten ein weiterer. Sie biegen gleich links ab in die Zufahrt zum Club.«

»Verstanden«, bestätigte Rapp.

Sie verfolgten, wie bin Musaids Wagen vorfuhr und ein Bediensteter heraneilte, um die Hecktür aufzuhalten. Der Prinz stieg aus und fiel mit dem rot karierten Kopftuch auf wie ein bunter Hund. Das Personal schien seine Routine zu kennen und machte keine Anstalten, das Fahrzeug parken zu wollen. Stattdessen stellten die Bodyguards es auf einer reservierten Stellfläche unweit vom Eingang ab.

»Hast du ihn dir genau angeschaut, Donatella?«

»Er ist ja schwer zu übersehen.«

Sie warteten noch fünf Minuten, bevor Asarow gegen die Rückseite von Rapps Sitz klopfte. »Klaus Alscher ist gerade angekommen. Ich kenn ihn seit Jahren.«

Er ging raus über den Parkplatz und heuchelte Überraschung, Alscher in die Arme zu laufen. Nach einem warmen Händedruck und einer kurzen Vorstellungsrunde verschwand er mit seinem Bekannten im Club.

»Du bist dran, Donatella«, sagte Rapp. »Sei vorsichtig.«

»Wir sind hier nicht im Gazastreifen«, versetzte sie bissig und öffnete die Wagentür.

Im Gegensatz zu den Mädchen vor ihr lief sie selbstsicher und wirkte völlig entspannt. Sie schwebte förmlich über den Parkplatz, wusste um den verführerischen Effekt der Außenbeleuchtung, die ihr Seidenkleid schimmern ließ, und um die Blicke der Männer, die sie verfolgten. Sie schenkte einem der Türsteher ein verführerisches Lächeln. Er trat zur Seite und winkte sie vorbei.

Das Innere des Clubs entsprach ihren Erwartungen. Halbwegs stylish und vollends protzig. Jede Menge Vertreterinnen der Bauerntrampel-Fraktion lungerten herum, auf der Jagd nach einem reichen Gönner, der Interesse zeigte, sie mit teuren Geschenken zu überhäufen, oder ihnen sogar ein Apartment für eine geheime Langzeitbeziehung spendierte. Sie verstand besser als Claudia, wie diese jungen Frauen tickten, denn eine Zeit lang war sie genauso gewesen.

Asarow hatte es geschafft, seine Begleiter in eine taktisch geschickte Position zu manövrieren. Die jungen Dinger schenkten ihm eine Menge Aufmerksamkeit. Er wurde genauestens unter die Lupe genommen. Wie reich war er, was hatte er ihnen zu bieten? Vermutlich gehörte er zu den besten Fängen, die man hier aktuell machen konnte, denn außer ihm bestand die männliche Klientel überwiegend aus schmerbäuchigen Arabern.

Gelächter brandete im östlichen Teil des Raums auf, wo ein junger Mann auf einen Stuhl sprang und zu verführerischer Musik die Hüften kreisen ließ. Donatella rang sich ein leicht amüsiertes Lächeln ab und trat an die Bar. Bin Musaid stand umringt von Freunden und einem bestellten Kontingent von Frauen am anderen Ende. Er sah kurz in ihre Richtung. Sie begegnete seinem Blick und gab dann eine Bestellung beim Barkeeper auf.

Ihr Martini wurde serviert und sie trank ihn in kleinen Schlucken, während sie zwischendurch in rascher Folge Männer in ein Gespräch verwickelte und ihnen die kalte Schulter zeigte. Jedes Mal wenn sie einen wegschickte, schaute sie kurz zu bin Musaid. Von Mal zu Mal schien sein Interesse an ihr zu wachsen.

Kein Wunder, denn die meisten Mädchen in diesem Laden waren dumme Gänse. Mit ihnen konnte man sich vielleicht eine Weile amüsieren, aber sie schätzte bin Musaid so ein, dass er es weitaus anregender fand, eine wilde Tigerin wie sie zu zähmen.

29

»Ich bin Prinz Talal bin Musaid.«

Sowohl Donatella als auch Asarow trugen versteckte Mikrofone, deren Aufnahmen ans Lautsprechersystem des BMW übermittelt wurden. Rapp schaute auf die Uhr, als der Araber sich Donatella vorstellte. Seit Betreten des Clubs waren exakt acht Minuten und 42 Sekunden verstrichen. Sie hatte es nicht verlernt.

Er regelte die Lautstärke von Asarows Gespräch über die Wirtschaftskrise in Venezuela runter und lauschte ihrem koketten Geplänkel. Nicht eine Sekunde zweifelte er an ihrem Erfolg oder befürchtete, dass sie ihn enttäuschte. Sie würde eine Weile mit dem Prinzen spielen, ihn scharfmachen und innerhalb der nächsten Dreiviertelstunde auf ihr Hotelzimmer locken.

Rapp verfolgte den Verkehr auf dem Parkplatz und merkte sich, an welchen Stellen die Parkwächter die

Besucher in Empfang nahmen. Schwer zu sagen, wie viele von ihnen bewaffnet waren und wie viele lediglich als Fahrer eingeteilt waren, aber es zeichnete sich in der Regel aus, bei einem Einsatz die Location so intensiv wie möglich auszukundschaften. Selbst wenn es am Ende bloß darauf hinauslief zuzusehen, wie Donatella zu bin Musaids Limousine stolzierte.

Die Unterhaltung, die aus den Boxen drang, blieb für eine Weile mit Abstand das Spannendste, bis auf einmal zwei Volvo S90 am Tor vorfuhren. Das Licht der Außenbeleuchtung fiel auf die Fahrzeuge und Rapp stutzte. In jedem Wagen saßen vorne zwei und hinten zusammengepfercht drei Männer, bärtig und grobschlächtig, zwischen 25 und 40. Sollten sie die Lage für einen Mega-VIP sondieren, der ihnen folgte? Rapp sah nach. Nein, keine Limousine in Sicht. Fehlanzeige.

»Kent. Siehst du die beiden Volvos?«, erkundigte er sich über Funk.

»Ja. Hab sie. Was ist damit?«

»Wahrscheinlich nichts. Behalt sie trotzdem im Auge.«

Die Angestellten öffneten den Neuankömmlingen die Tür. Die jeweils fünf Insassen stiegen aus und schienen großen Wert darauf zu legen, mit dem Gesicht in Richtung Fahrzeug stehen zu bleiben. Hatten sie etwas zu verbergen?

»Finger am Abzug, Kent.«

»Wer sind diese Arschlöcher? Eine arabische Fußballmannschaft?«

»Eher unwahrscheinlich.« Rapp öffnete die Wagentür einige Zentimeter.

Einer der Araber musste einen Schritt zur Seite treten, um einen anderen aussteigen zu lassen. In diesem Moment knöpfte er den Mantel auf und schwenkte ein Sturmgewehr in Angriffsposition.

»Ausschalten!«, brüllte Rapp, riss die Tür komplett auf und sprang ins Freie.

Die Türsteher wurden von den ersten Automatiksalven niedergestreckt, gefolgt von drei Männern und einer jungen Frau, die am Eingang warteten. Der Terrorist, der den ersten Schuss abgegeben hatte, knallte mit dem Rücken gegen den Volvo. Was auf Außenstehende wie ein unsichtbares Magnetfeld wirken musste, war in Wirklichkeit eine Patrone aus Blacks Kaliber-50-Scharfschützengewehr. Ein weiterer Angreifer geriet ins Taumeln, als Rapp ihn am rechten Schulterblatt erwischte. Der Gegner gab noch einige unkoordinierte Schüsse ab und brach dann hinter dem vorderen Volvo zusammen. Black schaltete einen weiteren aus, da kam eine Gruppe von Fahrern, deren Gesichter Rapp vorhin abgespeichert hatte – inklusive der Begleiter von Prinz bin Musaid –, mit gezogenen Waffen angestürmt.

»Viel zu früh«, fluchte Rapp.

Sechs der überlebenden Terroristen stürmten den Club. Einer blieb zurück, um die Leute auf dem Parkplatz zu übernehmen. Er schaltete die Waffe auf Dauerfeuer und mähte jeden Einzelnen um, bevor er sich ihm auf unter zehn Meter genähert hatte. Einer der Chauffeure war zurückgeblieben und gab Schüsse aus der Deckung einer Motorhaube ab, doch irgendwann musste er sich ducken, um nachzuladen. Rapp nahm unterdessen den Mann ins Visier, der an der hinteren Stoßstange des Volvos kauerte, sah sich jedoch gezwungen, in den BMW zu flüchten, als drei der Terroristen am Eingang noch mal umdrehten und allesamt auf ihn zielten.

»Donatella! Grischa! Ihr bekommt es drinnen gleich mit fünf bis sechs Gegnern zu tun!«, rief Rapp. »Alle mit Sturmgewehren bewaffnet.«

Er glitt wieder nach draußen und visierte einen Punkt an der Türsäule des führenden Volvos an. Der hinter der Kühlerhaube verschanzte Chauffeur östlich von seiner Position hatte mittlerweile nachgeladen und schoss wieder, traf jedoch nicht mal annähernd. Immerhin lenkte er den verbliebenen Terroristen im Außenbereich dadurch ab.

Der Tango entschied sich, eine günstigere Position einzunehmen, und musste dafür seine Deckung kurzzeitig aufgeben. Rapps Kugel traf ihn voll im Gesicht, eine weitere von Black schlug in den Körper ein. Er brach auf einem toten Einparker zusammen.

»Kent«, raunte Rapp. »Siehst du den Mann, der östlich von mir aus der Deckung des Fahrzeugs schießt? Ein Zivilist, aber du musst ihn da wegscheuchen. Sonst landet er noch einen Zufallstreffer auf mich.«

Statt einer Antwort entfesselte Black kommentarlos eine Kaliber-50-Salve auf den Türrahmen in der Nähe des unbegabten Schützen, fetzte gut ein Drittel vom Blech weg und ließ Bruchstücke über den Asphalt segeln. Das genügte, um den anderen zur Flucht zu bewegen. Er rannte zu den Bäumen am Rand des Parkplatzes, Rapp sprintete zeitgleich auf den Club zu.

Er trat eine der Türen auf und spähte hinein. Zwei Leichen lagen im opulenten Eingangsbereich, der ansonsten leer war. Schüsse drangen aus dem Inneren; so viele, dass er mit heftigem Pulverdunst in der Luft rechnete. Er sprang über die Toten und kam an zwei weiteren vorbei, bevor er die zentrale Bar erreichte. Die meisten

Gäste kauerten am Boden oder verschanzten sich hinter umgeworfenen Tischen und Stühlen. Alles schien wie in Zeitlupe abzulaufen. Rapp schwenkte die Glock von rechts nach links. Einen Schützen hatte es erwischt, vermutlich das Werk von Asarow oder Donatella, ansonsten entdeckte er keinen der Gegner.

Ein Mann kam um die Ecke und spurtete über die freie Fläche. So schnell rannte nur einer, den er kannte.

Rapp feuerte in Asarows Richtung und verfehlte sein Ohr nur um wenige Zentimeter. Der Russe blinzelte nicht mal und schaute sich auch nicht um, ob sein Teampartner den Terroristen getroffen hatte, der ihn verfolgte. Stattdessen schwenkte er die Mündung der eigenen Waffe etwas unbeholfen zu einem Mann, der auf eine Gruppe junger Leute in einer Ecknische zielte. Der auf gut Glück abgegebene Schuss unter dem Arm hindurch schlug in den Nacken des Gegners ein. Blut spritzte gegen einen raumhohen Spiegel und er rührte sich nicht mehr.

Damit blieben nur noch drei Tangos übrig, die zu begreifen schienen, dass sich die Kräfteverhältnisse zu ihren Ungunsten entwickelten. Statt wahllos auf Ziele anzulegen, verständigten sie sich mit lauten Rufen aufs Ausschwärmen. Es handelte sich definitiv nicht um einen wahllosen Terrorakt. Sie suchten jemanden.

Rapp lief zur Bar und zog im Vorbeigehen ein verwundetes Mädchen hinter sich her, um sie unter einem Tisch in Sicherheit zu bringen. Endlich bemerkte er Donatella und bin Musaid im südlichen Teil des Hauptraums. Sie brüllte wie am Spieß, während sich der Prinz mit panischer Miene hinter ihr duckte. Sie hatte die rechte Hand in ihrer Clutch versenkt, garantiert mit dem Finger am Abzug ihrer Beretta Nano. Fürs Erste begnügte sie sich mit der überzeugenden Vorstellung einer Jungfrau in Nöten.

Eine weitere Garbe Automatikfeuer zerfräste die polierte Tischplatte neben ihr. Rapp tauchte ab, während sie die Waffe zog und den Tango ins Bein traf. Rapp fackelte nicht lang und glitt zum Verwundeten, der gerade auf bin Musaid zielen wollte. Der Prinz war so fokussiert auf den Angreifer, dass er gar nicht mitbekam, wie Rapp Zentimeter neben dem Mann auftauchte. Ihm blieb sogar noch Zeit, die Mündung vor dem Abdrücken gegen den Hinterkopf des Terroristen zu stoßen.

Beiläufig nahm Rapp wahr, dass ein weiterer Gegner einen jungen Mann als menschlichen Schutzschild einsetzte und gleichzeitig einen rennenden Grischa Asarow aufs Korn nahm. Der Russe hätte einen Kopftreffer anbringen können, entschied sich aber stattdessen, mit der Kugel die Magengrube der Geisel zu perforieren. Von dort aus schlug sie in die linke Hüfte des Schützen ein. Keine ideale Lösung, aber in seiner Situation verständlich. Die Geisel würde schon durchkommen. Asarow wollte seine Tarnung als Energieberater nicht auffliegen lassen, indem er einen Kunstschuss abgab, wie ihn nur ein Vollprofi hinbekam.

Da er völlig anonym operierte, musste Rapp sich nicht zurückhalten. Er schoss dem Tango in den Hinterkopf, sodass er von dem Unglücksraben mit dem Magendurchschuss wegkippte. Damit blieb nach seiner Zählung nur noch ein Terrorist übrig. Da er sich außerhalb seines Sichtbereichs befand, sollte sich gefälligst Asarow um ihn kümmern.

Rapp spurtete zu bin Musaid, der Donatella gerade die Beretta entreißen wollte, packte den Saudi am seidenen

Kragen und herrschte ihn auf Arabisch an: »Vergesst die Hure, Eure Hoheit. Wir müssen Sie hier wegbringen!«

»Wer … wer sind Sie?«

»Der König hat mich gebeten, auf Sie aufzupassen, Hoheit. Stehen Sie auf. Wir dürfen keine Zeit verlieren.«

Rapp zerrte ihn auf die Beine und rannte mit ihm zum Ausgang. Bin Musaid war in Panik und nicht daran gewöhnt, sich schnell zu bewegen, weshalb er bei fast jedem Schritt ins Stolpern geriet. Sie hatten die Tür fast erreicht, da ertönte ein Schuss – diesmal kein wahlloses Automatikfeuer wie in den letzten Minuten, sondern ein einzelner, sorgfältig gesetzter Treffer. Bin Musaids Füße klappten weg und Rapp musste ihn über das glatte Parkett schleifen.

Der Prinz war noch bei Bewusstsein, aber die Verletzung am unteren Rücken verhinderte, dass er aus eigener Kraft laufen konnte. Der Amerikaner entschied sich, ihn per Feuerwehrgriff ins Freie zu schaffen. Er sprach ins versteckte Mikro am Ärmelaufschlag des Hemds.

»Kent, ich komm jetzt mit dem Prinzen raus. Er ist verletzt.«

»Verstanden. Der Weg zum Auto ist frei. Aber versuch nicht, über den Parkplatz rauszufahren, da ist alles blockiert. Fahr hinten durch die Büsche. Pass nur auf, dass du nichts rammst. Bis zur Hauptstraße sind es knapp 20 Meter.«

»Verstanden.«

Nur wenige hatten es geschafft, sich lebend aus dem Club zu retten. Die meisten von ihnen ließen die Wagen stehen und flohen zu Fuß Richtung Grundstücksgrenze. Auf diese Weise gelangte Rapp ohne weitere Störungen zum BMW und wurde von niemandem behelligt.

Er bugsierte den verwundeten Saudi auf den Beifahrersitz, stieg auf der anderen Seite ein, ließ den Motor an und bretterte im Rückwärtsgang durch den aufwendig angelegten Garten des Terry's. Als er endlich Asphalt unter den Rädern hatte, vollführte er eine schwungvolle 180-Grad-Drehung und rammte den Hebel der Automatikschaltung in Drive-Stellung.

»Mitch, da kommt ein Fahrzeug aus dem südwestlichen Parkplatzabschnitt auf dich zu. Kann sein, dass er zufällig denselben Weg wie du nimmst, um vom Gelände zu kommen, aber ich würd nicht drauf wet…«

Blacks Stimme wurde von dröhnendem Automatikfeuer und den klingelnden Einschlägen am Heck des BMWs übertönt.

»Kannst du was dagegen unternehmen?«

»Der Winkel ist unmöglich. Tut mir leid, Kumpel, das musst du allein regeln.«

Rapp drückte das Gaspedal voll durch und wurde in den Sitz gedrückt, während er mit voller Beschleunigung die Böschung hinabraste.

Der Gestank im Wagen deutete darauf hin, dass der Treffer den Darm bin Musaids punktiert hatte. Rapp blickte zum Prinzen. Dass er leichenblass war, ließ sich trotz der fahlen Beleuchtung des Instrumentenbretts kaum übersehen, dasselbe galt für die massiven Mengen Blut, die ins Polster einsickerten. Noch mehr sorgte er sich aktuell allerdings um den Volvo im Rückspiegel. Ein Mann stand aufrecht auf dem Rücksitz und steckte den Kopf durchs Schiebedach. Rapp meinte, eine Waffe aufblitzen zu sehen. Bislang waren sie außer Schussweite, aber der Fahrer ging auf volles Risiko und verfehlte bei jeder Kurve nur knapp den steilen Abhang zu seiner Rechten.

»Habt Ihr die Männer reden gehört, Hoheit?«, fragte Rapp. »Für mich klangen sie wie Irakis. Für mich steht fest, dass sie es auf Euch abgesehen haben.«

»Krankenhaus«, kam die schwache Antwort. »Krankenhaus …«

Rapp hatte genug Leute in ähnlichen Situationen erlebt, um zu wissen, dass der Prinz nicht durchkam. Er musste ihm die Antworten in Rekordgeschwindigkeit entlocken. Um ihn aus der Benommenheit zu reißen, nahm er den Fuß kurzzeitig vom Gas, ließ den Verfolger aufschließen und zuckte zusammen, als der Schütze die Heckscheibe zerlegte.

Bin Musaids kraftloser Schrei mischte sich unter das Aufröhren des M5-Motors, als Rapp erneut beschleunigte.

»Ihre Wunde kommt mir nicht besonders schwerwiegend vor, Majestät«, log er. »Ich denke, ich kann die Männer abschütteln, die uns verfolgen, aber es wird schwierig, Euch vor ihnen zu verstecken. Die wissen, dass ich Euch in ein Krankenhaus bringen muss. Wer sind diese Leute? Wisst Ihr etwas, das mir weiterhilft? Der König hat mich eindringlich ermahnt, Euer Leben notfalls mit meinem zu beschützen.«

Bin Musaid brach in Tränen aus. »Ich … ich habe ihn verraten.«

»Wen? Wen habt Ihr verraten?«

»Ich ließ dem IS heimlich Geld zukommen und habe die Ziele der Organisation unterstützt …« Seine Stimme verebbte. Für einen Augenblick glaubte Rapp, er sei tot, doch dann riss ihn eine Trefferserie von hinten ins Bewusstsein zurück.

»Nassar! Er muss dahinterstecken.«

»Nassar? Meint Ihr Aali Nassar?«

Bin Musaid nickte und kämpfte mit einem heftigen Hustenanfall, der das Lenkrad und Rapps rechte Hand mit Blut bespritzte. »Er hat mein Bankkonto leer geräumt, weil er genau wusste, dass ich dann meinen Bruder um Hilfe bitte. Er hielt es für einfacher, mich in Europa zu töten, als vor der eigenen Haustür.«

»Das ergibt keinen Sinn, Eure Hoheit. Wenn er damit rechnet, dass Ihr mit dem IS Geschäfte treibt, wäre er damit doch zum König gegangen oder hätte Euch festnehmen lassen.«

»Sie verstehen nicht«, erwiderte bin Musaid, der zunehmend kraftloser wirkte. »Ich war nur der Überbringer. Er fürchtet sich davor, dass mich die CIA entführt und ich den Amerikanern verrate, dass er hinter dem Ganzen steckt.«

»Hinter dem Ganzen?«, wiederholte Rapp. »Wollt Ihr damit andeuten, dass Aali Nassar die Unterstützung für den IS koordiniert?«

Bin Musaid nickte.

»Wer ist noch daran beteiligt?«

Der Prinz gab keine Antwort.

»Sagt schon, Majestät«, drängte Rapp. »Der König wird sich um Nassar kümmern, aber wenn Ihr mir nicht anvertraut, wer die anderen sind, kann ich sie nicht davon abhalten, Euch zu töten.«

»Ich weiß es nicht.« Bin Musaid schluchzte.

»Er muss doch etwas erwähnt haben. Reiche Geschäftsmänner? Andere Angehörige der königlichen Familie? Regierungsangestellte?«

»Ein Krankenhaus«, hauchte bin Musaid kaum hörbar. »Sie müssen mich in ein Krankenhaus bringen.«

Ihm rannte die Zeit weg. Rapp ging davon aus, dass der Prinz tatsächlich nicht mehr über die Hintergründe wusste. Warum hätte Aali Nassar dieses nutzlose Etwas auch in seine Geheimnisse einweihen sollen?

Er packte das Lenkrad und konzentrierte sich darauf, etwas Abstand zwischen sie und ihre Verfolger zu bringen. Sie komplett abzuschütteln, musste er sich leider abschminken. Der Volvo war überraschend gut motorisiert und der Mann am Steuer würde ihm entweder weiter an der Stoßstange kleben oder beim Versuch umkommen. Die Situation unterschied sich trotzdem in einem entscheidenden Punkt von früheren Fluchtmanövern: Zur Abwechslung jagten sie mal nicht ihn.

Er rammte den Fuß aufs Bremspedal. Bin Mussaid wurde gegen das Armaturenbrett geschleudert. Rapp behielt die größer werdenden Frontlichter im Rückspiegel im Auge und angelte nach dem Öffnungsmechanismus der Beifahrertür.

»Was tun Sie da?«, stieß bin Musaid gerade noch hervor, bevor der Amerikaner die Tür aufriss und ihn aus dem Wagen stieß.

»Halt! Was …«

Rapp beschleunigte, drehte die Stereoanlage voll auf und ließ bin Musaid auf der Straße liegen. Im Spiegel verfolgte er, wie der Volvo direkt hinter dem Prinzen hielt, die reglose Gestalt im Scheinwerferlicht gebadet wurde und von dem Typen am Schiebedach mit einem kompletten Magazin erledigt wurde. Danach legten sie eine 180-Grad-Wendung hin und rasten in die Gegenrichtung davon.

Nachdem seine akutesten Probleme gelöst waren, rief Rapp bei Claudia an.

»Mitch! Bist du okay? Ich empfang kein GPS-Signal von dir.«

»Alles bestens. Der Transmitter hat vermutlich einen Schuss abbekommen.«

»Wo bist du?«

»Etwa sieben Meilen südlich vom Terry's. Ich mach mich gleich auf den Rückweg.«

»Nein, lass es bleiben. Alle Terroristen sind tot. Grischa und Donatella haben sich um alles gekümmert.«

»Soll ich sie nicht einsammeln?«

»Ach, die können auch mal zu Fuß gehen.«

»Und Kent?«

»Der ist in Ordnung. Er musste nur schnell raus aus dem Apartment. Es gibt einfach keine vernünftige Möglichkeit, so ein Scharfschützengewehr geräuschlos schießen zu lassen. Stimmt es, dass der Prinz bei dir ist?«

»Ich hab ihn verloren.«

»Was soll das heißen, du hast ihn verloren? Er ist doch kein Schlüsselbund, das einem aus der Tasche rutscht. Wie verliert man einen Menschen?«

Rapp reduzierte die Geschwindigkeit, um das Tempolimit einzuhalten, und öffnete ein Fenster, um den Gestank von bin Musaids angeschossenen Eingeweiden aus dem Wagen zu vertreiben. »Das ist 'ne längere Geschichte.«

30

Rapp steuerte den BMW an den Rand der Dockanlage und schaute sich in alle Richtungen um. Um diese Zeit war niemand mehr zu Fuß unterwegs und in den meisten Jachten, die in der Nähe ankerten, brannte kein Licht mehr. Die erwartbare Ausnahme bildete der Kahn mit den übermütigen, reichen Kids. Von ihrer Seite rechnete er nicht mit Schwierigkeiten. Selbst für den Fall, dass ihnen der BMW auffiel und sie die Einschusslöcher bemerkten, würden sie sich morgen früh nicht mehr daran erinnern.

Er bog links ab und versuchte, das Motorengeräusch so gering wie möglich zu halten. Claudia stand am Heck und hatte die Gangways vorbereitet.

Kaum befand er sich mitsamt Wagen an Bord, klappte sie diese wieder ein und arretierte das Geländer. Auch ihr kongolesischer Kapitän wurde seinem Ruf gerecht und schipperte ohne Verzögerung raus aufs offene Meer.

Claudia öffnete die Beifahrertür und zuckte beim Anblick des vielen Blutes zusammen. »Warst du das?«

»Er hat sich in der Bar einen Treffer eingefangen.« Rapp stieg aus und sprach leise übers Wagendach mit ihr. »Sie haben seinetwegen die Verfolgung aufgenommen, also hab ich seine Leiche auf die Straße geworfen.«

Nicht ganz die Wahrheit, aber dicht dran.

»*Du* bist aber in Ordnung? Keine Verletzung?«

Er nickte. »Wie steht's mit den anderen?«

»Dasselbe. Kent fährt mit einem Motorrad nach Frankreich. Donatella sitzt im Zug nach Italien und Grischas Firma schickt einen Jet, um ihn abzuholen. Er will sich in sein Haus in London zurückziehen. Nachdem Gras über die Sache gewachsen ist, kehren sie alle nach Afrika zurück.«

»Und wir?«

»Wir machen einen kleinen Abstecher zu einer tiefen Stelle, um das Auto loszuwerden, und stoßen nächste Woche zu ihnen.«

Es kostete einiges an Mühe, aber schließlich schaffte er es, bin Musaids Blut abzuschrubben und den Abfluss runterzuspülen. Er lehnte sich in den heißen Wasserstrahl und ließ sich den Hinterkopf massieren. Claudia musste lauter sprechen, damit er sie hörte. Sie saß an der Granitablage und balancierte einen Laptop auf dem Schoß.

»Sie berichten auf so gut wie jedem Sender weltweit drüber, Mitch. Das Bildmaterial beschränkt sich auf verwackelte Handyaufnahmen vom Parkplatz. Glücklicherweise bist du darauf nicht zu sehen. Ich fürchte, das wird sich ändern, sobald sie die Aufnahmen der Überwachungskameras im Club auswerten. Tut mir leid, dass ich's nicht geschafft habe, sie zu deaktivieren.«

Das gehörte zu den vielen Nachteilen, wenn man ohne offizielle Unterstützung der Regierung operierte. Für Irene Kennedy wäre es ein Leichtes gewesen, den Zugriff auf das Videomaterial einzuschränken. So aber mussten sie damit rechnen, dass die örtliche Polizei sich gerade mit dem Material beschäftigte und Interpol, FBI, CIA, MI6 und den saudischen Geheimdienst mit Kopien versorgte. Es war nur eine Frage der Zeit, bis seine Beteiligung bekannt wurde.

»16 Tote«, fuhr sie fort. »Die Zahl der Verwundeten liegt noch mal höher. Die Behörden halten die Namen zurück, aber es kursiert bereits eine inoffizielle Liste.

Darauf stehen einige sehr reiche und mächtige Männer, Mitch. Das sorgt zwangsläufig für Aufmerksamkeit. Hast du einen Verdacht, wer die Schützen waren?«

»Irakis.«

»Kein Zufall, nehme ich an.«

»Nein. Wobei die Feuershow nur ein Ablenkungsmanöver war. Sie wollten bin Musaid.«

»Wer hat sie geschickt?«

Sein erster Impuls war, sie zu belügen. Nicht weil er daran zweifelte, dass sie den Mund halten konnte, sondern um sie zu schützen. Doch dafür war es leider längst zu spät.

»Aali Nassar.«

»Der saudische Geheimdienstchef?«

Rapp stellte das Wasser ab und griff nach einem Handtuch. »Er steckt hinter den saudischen Finanzspritzen für den IS. Bin Musaid war bloß einer seiner Geldboten.«

»Warum?«

»Bin Musaid starb, bevor er mir weitere Einzelheiten verraten konnte. Ich vermute, Nassar geht davon aus, dass sich der IS nach den vielen internen Auseinandersetzungen und Streitigkeiten im Land am Ende durchsetzen wird. Er will auf der Seite der Gewinner stehen.«

»Hat der Prinz noch lang genug gelebt, um dir die Namen weiterer Beteiligter zu nennen?«

»Nein. Ich glaube, er kannte sie auch gar nicht. Nassar dürfte Wert drauf legen, dass niemand außer ihm das komplette Puzzle durchschaut.«

»Wie sieht es mit König Faisal aus?«

»Ich bezweifle, dass er etwas damit zu tun hat. Ich kenne ihn seit Jahren. Er wartet einfach ab, bis seine Zeit abgelaufen ist. Ich denke, es gibt genug reiche

Geschäftsleute, die lukrative Deals wittern, Mitglieder des Königshauses, die scharf auf den Thron sind, oder Regierungsvertreter, die auf eine Beförderung hoffen. Alles naheliegende Motive, um sich mit dem IS einzulassen.«

»Gut. Ich werde mir Nassar vorknöpfen, seine Kontakte und Verbündeten, die finanziellen Verhältnisse. Siehst du eine Möglichkeit, Irene ins Boot zu holen? Ich bin zwar gut, aber ihre Quellen und Kontakte würden mir weiterhelfen.«

Er schüttelte den Kopf und schlüpfte in die frischen Sachen, die sie ihm hingelegt hatte. »Die einzigen Beweise, die ich gegen Nassar habe, sind Aussagen eines kleinen Pissers, den sie gerade von der Straße kratzen. Ich hab die Entscheidung getroffen, mich auf diese Nummer einzulassen, sie nicht.«

»Okay. Ich bekomm das schon irgendwie hin.«

»Sei bloß vorsichtig, Claudia. Nassar mag ein terroristischer Drecksack sein, aber dummerweise ist er verflucht clever und führt seine eigene Armee.«

31

RIAD, SAUDI-ARABIEN

Das Klopfen an Aali Nassars Schlafzimmertür klang zögernd, aber bestimmt. Seine Frau konnte es nicht sein. Selbst bei einem Notfall wäre sie erst zu den Angestellten gelaufen, statt ihn zu stören. Es war drei Uhr morgens.

Er wälzte sich von der Matratze, zog einen Morgenmantel an und tappte durch die Dunkelheit zur Tür. Wie vermutet stand der Chef seines Sicherheitsteams auf der anderen Seite.

»Was ist los?«

»Ihr Assistent ist gerade eingetroffen, Direktor. Er sagt, er muss dringend mit Ihnen sprechen.«

Nassar nickte. »Bringen Sie ihn in mein Büro. Ich bin gleich da.«

»Natürlich, Sir.«

In Freizeithose und Anzughemd machte er sich kurz darauf auf den Weg zum Arbeitszimmer im hinteren Teil des Hauses. Im Flur brannten genug Lampen, um sicher ans Ziel zu finden, aber nicht so viele, dass die nächtliche Aktivität aufgefallen wäre. Es galt, solche ungeplanten Treffen so unauffällig wie möglich abzuwickeln.

Was war so wichtig, dass es nicht noch drei Stunden warten konnte, bis er sowieso zur Arbeit erschien? Ein erfolgreicher Terroristenangriff auf heimischem Boden? Eine Aktion des Präsidenten der Vereinigten Staaten? Der Tod des Königs?

Im Büro lief Hamid Safar unruhig auf und ab.

»Sir, uns haben Berichte von der Ermordung Prinz bin Musaids erreicht.«

Nassar fühlte sich unglaublich erleichtert, zeigte es jedoch nicht. »Wie ist es passiert?«

»Ein bewaffneter Überfall auf einen Privatclub in Monaco.«

»Ein bewaffneter Überfall? Kennen wir die Hintergründe?«

»Es waren offenbar zehn Männer, alle mit Sturmgewehren bewaffnet. Sie schalteten das Sicherheitspersonal aus und verschafften sich gewaltsam Zugang.

Sie töteten und verwundeten einen beträchtlichen Teil der Besucher, bevor sie selbst erschossen wurden.«

»Von der örtlichen Polizei?«

»Nein, Sir.«

»Sondern?«

»Diese Frage ist nicht ganz leicht zu beantworten.« Safar stellte seinen Laptop auf Nassars Schreibtisch ab und klappte ihn auf. »Wir haben gerade erstes Material von den Überwachungskameras zugespielt bekommen. Wollen wir es gemeinsam durchgehen?«

»Gern.«

Zunächst gab es ein paar verschwommene Außenaufnahmen, auf denen man sah, wie die Terroristen aus den Wagen stiegen und wenig später erste Schüsse fielen. Alles schien nach Plan zu laufen, bis einer von ihnen abrupt rückwärts gegen eins der Fahrzeuge geschleudert wurde.

»Was ist da gerade passiert?«

»Drei der Angreifer wurden durch Kaliber-50-Geschosse ausgeschaltet, die von der Dachterrasse einer Wohnung im Obergeschoss eines Mietshauses 500 Meter östlich abgegeben wurden.

Die europäischen Behörden haben das Apartment durchsucht und die Waffe sichergestellt, gehen aber davon aus, dass sie nicht registriert ist. Die Bilder der Security-Cam sind nahezu unbrauchbar. Man sieht nur, wie ein Mann das Gebäude verlässt, identifizieren lässt er sich damit nicht.«

»Wie kommt es, dass ein unbekannter, hoch talentierter Scharfschütze auf einen Terrorangriff vorbereitet ist, über den kein Geheimdienst im Vorfeld informiert zu sein schien?«

»Die örtlichen Ermittlungsbehörden vertreten die Theorie, dass der Schütze als Bodyguard für einen der Gäste arbeitete.«

»Der Aufwand kommt mir für einen gewöhnlichen Nachtclub-Besuch etwas übertrieben vor.«

»Da gebe ich Ihnen recht, Sir. Zumal uns eine Liste aller Mitglieder vorliegt, die an diesem Abend vor Ort waren. Keiner von ihnen greift in der Regel zu solch aufwendigen Vorsichtsmaßnahmen.«

Safar setzte die Wiedergabe fort. Man sah einen weiteren Terroristen, der seitlich am Körper getroffen wurde und herumwirbelte.

»Das war jetzt aber kein hochkalibriges Geschoss«, stellte Nassar fest.

»Nein, Sir. Es gab noch einen weiteren Schützen. Einen der Fahrer auf dem Parkplatz.«

Nassar verfolgte die Entwicklung des Schusswechsels. Nachdem alle Terroristen im Freien ausgeschaltet waren, löste sich ein Mann aus der Deckung und rannte zum Eingang des Clubs. Safar hielt das Video an. »Wir gehen davon aus, dass es sich bei ihm um den zweiten Schützen handelt.«

»Der Security-Mitarbeiter eines Besuchers?«

»Da sind wir uns nicht sicher.«

Es folgten Aufnahmen aus dem Innenbereich, die das Chaos in einer kurzen Schnittfolge aus unterschiedlichen Blickwinkeln einfingen. »Sechs Terroristen betraten den Club. Einer ist zum Zeitpunkt, als diese Aufnahmen entstanden, bereits tot. Wer ihn erwischt hat, ist unklar. Achten Sie auf die linke Seite.«

Ein Mann rannte unglaublich schnell durch den Raum, eine Hand über dem Kopf, in der anderen eine Pistole.

Er zielte etwas linkisch, traf aber überraschenderweise einen Angreifer, der gerade eine Sitznische mit jungen Leuten unter Beschuss nahm.

»Wissen wir, wer er ist?«

»Ja, Sir. Er heißt Grischa Asarow. Ein renommierter Energieberater aus Russland. Vielleicht haben Sie von ihm gehört.«

»Der Name kommt mir vage bekannt vor. Seine Firma ist für Aramco tätig, richtig?«

»Korrekt.«

Der andere Unbekannte vom Parkplatz wurde von der Kamera erfasst. Er kroch zu einem der verwundeten Terroristen, positionierte seelenruhig eine Pistole am Hinterkopf und drückte ab.

Der Blickwinkel veränderte sich und Prinz bin Musaid war zu sehen. Er rang mit einer Frau, deren Handtasche zu brennen schien.

»Wer ist sie?«

»Das wissen wir nicht. Höchstwahrscheinlich eine der Huren, die dieses Etablissement frequentieren.«

Einen Moment später tauchte der Schütze vom Parkplatz bei ihr auf und schleifte den Prinzen zum Ausgang.

»Hier.« Safar schaltete auf Zeitlupe um. »Das ist der Augenblick, in dem bin Musaid getroffen wird.«

Der Kontakt ließ sich deutlich erkennen, obwohl sich schwer beurteilen ließ, wo genau die Kugel eingedrungen war. Der Schütze von draußen warf sich bin Musaid über die Schulter und rannte los, wurde kurz von der Außenkamera erfasst und verschwand dann in den Tiefen des Parkplatzes.

»Die Verletzung des Prinzen war also tödlich?«

»Das wissen wir nicht mit Gewissheit, Sir. Er wurde

in einem Auto abtransportiert. Später fand man seine durchlöcherte Leiche mitten auf der Straße.«

»Handelt es sich bei dem Mann, der ihn mitnahm, um seinen Leibwächter?«

»Nein, Sir. Bin Musaids Bodyguards wurden beide auf dem Parkplatz erschossen.«

Safars Nervosität wuchs in gleichem Maße wie Nassars Erregtheit. Mullah Halabi hatte angekündigt, sich um bin Musaid zu kümmern, aber mit keiner Silbe erwähnt, dass er es im Rahmen eines Terrorangriffs zu erledigen gedachte, bei dem einige der reichsten Männer auf dem Planeten umkamen. Zu allem Überfluss hatten seine Lakaien den Prinzen nicht sofort ausgeschaltet. Nicht auszudenken, wenn er gegenüber seinem Retter im Anschluss noch geplaudert hatte!

»Wenn er nicht in bin Musaids Diensten stand, wer ist er dann? Selbst die wenigen Aufnahmen zeigen, dass er hervorragend ausgebildet ist und über beträchtliche Kampferfahrung verfügt. Ein Mann wie er dürfte in Geheimdienstkreisen kein Unbekannter sein.«

Safar verkleinerte das Wiedergabefenster und holte ein weiteres Video auf den Schirm. Statt einen Überblick über den Verlauf des Attentats zu liefern, konzentrierte es sich auf diesen einen Schützen und bestätigte Nassar in seiner Einschätzung. Selbst in der Zeit bei den Special Forces hatte er nie einen Kämpfer erlebt, der es an Geschwindigkeit, Genauigkeit und Instinkt mit ihm aufnehmen konnte. Er zögerte nicht, schien sämtliche Ablenkungen auszublenden und verfehlte nicht ein einziges Mal das Ziel. Dummerweise verfügte er auch über die Gabe zu verhindern, dass sein Gesicht von den überall verteilten Kameras im Club deutlich eingefangen wurde.

Sein Sicherheitschef rief einen Clip auf, der mit den Geschehnissen überhaupt nichts zu tun hatte. Eine amerikanische Militäraktion in irgendeiner Siedlung im Nahen Osten. Die verwackelten Aufnahmen, vermutlich mit einer Helmkamera eingefangen, hielten einen Hinterhalt und die anschließende verzweifelte Schlacht fest. Alle Soldaten schlugen sich wacker, aber einer übertraf sie alle. Trotz der miserablen Qualität ließ sich erkennen, dass Größe und Statur dem Mann aus Monaco ähnelten. Das galt auch für Bart und Frisur. Vor allem bewegte er sich mit demselben eiskalten Kalkül und fast schon anmutiger Effizienz.

»Was Sie hier sehen«, kommentierte Safar, »ist ein seltener, streng unter Verschluss gehaltener Mitschnitt von Mitch Rapp im Einsatz.«

Nassar spürte, wie ihm die Gesichtszüge entglitten. »Wie lange war bin Musaid bei ihm im Auto? Sagen Sie schon!«

Safar rief Google Maps auf und führte eine Berechnung auf Basis des Fundorts der Leiche durch. »Höchstens vier, fünf Minuten.«

Nassar presste die Handflächen gegen die Schläfe und spürte das heftige Pochen. Falls bin Musaid bei Bewusstsein gewesen war, hatte Rapp seinen verwirrten Angstzustand ausgenutzt und wahrscheinlich behauptet, er sei zu seinem Schutz geschickt worden. Das lieferte ihm auch gleich einen Vorwand, um sich nach den Drahtziehern der Attacke zu erkundigen. Wie viel Wissen mochte der Prinz innerhalb dieser fünf Minuten preisgegeben haben?

»Wir brauchen mehr als Spekulationen.« Nassar bemühte sich, das Zittern aus der Stimme zu verbannen. »Ich werde in einer Stunde im Büro sein, dann will ich

Fakten, Namen und Vorschläge zum weiteren Vorgehen. Außerdem müssen wir uns überlegen, wie wir es dem König am besten beibringen. Natürlich dürfen wir Rapps mögliche Beteiligung nicht erwähnen. Die anderen Geheimdienste werden ihn früher oder später identifizieren, aber bis dahin sollten wir keine schlafenden Hunde wecken.«

Safar packte bereits die Ausrüstung zusammen. »Ich kümmere mich umgehend darum. Sonst noch etwas?«

»Finden Sie Asarow und nutzen Sie unsere Kontakte bei der CIA, um herauszufinden, wo Rapp sich aktuell aufhält.«

Safar verschwand durch die Tür. Nassar blieb auf dem Stuhl sitzen und wippte unruhig. Berichten zufolge hatte Rapp bei der Agency seinen Hut genommen. Operierte er möglicherweise unter der Hand? War er dem Prinzen auf eigene Faust gefolgt und deshalb zufällig beim Angriff von Halabis Männern vor Ort gewesen? Oder steckte etwas weitaus Gefährlicheres dahinter? Handelte es sich bei dem angeblichen Rücktritt nur um eine Verschleierungstaktik der CIA, die seine Aktivitäten weiterhin unterstützte?

Das Telefon klingelte und er erkannte die Nummer sofort. Es dauerte einige Sekunden, bis er sich entschloss, zum Hörer zu greifen.

»Ja.«

Mullah Halabis Stimme klang für ihn untypisch optimistisch. »Man hat Sie über die jüngsten Ereignisse in Monaco informiert.«

Der Umstand, dass der andere so kurzfristig davon erfahren hatte, trug nicht gerade zu Nassars Beruhigung bei. Ließ er das Haus beobachten und abhören? Oder gehörte einer seiner persönlichen Leibwächter – vielleicht sogar sein geschätzter Assistent – zu den Spionen des Mullahs?

»Das stimmt.« Mehr brachte er nicht heraus.

»Ein Geniestreich, finden Sie nicht auch, Aali? Nicht nur Ihr Prinz, sondern auch all diese Ungläubigen weilen nicht länger unter uns.«

»Bin Musaid wurde nicht getötet.«

»Da sind Sie schlecht informiert, Direktor. Als meine Männer ihn auf der Straße zurückließen, war er kaum mehr als ein lebloser Brocken Fleisch.«

»Das schon, aber er wurde nicht *sofort* getötet«, versetzte Nassar aufgebracht. »Der Mann, der ihn aus dem Club geschleppt hat …«

»Ja?«

»Wir gehen davon aus, dass es Mitch Rapp war.«

»Tatsächlich?« Der Mullah klang gleich noch eine Spur vergnügter. »Wunderbar! Spüren Sie ihn, Aali? Spüren Sie den heißen Atem Satans im Nacken? Ich schon, und zwar in jeder einzelnen Sekunde. Der Tag, an dem Sie diesen beißenden Hauch nicht mehr wahrnehmen, wird der Tag sein, an dem Gott sich von Ihnen abwendet.«

32

Westlich von Carbonia, Sardinien

»Was ist mit dem BMW passiert?«, wollte Claudia beim Betreten der Kombüse wissen.

»Liegt auf dem Meeresgrund«, antwortete Rapp und schob ihr einen Becher Kaffee hin.

»Das war *mein* Job.«

»Du hast tief und fest geschlafen. Ich hab auch deinen Piloten verständigt. Er sorgt dafür, dass der Jet in Malta auf uns wartet.«

Sie schlang die Robe um den Hals zusammen und deutete auf die Kartoffel, die er gerade in Scheiben schnitt. »Und du übernimmst das Frühstück? So langsam krieg ich das Gefühl, ich bin mein Geld nicht wert.«

»Ich zahl dir eh nichts.«

»In dem Fall nehm ich ein Omelett.«

Er lief zum Kühlschrank und suchte nach ein paar Eiern. Sie hatte die halbe Nacht damit verbracht, alles zusammenzutragen, was sich über Aali Nassar auftreiben ließ. Bisher hatten sie noch nicht über die Ergebnisse gesprochen. Rapp überlegte kurz, ob er ihr vom Deal mit den Saudis nach 9/11 erzählen sollte, verwarf die Idee aber sofort wieder. Das gehörte zu den hässlichsten Leichen in Amerikas Kellern. Er fand, dass sie es nicht unbedingt wissen musste.

»Vielleicht solltest du das mir überlassen«, meinte sie, als er die Zutaten auf der Arbeitsfläche ausbreitete.

»Vertrau mir.«

»Leider bin ich die geborene Skeptikerin.«

»Hast du was Spannendes über Nassar rausgefunden?«

Sie trank einen Schluck Kaffee, während er in den Schränken nach einer Pfanne wühlte. »Allerdings. Ich hab kurz überlegt, ob ich nicht besser alle Unterlagen ins Meer schmeiße.«

»Warum?«

»Weil es bei dieser Mission eigentlich um etwas ganz anderes ging, Mitch. Du solltest bin Musaid dazu bewegen, mit dem Finger auf die hochrangigen Saudis zu zeigen, die mit dem IS unter einer Decke stecken, und ...«

»Das hat er doch getan.«

»Ja, aber jetzt geht's nicht länger um niedere Adlige oder reiche Geschäftsleute, sondern um den Chef des saudischen Geheimdiensts. Das verändert die Ausgangslage fundamental.«

»Ach was, das Gleichgewicht hat sich bloß ein bisschen verschoben.«

»Mitch, wir ...«

»Willst du aussteigen?« Er würde ihr nicht mal einen Vorwurf daraus machen. Sie hatte sich in der Vergangenheit zwar mit einigen hochrangigen Zielpersonen beschäftigt, aber keine kämpfte annähernd in derselben Liga wie Nassar.

Sie starrte ihn einige Herzschläge lang an, bevor sie weitersprach, ohne auf seine Frage einzugehen. Ob es daran lag, dass sie erst darüber nachdenken musste, oder den Vorschlag als Beleidigung empfand, konnte er nicht einschätzen. Er hakte lieber erst mal nicht nach.

»Ich hab mich nicht näher mit Nassars Lebensgeschichte befasst, weil ich davon ausging, dass du mit ihr vertraut bist. Sein Aufwachsen in bescheidenen Verhältnissen, der Besuch der Koranschule, das Studium in Oxford. Dann die Zeit bei den saudischen Spezialeinheiten ...«

»Ja. Die Agency hat ihn seit seiner Zeit als junger Offizier unter Beobachtung. Es lag nahe, dass er Karriere machen wird, obwohl niemand von uns erwartet hätte, dass er ein Mitglied des Königshauses als Leiter des General Intelligence Directorate ablöst. Ich nehme an, du hast dich genauer mit seinen Partnern und Verbündeten beschäftigt?«

Sie nickte.

»Und?«

»Die Liste dürfte ziemlich vollständig sein. Der wichtigste Name darauf ist Mahja Zaman.«

»Wer ist das?«

»Ein Freund aus Kindertagen und sein Zimmernachbar an der Universität. Sie halten nach wie vor engen Kontakt. Zaman ist nicht nur unverschämt reich, sondern auch extrem gläubig. Außerdem gilt er als sehr intelligent.«

»Also das genaue Gegenstück von bin Musaid«, urteilte Rapp und schlug ein paar Eier in die Pfanne, die er endlich entdeckt hatte.

»Absolut. Den Prinzen hat er lediglich geduldet, um an sein Geld ranzukommen. Seine Beziehung zu Zaman dürfte eine völlig andere gewesen sein. Er wird ihn als ebenbürtigen Partner behandelt haben.«

»Also weiß Zaman vermutlich 'ne Menge über Nassars Netzwerke und Methoden.«

»Wenn es überhaupt jemanden gibt, dann ihn.«

»Hast du noch andere Kandidaten?«

»Ein paar. Einen find ich besonders interessant. Ahmed El-Hashem, die Nummer zwei in der saudischen Botschaft in Paris. Er ist reich, einflussreich und scheint ungewöhnlich häufig mit Nassar zu tun zu haben. Außerdem kennt er den bin-Laden-Klan und soll in seiner Jugend mit Osama befreundet gewesen sein. Genau so jemanden würde ich an Nassars Stelle rekrutieren.«

Rapp schaltete die Platte am Herd runter. »Um gegen einen Mann wie Nassar vorzugehen, brauche ich mehr als bin Musaids Geständnis auf dem Sterbebett. Wir müssen davon ausgehen, dass CIA und MI6 mich anhand des Videomaterials aus Monte Carlo identifiziert haben. In diesem Fall dürfte es nicht lange dauern, bis die Information zu Nassar durchsickert. Sobald das passiert, müssen wir auf alles gefasst sein.

Wenn er tatsächlich dahintersteckt, wird er jeden aus dem Weg räumen, der mit dem Finger auf ihn zeigen kann.«

»Vergiss nicht, dass wir auch dazugehören, Mitch. Er hat uns auf dem Radar.«

Rapp gab etwas geriebenen Käse in die Pfanne und rüttelte am Griff, um das gestockte Ei von der Beschichtung zu lösen. »Kennen wir den aktuellen Aufenthaltsort von Zaman und El-Hashem?«

»Zaman ist in Brüssel und hat sich eine Hotelsuite im Dachgeschoss angemietet. Er hat nicht angegeben, wie lange er bleibt, also kann ich dir weder sagen, wann er abreisen wird, noch wo er anschließend hinwill. El-Hashem ist in seinem Haus in Paris und geht jeden Morgen zur Arbeit in die Botschaft. Er beschäftigt zwei Sicherheitsleute, die auf seinem Grundstück wohnen und auch als Fahrer eingesetzt werden. Das Anwesen ist von einer hohen Mauer umgeben, es gibt Kameras und ein Alarmsystem. Üblicher Standard, nichts Besonderes.«

»Und Nassar?«

»Unterwegs nach London.«

»Was will er da?«

»Keine Ahnung.«

Rapp ließ das fertige Omelett auf einen Teller gleiten und stellte es ihr hin. Sie beäugte es für ein paar

Sekunden misstrauisch, dann schob sie sich einen Bissen in den Mund.

»Nicht schlecht«, kommentierte sie. Es klang nicht sonderlich euphorisch. In Anbetracht der Umstände konnte er es ihr nicht verübeln.

»Ich bin eben ein Mann mit vielen Talenten.«

»Sieht ganz so aus. Erzähl mir lieber von deinen Plänen, die nicht das Frühstück betreffen.«

»Setz dich dringend mit Grischa in Verbindung und warn ihn vor, dass Nassar in London ist. Danach kümmern wir uns um Zaman. Ich will unbedingt mit ihm reden, bevor Nassar ihn loswird oder zurück nach Saudi-Arabien holt.«

»Und El-Hashem?«

Am liebsten hätte Rapp ihn parallel unter die Lupe genommen, aber ohne den Zugriff auf die personellen Ressourcen der Agency schied diese Option aus.

»Der muss erst mal warten. Könntest du ihn zumindest überwachen lassen? Vielleicht sein privates Telefon abhören oder die E-Mails abfangen?«

Es gefiel ihm nicht, auf ihre Kontakte zurückgreifen zu müssen, doch er sah keine andere Möglichkeit. Seine Leute waren zwar zuverlässiger, aber zu eng vernetzt mit Geheimdiensten überall auf der Welt. Viele verdankten ihm ihr Leben und hätten sich dafür ohne Zögern revanchiert, aber diese Gefallen wollte er jetzt noch nicht einfordern.

»Ich kenn jemanden in Paris, der richtig gut ist«, nuschelte Claudia mit vollem Mund. »Was ist mit den anderen Leuten auf meiner Liste?«

»Tu, was du kannst, aber sorg dafür, dass es unauffällig abläuft. Wir dürfen niemanden aufscheuchen. Noch nicht.«

Das unterdrückte Klingeln eines Telefons unterbrach ihn. Er wartete, bis sie es aus der Robe befreit hatte. Nach einem kurzen Blick auf den Bildschirm meldete sie sich.

»Bonjour, chérie! Comment ça va?«

Das musste Anna sein. Claudia bestand darauf, mit ihr nur auf Französisch zu reden, damit sie die Sprache fließend beherrschte.

»Wieso kannst du nicht schlafen? Nein ... das kann ich mir gar nicht vorstellen. Irene hat Leute, die auf so was aufpassen. Ich bin sicher, die suchen routinemäßig jeden Nachmittag in deinem Kleiderschrank nach Monstern ... Sicher, aber ... hast du Tommy schon davon erzählt, mein Schatz? ... Oh, sagt er das? Ich verstehe. Aber ... Ja, er ist hier, nur ... Süße, er ... Gut. Von mir aus.«

Claudia hielt ihm den Hörer hin. »Sie will mit dir reden. Sie meint, du kennst dich mit so gefährlichen Sachen am besten aus.«

33

LONDON, ENGLAND

»Jetzt wirft man mir vor, dass ich auf einen Unschuldigen geschossen habe.« Grischa Asarow verbarg das Gesicht zwischen den Händen.

Der Psychologe, der ihm gegenübersaß, brachte in seinem Blick exakt das richtige Maß an Mitgefühl zum Ausdruck. In Anbetracht seines Stundensatzes durfte man das auch erwarten.

»Aber, Grischa, der Mann wird überleben; und der Terrorist, der ihn festgehalten hat, wurde durch dieselbe Kugel schwer verwundet. Die Behörden haben mir Zugriff auf die Akten zu den Ermittlungen in Monte Carlo gewährt. Sie haben sich heldenhaft verhalten und einen kühlen Kopf bewahrt. Konzentrieren Sie sich auf den Umstand, dass Sie vielen Menschen das Leben gerettet haben.«

Asarow blickte nicht auf, denn er kannte die schlichte Einrichtung der Praxis in- und auswendig. Wie sollte er sich bei diesen todlangweiligen Therapiesitzungen sonst die Zeit vertreiben?

»Grischa?«

Er legte sich eine überzeugende Reaktion zurecht. Diese Termine waren wichtig, damit seine Tarnung in Monaco nicht in sich zusammenfiel. Immerhin musste er damit rechnen, dass die Protokolle des Psychiaters fremden Geheimdiensten in die Hände fielen. Er hatte im Club sein Möglichstes gegeben, um wie ein Amateur zu wirken. Ungeschickte Sprints, Schüsse aus ungünstigen Winkeln, panische Mimik …

Er wusste nicht, ob es überzeugend genug rübergekommen war, deshalb hatte er sich bei diesem Doc angemeldet, um über nicht existente Schuldgefühle und Panikattacken zu reden. Eigentlich total lächerlich. Solche Emotionen an den Tag zu legen, war ihm dermaßen fremd, dass er sich stundenlang Aufzeichnungen von Patienten mit posttraumatischen Belastungsstörungen angeschaut und vor dem Spiegel trainiert hatte. Cara hätte seine Show sicher gefallen. Sie hielt ihn ständig dazu an, öfter Gefühle zu zeigen. Sie schien nicht zu ahnen, dass solche Gefühle nur in ihrer Fantasie existierten.

»Mich macht nicht bloß die Geiselnahme fertig«, brachte er schließlich heraus. Am liebsten hätte er noch ein paar Tränen fließen lassen, aber das bekam er nur mit Zwiebeln hin. »Sondern vor allem die Terroristen.«

»Bitte erklären Sie mir das.«

»Ich weiß, dass sie böse sind. Ich hatte beruflich oft im Nahen Osten zu tun. Aber es sind eben auch Menschen. Ich kann nicht verstehen, dass jemand so etwas tut. Hat man ihnen das schon in der Kindheit beigebracht? Ich begreife ja nicht mal, was sie da überhaupt wollten. Und ich habe einen von ihnen getötet.«

»Das Leben eines anderen Menschen zu beenden, gehört zu den traumatischsten Erfahrungen für jeden mit intaktem Gewissen. Aber Sie müssen sich vor Augen führen, dass diese Männer gar nicht die Absicht hegten …«

Asarow blendete das Geschwafel aus und sah ungeduldig auf die Uhr. Noch zehn Minuten bis zum Ende der heutigen Sitzung. Er wollte London bald verlassen und redete sich ein, dass ihm ein Tapetenwechsel und etwas Zeit außerhalb des Rampenlichts guttäten. Die Ermittlungsbehörden hatten sich darauf eingelassen, seine Anwesenheit am Tatort vertraulich zu behandeln. Trotzdem musste er befürchten, dass irgendwelche Handy-Aufzeichnungen an die Öffentlichkeit gelangten.«

Kent und Donatella waren bereits über mehrere Zwischenstationen unterwegs nach Afrika. Mitch und Claudia wollten demnächst folgen.

Die Frage war: Schloss er sich ihnen an? Er war nach wie vor nicht sicher, ob sich das Risiko lohnte, weiterhin die Finger im Spiel zu behalten. Natürlich würde Mitch

Rapps Dankbarkeit sich eines Tages für ihn auszahlen. Wobei noch mehr dahintersteckte. Die Aufregung würde ihm fehlen. Nein, ›Aufregung‹ war das falsche Wort. Es ging um die Herausforderung. Den Kick, etwas zu wagen, das sich überhaupt nur drei oder vier Männer auf der Erde trauten.

Vielleicht wurde es trotzdem Zeit, nach Hause zurück-zukehren? Rapp wäre davon sicher nicht begeistert, aber er respektierte die persönlichen Bedürfnisse seiner Teammitglieder. Nach einem abschließenden Hände-druck würden sie sich in aller Freundschaft trennen.

Er wog Für und Wider gegeneinander ab, wäh-rend der Therapeut in einer Tour weiterschwafelte. Er beschloss, doch zu Rapp und dessen Leuten zu stoßen. Im Anschluss an die Mission konnte er immer noch in sein altes Leben mit Cara zurückkehren. Surfen und das Haus renovieren, normale Menschen treffen und all die Orte bereisen, an denen er schon gewesen war, ohne sie je als Tourist zu genießen. Er erwog, einen beträchtlichen Teil seines hart erarbeiteten Vermögens an Bedürftige zu spenden, um mit der Vergangenheit endgültig abzu-schließen.

»Unsere Zeit ist gleich zu Ende«, verkündete der Psychologe. Seine Worte rissen Asarow zurück in die Gegenwart. Er stand auf und gab dem anderen die Hand. »Vielen Dank, Herr Doktor. Ich empfinde diese Sitzun-gen als äußerst hilfreich.«

»Dann morgen zur gleichen Zeit?«

»Ich freue mich darauf.«

Er verließ das Ärztehaus. Ein leichter Schauer emp-fing ihn auf Londons Straßen. In der engen Seitenstraße parkten überall Autos, sonst war nichts los. Er lief über den leeren Gehsteig. Als er an einer schwarzen Limousine vorbeikam, fuhr das hintere Fenster nach unten.

»Mr. Asarow? Hätten Sie einen Moment Zeit für mich?«

»Wer sind Sie?«, reagierte er mit einem Grad an Verwirrung, den er für angemessen hielt.

»Ich heiße Aali Nassar und bin der Chef des saudischen Geheimdienstes.«

Claudia hatte ihn bereits per E-Mail verständigt. Prinz bin Mussaid war tot, hatte aber vorher Nassar als Verantwortlichen für die Zahlungen an den IS benannt. Sie äußerte die Befürchtung, dass der Araber sich mit ihm in Verbindung setzen werde, solange er noch in London war. Wie sich zeigte, war diese Befürchtung begründet.

Asarow tat, als dämmerte ihm erst jetzt, worum es ging. »Natürlich. Ich arbeite eng mit Ihrem Kollegen zusammen, dem saudischen Energieminister.«

»Das ist mir bewusst.« Asarow öffnete die Tür. »Was halten Sie davon, wenn ich Sie für einen Moment von dem lästigen Regen erlöse?«

Asarow zuckte die Achseln und glitt ins luxuriöse Innere der Limousine.

»Zunächst mal«, begann Nassar, »wie geht es Ihnen? Allah sei gepriesen, dass Sie diese Tortur in Monaco überlebt haben. Es muss trotzdem ein enorm belastendes Erlebnis für Sie gewesen sein.«

Der Tonfall suggerierte, dass ihn die Version von einem Zufallssieg Asarows über eine Gruppe schwer bewaffneter Terroristen nicht vollkommen überzeugte.

»Danke für Ihr Mitgefühl, aber mir geht es gut.«

»Schön ... das ist gut.« Nassar machte eine kurze

Pause. »Ihre Leistung hat mich ziemlich beeindruckt. Ich vermute, die Russen werden enttäuscht sein, dass Sie eine Karriere im Consulting-Bereich eingeschlagen haben, nicht beim Militär.«

Ein skeptischer Kommentar, der sich nicht ignorieren ließ.

»Nun, ich habe beruflich häufig in Ländern mit instabilen Verhältnissen zu tun. Deshalb hat mein Unternehmen eine Menge Geld in die Hand genommen, um mich in Selbstverteidigung fit zu machen. Und ich war in meiner Jugend Leistungssportler. Ein Herzfehler hielt mich leider davon ab, eine Profilaufbahn einzuschlagen, aber ich trainiere in meiner Freizeit nach wie vor intensiv. Das kam mir in dieser Situation zugute.«

»Und die Waffe, mit der Sie geschossen haben? Meine Analysten sind davon fasziniert.«

»Sie wurde von einem Büchsenmacher angefertigt, den mir einer meiner Ausbilder empfohlen hat.«

»Tragen Sie sie bei sich? Ich würde sie zu gern mal sehen.«

Asarow schüttelte den Kopf. »Ich besitze eine Sondergenehmigung für Monaco. Eine solche Freigabe in England zu bekommen, ist nahezu unmöglich. Ich kann Ihnen höchstens den Namen der Frau nennen, aus deren Werkstatt sie stammt, wenn Sie möchten. Ihre Arbeiten sind einmalig.«

Nassar verfiel in Schweigen. Asarow konterte das intensive Starren des anderen mit einer deutlich entspannteren Mimik. Der Geheimdienstchef wollte die Stille ausdehnen, bis Asarow von sich aus weiterredete, doch diesen Gefallen tat er ihm nicht. Je weniger er sagte, desto besser.

Schließlich zückte Nassar ein Tablet und schwenkte es. Darauf war ein Foto von Donatella zu sehen, die an der Bar stand und sich mit Prinz bin Musaid unterhielt.

»Erkennen Sie einen dieser Leute?«

»Ich erinnere mich an die Frau. Es wäre schwer, jemanden wie sie zu vergessen. Hat sie überlebt?«

»Ja.«

»Und der Mann?«

»Prinz Talal bin Musaid. Er ist bedauerlicherweise verstorben.«

»Der Name sagt mir nichts. Richten Sie den Hinterbliebenen bitte mein Beileid aus.«

Nassar switchte auf ein anderes Foto. Asarow ließ sich einen Hauch von Angst anmerken. Es zeigte Rapp, wie er bin Musaid zur Tür schleifte. Die Aufnahme war durch die hektischen Bewegungen ziemlich verschwommen. Außerdem gab sich Rapp alle Mühe, das Gesicht von der Kamera abzuwenden.

»Mir fällt es schwer, nachts ruhig zu schlafen«, gestand der Russe. »Und wenn ich hochschrecke, liegt es an diesem Mann, nicht an den Terroristen. Er hat auf mich gezielt und abgedrückt. Ich dachte schon, ich sei tot, aber er verfehlte mich knapp.« Asarow sah kurz zur Seite, als ob es ihm schwerfiel, seiner Kehle Laute zu entlocken. »Wissen Sie ... Wissen Sie, wo er sich momentan aufhält?«

»Wir haben da so unsere Vermutungen. Wenn ich Ihnen ein besseres Bild besorge, meinen Sie, Sie könnten ihn anhand dessen identifizieren?«

»Ja, da bin ich mir sicher.«

Nassar tippte gegen die Scheibe. »Es scheint nicht länger zu regnen. Vielen Dank für Ihre Zeit, Mr. Asarow. Und für Ihren heldenhaften Einsatz.«

Nassar beobachtete, wie der Russe mit sportlichen Schritten über den Gehsteig von dannen zog. Nach wie vor zweifelte er an dem, was dieser Mann in Monaco geleistet haben sollte, doch in seiner Geschichte tauchten keine Widersprüche auf. Er war tatsächlich der nur noch sporadisch operativ tätige CEO einer weithin respektierten Energieberatungsfirma und ein persönlicher Freund von Saudi-Arabiens Ölminister. Er verbrachte viel Zeit auf dem Schießstand einer privaten Ausbildungseinrichtung, auch für seine athletische Laufbahn in der Jugend existierten Belege. Mit einer gehörigen Portion Glück konnte es tatsächlich so abgelaufen sein, so unwahrscheinlich es auch klingen mochte.

Er blickte auf das Tablet, wo das Foto von Mitch Rapp gerade vom Sperrbildschirm abgelöst wurde. Sie besaßen jetzt unwiderlegbare Beweise, dass bin Musaid beim Verlassen der Bar noch gelebt hatte. Nassar ging davon aus, dass Rapp über seine Beteiligung Bescheid wusste. Was tat der CIA-Agent als Nächstes? Operierte er tatsächlich komplett auf eigene Faust oder wurde er heimlich von der Agency unterstützt? Traute er sich allen Ernstes, den Direktor des saudi-arabischen Geheimdienstes auszuschalten?

Er hielt es für möglich, aber unwahrscheinlich, dass selbst jemand wie Rapp ein solches Risiko einging. Vorher dürfte er zunächst nach klaren Beweisen forschen. Nach dem Tod bin Musaids bedeutete das zwangsläufig, sich Nassars engste Vertraute vorzuknöpfen.

Er tastete nach dem Knopf zwischen den Sitzen, um die Trennscheibe zum Fahrer hinunterzufahren. »Sind unsere Leute in Brüssel auf Position?«

»Sie treffen noch letzte Vorbereitungen, Sir. Man hat mir versichert, dass bei Ihrer Ankunft alles bereit sein wird.«

34

Der Regen in Brüssel war deutlich heftiger als in London. Schwere Tropfen prasselten auf die Windschutzscheibe und drohten die Wischer des Citroën zu überfordern. Eine passende Kulisse für die tragischen, aber unvermeidlich bevorstehenden Ereignisse.

Nach der erfolgreichen Geldübergabe an den IS hatte sich Mahja Zaman in einem Hotel einige Kilometer weiter nördlich einquartiert. Nassars Spezialisten schlugen vor, ihn nach Saudi-Arabien zurückzubringen und dort zu isolieren. Das kündete von einer naiven Arroganz, die Nassar sich nicht zu eigen machen wollte. Zielpersonen von Mitch Rapp hatten trotz vermeintlich wasserdichter Abschirmung zu häufig das Zeitliche gesegnet oder waren kurzerhand von der Bildfläche verschwunden. Deshalb führte kein Weg daran vorbei, Zaman dauerhaft dem Zugriff von Rapp zu entziehen.

Sein Fahrer wählte mit einer Hand und sprach leise in den Hörer. »Ankunft in einer Minute.«

Er trennte die Verbindung und schaute zu Nassar auf den Beifahrersitz. »Bei allem Respekt, Sir, wollen Sie sich wirklich persönlich an dieser Aktion beteiligen? Meine Leute können das zügig und unauffällig erledigen, ohne dass Sie sich akut in Gefahr begeben.«

»Zur Kenntnis genommen.«

Sie hielten in einer Seitengasse, die hinter dem Hotel verlief. Nassar stieg aus. Sofort öffnete sich der Personaleingang. Er betrat einen zweckmäßig eingerichteten Flur.

Zu seiner Rechten schloss einer seiner Männer gerade die Tür, hinter der ein Wachmann die überall im Hotel verteilten Überwachungskameras im Auge behielt. Die Aufzeichnungsfunktion war deaktiviert und der Mann nach einem Kopfschuss mit dem Gesicht voran auf dem Tisch zusammengesackt.

Sie betraten einen Lastenaufzug. Nassar bemühte sich auf der Fahrt nach oben, die ruhige Fassade aufrechtzuerhalten. Er beging den offenkundigen Fehler, seine persönlichen Empfindungen die Oberhand gewinnen zu lassen. Seine Mitarbeiter hätten das diskret erledigen sollen, während er sich bereits auf dem Rückflug nach Saudi-Arabien befand.

Zaman hätte nichts gespürt und wäre auf seine Reise ins Paradies geschickt worden, um bei der Ankunft zu begreifen, dass sich sein Tod im Kampf gegen die Feinde Gottes nicht verhindern ließ.

Die Türen des Lifts glitten zur Seite. Nassars Begleiter sicherten den Korridor und winkten ihn heran. Zum Glück war es nicht weit bis zu Zamans Suite, und genau wie in der Gasse schwang die Tür bereits kurz vor Nassars Eintreffen auf.

»Aali!« Zaman umarmte ihn. »Es freut mich, dich so kurz nach unserer letzten Begegnung wiederzusehen.«

»Mich auch, alter Freund. Wie ich hörte, ist alles glatt gelaufen?«

»Eine simple Angelegenheit«, bestätigte der andere und bat Nassar und dessen Leibwächter herein.

»Ich fürchte, Mahja, in solchen Fällen gibt es keine simplen Lösungen.«

Das Lächeln seines Gegenübers verblasste. »Wie meinst du das?«

»Es tut mir leid, dass ich dir diese schlechte Nachricht überbringen muss, aber wir haben Grund zur Annahme, dass die CIA von deiner Beteiligung Wind bekommen hat.«

»Die CIA? Wie denn? Ich hab mich exakt an deine Anweisungen gehalten!«

»Es hat nichts mit einem Versagen deinerseits zu tun. Nennen wir es mangelndes Kriegsglück.«

»Bist du gekommen, um mich zurück nach Saudi-Arabien zu bringen?«, fragte Zaman, der zunehmend beunruhigt wirkte. »Die Agency hat schon häufiger Verdächtige in Europa entführt. Wir müssen …«

»Ganz ruhig, Mahja. Uns verbindet eine lange und enge Freundschaft. Vor allem hast du mir und Gott stets gute Dienste erwiesen. Ich würde nie zulassen, dass du den Amerikanern in die Hände fällst.«

Nassar nickte dem Mann, der eine Position drei Meter links von Zaman eingenommen hatte, unauffällig zu. Als dieser eine Glock mit Schalldämpfer aus der Jacke zog, registrierte Zaman die Bewegung im Augenwinkel. Immerhin blieb ihm kaum Zeit, überrascht zu reagieren. Die Kugel drang Sekundenbruchteile später in seine Schläfe ein.

Nassar stand unbewegt daneben, während sein Untergebener Zamans Leiche in einen Stuhl verfrachtete und mit einer Rolle Packband dafür sorgte, dass sie nicht vom Sitz rutschte.

»Sir«, drängte er. »Ich halte es für besser, wenn Sie jetzt gehen. Sie sollten nicht dabei sein.«

Nassar nickte und verließ das Zimmer. Der Krieg gegen Mitch Rapp hatte begonnen. Der ehemalige CIA-Agent wurde nicht jünger und plagte sich mit so vielen

Verletzungen herum, dass sie jedes andere menschliche Wesen längst ins Grab gebracht hätten. Vor allem schien er isoliert zu sein – nicht bloß von Scott Coleman und dessen Team, sondern auch von der brillanten Strategin Irene Kennedy.

Reichte das? Ging Aali Nassar als derjenige in die Annalen ein, der den Amerikaner am Ende bezwungen hatte? Oder landete er lediglich als weiterer Eintrag auf der Liste seiner Opfer?

Claudia parkte in zweiter Reihe an der Zufahrt zur Gasse hinter dem Hotel und schaltete die Zündung ab. Regentropfen benetzten binnen Sekunden die komplette Windschutzscheibe. Sie ließ zusätzlich die Scheinwerfer eingeschaltet, damit zufällige Beobachter geblendet wurden und keinen Blick ins Innere des Wagens erhaschten.

»Meine Leute haben sich den Angestelltenbereich des Hotels mehrere Male vorgenommen. Im Flur, durch den du gleich laufen wirst, herrscht in der Regel kaum Betrieb. Selbst wenn du jemandem begegnest, sollte das kein Problem sein. Es gibt über 100 Angestellte und eine Menge Fluktuation, also fällst du nicht sonderlich auf. Keiner der vier Wachleute war vorher beim Militär oder bei der Polizei im Einsatz. Drei von ihnen patrouillieren durchs Gebäude, einer überwacht die Kameras in der Sicherheitszentrale. Das ist der Raum direkt auf der rechten Seite, wenn du reinkommst.«

Sie reichte Rapp eine Schlüsselkarte. »Damit lässt sich jede Tür im Hotel öffnen.«

»Bist du dir sicher?«

»Natürlich bin ich mir sicher. Ich mach so was nicht zum ersten Mal.«

Das wusste er natürlich. Bisher hatte sie sich keine Blöße gegeben. Das änderte ebenso wenig wie seine Gefühle für sie etwas daran, dass jeder Fehler einer zu viel war. Etliche seiner Freunde oder Feinde lagen wegen einer blockierten Waffe, eines defekten Funkgeräts oder falschen Abbiegens unter der Erde.

»Wie steht's mit Zamans Security?«

»Es gibt nur einen Fahrer, der auf der anderen Seite der Stadt gerade Geschenke für seine Familie besorgt. Ich habe einen Mann für seine Beschattung eingesetzt, wir wissen also genau, wo er gerade steckt. Sobald er zurückkommt, geb ich dir Bescheid. Lass uns mal die Telefonverbindung checken.«

Sie wählte und er nahm den Anruf über das Bluetooth-Headset im Ohr entgegen. Einer der Vorzüge der modernen Welt. Vorrichtungen zur taktischen Kommunikation fielen nicht länger auf, weil jeder solche Geräte mit sich rumschleppte.

»Kannst du mich hören?«, fragte sie.

»Klar und deutlich. Wie steht's mit der Netzabdeckung im Gebäude?«

»Vier Balken im Bereich, wo du reingehst, und im Großteil der Personalräume, fünf überall sonst.«

»Dann sind wir startklar.« Er wollte aussteigen, doch sie hielt ihn am Arm fest.

»Mitch, ich halt das für einen Fehler.«

Vermutlich hatte sie sogar recht, aber ihnen blieben nicht viele Alternativen. Nassar wusste genug, um gezielt das Gespräch mit Asarow zu suchen. Also dürften ihm seine Quellen auch mitgeteilt haben, dass bin Musaid noch lebte, als Rapp ihn bei Terry's rausschleppte. Der saudische Geheimdienstchef unterstellte natürlich den

Worst Case, dass der Prinz vor seinem Tod geredet hatte. Folglich würde er Zaman entweder loswerden oder in Saudi-Arabien in Sicherheit bringen. Ihr Zeitfenster war knapp bemessen.

»Mach dir um mich keine Sorgen. Behalt einfach Zamans Fahrer im Auge.«

Rapp hielt die Schlüsselkarte vor das Lesegerät. Auf Claudia war Verlass, die Entriegelung erfolgte quasi sofort. Er zog den regennassen Filzhut etwas tiefer in die Stirn und betrat das Hotel.

Der Flur an sich entsprach zwar der Beschreibung, doch auf den angeblichen Mangel an Betrieb traf das nicht zu. Statt eines übergewichtigen Mietcops, der sich im Kontrollraum den Hintern platt saß, traf er zwei Männer auf Knien an, die sich abmühten, das Schloss der verriegelten Sicherheitszentrale aufzubekommen. Sie unterhielten sich zwar auf Niederländisch, aber er bekam trotzdem mit, dass mit dem Mann hinter der Tür etwas nicht zu stimmen schien. Bei einer CIA-Operation hätte er jetzt den Abbruch befohlen, doch er musste nicht länger die Protokolle der Agency einhalten. Er war ein Vogelfreier. Ein verzweifelter Vogelfreier.

»Ich bin gleich im Treppenhaus«, meldete er. »Hier sind zwei Typen, die versuchen, sich Zugang zur Sicherheitszentrale zu verschaffen.«

»Wie bitte?«, kam Claudias Antwort. »Die Tür ist geschlossen und verriegelt? Nichts wie raus, Mitch. Solange du noch kannst.«

»Negativ. Ich mach weiter.«

Die Wahrscheinlichkeit, dass es sich um eine technische Fehlfunktion der Tür handelte, hielt er für minimal.

Grundsätzlich hielt er den Plan aber weiterhin für realisierbar. Es reichte, ein paar Minuten allein mit Zaman reden zu können. Er mochte zwar zu den fanatischen Unterstützern von Aali Nassar gehören, aber tief im Herzen war er vor allem ein reicher Drecksack, der vermutlich noch nie eine Nacht in Bettzeug ohne eingesticktes persönliches Monogramm verbracht hatte. Garantiert reichten ein paar gezielte Schläge, damit sein Mund Durchfall bekam und alles aus ihm rausschoss.

Rapp erreichte den Zugang zum Flur der oberen Etage und blieb kurz stehen, um einen Statusbericht abzuliefern. »Ich bin gleich raus aus dem Treppenhaus.«

Claudia bestätigte kurz, sonst sagte sie nichts. Er ahnte, dass sie Angst um ihn hatte, sich aber zusammenriss. Ein weiterer Eintrag auf ihrer Positivliste.

Ein einzelner Mann kam durch den Gang auf ihn zu. Ein Araber im dunklen Anzug mit sportlichem Körper. Die Hiobsbotschaften wollten einfach nicht enden.

Um direkten Augenkontakt zu vermeiden, griff Rapp an die Hutkrempe, um das Wasser abzustreifen und die Kopfbedeckung dabei unauffällig tief in die Stirn zu ziehen. Am Ende des Gangs gab es ein Fenster. Er nutzte es, um die Bewegungen des Gegners in der Spiegelung zu verfolgen. Der andere verschwand um die nächste Ecke, ohne erkennbares Interesse an ihm.

Die Präsidentensuite befand sich auf der linken Seite. Dank Claudias Schlüsselkarte verschaffte er sich problemlos Zugang. Als die Tür halb offen stand, erhaschte Rapp einen Blick auf Zamans reglosen, an einen Stuhl gefesselten Körper. Kurz überlegte er, den Mann zu verfolgen, dem er gerade begegnet war, doch der dürfte längst im Aufzug auf dem Weg nach unten sein. Mit einem Sprint durchs Treppenhaus ließ er sich womöglich einholen, aber was brachte das? Eine Schießerei in der Lobby ohne Verstärkung oder politische Rückendeckung konnte er sich nicht erlauben.

Rapp öffnete den Mund, um Claudia aufzufordern, dem Mann zu folgen, überlegte es sich jedoch anders. Falls Nassar hinter der Geschichte steckte, würde er jeden potenziellen Mitwisser ausschalten lassen. Claudia war nicht Scott. Er wollte nicht riskieren, dass sie verletzt wurde oder Schlimmeres.

»Bist du drin?«, ertönte Claudias Stimme in seinem Ohr.

Rapp betrat die Suite und zog leise die Tür hinter sich ins Schloss. »Zaman ist tot.«

»Dann kommst du gleich raus, ja? Bitte sag mir, dass du schon auf dem Weg zum Ausgang bist.«

»Bestätigt.«

»Lüg mich nicht an, Mitch. Ich bin die einzige Hilfe, auf die du im Moment zählen kannst. Ich muss wissen, wo du bist.«

»Gib mir zwei Minuten, dann bin ich weg.«

Ein gezielter Kopfschuss hatte Zaman erledigt. Doch das war nur die Spitze des Eisbergs. Ein weiterer Einschuss hatte die Kniescheibe zertrümmert. Drei amputierte Finger verteilten sich auf dem Teppich. War wirklich ein solcher Aufwand nötig gewesen, um Informationen aus einem wohlhabenden Projektentwickler mittleren Alters herauszukitzeln? Wohl kaum. Das bedeutete im Umkehrschluss ernsthaften Ärger für ihn.

»Setz dich mit dem Mann in Verbindung, den du auf die Überwachung von El-Hashem in Paris angesetzt hast«, forderte er Claudia auf. »Er soll auf sich aufpassen. Wenn Nassar bereit ist, seinen besten Freund ermorden zu lassen, dürfte er vor überhaupt nichts zurückschrecken.«

»Ich werd ihn sofort abziehen, Mitch. Er ist nur ein Dieb, kein geübter Schütze.«

»Das kannst du besser einschätzen als ich. Tu, was du für richtig hältst.«

Eine kurze Durchsuchung der Suite blieb ergebnislos. Er huschte bereits durch den Gang, als Claudia ihm mitteilte, dass seine zwei Minuten um waren. Auf halbem Weg zur Treppe bogen zwei Sicherheitsleute um die Ecke.

»Sir?«, sprach ihn einer davon auf Englisch an. »Dürften wir uns kurz mit Ihnen unterhalten?«

»*Pardon?*«, fragte Rapp in überzeugendem Französisch. Der Mann, dem er vorhin begegnet war, musste die Security auf ihn angesetzt haben. So ein cleverer kleiner Mistkerl!

Die Männer verstellten ihm den Weg. Der Rechte wiederholte die Frage auf Französisch.

»Gibt es ein Problem?«, erkundigte sich Rapp mit entspanntem Lächeln.

»Sind Sie Gast dieses Hotels?«

»Ja. Warum?«

»Dürften wir mal Ihren Schlüssel sehen?«

Rapp wühlte in seiner Tasche und hielt ihm die Keycard hin. Er hasste es, sich mit solchen Störungen rumärgern zu müssen. Töten ging leicht und schnell, jemanden kurzfristig aus dem Verkehr zu ziehen war deutlich komplizierter und zeitraubender.

»In welchem Zimmer sind Sie …«

Rapp packte ihn vorn am Hemd und verpasste dem Mann mit gebremstem Schaum einen Ellbogenstoß. Unter den fassungslosen Blicken seines Begleiters sackte er zu Boden. Statt anzugreifen, drehte sich der Zweite um und wollte flüchten. Rapp hängte sich an seine Fersen, setzte ihn mit einem vorsichtigen Hieb in den Nacken außer Gefecht und rannte durch den Korridor.

»Mitch? Alles in Ordnung bei dir?«, fragte Claudia beunruhigt.

»Ja. Aber ich muss durch die Lobby raus. Die Security ist hinter mir her. Da misch ich mich besser ein bisschen unters Volk.«

»Verstanden. Ich komm an den vorderen Eingang, um dich einzusammeln.«

Er entledigte sich von Mantel und Hut, weil er davon ausging, dass dem Sicherheitspersonal eine Personenbeschreibung vorlag, und flehte insgeheim, dass es Nassars Leuten gelungen war, die Überwachungskameras des Hotels vollständig auszuschalten.

Er betrat den Aufzug und drückte die Taste fürs Erdgeschoss. Auf halber Fahrt bremste die Kabine. Ein Ehepaar um die 70 stieg zu. Im Plauderton erkundigte er sich, ob sie in der Nähe ein gutes Restaurant kannten, und verwickelte sie in eine Unterhaltung, bis der Aufzug in der Lobby hielt. Das Wachpersonal suchte nach einem einzelnen Mann im Mantel, nicht nach einem Kerl im grauen Pullover, der zu einer Dreiergruppe gehörte.

Er bedankte sich für die gastronomische Empfehlung und verließ mit ihnen den überdachten Eingangsbereich des Hotels. Claudia fuhr gerade an den Randstreifen. Ein Bediensteter hielt ihm die Tür auf. Rapp steckte ihm fünf Euro zu und stieg ein. Für ein Hotel dieser Kategorie ein eher durchschnittliches Trinkgeld – nichts, woran er sich später erinnern würde. Claudia begrüßte ihn mit den erwarteten Küsschen auf beide Wangen, dann fädelte sie den Wagen in den fließenden Verkehr ein.

35

PARIS, FRANKREICH

Auf der laubbedeckten Straße herrschte zu dieser späten Stunde keinerlei Verkehr. Julien Moreau schlenderte entspannt über die Fahrbahn. Die Laternen standen ziemlich weit auseinander. Da sich die Villen in dieser Allee auf großzügigen Grundstücken hinter hohen Mauern verschanzten, herrschte eine angenehme Dunkelheit. Normalerweise lief man Gefahr, in einen der vielen Hundehaufen zu treten, doch die reichen Bewohner dieses Viertels legten Wert auf makellose Sauberkeit. Vermutlich mussten sie dafür nicht mal besondere Anstrengungen unternehmen, denn die hohen Mieten in diesem Viertel konnten sich fast ausschließlich Araber leisten, die generell wenig von Hunden hielten. Eine kulturelle Besonderheit, die seinen Job merklich einfacher gestaltete.

Ein uralter Steinwall ragte rechts von ihm empor. Er fuhr mit der Hand daran entlang und zählte die Schritte. Das Mauerwerk befand sich in gutem Zustand, doch man hatte die Optik bewusst keiner Modernisierung unterzogen. Schartige Kanten und bröckeliger Mörtel passten einem Dieb wie ihm hervorragend in den Kram.

Hinzu kam, dass Überwachungskameras in diesem Abschnitt durch Abwesenheit glänzten. Lediglich über einem mehr als 50 Meter entfernten Tor vermeinte er das verräterische Aufblitzen einer Linse zu erspähen. Dass manche Menschen förmlich davon besessen waren, über die Sprechanlage zu verfolgen, wer sich vor ihrem Eingang einfand, erstaunte ihn. Als ob jemand, der vor der Haustür auftauchte und brav klingelte, beabsichtigte, einen auszurauben.

Moreau hatte exakt 13 Schritte abgezählt. Er drehte sich zur Seite und zog an einem leicht vorstehenden Stein. Die Schuhe, die er trug, wurden von Bergführern empfohlen. Eng und mit genug Profil, um steile Abhänge zu erklimmen, aber nicht so unbequem, dass man damit nicht kurze Strecken rennen konnte. Er nutzte gezielt die Vertiefungen, die er sich anhand eines Laserscans vom Vortag eingeprägt hatte, und erklomm die Mauer. Innerhalb von fünf Sekunden erreichte er die obere Kante und sondierte das Terrain.

Auf der anderen Seite hatte man die Struktur mit Stuck versehen, damit sie zur modernen Gestaltung des Hauses auf dem Grundstück passte, doch das erwies sich nicht als Problem. Der Landschaftsgärtner hatte freundlicherweise Bäume exakt dort gepflanzt, wo sie für einen unbefugten Eindringling am hilfreichsten standen. Moreau glitt an einem der Stämme hinunter und ging dahinter in die Hocke, um seine Inspektion fortzusetzen.

Das Gebäude glich einem riesigen Quader aus Glas. Auf einer Konzeptzeichnung mochte das toll aussehen, aber niemand, der bei Verstand war, wollte freiwillig in so etwas leben. Mehrere Lampen brannten, was ihm Gelegenheit verschaffte, alle Räume in Augenschein zu nehmen. In der Küche war niemand, auch der angrenzende Poolbereich glänzte durch Leere. Ahmed El-Hashem, der stellvertretende Leiter der saudischen Botschaft in Paris, saß an einem Schreibtisch im Obergeschoss und machte handschriftliche Notizen. Offenbar konnte er sich zwar ein Haus in so einer noblen Wohngegend leisten, nicht aber einen Laptop.

Oder eine anständige Alarmanlage, wie sich bei näherem Hinsehen herausstellte.

Laut Moreaus Quelle – genauer gesagt: dem Mann, der den Einbau vorgenommen hatte – handelte es sich um billigste Technik von der Stange. Vor allem hatte der Eigentümer darauf bestanden, dass man davon nichts sehen konnte. In einem Goldfischglas wie diesem eine quasi unlösbare Aufgabe. Insofern existierte keine Sicherheitsvorkehrung, die einen Mann mit Moreaus Talenten auch nur halbwegs forderte. Unter normalen Umständen hätte er sich auf einen solchen Langweiler-Job gar nicht eingelassen. Lediglich zwei Faktoren änderten seine Meinung. Erstens, er konnte endlich mal den 3-D-Laserscanner ausprobieren, den er aus der Universität gestohlen hatte. Und zweitens?

Claudia Gould.

Worte wurden dieser Frau kaum gerecht. Außergewöhnlich? Fulminant? Betörend? Geheimnisvoll? Er hätte die ganze Nacht weitere Adjektive aus dem Ärmel schütteln können, ohne ihre Erscheinung angemessen zu beschreiben. Diese Augen. Dieser Körper. Okay, sie hatte ein Kind. Aber dafür gab es schließlich Internate.

Moreau hatte in der Vergangenheit häufiger für sie gearbeitet, aber nie damit gerechnet, nach dem Tod ihres Ehemanns noch mal von ihr zu hören. Wie aus dem Nichts klingelte dann plötzlich sein Telefon und die Stimme, die er so dicht am Herzen trug, drang an sein Ohr. Ein neuer Job. Eine neue Geschäftsbeziehung. Neue Verlockungen.

Er hatte keine Ahnung, was sie an Louis Gould gefunden hatte. Klar, kein hässlicher Mann, durchtrainiert und reich. Hinzu kam sein Job als internationaler Superspion. Manche Frauen fuhren auf so was ab, vermutete er. Aber wenn man das alles wegließ, blieb nur ein gewalttätiger Grobian übrig. Vielleicht wollte sie sich neu orientieren? Ihr Glück mit einem kultivierten, intellektuellen Ganoven probieren? Einem Mann, der Kunst, gutes Essen und guten Wein zu schätzen wusste? Der ihr die Welt durch eine Linse zeigte, die nicht ständig mit Blut verschmiert war?

Er stieß einen leisen Seufzer aus. Bevor er ihre gemeinsame Zukunft plante, hatte er einen Job zu erledigen. Er sollte diesmal nichts klauen, sondern lediglich einige Überwachungsvorrichtungen platzieren. Was die Videoaufnahmen anging, war es ein Klacks – wie gesagt, Glas, wohin man schaute –, mit dem Ton wurde es schon schwieriger. Er musste dicht genug rankommen, um mit der Hand ein paar Löcher zu bohren. Das klang leichter, als es war, denn genauso leicht, wie man ins Haus reinschauen konnte, bekam man drinnen auch alles mit, was auf dem Grundstück vor sich ging.

Moreau kroch einige Meter weiter und begutachtete erneut die Umgebung. Der Garten war geschmackvoll und großzügig angelegt. Im Gegensatz zu den meisten seiner Landsleute hatte El-Hashem der Versuchung widerstanden, vergoldete Cherub-Statuen zu installieren, die in Brunnenschalen pinkelten.

Moreau mied die zunehmend helleren Winkel und näherte sich dem Kubus. El-Hashem schrieb immer noch eifrig drauflos. Einer seiner Wachleute hielt sich im Wohnzimmer auf – ein fitter Typ von der Sorte, die selbst nachts die coole Sonnenbrille aufließ. Wo steckte der zweite? Vermutlich irgendwo im Haus, doch das blind zu unterstellen, konnte einem schnell wie einem Amateur als Bumerang um die Ohren fliegen. Patrouillierte er möglicherweise auf dem Gelände? Hatte er Moreau beim Überklettern der Mauer bemerkt und schlich sich gerade an?

Unwahrscheinlich, aber seine Abwesenheit lieferte dem drögen Gig zumindest die nötige Würze.

Der Franzose arbeitete sich tief im Schatten zu einem Baum vor, dessen Position ihm ein Drohnenüberflug verraten hatte. Eines von vier potenziellen Kameraverstecken, die er im Vorfeld festgelegt hatte. Die Äste wirkten stabil genug, um seine 65 Kilo zu tragen. Sechs oder sieben Meter Höhe sollten genügen, um die Kamera von unten unsichtbar zu machen und genug Sonnenlicht auf die integrierten Solarkollektoren treffen zu lassen.

Er kramte im Rucksack nach einer Cam, zögerte jedoch, als der Wachposten im Haus zur Treppe lief. Eine Ablösung? Fand er jetzt endlich raus, wo sich der Kollege befand? Sobald Moreau wusste, dass dieser tatsächlich im Gebäude war, konnte er deutlich zügiger agieren und lief nicht Gefahr, zu spät zu seiner Dinner-Verabredung zu kommen.

Die Wache erklomm die Stufen mit einer Zurückhaltung, die ihm verdächtig vorkam. Ob El-Hashem zu den reichen Säcken gehörte, die vom Personal nichts sehen und nichts hören wollten? Moreau kannte solche

Beschäftigungsverhältnisse aus eigener Erfahrung. Damals hatte er sich mit dem Bentley und dem Safeinhalt seines Arbeitgebers vom Acker gemacht.

Der andere blieb im Durchgang zu El-Hashems Büro stehen, hob die Waffe und schoss einmal. Die Kugel traf den Araber in den Kopf und ließ ihn auf die Arbeitsplatte des Schreibtisches klatschen.

Moreau erstarrte. War das gerade wirklich passiert oder handelte es sich um einen Flashback von den Drogen, die er an der Uni regelmäßig konsumiert hatte? Gab es solche Flashbacks überhaupt?

Der Wachposten trat seelenruhig an die Leiche heran und begutachtete, was von El-Hashems Schädel übrig geblieben war. Das genügte, um Moreau aus der Trance zu reißen. Er verfiel in Panik, schnappte sich den Rucksack und spurtete zur Außenmauer. Als er hinter dem dicken Stamm eines betagten Baums in Deckung gehen wollte, rutschte er aus und schlitterte mit dem Gesicht voran durch den Dreck. Er spähte über die Schulter, um nachzusehen, worüber er da gestolpert war, und übergab sich in das welke Laub. Der verschollene Wachposten lag auf dem Rücken und starrte mit den Überresten seines Kopfs zum Himmel.

Moreau zwang sich zum Aufstehen und stolperte zum Baum, über den er aufs Grundstück geklettert war. Er kletterte in Windeseile daran hoch und stoppte auf dem Sims der Mauer gerade lange genug, um sich zu vergewissern, dass niemand auf der Straße entlanglief. Einige Sekunden später eilte er mit linkischen, überhasteten Schritten zum Wagen. So endlos waren ihm sechs Minuten und zwölf Sekunden noch nie vorgekommen. Endlich saß er hinter dem Steuer und fuhr los.

Sein Atem ging stoßweise und er fühlte sich benommen. Trotzdem schaffte er es, Claudias Nummer zu wählen. Sie nahm nach dem ersten Klingeln ab.

»Julien! Wo …«

»Sie haben ihn umgebracht«, brüllte er. »Du hast mich beschissen! Von einem Mord war nie die Rede.«

Ihre Stimme klang sinnlich und gefasst wie immer. »Hörst du deine Mailbox eigentlich auch mal ab?«

Er starrte aufs Display. Drei Nachrichten von ihr.

»Fuck!«, fluchte er. Etwas Besseres fiel ihm nicht ein.

»Beruhige dich erst mal, Julien. Erzähl mir, was passiert ist.«

»Bist du taub? Sie haben ihn umgebracht.«

»Wer hat wen umgebracht?«

»Einer der Wachmänner hat El-Hashem getötet. Ich hab's live verfolgt. Es geschah vor meinen Augen. In diesem beschissenen Glascontainer. Wie in einem schlechten Film.«

»Ich verstehe. Aber du …«

»Der andere Posten ist auch tot. Ihm fehlt ein Teil vom Kopf. Ich bin auf der Flucht draußen über seine Leiche gestolpert.«

Moreau zuckte im Sitz zusammen. »O mein Gott! Sein Blut. Ich glaube, sein Blut klebt an mir.«

»Julien, hör auf zu reden und hol tief Luft, okay? Du musst mir detailliert schildern, was du beobachtet hast.«

»Sag mal, hörst du mir nicht zu? Ruf mich nie wieder an!« Er trennte die Verbindung und bog auf eine belebtere Straße ab. Der zunehmende Verkehr schaffte es, ihn ein wenig zu beruhigen. Er starrte auf das Telefon auf dem Beifahrersitz, widerstand jedoch dem Drang, danach zu greifen. Nach einer Minute knickte er ein.

Lange konnte man einer solchen Traumfrau nicht böse sein.

Wenig überraschend ging sie sofort an den Apparat. »Alles in Ordnung, Julien? Hast du dich verletzt?«

»Nein, ich bin okay.«

»Wo bist du jetzt?«

»Im Auto. Unterwegs ins Zentrum.«

»Okay. Verrat mir noch eins. Wurden beide Männer durch einen Kopfschuss getötet?«

»Ja.«

»Konntest du erkennen, mit was für einer Waffe?«

»Was weiß ich denn über Waffen? Ich hab selbst noch nie eine abgefeuert.«

»Du kennst dich doch sonst mit allem aus«, kam die beschwichtigende Antwort.

Komplimente? Echt jetzt? Glaubte sie, so einfach kriegte sie ihn? Verdammt, natürlich kriegte sie ihn so einfach.

»Ich war ziemlich weit weg, aber ich konnte einen Schalldämpfer erkennen. Wenn ich raten müsste, würd ich auf eine Glock tippen.«

»Hast du bei der Flucht etwas zurückgelassen? Waren Kameras installiert?«

»Nein. Nichts.«

»Gut. Ich habe dein Honorar verdreifacht. Du findest das Geld auf dem vereinbarten Konto. Ich schlage vor, du lässt dich in Frankreich für eine Weile nicht mehr blicken. Falls dir dein Leben was bedeutet, vergiss, dass du je mit mir oder Ahmed El-Hashem zu tun hattest.«

36

Rapp suchte in dem winzigen Kühlschrank nach einem Bier. Endlich wurde er im hintersten Winkel fündig. Eigentlich hatte er auf Alkohol verzichten wollen, bis er sein Leben wieder voll im Griff hatte. So wie es gerade lief, pfiff er auf diesen Vorsatz.

Die Tür zum Cockpit war geschlossen, doch er schaute trotzdem in die Richtung. Am Steuerhebel saß ein weiterer von Claudias Kontakten. Ein Drogenschmuggler aus Kolumbien. Definitiv niemand mit Scott Colemans Qualitäten, aber ein solider Pilot mit mehreren Folternarben, die verrieten, dass der Kerl wusste, wie man den Mund hielt.

»Alle sind heil in Juba eingetroffen, aber es scheint Probleme zu geben«, verkündete Claudia, als er sich ihr gegenüber setzte.

»Was für Probleme?«

»Es geht um den Mann, den du getötet hast. Offenbar nimmt der Rebellenführer, für den er gearbeitet hat, die Sache nicht auf die leichte Schulter. Er lässt die Kirche beschatten. Laut Kent wäre es reiner Selbstmord, dorthin zurückzugehen. Sie haben sich in einem Safarihotel vor den Toren der Stadt einquartiert und tauchen dort bis zu unserem Eintreffen ab.«

»Prima.«

Sie lehnte sich mit besorgtem Gesichtsausdruck zu ihm hinüber. »Wir müssen darüber reden, was in Brüssel und Paris vorgefallen ist.«

Nicht das richtige Thema, um seine Stimmung aufzuhellen, aber es führte kein Weg daran vorbei. Aali Nassar hatte seinen Zug gemacht, und zwar einen guten. Sie mussten eine Entscheidung über das weitere Vorgehen treffen. Der Präsident hatte ihn gebeten, die hochrangigen Saudis aufzutreiben, die mit dem IS gemeinsame Sache machten, und aus dem Verkehr zu ziehen. Rapp beabsichtigte, ihm diesen Wunsch zu erfüllen. Blieb die Frage, wie er angesichts der jüngsten Entwicklungen am besten vorging. Versuchte er es subtil, um seinen Kopf aus der Schlinge zu bekommen, oder ging er mit dem Dampfhammer auf den Gegner los?

»Zaman wurde mit einem gezielten Schuss aus einer 9-Millimeter-Pistole getötet. Die Behörden dürften unterstellen, dass man ihn vorher gefoltert hat, um ihn auszuquetschen. El-Hashem kam auf dieselbe Weise um. Falls ich nicht völlig verkehrt liege, wird man ihn mit ähnlichen Verletzungen an einen Stuhl gefesselt vorfinden. Klingt das nach jemandem, den du kennst?«

»Allerdings.«

»Und es gibt Zeugen, Mitch. Die Sicherheitsleute im Hotel und das Paar, mit dem du dich im Aufzug unterhalten hast. Ich befürchte, auch der Leibwächter, der El-Hashem ausgeschaltet hat, wird der Polizei eine Beschreibung von dir liefern und behaupten, er sei dir mit Ach und Krach lebend entkommen.«

»Ist das schon alles?«

»Nein. Da wären noch die Kameras in Monaco und die dortigen Augenzeugen der Attacke.« Sie lehnte sich zurück. »*Jetzt* bin ich fertig.«

»Ich beschwer mich nicht, dass Nassar meinen Job für

mich erledigt. Wenn er so weitermacht, hat er bis nächste Woche das komplette Netzwerk ausgerottet.«

»Aber er stellt dich als Schuldigen hin, Mitch! Wenn mich jemand mit dieser Beweislage konfrontieren würde, wär ich auch davon überzeugt, dass du gezielt reiche Saudis abknallst und Schießereien in Nachtclubs vom Zaun brichst. Wir müssen uns darauf konzentrieren, deine Unschuld zu beweisen. Lass es uns so hinstellen, dass du erst in letzter Sekunde mitbekommen hast, was im Terry's läuft, und versucht hast, die Terroristen aufzuhalten und den Prinzen in Sicherheit zu bringen. Kein wasserdichtes Alibi, aber fürs Erste sollte es reichen. Ich schaffe es bestimmt, ein paar halbwegs überzeugende Beweise zu frisieren, dass du zum Zeitpunkt von El-Hashims Ermordung nicht in Paris warst. Damit bliebe nur Brüssel. Das lässt sich nicht so leicht aus der Welt schaffen, aber falls es mir gelingt …«

»Das ist alles schön und gut, Claudia, aber was ist mit Nassar?«

»Was soll mit ihm sein?«

»Er steckt mit dem IS unter einer Decke und wird seinen Einfluss in der Region nutzen, um an die Macht zu kommen, sobald König Faisal tot ist. Dann wird Mullah Halabi nicht länger auf Sturmgewehre und Selbstmordattentate zurückgreifen müssen, sondern agiert mit voller Rückendeckung des saudischen Militär- und Geheimdienstapparats. Wahrscheinlich marschiert er kurzerhand überall im Nahen Osten ein und übernimmt das Ruder.«

»Inwiefern ist das dein Problem, Mitch? Gib deine Beobachtungen an Irene weiter, damit sich die Amerikaner darum kümmern.«

»Ich fürchte, du übersiehst, dass ich auch einer dieser Amerikaner bin. Ich bin nicht dein Ehemann. Ich bin kein

Auftragskiller. Mein Job ist es, zu verhindern, dass Millionen Menschen von einer Bande fundamentalistischer Psychos abgeschlachtet werden.«

»Nein, ist es nicht. Du arbeitest nicht länger für die CIA. Wir haben darüber geredet, Mitch. Alle werden sich von dir abwenden. All die Menschen, die dir ihr Leben verdanken, die Politiker, denen du ihre Arbeit erleichtert hast, alle Einsatzkräfte, die an deiner Seite gekämpft haben. Mich würde es nicht wundern, wenn uns nächste Woche Scotts Team um die halbe Welt jagt.«

»Es ist nicht bloß mein Job, Claudia. Es ist das, woran ich glaube. Das, was ich bin.«

»Nun, dann wirst du künftig an etwas anderes glauben und ein anderer sein müssen.« Ihre Stimme hallte durch das winzige Flugzeug. »Du hast genug für sie geopfert.«

»Wenn es dir zu viel wird, kannst du dich jederzeit rausziehen, Claudia.«

Sie verschränkte die Arme vor der Brust und ließ sich nicht aus der Reserve locken. »Ich hab schon Schlimmeres erlebt.«

»Tatsächlich?«

»Nein. Ich wollte nur optimistisch klingen.«

»Nett von dir.«

»Mitch …« Sie wählte ihre nächsten Worte sorgfältig. »Ich glaube, es wird schwieriger für dich, als du es dir vorstellst. Ich weiß, dass du keine Angst vor körperlichen Bedrohungen hast. Aber bist du darauf vorbereitet, dass sich dein Land von dir abwendet?«

»Ich fürchte, mir bleibt keine Wahl.«

»Dir nicht, aber anderen schon. Weil sie nicht aus denselben Motiven handeln wie du. Du hast sie gebeten, einen saudischen Prinzen zu entführen. Donatella hatte kein Problem damit, ihn zu verführen, weil sie dafür bezahlt wird. Jetzt erwartest du von ihnen, den saudischen Geheimdienstchef zu jagen, während ihnen Amerika mit seinen weitreichenden Mitteln Paroli bietet. Ich kenne solche Menschen, Mitch. Lange werden sie sich darauf nicht mehr einlassen.«

»Dann müssen wir uns eben beeilen.«

»Uns beeilen …«, wiederholte sie tonlos. »Tust du mir wenigstens einen Gefallen? Tritt in Kontakt mit Irene, berichte ihr, was du rausgefunden hast, und frag sie, was sie zu unternehmen gedenkt.«

Er schüttelte den Kopf. »Ich werd sie nicht in die Ermordung des Geheimdienstchefs eines verbündeten Staates reinziehen, Claudia. Sollte jemals ans Licht kommen, dass sie davon wusste, würde sie im Gefängnis landen und alle amerikanischen Allianzen im Nahen Osten würden daran zerbrechen. Sie hat meine Nummer, wenn sie mit mir reden will.«

37

RIAD, SAUDI-ARABIEN

Aali Nassar stand neben König Faisal auf dem Rollfeld und wartete, bis die Treppen seines privaten Airbus A380 ausgeklappt wurden.

Die Maschine war vor Sonnenuntergang zwei Stunden über dem Flughafen gekreist, weil sie dem alternden Monarchen die Nachmittagshitze nicht zumuten wollten.

Fast schon ironisch für den Machthaber eines Wüsten-staates und ein weiterer Vorbote für die zeitnahe Ver-schiebung der Kräfteverhältnisse.

Eine Delegation förmlich gekleideter Männer tauchte an der Gangway auf. Sie trugen einen Sarg, der in eine saudische Flagge gehüllt war, und absolvierten den Abstieg mit einer Vorsicht und Ernsthaftigkeit, die ans Groteske grenzte. Obwohl es sich bei ihm um den Nachkömmling der Lieblingsschwester des Königs handelte, galt Prinz Talal bin Musaid am Hof als verwöhnter, nutzloser Spross.

Schon seltsam, dass ein Mann, dessen Leben so bedeutungslos gewesen war, als Toter so gefährlich wurde. Die Aktionen gegen Zaman und El-Hashem waren erst durch bin Musaid nötig geworden. Auch die zunehmende Demontage des Netzwerks, das Nassar so behutsam auf-gebaut hatte, ging auf sein Konto. Hinter den Kulissen des saudischen Geheimdienstapparats brodelte und gärte es. Die Mitglieder des Königshauses wurden von radika-len Kräften attackiert, deren Aufstieg sie selbst gefördert hatten. Die daraus resultierende Verwundbarkeit des Adels stellte seine gute Beziehung zum König auf eine harte Probe. Die Vorteile seines Vorschlags, sich mit dem IS zu verbünden, um öffentliche Kritik von Faisal abzu-lenken, rückten zunehmend in den Hintergrund.

Streit und Chaos eröffneten allerdings immer auch neue Chancen. Man musste nur stark auftreten und geschickt agieren, um davon zu profitieren.

Faisal setzte sich schlurfend in Bewegung. Nassar folgte in respektvollem Abstand. Die Sargträger blieben stehen und warteten, bis der König mit einer Hand über die Fahne gestrichen hatte. Sein Gesichtsausdruck ließ sich ausnahmsweise schwer deuten. Trauerte er um den maßlosen Knilch, der ihn verraten hatte? War er wütend, dass nicht länger nur das Volk, sondern auch die Herrschenden in Gefahr schwebten? Oder fühlte er sich bloß an seine eigene Sterblichkeit erinnert, deren Bürde von Tag zu Tag schwerer wog?

Faisal trat zur Seite und ließ die Männer ihren Weg zum Leichenwagen fortsetzen, während er selbst in die Limousine einstieg.

»Wer waren die Mörder?«, wollte er von Nassar wissen, als dieser neben ihm Platz nahm.

»Frühere irakische Soldaten, die zum IS übergelaufen sind.«

»Ich will, dass sie vernichtet werden. Ich will, dass der ganze Islamische Staat vernichtet wird. Keine Zugeständnisse mehr. Kein Ducken hinter den Amerikanern. Ich will ihre Köpfe und die Köpfe von jedem, der sie in irgendeiner Weise unterstützt.«

»Eure Majestät …«

»Was denn, Aali? Wollen Sie mir erzählen, dass es eine heikle Angelegenheit ist? Dass wir mit Bedacht vorgehen müssen? Dass ich mich hinter den Mauern meines Palasts verschanzen soll, weil diese Feiglinge bereits ein Komplott schmieden, um mir ein Messer in den Rücken zu rammen?«

»Es ist nicht nur eine heikle Angelegenheit, Majestät, sondern vor allem eine komplexe.«

»Inwiefern?«

»Der MI6 hat uns digital nachbearbeitete Fassungen der Überwachungsvideos zur Verfügung gestellt. Wir haben Grund zur Annahme, dass es sich bei dem Mann, der bin Musaid aus dem Nachtclub in Monaco getragen hat, um Mitch Rapp handelt.«

»Mitch Rapp?« Der König drehte sich überraschend lebhaft zu ihm. »Wie sicher ist das?«

»Zu 75 Prozent.«

Faisal schaute wieder nach vorn und nickte wissend. »Ich weiß um Ihre persönliche Feindschaft, was diesen Mr. Rapp betrifft. Ich teile sie nicht, denn er hat sein Leben riskiert, um mein Königreich vor einem nuklearen Holocaust zu bewahren. Ohne ihn gäbe es kein Land mehr, um dessen Kontrolle man ringen müsste.«

Was er damit zum Ausdruck bringen wollte, lag auf der Hand: Nassar hatte ihm zu Lebzeiten keinen Dienst erwiesen, der dem dieses niederträchtigen Amerikaners nahekam. Der König war förmlich besessen von diesem US-Agenten, weidete sich an Erzählungen seiner Heldentaten und gab sich der verführerischen Illusion hin, von ihm beschützt zu werden. Er hielt es für schwierig, dem alten Narren diese Besessenheit auszureden, aber nicht für unmöglich.

»Eure Majestät, ich denke, Sie sollten sich mit der Tatsache abfinden, dass das Auftauchen von Rapp just zum Zeitpunkt des Anschlags auf den Nachtclub kein harmloser Zufall sein kann.«

»Wahrscheinlich hat die CIA im Vorfeld von der Bedrohung erfahren und wollte sie abwenden. Ich habe das Video ebenfalls gesehen, Aali. Es ist kaum zu übersehen, dass seine Bemühungen in erster Linie der Rettung des Prinzen galten.«

Die Rechtfertigung, die in seinen Worten mitschwang, hätte Nassar um ein Haar zum Lächeln gebracht. Der König merkte selbst, dass seine Logik haarsträubend war. Er musste ihn nur dazu bringen, es einzugestehen.

»Unsere Analysten halten das für unwahrscheinlich,

Majestät. Zunächst einmal wissen wir beide, dass Mr. Rapp den Dienst bei der CIA quittiert hat. Soweit uns bekannt ist, hat er sämtliche Kontakte zu früheren Weggefährten abgebrochen. Hinzu kommt, dass er dem Prinzen vorgeworfen hat, terroristische Aktivitäten zu finanzieren. Dass jemand wie Rapp ihn unter solchen Vorzeichen trotzdem beschützt, überspannt den Bogen der Glaubwürdigkeit massiv.«

»Und was erzählen Ihre cleveren Analysten noch so alles?«, erkundigte sich Faisal kühl.

»Wir halten es für möglich, genau genommen für wahrscheinlich, dass Rapp selbst hinter dem Angriff steckt.«

Der König stieß ein Lachen aus, dass wegen seiner geschwächten Lunge eher wie ein Pfeifen klang. »Das ist vollkommen verrückt, Aali. Das widerspräche allem, wofür er ein Leben lang gekämpft hat.«

»Das mag sein, aber betrachten Sie es mal von dieser Warte aus, Majestät: Wir wissen, dass er als junger Mann vehement gegen das Abkommen protestiert hat, das unsere Regierungen abschlossen, um die saudische Beteiligung an 9/11 unter den Teppich zu kehren. Im Minimalfall dürfte er Prinz bin Musaids Aktivitäten als Verstoß gegen dieses Abkommen gewertet haben. Wahrscheinlicher ist, dass er es für den Vorboten einer größeren Verschwörung hält.«

»Worauf wollen Sie hinaus, Aali?«

»Warum sollte Mitch Rapp, eine der mächtigsten und wirksamsten Stellschrauben der amerikanischen Geheimdienstmaschinerie, von jetzt auf gleich aussteigen? Wir vermuten, dass er bin Musaids Aktivitäten genauer untersuchen wollte und der Präsident ein Veto eingelegt hat, weil ihn die möglichen Konsequenzen solcher Ermittlungen beunruhigen.«

»Ich bin noch nicht überzeugt, Aali.«

»Dann sehen Sie sich dieses zusätzliche Beweismaterial an.«

Er holte ein Tablet aus der Aktentasche. Faisal betrachtete das angezeigte Foto mit rotgeränderten Augen. »Ahmed.«

»Richtig, Sir. Einzelheiten zu Botschafter El-Hashems Ermordung treffen gerade von den französischen Behörden ein. Wie Sie erkennen können, hat man ihn an einen Stuhl gefesselt, gefoltert und dann mit einem 9-Millimeter-Projektil aus dem Verkehr gezogen.« Nassar wischte zum nächsten Foto. »Und das, obwohl man es aufgrund des Blutes und der schweren Verletzungen kaum erkennt, ist Mahja Zaman, ein Geschäftsmann, der Ihnen bekannt sein dürfte.«

Faisal sah zu ihm auf. »Einer Ihrer engsten Freunde, nicht wahr, Aali?«

»Ja, Hoheit. Wir kennen uns seit der Kindheit.«

»Was ist ihm zugestoßen?«

»Genau dasselbe. Man hat ihn gefesselt, gequält und mit einem Kopfschuss getötet.«

»Und Sie verdächtigen Mitch Rapp.«

»Es geht weit über einen simplen Verdacht hinaus, Eure Majestät. El-Hashems Wache entkam nur knapp mit dem Leben. Seine Beschreibung des Mannes, der den Botschafter angegriffen hat, passt genau zu Rapp. Außerdem stieß ein Mann beim Verlassen von Zamans Hotelzimmer mit zwei Sicherheitsleuten zusammen. Er schaltete beide innerhalb von Sekunden aus. Auch ein französisches Ehepaar, das sich mit dem Mann im

Aufzug unterhalten hat, beschreibt jemanden, der Rapp massiv ähnelt.«

»Warum Zaman und El-Hashem? Haben wir Anlass zur Vermutung, dass sie an der Unterstützung des IS beteiligt sind?«

»Nein, aber wir gehen der Angelegenheit bereits auf den Grund. Ihnen sollte klar sein, dass sie nicht zwangsläufig beteiligt sein müssen, um in Rapps Visier zu geraten. Er muss sich nicht länger an amerikanische Gesetze oder CIA-Regularien halten. Vermutlich reicht der bloße Verdacht, dass sie für ihn nützliche Informationen haben – sogar wenn sie sich dessen selbst gar nicht bewusst waren.«

Trotz der Klimatisierung der Limousine bildete sich ein Schweißfilm auf Faisals Stirn. Kaum überraschend, zumal er die treibende Kraft hinter dem Deal mit den USA nach 9/11 war. Vor allem oblag ihm die Verantwortung, dass der saudische Teil des Abkommens eingehalten wurde. Er hatte gute Gründe anzunehmen, dass Rapp sich als Nächstes auf ihn stürzte.

»Eure Majestät.« Nassar sprach betont beruhigend auf den Herrscher ein. »Die Situation lässt sich einfach klären. Wir müssen nur mit den amerikanischen Behörden in Kontakt treten und um ein Treffen mit Mr. Rapp bitten. Falls er nicht für die Taten verantwortlich ist, dürfte es ein Leichtes für ihn sein, das zu beweisen.«

Faisal reagierte längere Zeit nicht. Schließlich sagte er: »Sie haben recht, Aali. In Anbetracht der Beweise, die uns vorliegen, ist unser Wunsch nach einem Gespräch mit Mitch nachvollziehbar. Ich vermute, dass Irene Kennedy und der amerikanische Präsident das genauso sehen. Er muss uns lediglich nachweisen, wo er sich während dieser Angriffe aufhielt. Wie Sie schon sagen: Die Situation lässt sich schnell klären.«

»Ganz genau, Hoheit. Und sollte es den Vereinigten Staaten nicht gelingen, Mr. Rapp ausfindig zu machen, bieten wir ihnen unsere Unterstützung bei der Suche an. Was halten Sie davon? Ich bin sicher, denen ist an einer zügigen Aufklärung ebenso gelegen wie uns.«

38

»Da vorn links abbiegen«, sagte Rapp, nachdem er die Navi-Anzeige am Armaturenbrett konsultiert hatte.

Die Glock ruhte auf seinem Schoß. Bislang waren die Rebellen, vor denen Black sie gewarnt hatte, nirgends zu sehen.

»Da *gibt* es keine Abbiegung, bloß ein paar Ställe.« Claudia scheuchte ein paar Fußgänger von der lehmigen Fahrbahn.

Statt direkt zum verlassenen Safarihotel zu fahren, in das sich seine Leute zurückgezogen hatten, näherten sie sich auf Umwegen einem Bau hinter Blacks umfunktionierter Kirche. Dass die Wegbeschreibung, die er ihnen gegeben hatte, nicht zur Anzeige des Geräts passte, wunderte Rapp nicht sonderlich. Für die Kartografen von Google war Juba kein besonders verlockendes Ziel. Allerdings nagte ein unangenehmer Verdacht an ihm.

Lockte Black sie in eine Falle? War es denkbar, dass Nassar den jungen Scharfschützen aufgetrieben und ihm ein Angebot unterbreitet hatte, dass dieser nicht ausschlagen konnte? Oder war Black sogar von sich aus mit den offiziellen Stellen in Verbindung getreten? Er hielt den Burschen zwar nicht für übermäßig intelligent, aber ganz sicher für clever genug, um mitbekommen zu haben, dass der Kurs für Rapps Skalp auf dem Weltmarkt kürzlich mächtig in die Höhe geschossen war.

»Mitch? Was soll ich machen?«

Sie konnten sich einen eigenen Weg suchen, aber das brachte gewisse Risiken mit sich. Rapps Ortskenntnisse beschränkten sich auf ein Minimum, zumal sich das primitive Straßennetz ständig veränderte. Neue Marktplätze schossen aus dem Boden und verschwanden wieder, Gebäude brachen zusammen und wurden durch Provisorien ersetzt. Zufahrtswege wurden verlegt oder mit Barrikaden versehen. Er ging davon aus, dass der Agency halbwegs aktuelle Karten vorlagen, aber auf die hatte er keinen Zugriff mehr.

»Bieg einfach bei nächster Gelegenheit links ab.«

Er überprüfte den Netzempfang am Handy. Knapp ein Balken.

»Glaubst du, dass Kent uns verraten hat?«

»Möglich, aber ich wette dagegen. Mit ganz viel Glück hätte er Donatella ausschalten können, aber Grischa? Nein, so was passiert in Afrika halt.«

»Ausschließen kannst du es aber nicht?« Sie wirkte beunruhigt.

»Nein. Dieser Job wird immer schlimmer, was? Ich …«

»Ich weiß, du hattest mich gewarnt.«

Sie lenkte den Wagen auf einen schmalen Pfad, der zwischen Gebäuden hindurchführte. Das Navi verkündete, dass sie sich wieder auf dem richtigen Weg befanden.

Nach knapp 100 Metern kam ein Mann aus einer Einfahrt zu ihrer Rechten gestürmt und hielt direkt auf sie zu. Rapp erkannte ihn sofort, packte den Griff seiner Glock jedoch unwillkürlich etwas fester, als Kent Black die Hecktür aufriss.

»Wieso habt ihr zwei so lange gebraucht?« Er ließ sich auf den Sitz fallen. »Ich hab mir da drin den Arsch abgeschwitzt.«

»Deine Wegbeschreibung hat sich ein paar künstlerische Freiheiten genommen«, stellte Claudia nüchtern fest.

»Sich in diesem Dreckskaff zu orientieren, ist wie ein Sechser im Lotto. Fahr einfach weiter. An der nächsten rechts. Kurz danach kommt ein altes Tor. Da fahren wir durch und parken auf der anderen Seite.«

Eine Barriere wurde nach oben geklappt, als sie darauf zurollten. Rapp entdeckte Grischa Asarow. Als Claudia den Motor abstellte, hatte der Russe das Tor bereits wieder verrammelt.

»Aus der oberen Etage hat man einen vernünftigen Blick auf die Kirche«, erklärte Black. Er stieg aus und führte sie zu einer Baracke, die kurz vor dem Einsturz zu stehen schien. Ein Großteil der tragenden Wände war weggebrochen und die Hälfte des zweiten Stockwerks auf das erste gestürzt. Trotzdem schienen darin einige Leute zu wohnen – überwiegend Familien, von denen einige Essen über offenem Feuer garten und andere Zuflucht vor der grellen Sonne suchten. Alle zeigten großes Interesse an den vier Weißen, die sich mit einem Mal in ihrer Mitte tummelten.

»Wieso leben diese Leute hier?«, wollte Rapp wissen und blieb stehen, um Asarow vorbeizulassen. Er fühlte sich nach wie vor unwohl, wenn der andere hinter ihm lief.

»Sie halten nicht viel von Abdo, wenn du darauf rauswillst«, antwortete Black. »Er ist der Grund, dass die meisten von ihnen kein Dach mehr über dem Kopf haben. Und wir zahlen ihnen zehnmal so viel dafür, dass sie die Klappe halten, als dieser Mistkerl fürs Reden. Über sie brauchst du dir keine Sorgen zu machen.«

Sie erreichten das obere Stockwerk. Donatella stand am nördlichen Ende im Schatten.

»Mitch!« Sie schlang die Arme um ihn. »Ich hab mir schon Sorgen gemacht.«

Claudias Gesicht verzog sich zu einer Grimasse. Sie trug eingestaubte Cargo-Shorts und ein durchgeschwitztes T-Shirt, während Donatella gerade von einer Gartenparty der Queen zu kommen schien.

»Zeig mir die Kirche.« Er ließ die beiden Frauen mit ihrer Rivalität allein.

Black übernahm die Führung und robbte ein paar Meter vor dem weggebrochenen Gebäuderand zu einer Öffnung in der Wand. Ein Zeiss-Fernglas baumelte an einer Säule. Rapp observierte damit die Umgebung ihres ehemaligen Hauptquartiers.

Abdos Männer trugen nicht die üblichen Tarnanzüge, sondern normale Straßenkleidung. Trotzdem stachen sie heraus. Da jeder in dieser Stadt ständig unterwegs von A nach B war, fiel es auf, dass sie bloß herumstanden und die Gesichter der Vorbeigehenden prüften.

»Wie viele sind es insgesamt?«, hakte Rapp nach.

»Wir haben fünf entdeckt. Drei auf der Straße und zwei in Gebäuden im Osten und Westen. Wahrscheinlich ist noch mindestens ein weiterer in der Kirche, aber das wissen wir nicht mit Sicherheit. Zwölf-Stunden-Schichten. Sie lösen sich um Mitternacht und Mittag ab. Ich hab ja gleich gesagt, Mitch, du hättest NaNomi nicht umbringen dürfen. Solche Typen fackeln nicht lang und werden schnell stinkig.«

»Gibt's was in der Kirche, worüber ich mir Sorgen machen muss?«

»Was meinst du damit?«

»Irgendwelche Spuren, die auf uns hindeuten?«

»Nicht auf dich. Nur auf mich und mein altes Leben.«
Sie kehrten zu den anderen zurück.

»Sieht aus, als müssten wir diesen schrecklichen Ort bald verlassen«, stellte Donatella fest. »Darf ich Sardinien vorschlagen? Da kann man prima abschalten, das Essen schmeckt und das Wetter ist zu dieser Jahreszeit herrlich.«

»Wir bleiben«, erwiderte Rapp.

»Aber Mitch, wir …«

»Die Überwachungsvideos aus Monaco machen bei den weltweiten Geheimdiensten die Runde. Ich gehe davon aus, dass man mich bereits identifiziert hat«, fiel er ihr ins Wort. Wenn sie sich erst mal in Rage redete, brachte man sie nur mit Mühe zum Schweigen. »Claudia und Kent sind darauf nicht zu sehen, also müssen sie sich keine Sorgen machen. Grischa, bist du sicher, dass du jeden Verdacht von dir abgelenkt hast?«

»Fürs Erste ja«, antwortete der Russe. »Trotzdem sollte ich mich als Geschäftsführer einer Beratungsfirma so bald nicht mehr in ähnlichen Situationen filmen lassen.«

Rapp nickte. »Damit bleibst nur noch du übrig, Donatella.«

»Ich?«

»Glaubst du nicht, dass dich jemand beim Mossad erkennen wird?«

»Natürlich wird man das. Ich seh keinen Tag älter aus. Allerdings sind die Leute, unter denen ich gearbeitet habe, entweder tot oder im Ruhestand. Sie hätten nichts davon, gegen mich vorzugehen.«

»Und falls das Video öffentlich gemacht wird?«

»Dann werden einige Feinde von früher mitbekommen, dass ich noch lebe. Nicht ideal, aber mit deiner Hilfe kein unlösbares Problem.«

Rapp wandte sich an Claudia. »Wir bleiben erst mal im Safarihotel und warten ab, wie schlimm die Geschichte in den nächsten Tagen zum Himmel stinkt. Nutz du die Zeit, um ein neues Versteck für uns aufzutreiben.«

»Das wird bis morgen Abend erledigt sein.«

Rapp verschränkte die Arme vor der Brust und musterte die Gesichter, die ihn anstarrten. Claudia hatte recht. Er begab sich in unsicheres Fahrwasser mit einem Haufen merkwürdiger Typen im Schlepptau, auf deren Loyalität kein Verlass war. Um dieses Problem musste er sich kümmern, bevor sie von hier abhauten.

»Bei diesem Job ging es darum, Talal bin Musaid zu schnappen und in ein Versteck zu bringen, wo ich ihn befragen konnte. Inzwischen hat sich die Zielsetzung merklich verschoben. Offenbar zieht der saudische Geheimdienstchef, Aali Nassar, im Hintergrund die Fäden, lässt Leute aus seinem direkten Umfeld ausschalten und stellt es ziemlich geschickt an, mir die Schuld an ihrem Tod in die Schuhe zu schieben. Ich muss euch sicher nicht sagen, dass Politiker solche Szenarien überhaupt nicht mögen. Es geht um so viel Geld, Einfluss und mögliche Blamagen, dass die meisten von ihnen schreiend in Deckung flüchten dürften.«

»Was willst du damit andeuten?«, fragte Black.

Donatella nahm ihm die Antwort ab. »Er will damit andeuten, dass Mitchs Freunde nun seine Feinde sind. Wir müssen uns mit der CIA, dem US-Militär, MI6, saudischem Geheimdienst und Mossad herumschlagen. Die werden uns hart in die Mangel nehmen.«

»Das trifft es«, sagte Rapp. »Inzwischen steht so viel auf dem Spiel, dass ich entbehrlich geworden bin.«

»Und wenn selbst du entbehrlich bist«, führte Donatella den Gedanken weiter, »sind wir nichts als lästige Käfer, die man zertrampelt, ohne länger drüber nachzudenken.«

Rapp nickte. »Es tut mir leid, dass ich euch in so was reingezogen habe. Wenn ihr aussteigen wollt, versteh ich das. Ihr bekommt natürlich trotzdem das vereinbarte Honorar und könnt euch auf meine Verschwiegenheit verlassen.«

»Wenn du von ›aussteigen‹ redest«, warf Asarow ein, »wüsst ich gern erst mal, wie die nächsten Schritte aussehen.«

»Ich muss mich um Nassar kümmern. Im Moment ist er damit beschäftigt, hinter sich aufzuräumen. Als Nächstes wird er sich auf mich einschießen.«

»Also willst du ihn töten?«

»Ich will ihn definitiv töten. Aber das ist gar nicht so leicht.«

»Warum nicht?«, fragte Black. »Ich könnte nach Saudi-Arabien jetten und ihn aus ’ner halben Meile Distanz erledigen.«

»So leicht wird er’s dir nicht machen«, warf Rapp ein.

»Zumal es Mitch auf die Füße fällt«, gab Claudia zu bedenken. »Bisher ist er tatsächlich unschuldig. Den Leiter des saudischen Geheimdienstes zu exekutieren, würde eine völlig neue Konstellation erzeugen.«

»Wie willst du stattdessen vorgehen?«, fragte Asarow.

»Daran arbeite ich noch.«

»Klingt vertrauenerweckend«, ätzte Donatella.

Der Russe widersprach: »Ich hab schon an vielen komplexen Operationen teilgenommen. Überstürztes Handeln ist in der Regel ein Garant für eine Katastrophe. Mitch hat recht, wenn er erst mal in Ruhe alle Optionen abwägt, bevor er sich für eine entscheidet. Aali Nassar ist kein Mitläufer bei den Taliban oder ein x-beliebiger Selbstmordattentäter. Er hat einen brillanten Verstand und kann auf nahezu unbegrenzte Ressourcen zurückgreifen.«

»Also, mit wem von euch kann ich weiterhin rechnen?«, wollte Rapp wissen.

Donatella ergriff als Erste das Wort. »Nach allem, was wir zusammen durchgemacht haben, würde ich dich nie im Stich lassen.«

Darin schwang der unausgesprochene Vorwurf mit, dass er sie umgekehrt im Stich gelassen hatte. Das stimmte grundsätzlich, aber mit diesem Thema setzte er sich lieber zu einem anderen Zeitpunkt auseinander.

»Verflucht, ich liebe diesen ganzen Scheiß«, bestätigte Black sein Image als Maulheld. »Ich mach alles, was du von mir verlangst.«

Asarow überlegte ein paar Sekunden länger. »Ich bring gern zu Ende, was ich angefangen habe«, meinte er dann. »Ehrlich gesagt rechne ich damit, dass Nassar noch weitere Fragen über die Vorfälle in Monaco an mich hat.

Deshalb liegt es auch in meinem Interesse, dass er bald ausgeschaltet wird.«

Rapp drehte sich zu Claudia um.

»Du kennst meine Antwort.«

39

»Damit wir uns richtig verstehen, Irene. Sie glauben, dass Mitch auf dem Monaco-Video zu sehen ist?«

Präsident Joshua Alexander beäugte sie über den Resolute Desk hinweg. Seine Miene war ernst, fast schon düster. Ein Hauch von Angst schwang im Blick mit. Aus gutem Grund.

Irene Kennedy mochte und respektierte diesen Mann. Er war ein Pragmatiker, der Bedrohungen für sein Land zeitnah erkannte und auf den Rat von Dritten hörte. Und falls es nötig wurde, schaute er auch kurz mal weg. Allerdings hatte sie wiederholt erfahren müssen, dass Menschen von ihren Prinzipien abrückten, sobald sie mit dem Rücken zur Wand standen. Das galt in besonderem Maß für Politiker.

»Meine Experten beziffern die Wahrscheinlichkeit auf 95 Prozent.«

Sie persönlich ging von 100 Prozent aus, aber das verschwieg sie ihm. Alexander ahnte nicht, dass sie von seiner frühmorgendlichen Unterredung mit Mitch Rapp wusste. Rapp hatte ihr zwar nichts über den Inhalt des Gesprächs verraten, aber auch keinen Versuch unternommen, ihr die naheliegende Schlussfolgerung auszureden.

»Was hatte er dort zu suchen, Irene? Mir wurde gesagt, er sei bei der CIA ausgestiegen. Stimmt das etwa nicht? Arbeitet er nach wie vor für Sie?«

Sie empfand sein geheucheltes Unwissen zunehmend als Farce und überlegte, ob sie dem Präsidenten ins Gesicht sagen sollte, dass ihr völlig klar war, wer Rapp auf diese Idee gebracht hatte. Doch das wäre nicht nur ungemein befriedigend, sondern auch äußerst unklug gewesen. Wie immer blieb ihr nichts anderes übrig, als ihren Ärger herunterzuschlucken und sich an die politischen Spielregeln zu halten.

»Mitch hat mich über seinen Rücktritt informiert und stand seitdem nicht mehr mit mir in Kontakt. Das betrifft meines Wissens auch alle anderen Mitarbeiter der Agency.«

»Sie wissen also nicht, wo er gerade ist?«

»Ich habe keine Ahnung.« Das stimmte sogar.

»Nun, dieser widerliche Aali Nassar wird in weniger als zwei Minuten hier sein. Ich gehe nicht davon aus, dass er eine solche Antwort akzeptieren wird.«

»Mitch Rapp ist nicht länger mir oder der Central Intelligence Agency unterstellt. Er hielt sich als amerikanischer Staatsbürger zufällig in einem europäischen Etablissement auf, das von Terroristen angegriffen wurde. Ich habe auf diesem Video nichts gesehen, was darauf hindeutet, dass Mitch – so er es denn tatsächlich war – eine kriminelle Tat begangen hat. Wenn Direktor Nassar sich mit ihm darüber unterhalten will, steht es ihm frei, ihn ausfindig zu machen und um ein klärendes Gespräch zu bitten.«

»Wollen Sie ernsthaft behaupten, es sei ein Zufall gewesen, dass Mitch sich zum Zeitpunkt der Aktion dort aufhielt?«, fragte Alexander.

Sie trank wortlos einen Schluck Tee.

Das nachbearbeitete Video aus Monaco gehörte zu den drei spannendsten Filmminuten, die sie je gesehen hatte. Kennedy überraschte vor allem die Anwesenheit von Grischa Asarow, den viele lediglich für einen erfolgsverwöhnten Energieexperten hielten. Ihn bei der Arbeit zu beobachten, faszinierte sie und erklärte vor allem, wie es ihm gelungen war, Scott Coleman so schwer zu verwunden.

Als fast noch schockierender empfand sie die Beteiligung von Donatella Rahn. Bisher war sie offiziell nicht identifiziert worden. Selbst die CIA-Analysten vertraten die Auffassung, dass es sich bei ihr lediglich um eine osteuropäische Prostituierte handelte.

Damit blieb der unbekannte Scharfschütze übrig, der unweit des Clubs in einem Penthouse Position bezogen hatte. Von ihm existierten nur ein paar unscharfe Überwachungsbilder, die einen durchschnittlich großen und muskulösen Mann in unförmigem Mantel zeigten. Die tief ins Gesicht gezogene Kopfbedeckung und eine Brille mit spiegelnden Gläsern machten brauchbare Aufnahmen fast unmöglich. Sie hatte sich unauffällig mit potenziellen Kandidaten befasst, die Rapp rekrutiert haben könnte, ohne fündig zu werden. War es möglich, dass er auf die Dienste von Kent Black zurückgriff? Sie wusste, dass der frühere Ranger mittlerweile sein Geld als Waffenhändler in Afrika verdiente, hatte es jedoch nie für nötig gehalten, ihm nachspionieren zu lassen.

»Sie wirken deutlich schweigsamer als sonst, Irene. Gibt es etwas, das Sie mir vorenthalten?«

»Gibt es etwas, das *Sie* mir vorenthalten, Mr. President?«

Sie bedauerte die Frage, sobald sie aus ihr herausgeplatzt war. Die unerschütterliche Selbstbeherrschung, die ihr stets so gute Dienste leistete, zeigte erste Risse. Einer der mutigsten, patriotischsten und erfolgreichsten Antiterrorkämpfer Amerikas hatte sich in eine verhängnisvolle Lage manövriert und sie war zum Zuschauen verdammt.

Alexander hätte ahnen müssen, dass das Gespräch einen solchen Verlauf nahm. Mitch Rapp war für sie wie ein Bruder. Nachdem er alles für sein Land geopfert hatte, sollte er nun den Wölfen zum Fraß vorgeworfen werden.

»Was wollen Sie damit andeuten, Irene?«

Ihr blieb eine Antwort erspart, weil im selben Moment die Assistentin des Präsidenten den Kopf zur Tür hereinstreckte. »Sir? Direktor Nassar ist eingetroffen.«

Joshua Alexander erhob sich. »Führen Sie ihn rein.«

Nassar wirkte etwas weniger selbstgefällig und deutlich müder als bei der letzten Begegnung. Er gab Alexander die Hand, verzichtete jedoch auf diese Geste der Höflichkeit, als er sich Kennedy zuwandte. »König Faisal ist daran interessiert zu erfahren, welchen Einfluss Sie in dieser Angelegenheit auf Mitch Rapp ausgeübt haben und was Sie zu unternehmen gedenken.«

»Könnten Sie das etwas konkreter formulieren, Direktor?«

»Sie wissen genau, wovon ich rede. Es geht um seine Beteiligung am terroristischen Angriff in Monaco und seine Rolle bei der Entführung – und vermutlich auch Ermordung – von Prinz Talal bin Musaid.«

Sie mimte – bewusst wenig überzeugend – die Schockierte. »Wollen Sie damit andeuten, dass der Unbekannte im Nachtclub Mitch Rapp gewesen ist?«

»Es gibt ein Videoband.«

»Ach ja? Und dieses Videoband ist eindeutig?«, griff sie Nassars Reaktion auf, als sie ihn beim letzten Zusammentreffen mit fotografischen Beweisen zu bin Musaids Beteiligung an der Finanzierung von Terroraktivitäten in Marokko konfrontiert hatten.

»Wir sind dieser Auffassung, ja«, entgegnete Nassar. Ein kurzes Aufflackern im Blick verriet, dass ihm die Retourkutsche nicht entgangen war. »Wir ...«

»Direktor, was halten Sie davon, wenn wir uns kurz setzen?«, unterbrach der Präsident.

Er führte sie zu den Sofas und sie machten es sich bequem. Alexander hätte es eigentlich genießen müssen, die Saudis mit eigenen Waffen zu schlagen. Stattdessen schien er sich vor allem darauf zu konzentrieren, inwieweit Rapps Verhalten ihn angreifbar machte. Kennedy war durchaus bewusst, dass ein endgültiges Verschwinden des früheren CIA-Agenten für ihn auf einen Schlag eine Menge Probleme gelöst hätte. Wie Stan Hurley es oft auf den Punkt zu bringen pflegte: *Tote können nicht auspacken.*

»Ich verlange, dass wir sofort mit dieser albernen Taktiererei aufhören.« Nassar wirkte aggressiv. »Jeder in diesem Zimmer weiß, dass der Mann auf dem Video Rapp ist.«

»Schließen Sie nicht von sich auf andere«, widersprach Kennedy. »Und selbst wenn er es wäre, zeigen die Aufnahmen nur, wie er mehrere Terroristen tötet und versucht, den Prinzen zu *retten*.«

»Retten? Er hat den Prinzen auf die Straße geworfen. Der Prinz wurde wie ein verwundetes Tier erschossen.«

»Von Männern in einem Fahrzeug, das die Verfolgung aufgenommen hatte. Es ist gut möglich, dass der Prinz zu diesem Zeitpunkt bereits tot war. Wir sind uns sicher einig, dass es äußerst verstörend ist, einen Toten auf dem Beifahrersitz zu befördern.«

»Verstörend? Machen Sie sich nicht lächerlich. Ein Mann wie der auf diesem Video stört sich bestimmt nicht an einer Leiche im Auto.«

Irene schwieg.

Nassar zog zwei Fotos aus der mitgebrachten Mappe und reichte sie ihr.

»Da Sie die Qualität der Screenshots aus diesem Video offenbar nicht überzeugt, Direktorin Kennedy, habe ich Ihnen noch andere mitgebracht.«

Beide Aufnahmen zeigten blutige Leichname, an einem Stuhl fixiert. Sie tippte auf den oberen Abzug. »Ahmed El-Hashem.«

»Wir waren sehr schockiert, als wir vom Tod des stellvertretenden Botschafters erfuhren«, warf der Präsident ein.

»Sicher waren Sie das«, merkte Nassar in einem Tonfall an, der das Gegenteil verriet.

»Er wurde gefoltert, vermutlich auf der Suche nach Informationen, und mit einem gezielten Kopfschuss getötet. Unsere Analysten gehen von einer Glock als Tatwaffe aus. Den zweiten Mann, Mahja Zaman, ereilte dasselbe Schicksal.«

»Mahja Zaman?«, fragte Kennedy. »Wer ist das?«

»Ein saudischer Geschäftsmann.«

Sie gab vor, den Namen auf dem Handy zu googeln,

während er fortfuhr. In Wirklichkeit kannte sie Mr. Zaman nur zu gut.

»Er wurde in einem Hotel in Brüssel ermordet. Ein Wachmann kam ebenfalls ums Leben. Der Täter, der laut Zeugenbeschreibungen Mitch Rapp ähnelt, hat auf der Flucht zwei weitere Security-Leute ausgeschaltet. Er stieg in das Auto einer hellhäutigen Frau.«

»Wurden die Szenen von Kameras eingefangen?«, erkundigte sich Kennedy.

»Nein, Rapp schaltete die Überwachung ab, nachdem er den Wachmann erledigt hatte.«

»Also gibt es lediglich Sichtungen eines knapp 1,85 großen Mannes mit dunkler Gesichtsfarbe, Mitte 40, am Tatort. Das engt den Kreis der Verdächtigen auf knapp eine Viertelmilliarde Menschen ein.«

»Seien Sie nicht albern! Sie wissen ebenso gut wie ich, dass Mitch Rapp dahintersteckt. Er unterstellte Prinz bin Musaid, mit dem IS gemeinsame Sache gemacht zu haben, und verhörte und tötete daraufhin gezielt vermeintliche Mitwisser.«

»Und wieso sollte er diese beiden Männer der Mitwisserschaft verdächtigen?«

Es kam keine Antwort.

Kennedy scrollte den Text auf ihrem Handy durch. »Oh, interessant. Hier steht, dass Zaman etwa in Ihrem Alter war und ebenfalls in Oxford studiert hat. Kannten Sie ihn?«

»Wir waren Zimmernachbarn.«

»Tatsächlich?« Sie schaute auf und heuchelte Mitgefühl. »Mein Beileid zum Tod Ihres Freundes.«

»Das ist alles irrelevant.« Der Saudi mühte sich, die Kontrolle über das Gespräch zurückzuerlangen. »Ob

Mitch Rapp daran beteiligt ist, lässt sich leicht herausfinden. Wir müssen lediglich mit ihm sprechen.«

»Dann rate ich Ihnen, das zu tun.«

»Wo finde ich ihn?«

»Es gehört nicht zu meinen Angewohnheiten, früheren Angestellten nachzuspionieren.«

Nassar richtete seine Aufmerksamkeit auf den Präsidenten, der aus naheliegenden Gründen der CIA-Chefin nur zu gern den Vortritt überlassen hatte. »Sir. Sicher sind Sie mit mir einer Meinung, dass Mitch Rapp an der Sache beteiligt ist. Er war schon immer unberechenbar und gewalttätig. Jetzt scheint er auf die andere Seite gewechselt zu sein. König Faisal verlangt, dass er gefunden wird, bevor er weitere unserer Bürger umbringt. Sollte sich herausstellen, dass er nicht an dieser Aktion beteiligt war, werden wir uns bei Ihnen selbstverständlich in aller Form entschuldigen. Vorerst müssen wir allerdings davon ausgehen, dass er so lange töten wird, bis ihn jemand aufhält. Der König bringt Ihnen tiefen Respekt entgegen und weiß um die früheren Verdienste Mr. Rapps für unsere Sicherheit. Sollten Sie uns Ihre Hilfe verweigern, werden wir unsere bisherigen Erkenntnisse öffentlich machen und weltweit Geheimdienste und Strafverfolgungsbehörden um Unterstützung bitten.«

Das Wort ›öffentlich‹ machte Alexander sichtlich nervös. »Irene, können wir uns mit ihm in Verbindung setzen und ihn bitten, sich für eine Befragung zur Verfügung zu stellen?«

»Vermutlich nicht«, erklärte sie vage.

Nassars Kiefer malmten drauflos. »Mr. President, ich ersuche Ihre Regierung offiziell um Unterstützung bei der Fahndung nach Mr. Rapp. Sollte er unschuldig sein, verschafft ihm das die Gelegenheit, sich zu entlasten. Andernfalls verhindern wir durch seine Festnahme weiteres Blutvergießen.«

Schachmatt!, erkannte Kennedy. Dieses begründete Anliegen abzulehnen, würde politisch für eine Menge zerbrochenes Porzellan sorgen und Alexander zwingen, sich eine Begründung aus den Fingern zu saugen, die einer internationalen Überprüfung schwerlich standhielt. Genau das hatte sie seit dem Tag befürchtet, an dem der Präsident Rapp zu diesem undankbaren Botengang überredet hatte.

»Was brauchen Sie von mir?«, fragte Alexander.

»Stellen Sie einen Mitarbeiter für meine Taskforce ab, der als Kontaktmann zwischen meinen und Ihren Leuten fungiert.«

Alexander blickte Kennedy fragend an. »Irene? Fällt Ihnen jemand ein?«

»Natürlich. Ich denke an …«

»Bei allem Respekt, Sir, ich habe bereits jemanden im Auge.«

»Wen?«

»Special Agent Joel Wilson vom FBI.«

Kennedy sank bei Erwähnung des Namens das Herz in die Hose. Wilson war der frühere Leiter der FBI-Division für Spionageabwehr. Ein intriganter Mistkerl, der Rapp mindestens so sehr wie viele terroristische Feinde hasste. Leider war er auch ein äußerst kompetenter und pflichtbesessener Ermittler. Ein äußerst geschickter Schachzug von Nassar. Wilson würde fernab der Pfade von gesundem Menschenverstand, nationalen Interessen und Objektivität nichts unversucht lassen, um sich an Rapp zu rächen.

»Ich kenne ihn nicht«, meinte der Präsident und stand auf. »Aber wenn er der Mann ist, den Sie wollen, sollen Sie ihn bekommen.«

Nassar erhob sich ebenfalls, gab Alexander die Hand und verbeugte sich kurz in Kennedys Richtung, bevor er zur Tür ging. Nachdem sie sich geschlossen hatte, fragte er: »Joel Wilson? Wer zum Teufel ist das?«

»Sie erinnern sich bestimmt an ihn, Sir. Er arbeitete mit Senator Ferris gegen uns, als …«

»Dieser miese Idiot? Der Kerl, den die Pakistani benutzt haben, um eine CIA-Operation auffliegen zu lassen?«

»Genau der, Sir.«

»Ich verstehe bis heute nicht, wieso Sie diesen kleinen Bastard nicht ins Gefängnis gesteckt und den Schlüssel weggeworfen haben.«

»Das hätte die Lage nur verkompliziert. Wir wollten vermeiden, dass das FBI mit einem blauen Auge dasteht. Das Verhältnis zu Pakistan war zu jenem Zeitpunkt ohnehin angespannt. Also haben wir es bei einer Degradierung belassen und ihm erlaubt, seine Pensionsansprüche zu behalten. Meines Wissens wird er vom FBI irgendwo in der Provinz eingesetzt. In Montana? Es könnte auch Alaska sein.«

Alexander setzte sich wieder auf die Couch. »Was wissen Sie über die aktuellen Vorfälle, Irene? Ich kaufe Ihnen nicht ab, dass Sie erst beim Lesen des Artikels auf Ihrem Handy erfahren haben, dass Nassar und Zaman an derselben Uni studierten.«

»Da liegen Sie richtig, Sir.«

»Mich interessiert Ihre ehrliche Einschätzung, Irene. Was hat Mitch damit zu tun?«

Sie lächelte ihren Ärger darüber weg, dass der Präsident so tat, als ob er selbst nichts damit zu tun hatte. »Nun, für mich liegt auf der Hand, dass Mitch sich in diesem Nachtclub aufhielt, um bin Musaid zu beschatten. Basierend auf unserer Analyse des Videos hat sich dort kein wahlloser Übergriff ereignet, sondern es ging darum, den Prinzen zu schnappen. Rapp bekam es im Rahmen seiner Observierung mit und griff ein.«

»Und wie steht es mit El-Hashem und Zaman? Halten Sie es für möglich, dass bin Musaid sie während der kurzen Autofahrt mit Mitch belastet hat und er daraufhin beschloss, sie persönlich zur Rechenschaft zu ziehen? Wir wissen beide, wie kritisch er die Übereinkunft sieht, die wir nach der Anschlagswelle des 11. September mit den Saudis erzielt haben.«

»Möglich, aber unwahrscheinlich. Klammern wir El-Hashem mal für eine Sekunde aus. Im Rahmen von Zamans Ermordung in Brüssel soll Mitch einen Wachposten getötet haben. Das wäre absolut untypisch für ihn und passt nicht zu seinem bisherigen Verhalten.«

»Allerdings ist er auch noch nie auf eigene Faust losgezogen.«

Sie ließ ihm auch diese Bemerkung durchgehen, wurde aber zunehmend wütender.

»Wenn Sie in Zweifel ziehen, dass Mitch moralische Skrupel hätte, unterstellen Sie zumindest, dass so ein schlampiges Vorgehen nicht zu ihm passt. Nach der Tötung des Mannes tickte sofort der Countdown bis zu seiner unweigerlichen Entdeckung los. Mitch hätte unter solchen Umständen nie und nimmer seelenruhig ein Verhör durchgeführt.«

»Wie lautet denn Ihre Erklärung?«

»Ich halte es für wesentlich realistischer, dass der Verantwortliche für Prinz bin Musaids Aktionen in Marokko gezielt alle Mitwisser aus dem Weg räumt, um seine eigene Identität zu schützen, und die Sache Mitch anhängen will.«

»Sind Sie sicher, dass Ihre Freundschaft zu Mitch nicht Ihr objektives Urteilsvermögen beeinträchtigt?«

»Lassen Sie es mich so formulieren, Sir: Wie oft habe ich Ihnen schon gesagt, dass ich mir einer Sache absolut sicher bin?«

»Noch nie. Sie halten sich immer Rückzugsmöglichkeiten offen.«

»Gut. In diesem Fall *bin* ich mir sicher, dass Mitch nichts mit dem Tod dieses Hotelangestellten zu tun hat. Und wenn *er* den Mann nicht umgebracht hat, muss es ein anderer getan haben.«

»Okay. Wer?«

»Wenn ich raten müsste, würde ich auf Aali Nassar tippen.«

»Soll das ein Witz sein?«

»Ganz und gar nicht. Nassar ist enorm ehrgeizig. Er wird nach König Faisals Tod zu den großen Gewinnern gehören und hält den IS wahrscheinlich für ein wichtiges Werkzeug zum Machterhalt. Ganz ehrlich? Ich kann ihm da schwer widersprechen.«

»Könnten Sie irgendwie Kontakt zu Mitch aufnehmen, ohne dass es sich nachverfolgen lässt?«

»Ich bin mir nicht sicher, ob Mitch derzeit mit mir reden will. Vor allem gibt es keine absolut sicheren Kommunikationswege. Das gilt erst recht, wenn Nassar mehr weiß, als er uns sagt.«

»Dann lassen Sie es. Ich möchte Sie nicht auch noch in Schwierigkeiten bringen.«

Er sank etwas tiefer ins Polster ein und stieß einen gedehnten Seufzer aus. »Ich kann nicht glauben, dass Mitch so etwas ohne ausdrückliche Ermächtigung durchzieht, Irene.«

Sie ließ ihn bei ihrer Erwiderung keine Sekunde aus den Augen. »Ich auch nicht.«

Zum ersten Mal, seit sie sich kannten, mied der mächtigste Mann der Welt ihren Blick.

40

BISMARCK, NORTH DAKOTA

Aali Nassar blieb im Auto und blickte an seinem Fahrer vorbei auf die schneebedeckten Gipfel der Berge. Er hatte seine Leibwächter zurück nach Saudi-Arabien geschickt und griff auf ein Kontingent von Secret-Service-Leuten zurück, das ihm der US-Präsident zur Verfügung stellte. Sie waren allesamt zu jung, um über nennenswerte Erfahrung zu verfügen, damit aber auch zu jung, um Mitch Rapp näher zu kennen. Das Auftauchen des Ex-CIA-Agenten in Zamans Hotel schien anzudeuten, dass er über Nassars Beteiligung an der geheimen Finanzierung der IS-Aktivitäten Bescheid wusste. Das hieß, er musste damit rechnen, dass der Amerikaner bald auch ihn jagte.

Nassar drohte ein Kampf auf Leben und Tod gegen einen Gegner, der in solchen Auseinandersetzungen stets als Sieger vom Platz gegangen war. Wieder und wieder hatte sich gezeigt, dass man mit roher Gewalt nichts gegen

Rapp ausrichten konnte. Seine einzige Hoffnung bestand darin, ihn auszumanövrieren. Dazu kamen ihm die Jungs vom Secret Service sehr gelegen. Er unterstellte, dass Rapp auf keinen Fall riskierte, Regierungsangestellte zu töten. Sie würden Nassar im Gegenzug notfalls mit ihrem Leben verteidigen, weil es zu ihrem Job gehörte. Völlig sicher fühlte er sich trotzdem nicht, aber er hielt es für die beste Möglichkeit, sich auf amerikanischem Boden zu schützen.

Die Secret-Service-Agenten waren ausgeschwärmt und überwachten den leichten Verkehr mit geübtem Blick. Schließlich verschwanden zwei von ihnen in einem Coffeeshop am nördlichen Ende der Straße.

Nassar hatte keine Zeit verloren und war direkt nach dem Termin im Oval Office zum Bismarck Airport geflogen. Trotzdem ging er davon aus, dass Irene Kennedy wusste, wo er sich aufhielt. Hatte diese heuchlerische Hexe ihre Finger im Spiel und Rapp heimlich Nassars Flugplan zukommen lassen? Lauerte der CIA-Killer da draußen, ausnahmsweise mal rasiert, um unter den hiesigen Farmern mit chronischer Maulsperre nicht weiter aufzufallen?

Nassars Telefon klingelte. Das Display verriet ihm, dass es sich um eine Geheimnummer handelte. Zunächst wollte er den Anruf ignorieren, überlegte es sich dann jedoch anders. Er konnte jede Zerstreuung gebrauchen und musste sowieso bald mit dem Mann reden. Nassar rutschte etwas tiefer in den Sitz und meldete sich.

»Hallo Qadir.«

»Zaman und El-Hashem sind tot und du reagierst nicht auf meine Anrufe«, kam die panische Erwiderung. »Gerüchten zufolge hat Mitch Rapp seine Finger im Spiel. Stimmt das?«

»Ich fürchte, ja.«

»Was gedenkst du zu unternehmen?!«, kreischte der andere. »Ich verlange …«

»Beruhige dich, Qadir!«

»Ich soll mich beruhigen? Wie kannst du so etwas sagen? Mir wurde gesagt, dass du mit einer Horde von Personenschützern in Amerika bist. Ich sitz hier zu Hause bei meiner Frau und den Kindern. Er könnte jeden Moment hier reinmarschieren und …«

»Glaubst du etwa, in Amerika ist es sicherer?«, unterbrach ihn Nassar schroff. »Vor seiner eigenen Haustür? Hör auf, dich wie ein hysterisches Weib zu benehmen. Hast du etwa Angst vor der Begegnung mit Gott, nachdem du sein Werk vernichtet hast? Gibt es einen Grund, weshalb du sein Urteil fürchtest?«

Es kam keine Antwort und Nassar mäßigte seinen Tonfall. Qadir musste sich noch ein bisschen länger zusammenreißen, um ihm nützlich zu sein.

»Ich habe bereits ein Team losgeschickt, das auf euch aufpasst und dein Haus und deine Familie im Blick hat. Da sich die Lage zu verschärfen droht, müsst ihr allerdings woandershin. Ein sicherer Unterschlupf in der Nähe von Al-Ghat ist bald bezugsfertig. Ihr werdet heute Abend abgeholt und bleibt so lange dort, bis ich die Sache mit Rapp geregelt habe.«

»Die Sache mit Rapp regeln? Das haben schon viele versucht, Aali. Wie genau stellst du dir das vor, die ›Sache zu regeln‹?«

Qadir Sultan war der letzte noch lebende Mensch, der von seinen Verbindungen zum IS wusste, und damit die derzeit zweitgrößte Bedrohung für ihn. Es stimmte zwar, dass ihn am Abend zwei saudische Geheimdienstoffiziere abholten. Allerdings würden weder sie noch Sultan jemals am Safe House eintreffen. Man würde ihre Leichen später am Straßenrand finden, niedergestreckt durch einen Präzisionsschuss. »Wie gesagt, ich werde es regeln, Qadir. Das Wie hat dich nicht zu kümmern.«

Einer der Secret-Service-Männer verließ den Coffeeshop und signalisierte, dass ihm dort keine Gefahr drohte. Nassar trennte daraufhin die Verbindung, stieg aus und kämpfte gegen den Drang an, sich zu ducken. Die Erleichterung, die ihn ergriff, als er die offene Straße verlassen und das Gebäude betreten hatte, war fast spürbar.

In dem kleinen Laden war nur etwa die Hälfte der Plätze besetzt. Joel Wilson saß an einem Tisch in der Mitte und verschlang ein Sandwich. Nassar ging zu ihm und beugte sich so dicht heran, dass er mit ihm reden konnte, ohne dass die übrigen Gäste etwas vom Inhalt des Gesprächs mitbekamen.

»Special Agent Wilson? Hätten Sie kurz einen Moment Zeit?«

Der andere schaute vom Tablet hoch, auf dem er gerade einen Text las, und meinte mit vollem Mund: »Ich esse gerade. Was wollen Sie?«

»Ich bin Aali Nassar.«

»Ja und? Soll mir das etwas sagen?«

»Vermutlich nicht. Ich bin der Chef des saudiarabischen General Intelligence Directorate.«

Damit weckte er die Aufmerksamkeit des Mannes, der jedoch mit einer verständlichen Portion Skepsis reagierte. »Ach, und da dachten Sie, Sie schauen mal kurz in Dakota vorbei?«

»Ich versichere Ihnen, dass ich derjenige bin, der ich zu sein behaupte, Joel. Ich darf Sie doch Joel nennen?«

»Von mir aus.«

»Können wir uns in eine ruhige Ecke setzen und reden?«

»Wieso nicht gleich hier?«

Nassar rückte mit dem Mund noch dichter an sein Ohr. »Ich möchte, dass unser Gespräch vertraulich bleibt, und fühle mich wohler, wenn ich mit dem Rücken zur Wand sitze.«

»Warum?«

»Weil Mitch Rapp mich töten will.«

Skepsis wich Furcht, als der Name des CIA-Agenten fiel.

»Ich habe keine Ahnung, wer das ist.«

»Bitte.« Nassar deutete auf eine Sitznische im hinteren Teil des Ladens.

Ein erster Test. Wilson war kein Dummkopf und hatte guten Grund, die Einladung abzulehnen, nachdem man ihm so übel mitgespielt hatte. Allerdings dürfte es ihm schwerfallen. Er war seit dem Untersuchungsverfahren, bei dem er dem Verdacht nachging, dass der CIA-Mann Regierungsgelder in illegale Kanäle umleitete, regelrecht besessen von Mitch Rapp. Am Ende wurde daraus ein privater Feldzug, der ihm um die Ohren flog, als sich herausstellte, dass er einer gezielten Desinformations-kampagne des pakistanischen Geheimdiensts ISI auf den Leim gegangen war.

Männern wie Wilson fiel es schwer, einen Irrtum einzugestehen. Er klammerte sich mit fanatischer Überzeugung an die Theorie, dass ihn korrupte Kräfte innerhalb der US-Regierung aus dem Weg haben wollten und er als Bauernopfer der Elite in Washington eine Blamage ersparen sollte. Die Frage war, ob diese selbstgerechte Empörung mittlerweile verflogen war oder die Serie von Degradierungen, Kränkungen und Drohungen sie zusätzlich angefacht hatte.

Wilson bestand seinen Test, als er kurz darauf seine Sachen einsammelte und ihm folgte. Nassar setzte sich rechts von ihm und zeigte auf das Tablet. »Ich nehme an, Sie haben eine Internetverbindung? Dann überprüfen Sie doch erst mal meine Identität.«

Die Gründlichkeit des Amerikaners beeindruckte ihn. Wilson steuerte mehrere Websites mit Fotos von Nassar an und wiederholte die Abrufe im Anschluss über einen britischen Proxy-Server. Wahrscheinlich rechnete er damit, dass jemand die Datenverbindung manipulierte und ihm aus seiner Besessenheit hinsichtlich Rapp einen Strick drehen wollte.

»Okay, Sie sind es wirklich«, erklärte er nach einigen Minuten Recherche.

Nassar zog im Gegenzug ein Foto von Rapp aus der Tasche und schob es ihm hin. »Erkennen Sie diesen Mann?«

»Keine besonders gute Aufnahme.«

»Es handelt sich um eine digitale Aufbereitung mehrerer Standbilder, aus denen wir das Optimum herausgeholt haben. Wir glauben, dass es Rapp ist.«

»Wenn Sie es sagen.«

»Was ich Ihnen jetzt sage, ist natürlich streng vertraulich. Wir wissen, dass Rapp Prinz Talal bin Musaid in dem Nachtclub in Monaco aufgelesen hat, auf den kürzlich ein Überfall erfolgte. Er hat ihn aller Wahrscheinlichkeit nach ermordet. Wir gehen ferner davon aus, dass er für den Tod zweier weiterer saudischer Staatsbürger verantwortlich ist.«

Auf Wilsons Gesicht trat ein gleichgültiger Ausdruck. Er gab Nassar das Foto zurück. »In diesem Fall dürfte Irene Kennedy ihren Tod befohlen haben. Reden Sie mit ihr.«

»Haben Sie nicht mitbekommen, dass Rapp seinen Dienst bei der CIA quittiert hat?«

»Schwachsinn.«

»Es ist nicht gerade ein Geheimnis. Ich vermute, es dauert etwas länger, bis sich Informationen in diesen entlegenen Teil des Landes rumsprechen.«

Der Mann griff erneut nach dem Foto und betrachtete es ausgiebig. »Was hat das Ganze mit mir zu tun?«

»Ich stelle gerade eine Taskforce zusammen, um ihn festzunehmen, bevor er weiteren Schaden anrichtet. Dafür brauche ich jemanden mit herausragenden Fähigkeiten als Ermittler, der genug Courage und absolute Integrität mitbringt. Da kam ich auf Sie.«

»Nein.«

»Nein?«

»Ich habe das alles hinter mir. Deshalb sitze ich in diesem Café in der Provinz von Dakota. Mitch Rapp hat eine Menge Feinde, aber auch mächtige Rückendeckung aus den Reihen der Politik. Ich ziehe es vor, meine restliche Dienstzeit hier abzusitzen und meine Pensionsansprüche nicht zu gefährden, wenn's recht ist.«

Nassar verstaute das Foto in der Brusttasche seines Jacketts. »Ich glaube, Sie gehen von überholten Fakten aus, Joel. Er hat die CIA verlassen und Zivilisten ermordet, darunter auch den Neffen von König Faisal. Ihre Regierung hat sich ausdrücklich damit einverstanden erklärt, dass ich Sie als Vizechef meiner Taskforce einsetze.«

Wilson brach in Gelächter aus. »Wollen Sie mir ernsthaft verkaufen, dass Direktor Miller diese Entscheidung abgenickt hat?«

»Was Miller will oder nicht will, ist irrelevant. Ich arbeite direkt mit Präsident Alexander zusammen.«

»Mit dem Präsidenten?«, entfuhr es Wilson. Seine ganze Haltung veränderte sich abrupt. Nicht weiter verwunderlich. Die Chance, es dem Mann zu zeigen, der ihn in diese missliche Lage gebracht hatte, musste unwiderstehlich sein.

»Natürlich können Sie sich gerne rückversichern. Rufen Sie im Weißen Haus an und sagen Sie denen, wer Sie sind. Ich garantiere Ihnen, man wird Sie durchstellen.«

»Zu wem?«

»Zum Präsidenten natürlich.«

Wilson nagte an seiner Unterlippe. Ein entrückter Blick trat in seine Augen. Man konnte förmlich sehen, welch prachtvolle Szenarien er in seinem Kopf entwarf. Eine Einladung ins Weiße Haus zu einer persönlichen Feierstunde. Seine Weigerung, Direktor Miller über den Stand seiner Ermittlungen im Fall Rapp zu informieren. Und als Krönung der Moment, in dem Mitch Rapp hinter Gittern landete und man den Leuten, die das frühere Untersuchungsverfahren blockiert hatten, den Prozess wegen Vertuschung machte. Er gierte darauf, dass die Nation endlich erfuhr, was für ein Held Joel Wilson in Wahrheit war.

»Was ist mit Kennedy?«

»Nun, zu dieser Katastrophe kam es überhaupt erst, weil sie jahrelang dabei versagt hat, Rapps Alleingänge zu zügeln. Sie besitzt keinerlei Mitspracherecht.«

»Ach? Nach meinen Erfahrungen lässt sie sich von niemandem verbieten, mitzureden oder sich einzumischen.«

Nassar nickte. »Sie haben guten Grund, diese Frau zu fürchten, Joel. Sie leben in einer herrlichen Stadt, haben einen sicheren Job und bald ein Anrecht auf Pensionszahlungen. Nun, ich wollte es wenigstens versucht haben.«

Er stand auf. Wilson hielt ihn am Arm fest.

»Setzen Sie sich. Ich habe nicht Nein gesagt.«

»Also denken Sie darüber nach?«

»Was genau bieten Sie mir an?«

»Ich verstehe die Frage nicht.«

»Wenn ich Ihnen helfe, will ich meinen früheren Posten zurück.«

Natürlich hätte er es ihm einfach versprechen können, aber Wilson war kein Dummkopf. Er durfte das empfindliche Gleichgewicht aus Glaubwürdigkeit und Fiktion nicht ins Wanken bringen.

»Ich bin saudischer Staatsbeamter, Joel. Ein solches Versprechen kann ich Ihnen nicht geben. Aber ich versichere Ihnen, dass der Präsident die Angelegenheit geklärt sehen möchte, bevor daraus ein internationaler Zwischenfall wird. Er wird sich Ihren Karrierewünschen kaum verweigern können, wenn Sie ihn vor einer solchen Bloßstellung bewahren.«

Wilson starrte durch die Frontscheibe auf die Straße, wo dicke Flocken vom Himmel fielen. »Ihn festzunehmen wird nicht einfach. Ein Mann wie Rapp ergibt sich nicht. Und selbst wenn er es tut, sitzt er mit seinem Wissen am längeren Hebel. Was wollen Sie machen? Ihn vor einen Richter schleifen? Damit er auf der Anklagebank alles auspackt, was er weiß?«

»Ich sehe das genau wie Sie. Mr. Rapp wird massiven Widerstand leisten und nicht lebendig gefangen genommen werden wollen.«

Was er damit andeutete, lag auf der Hand. Statt schockiert zu reagieren, lächelte Wilson ihn an.

»Also sind Sie interessiert, Joel?«

»Und ob ich das bin!«

Männer wie er ließen sich so leicht manipulieren und verschlossen ihre Augen vor möglichen Konsequenzen. Mitch Rapp und sein Team waren so ziemlich das Einzige, was die westliche Welt davon abhielt, in Chaos zu versinken. Wilson entging, dass er es allein Rapps Einsatz für die Freiheit Amerikas verdankte, hier zu sitzen und sich über ihn echauffieren zu können.

»Haben Sie einen Vorschlag, wie wir vorgehen sollen, Joel?«

»Er hat sich ein schickes Häuschen vor den Toren Washingtons gebaut. Wir sollten dort alles auf den Kopf stellen und nachschauen, was wir finden.«

»Ein Durchsuchungsbeschluss dürfte schwierig zu beschaffen sein«, schränkte Nassar ein. »Die Fakten, die ich Ihnen dargelegt habe, sind zwar eindeutig, aber in Ihrem Rechtssystem reicht ein solcher Anscheinsbeweis nicht aus.«

Der FBI-Mitarbeiter grinste ihn verschlagen an. »Wie ich erwähnte, hat Rapp etliche Feinde. Nun, einige von ihnen sind Richter.«

41

Jegliche Fortschritte waren offiziell zum Erliegen gekommen.

Normalerweise hätte Joel Wilson tierisch genervt reagiert, aber heute störte es ihn kaum. Das Wetter war angenehm, kein Tropfen fiel und die Sterne funkelten am Firmament über dem Haus – nein, die Bezeichnung ›Anwesen‹ passte besser –, vor dem er stand.

Beim Tor handelte es sich um eine moderne Konstruktion aus Kupfer, neu genug, um nur eine leichte Patina aufzuweisen. Die Mauer bestand aus weißem Gipsputz und fiel etwas höher aus, als es die Ästhetik erforderte. Das Grundstück lag auf einem niedrigen Hügel, der einen Ausblick auf die umliegende Landschaft bot.

Mit seinem Team hatte er auf der Fahrt einen Schuppen und mehrere in frühen Bauphasen befindliche Häuser passiert. Sie schienen allerdings lediglich der Ablenkung zu dienen. Nichts konnte darüber hinwegtäuschen, dass diese Anhöhe nur einen einzigen Zweck hatte: das Schloss von Mitch Rapp zu beherbergen.

Ein junger FBI-Agent stand am Tastenfeld, mit dem sich das Tor öffnen ließ, und machte sich mit einem Schraubenzieher und mehreren Krokodilklemmen daran zu schaffen. Er versuchte bereits seit mehr als zehn Minuten, sich Zugang zu verschaffen. Normalerweise hätte Wilson längst ungeduldig eingegriffen. Heute nicht. Heute genoss er den Moment.

Am Nachmittag hatte er mit Joshua Alexander persönlich telefoniert. Der Präsident bestätigte nicht nur Aali Nassars Geschichte, sondern versicherte ihm, dass er auf jede erdenkliche Unterstützung zurückgreifen konnte. Ob er nun das FBI, die örtliche Polizei, CIA, NSA oder Jesus persönlich herbeizitieren wollte – sobald jemand nicht spurte, sollte er sofort zum Hörer greifen und Alexanders private Durchwahl wählen.

Das Tempo, in dem er vom Verstoßenen zum VIP wurde, der die persönlichen Kontaktdaten des Präsidenten besaß, überforderte ihn fast ein wenig. Die Rüge in aller Öffentlichkeit, die Versetzung in dieses Nest nach North Dakota, die Trennung von seiner Frau – selbst das kurzfristige Liebäugeln mit einem Selbstmord –, all das verblasste bereits in seinem Gedächtnis.

Noch hatte er dem Präsidenten nicht anvertraut, wie stark er die Ermittlungen auf die Spitze zu treiben gedachte und welche ernsten Konsequenzen daraus erwuchsen. Es ging ihm nicht allein um Mitch Rapp, der sich als Abtrünniger in Dinge einmischte, die ihn nichts angingen. Dass so etwas passierte, hätte selbst der größte Schwachkopf prognostizieren können. Nein, für ihn stand Kennedy im Mittelpunkt, die ihre schützende Hand über Rapp hielt. Und es ging um Senator Ferris, der Wilson zum Abschuss freigab und plötzlich der CIA-Chefin nach dem Mund redete. Um ein solches Verhalten zu provozieren, musste sie den Politiker schon mit der Androhung einer öffentlichen Blamage oder einer Anklage wegen Landesverrats in der Tasche haben. Wie viele weitere Regierungsvertreter tanzten nach ihrer Pfeife? Wie vielen anderen hatte sie gnädig gestattet, ihre Pensionsansprüche zu behalten, wenn sie im Gegenzug die Klappe hielten?

Sein Telefon vibrierte. Die Nummer erkannte er nach wie vor auf Anhieb. Es war eine Weile her, seit Direktor Miller ihn das letzte Mal angerufen hatte. Er überlegte, ob er überhaupt rangehen sollte. Immerhin hatte der Typ ihm nichts mehr zu sagen. Aktuell verhielt es sich sogar eher umgekehrt.

Er konnte der Versuchung nicht widerstehen.

»Hallo?«

»Es heißt, Sie seien mit einigen meiner Leute an Mitch Rapps Haus.«

»Ich muss Sie darauf aufmerksam machen, dass es sich um *meine* Leute handelt, Direktor.«

»Joel …« An den verärgerten Tonfall des anderen erinnerte er sich gut. Er fühlte sich an seinen Vater erinnert, wenn der ihm eine Standpauke hielt. Doch Miller war nicht sein Vater, sondern einer der Männer, die von Irene Kennedy kontrolliert wurden. Einer der Männer, denen eine baldige Bloßstellung drohte.

»Mir ist bewusst, dass Sie sich an Rapp und Kennedy rächen wollen«, fuhr Miller fort. »Und dass Sie uns alle wegen Korruption und Gott weiß was noch vor Gericht zerren wollen. Blenden Sie Ihre persönlichen Interessen mal für einen Augenblick aus und denken Sie darüber nach, was Sie da tun.«

»Machen Sie sich Sorgen, dass ich zu tief wühle? Dass ich herausfinde, was wirklich passiert ist? Nun, genau diesen Auftrag hat mir der Präsident erteilt.«

»Nein, die *Saudis* haben Ihnen diesen Auftrag erteilt, Joel. Seit wann arbeiten wir für die Saudis? Der Feind eines Feindes ist nicht automatisch ein Freund. Aali Nassar ist ein verräterischer Hurensohn von einem Fundamentalisten, der seiner eigenen Mutter die Kehle aufschlitzen würde, um … ach, eigentlich braucht er nicht mal einen Grund dafür. Sie haben dasselbe schon bei den Pakistani erlebt. Ich garantiere Ihnen, Joel …«

»Wollen Sie mir etwa drohen, Direktor? Ich muss Sie warnen. Ich schneide dieses Telefonat mit.«

»Halten Sie wenigstens dieses eine Mal die Klappe und hören Sie zu. Nassar und die Saudis verfolgen böse Absichten. Ich kann Ihnen noch nicht genau sagen, worum es geht, aber Sie dürfen ihnen nicht trauen, Joel. Verhalten Sie sich neutral und professionell, dann besteht die Aussicht, dass Sie heil aus der Sache rauskommen.«

»Sie drohen mir *tatsächlich*.«

»Verdammt, Joel!« Miller wurde lauter, was bei ihm nur selten vorkam. »Falls Rapp wirklich außerhalb des Gesetzes steht, geht es hier nicht um Ihre Rente oder um eine Strafversetzung, sondern darum, dass er Sie umbringen wird. Geht das denn nicht in Ihren Dickschädel rein?«

»Darf ich Sie damit zitieren?«

Der FBI-Chef legte auf. Wilson lächelte. Netter Versuch, aber viel zu verzweifelt. Er fragte sich, wie oft Miller ihn noch belästigen würde, bis das Ganze abgehakt war.

Der Mann, der sich mit dem Tastenfeld herumgequält hatte, kam zu ihm. Das Tor war immer noch geschlossen.

»Was ist los? Warum sind wir noch nicht drin?«

»Ich kann die Elektronik nicht aushebeln, Sir.«

»Also hat man mich im Bureau belogen, als man sagte, dass Sie ein fähiger Mann sind?«

»Sir, so ein Modell ist mir noch nie untergekommen. Es gibt nicht mal einen Markennamen oder eine Typenbezeichnung. Ich könnte nicht mal sagen, in welchem Land es gebaut wurde.«

»Dann gehen Sie nach Hause.«

»Sir, ich …«

»Wenn Sie Ihren Job nicht erledigen können, stehen Sie hier nur im Weg rum, oder? Also, machen Sie, dass Sie verschwinden.«

Wilson richtete sich an das SWAT-Team des FBI, das hinter einem klobigen Fahrzeug mit Mauerbrecher stand. »Wir kriegen die Schaltung nicht überlistet, also müssen wir das Tor einreißen.«

Der Teamführer schaute erst ihn, dann das Tor an. »Das halte ich für keine gute Idee, Sir.«

»Was soll das heißen?«

»Das ist das Tor von Mitch Rapps Haus.«

»Vielen Dank, das ist mir bekannt.«

»Warum rufen wir nicht bei der Agency an? Die kennen bestimmt einen Trick, wie man reinkommt.«

Wilson starrte den Mann an. »Sagen Sie bloß, Sie haben Schiss, Rapps Tor zu demolieren?«

Blicke gingen zwischen den Kollegen hin und her. Einige nickten.

»Sir«, versuchte es der Anführer erneut. »Sehen Sie die Kameras da oben an der Mauer? Das wird alles gefilmt.« Er zeigte hinter sich. »Und ist Ihnen da nichts aufgefallen?«

Wilson spähte durch die Finsternis zum Schuppen. Nach einer Weile entdeckte er die Umrisse einer gebeugten Gestalt, die sich auf eine Krücke stützte. »Wer ist das?«

»Rapps engster Freund Scott Coleman. Er sprang mal aus einem Fenster im zweiten Stock auf einen Selbstmordattentäter und hat ihn mit einem Wagenheber zu Tode geprügelt. Mit einem beschissenen Wagenheber,

Sir. Und er gehört noch zu den gutmütigeren Leuten, mit denen Rapp zusammenarbeitet.«

Wilson wusste nur zu gut, wer Coleman war. Der Kerl, der die Wanzen platziert hatte, die sein Meeting mit Senator Ferris aufzeichneten. Der Mitschnitt, der Wilsons Leben ruinierte.

»Steigen Sie ein und reißen Sie das Tor nieder. Das ist ein Befehl.«

»Bei allem Respekt, Sir, Sie können mich mal. Der Schlüssel steckt.«

Die Weigerung des anderen machte ihn für ein paar Sekunden sprachlos. Egal, darum konnte er sich später kümmern. Jetzt ging es darum, sich Zugang zum Haus zu verschaffen. Wenn es sein musste, erledigte er das eben selbst. Er kletterte hinter das Steuer und beschäftigte sich knapp eine Minute mit dem Armaturenbrett, bis er endlich herausfand, wie sich der Motor starten ließ. Er nahm den Fuß kurz vom Gas, um die Ramme auf die Mitte des Tors auszurichten. Die Kameras an der Wand nahmen seine Bemühungen schweigend zur Kenntnis. Fast hoffte Wilson, dass sie das Gesicht hinter der Windschutzscheibe einfingen, damit Rapp erfuhr, wer dafür verantwortlich war.

Er rammte das Kupfer mit voller Wucht und rechnete damit, dass es keinen nennenswerten Widerstand bot. Stattdessen bebte das Tor nur leicht und fing den Aufprall mühelos ab. Er wurde gegen den Gurt geschleudert und sein Kopf knallte so heftig nach vorn, dass der Schwung ihn kurzzeitig benommen machte. Als er das Gleichgewicht wiedererlangt hatte, stieß er eine Serie lauter Flüche aus, rollte knapp 50 Meter zurück und gab Vollgas. Diesmal hielt das Hindernis nicht stand. Wilson stieg voll auf die Bremse und kam vor einem modernen Einstöcker zum Stillstand, in dem es keine Fenster zu geben schien.

Er wartete, bis das Team zaghaft näher kam. Sobald sie ihn erreicht hatten, lehnte er sich aus dem Fenster: »Brechen Sie die Haustür auf!«

»Sir, ich …«

»Klappe! Entweder Sie kümmern sich drum oder ich reiß die komplette Wand weg.«

Der SWAT-Kommandant ließ sich die Aussage einige Sekunden durch den Kopf gehen, bevor er eine Ramme von der Ladefläche des Einsatzfahrzeugs holte. Es dauerte ein paar Minuten, aber mit vereinten Kräften brachen seine Leute die Tür auf und verschwanden im Inneren. Die Scheinwerfer an ihren Waffen zuckten unstet hin und her, bis sie tiefer in die Räumlichkeiten vordrangen und es wieder dunkel wurde. Wilson zündete sich eine Zigarette an. Er ging davon aus, dass Rapp das Gebäude mit Fallen gespickt hatte. Nun, das war nicht sein Problem. Für solche Aufgaben wurden die SWAT-Jungs fürstlich entlohnt.

Was erwartete ihn in diesem Wohnbunker? Zur Seite geschaffte Millionenbeträge von schwarzen Konten? Ein Museum mit makabren Andenken an illegale Hinrichtungen? Belastendes Beweismaterial, mit dem Rapp Regierungsvertreter erpresste, ihn zu unterstützen? Falls es sich um Letzteres handelte, überlegte Wilson, was er am besten damit anstellte. Auf keinen Fall aus der Hand geben, entschied er. Nein, zuerst musste er wasserdichte Indizien sammeln, bis halb Washington auf seiner Seite stand und sich die andere Hälfte aus dem erstbesten Fenster stürzte. Er malte sich seine Rolle als neuer

Liebling der Medien und Vorkämpfer für die Gerechtigkeit aus.

Endlich meldete sich die ersehnte Stimme aus dem
Walkie-Talkie auf dem Sitz neben ihm.

»Alles sauber.«

Wilson sprang aus dem Führerhaus, kletterte durch
die zerstörte Tür und betätigte einen Lichtschalter. Eine
geschmackvolle indirekte Beleuchtung fiel auf teure
Holzschnitzereien, asiatisch angehauchtes Mobiliar und
die gewagte Interpretation einer Blume in Öl, für die der
Künstler vermutlich mehr kassiert hatte, als er in einem
Jahr verdiente.

»Stellt alles auf den Kopf«, forderte er das Team auf
und nahm das Gemälde von der Wand, weil er dahinter
einen versteckten Safe vermutete. Zumindest wollte er
das jedem erzählen, der sich nach dem Grund für die
sinnlose Zerstörung erkundigte. Er riss Schubladen aus
dem Sideboard und hörte, wie die anderen Männer sich
auf ähnliche Weise an der Einrichtung zu schaffen machten.

Als er mit dem Flur fertig war, lief er um eine Glas-
wand herum, die den Blick auf einen Innenhof freigab,
und betrat etwas, das wie ein Kinderzimmer aussah.
Einer der Männer untersuchte vorsichtig den Inhalt eines
Regals. Wilson stieß ihn zur Seite und pfefferte alles auf
den Boden. »Schneller, Mann! Ich hab nicht die ganze
Woche Zeit!«

Der Mann starrte nervös auf die Verwüstung, bevor
er sich eines Besseren besann und einen Zahn zulegte.
Dass diese Männer der Wohnung eines psychotischen
CIA-Killers mit solchem Respekt begegneten, machte
Wilson wütend. Vor allem kam er auf diese Weise nicht

voran. Er rechnete damit, dass sie vor ihm zu Kreuze krochen und sich entschuldigten, sobald er enthüllt hatte, wer und was Mitch Rapp in Wahrheit war.

Eilige Schritte ertönten im Korridor. Er ging raus, um nachzusehen, was los war. Einer der SWATs hielt ihm ein iPad hin. »Ich hab's im Schlafzimmer gefunden, Sir. Es ist zwar mit einem Passwort geschützt, aber ich denke, das Hintergrundbild wird Sie interessieren.«

Wilson drückte auf die Home-Taste. Drei Menschen lächelten ihm entgegen. Ein kleines Mädchen, das vergnügt einen Ball mit dem Schläger durch den Innenhof eines Cape-Dutch-Hauses drosch. Daneben stand eine Frau Mitte 30 mit dunklen Haaren und Augen. Eine betörende Schönheit. Noch interessanter fand er allerdings den Mann, der mit ausgestrecktem Fuß versuchte, den Ball vom Erreichen des Ziels abzuhalten. Mitch Rapp. Ein aktuelles Foto. Gestochen scharf und in Farbe.

Wilson grinste und hielt an der Decke nach einer Überwachungskamera Ausschau. Als er fündig wurde, schwenkte er triumphierend das Tablet vor der Linse.

42

Östlich von Juba, Südsudan

Der Strom war mal wieder ausgefallen, aber die Brise, die durch die offenen Fenster hereinwehte, sorgte für etwas Abkühlung. Das 50 Jahre alte Landhaus war schon vor Längerem zu einem Hotel umgebaut und kurz nach Teilung des Sudans geschlossen worden. Der Besitzer hatte enorm dankbar reagiert, als sie das komplette Gebäude anmieteten, und tat alles, um diese Dankbarkeit zu unterstreichen. Nicht nur dass alles makellos sauber war, er hatte ihnen zudem auf ein Sideboard im Wohnzimmer einige schwer zu beschaffende Spirituosenschätze hingestellt.

Asarow las das Etikett einer Bourbonflasche, während Rapp die Landschaft jenseits der Fenster absuchte. Laut Black unterstand dieses Gebiet der eisenharten Kontrolle einer Rebellengruppe, die Abdo zu seinen erbittertsten Feinden zählte. Der junge Scharfschütze wirkte zuversichtlich, dass sie von den Einheimischen vorerst nichts zu befürchten hatten. Rapp sah keinen Grund, an dieser Einschätzung zu zweifeln. Sein Begleiter kannte sich mit den Interessenkonflikten rund um Juba bestens aus.

»Ich habe noch nicht viele belastbare Informationen gefunden.« Claudia machte sich über eine Platte mit Rohkost her, die der Vermieter organisiert hatte. »Allerdings bin ich sicher, dass Nassar sich in den USA aufhält, und rechne zu 90 Prozent damit, dass er einen Termin im Weißen Haus wahrgenommen hat.«

»Und wo steckt er jetzt?«, wollte Rapp wissen.

»Es sieht ganz danach aus, dass er nach South Dakota gereist ist.«

»Das halte ich für unwahrscheinlich«, meinte Black. Er leerte bereits sein viertes Bier und schien den Alkohol langsam zu spüren.

»Ich auch. Deshalb arbeite ich daran, die Information abzusichern. Leider ist das gar nicht so einfach.«

»Solange er sich in den Staaten aufhält, ist er verwundbar«, meinte Black. »Dort wäre ein Zugriff wesentlich leichter als in Saudi-Arabien.«

»Lasst uns mal überlegen.« Asarow meldete sich zu Wort. »An seiner Stelle hätte ich mir ein amerikanisches Security-Team zuteilen lassen. Mitch würde bei einem Angriff zögern, aus Sorge, einen von ihnen zu verletzen.«

»Einen direkten Angriff halte ich ohnehin für unrealistisch«, wandte Claudia ein. »Selbst wenn er erfolgreich verläuft, stützt er nur die Theorie, dass Mitch den Verstand verloren hat und rund um den Globus wahllos Menschen ermordet. Man würde ihn für den Rest seines Lebens jagen und kein Wort von dem glauben, was er über die Saudis behauptet.«

»Mir kommt's vor, als ob ich in einem Seniorendamenkränzchen gelandet bin«, schimpfte Black. »Ich werd mich drum kümmern und nach North Dakota, Iowa oder wohin auch immer fliegen, um dieses Arschloch zu erledigen. Keine Plagen, keine Fragen, kein Kollateralschaden. Mitch ist inzwischen 3000 Meilen weit weg und hat ein wasserdichtes Alibi.«

»Aufgrund der bisherigen Erkenntnisse wird man trotzdem unterstellen, dass er die Finger im Spiel hat«, gab Donatella zu bedenken.

Black schnappte sich ein weiteres Bier. »Claudia meinte doch, sie könne Mitch hinsichtlich der Tötung von Nassars zwei Kumpeln entlasten …«

»Drei«, korrigierte Rapp und alle Köpfe drehten sich aufgrund dieser Bemerkung in seine Richtung. »Qadir Sultan wurde letzte Nacht zusammen mit zwei Security-Leuten des saudischen Geheimdienstministeriums tot aufgefunden.«

»Lass mich raten«, erwiderte Donatella. »Ein Kopfschuss. Kaliber 9 Millimeter.«

»Zumindest wenn man nach den vorläufigen Ermittlungsergebnissen geht.«

»Er zieht sein komplettes Netzwerk von Unterstützern aus dem Verkehr, damit sich die Spur nicht zu ihm zurückverfolgen lässt«, folgerte Asarow. »Ich denke, daraus können wir ihm am Ende irgendwie einen Strick drehen.«

»Sultan war der letzte Mann auf unserer Liste seiner engen Kontakte«, sagte Claudia. »Vermutlich gibt es noch weitere Verflechtungen, aber Mitch und ich halten es für unwahrscheinlich, dass noch jemand lebt, der über Nassars Rolle Bescheid weiß. Mit allen anderen wird er über Kontaktleute in Verbindung getreten sein.«

»Das spricht dafür, ein paar Kugeln in Nassar zu versenken«, fand Black. »Er hat uns die Arbeit abgenommen, seine Lieutenants zu beseitigen. Sobald er selbst tot ist, bricht alles zusammen. Danach wird Mitch sich vor Aufträgen kaum retten können. Na, wie klingt das?«

»Ganz mies, weil der Rest von uns weiß, wie es läuft, und nicht zeitlebens auf der Flucht vor den Regierungen dieser Welt sein will«, antwortete Donatella. »Das ist nicht so romantisch, wie es sich anhört, Kent.«

»Dann müssen wir Nassars Beteiligung eben eindeutig nachweisen«, schlug Asarow vor. »Indem wir aufdecken, dass er diese Leute umgebracht und den IS finanziell unterstützt hat.«

»Nicht übel, aber leichter gesagt als getan«, meinte Claudia. »Der Kerl ist nicht gerade dafür bekannt, Spuren zu hinterlassen.«

Rapps Handy vibrierte, während sie hitzig über die Situation debattierten. Er öffnete eine versteckte App und verfolgte über die Satellitenverbindung einen ruckeligen Videostream.

Das Tor aus massivem Kupfer, für das er so viel Geld ausgegeben hatte, war jeden Penny wert. Es trotzte dem ersten Versuch, umgerissen zu werden, und musste sich erst beim Totalcrash mit einem SWAT-Einsatzfahrzeug geschlagen geben. Die Haustür hatte ebenfalls länger gehalten als erwartet und den Männern, die gerade im Flur ausschwärmten, sichtbare Anstrengungen abverlangt. Ein Mann, der einen Anzug anstelle der obligatorischen Kampfmontur trug, tauchte im Sichtfeld der Kamera auf, nachdem sein Personal die Räume gesichert hatte. Rapp kniff die Augen zusammen, um ihn genauer zu betrachten.

Claudia dürfte sich freuen, mit ihrem Tipp hinsichtlich North Dakota richtiggelegen zu haben. Dorthin hatte das FBI Joel Wilson geschickt.

Wilson zerlegte den Raum mehr oder minder in seine Bestandteile. Es schien ihm weniger darum zu gehen, etwas zu finden, als vielmehr darum, so viel wie möglich zu zerstören. Rapp hatte Irene Kennedy vorgeschlagen, den Mistkerl irgendwo im Wald zu begraben. Sie hielt dagegen, dass es mehr Probleme verursachte als löste, wenn sie ihn aus dem Weg räumten. Er fragte sich, ob sie das jetzt noch genauso sah.

»Mitch?«, hörte er Claudias Stimme. »Mitch? Was machst du da? Hörst du uns überhaupt zu?«

Er gab keine Antwort, woraufhin sie die Besprechung abbrach und zu ihm kam, während die anderen den Raum verließen.

»Alles in Ordnung?« Sie blickte auf das Handy und legte ihm eine Hand auf die Schulter. »Du scheinst damit gerechnet zu haben.«

»Ja.«

Er verfolgte, wie Wilson ein Tablet vor eine der internen Überwachungskameras hielt. Er erkannte das Bild auf Anhieb. Es zeigte ihn beim Spielen mit Anna und Claudia und war in Südafrika entstanden. Der FBI-Agent besaß somit nicht nur eine aktuelle Aufnahme von ihnen, sondern auch eine von Claudias Haus.

»Wer ist das, Mitch?«

»Ein alter Feind, den ich nicht aus dem Weg geräumt habe, als es die Gelegenheit gab.«

»CIA?«

»FBI.«

»Nassar hat sich also Unterstützung bei der amerikanischen Regierung geholt. Ich reib's dir ja ungern ständig unter die Nase, aber wird's nicht spätestens jetzt Zeit, Kontakt zu Irene aufzunehmen?«

Er gab keine Antwort, fror das Video ein und starrte auf das Standbild.

»Mitch?«

»Wie schwer wird es für sie, sich in dein Tablet einzuhacken?«

»Sehr schwer. Selbst Marcus müsste mindestens eine Woche einkalkulieren. Sie werden sowieso nichts Besonderes finden. Ich nutz das Teil hauptsächlich, um Zeitschriften zu lesen.«

»Kannst du von hier aus drauf zugreifen?«

»Nein, ich hab keine entsprechende App drauf installiert. Wieso?«

»Wie steht's mit dem Computer in deinem Haus in Kapstadt? Kommst du da per Fernwartungs-Software ran?«

»Sicher. Was schwebt dir vor?«

»Ich fürchte, nachdem sie dieses Bild haben, wird's nicht lange dauern, bis sie vor deiner Haustür stehen.«

Sie zuckte die Achseln. »Wir sind nicht da. Und an die Daten auf meinem PC zu kommen, wird 'ne harte Nuss, Mitch. Ich hab eine Menge vertraulicher Unterlagen aus meiner Zeit mit Louis archiviert und entsprechend gut gesichert. Sie dürften Jahre brauchen, um die Verschlüsselung zu knacken, selbst wenn ihnen die NSA dabei hilft.«

»Aber du könntest dich einloggen und es ihnen leichter machen, oder? Alle sensiblen Informationen löschen und das Passwort auf Annas Geburtstag oder so was ändern?«

»Könnte ich. Aber warum sollte ich?«

Er ignorierte den Einwand. »Wäre es möglich, einen fiktiven Mailwechsel zwischen dir und mir zu generieren und rückzudatieren?«

»Das ist kein größeres Problem, aber wie willst du sie damit überzeugen? In Verbindung mit einem simplen Passwort wird eine solche Inszenierung keiner genaueren Überprüfung standhalten.«

Rapp nickte in sich hinein und registrierte ihre Bemerkung nur am Rande. Er musste sich um Nassar kümmern, ob es ihm nun um die Ohren flog oder nicht. Diese Entscheidung hatte er längst getroffen. Sollte es ihm allerdings gelingen, den Araber in eine Falle zu locken und das Blutvergießen auf andere abzuschieben, würde es sein Leben deutlich erleichtern. Und vor allem verlängern.

Er schleuderte das Telefon auf den Tisch. »Es muss nicht wasserdicht sein. Ich kenne Joel Wilson und garantiere dir: Der Mann sieht nur, was er sehen will.«

43

Irene Kennedy schloss die dicke Mappe, die alle Einzelheiten zu Aali Nassars Leben zusammenfasste, und ging das Gelesene noch einmal durch. Seine ursprüngliche Ausbildung hatte er im Rahmen des saudischen Madrasa-Systems erhalten und war danach an eine englische Universität gewechselt. Ein Umfeld, das sowohl radikale Islamisten als auch aufgeklärte Modernisierer hervorbringen konnte. Sie hielt ihn für außergewöhnlich begabt und ehrgeizig. Auch das traf auf Menschenfreunde wie Terroristen gleichermaßen zu. In welche Schublade passte er?

In der Welt der Geheimdienste existierte kein simples Schwarzweißdenken. In diesem Fall musste man wohl von diffusen Grauschleiern sprechen. Bedauerlicherweise entstand bei streng logischer Analyse ein ungemein hässliches Bild vor ihren Augen.

Sie war nahezu sicher, dass Präsident Alexander Mitch losgeschickt hatte, ohne sich über die Konsequenzen Gedanken zu machen. Nachdem sich diese Konsequenzen nun abzeichneten, steckte er den Kopf in den Sand und wollte nichts damit zu tun haben. Ein Verhaltensmuster, wie man es bei mächtigen Männern schon seit Tausenden von Jahren antraf.

Die Irakis, die für den Angriff auf den Nachtclub verantwortlich waren, besaßen Verbindungen zum IS. Dass sie nach der Rettung von Prinz bin Musaid dessen Verfolgung aufgenommen hatten, deutete an, dass es sich nicht um einen wahllosen Terrorakt handelte, wie die Öffentlichkeit glaubte.

Nachdem sie diese zwei Fakten herausgearbeitet hatte, musste sie sich ins wackelige Reich der Spekulation begeben. Sie ging davon aus, dass Mitch Donatella in den Club geschickt hatte, um bin Musaid für eine Befragung an einen neutralen Ort zu locken. Erst der Terrorangriff machte aus einer sauberen, unauffälligen Aktion eine gewalttätige, blutige Schweinerei.

Unterstellte man, dass Nassar hinter bin Musaids terroristischen Aktivitäten steckte, was würde der Geheimdienstchef von Mitchs Rettung des Prinzen halten? Die Antwort lag auf der Hand: Er musste davon ausgehen, dass bin Musaid alles über Nassars Netzwerk ausgeplaudert hatte. Das zwang ihn im Umkehrschluss, jeden zu beseitigen, der über seine Beteiligung Bescheid wusste. Tatsächlich ließen sich bei den drei bisher Getöteten ungewöhnlich enge Verbindungen zu Nassar nachweisen.

Von diesem Punkt an wurde es noch schwieriger, das komplexe Konstrukt zu entwirren. Sie traute es Rapp grundsätzlich zu, hinter der Folterung und Tötung der Opfer zu stecken. Aufgrund seiner eingeschränkten Ressourcen nach dem CIA-Ausstieg hielt sie es aber für zweifelhaft. Schon gar nicht hätte er den unschuldigen Wachmann im Hotel in Brüssel getötet. Nein, weitaus wahrscheinlicher war, dass Nassar dahintersteckte. Sein Überleben hing davon ab, sämtliche Verbindungen zum IS zu kappen und Rapp loszuwerden.

Blieb die Frage, was sie unternehmen sollte. Was sie unternehmen *konnte*. Präsident Alexander tat, als hätte er mit Mitch nichts mehr zu tun, doch das war nicht ihr

Weg. Vor allem rechnete sie es Rapp hoch an, dass er ihre Wünsche respektierte und sie aus allem raushielt. Doch wie lange konnte sie sich noch im Hintergrund halten? Sie hatten so viel gemeinsam durchgestanden, da ließ sie ihn nicht so einfach fallen.

Es klopfte leise an der Tür. Einer ihrer Assistenten. »Dr. Kennedy? Ein gewisser Special Agent Wilson möchte mit Ihnen sprechen. Er hat keinen Termin.«

Sie hatte einen Anruf erwartet, nicht jedoch einen Überraschungsbesuch. Wilson schien seine neue Rolle unglaublich zu genießen. »Vielen Dank. Schicken Sie ihn rein.«

Kaum war sie aufgestanden, kam er auch schon über den Teppich in ihre Richtung.

»Hallo Joel.« Sie hielt ihm die Hand hin, aber er setzte sich stattdessen ungefragt auf einen der Stühle vor ihrem Schreibtisch.

»Ich nehme an, Sie haben davon gehört?«

»Dass Sie einen Durchsuchungsbeschluss für Mitchs Haus erwirkt haben? Allerdings.«

Ein selbstgefälliges Lächeln umspielte seine Lippen. »Neuigkeiten verbreiten sich schnell in dieser Stadt.«

Was ihm sehr gelegen kam, wie sie wusste. Wenn es nach Wilson ging, sollte jeder erfahren, dass er aus der Verbannung zurückgekehrt war und mit voller Unterstützung des Weißen Hauses seinen Feldzug gegen die korrupten Mächte in den Reihen der Politik fortsetzte.

Sie wusste ebenfalls, dass er Rapp und ihr die Schuld daran gab, in Ungnade gefallen zu sein. Dass er es sich durch sein Verhalten selbst zuzuschreiben hatte, würde er nie begreifen; auch nicht, dass er vergleichsweise glimpflich davongekommen war. Ohne sie oder

Direktor Miller säße Joel Wilson jetzt im Gefängnis oder wäre tot.

»Wir konnten mit fast 100-prozentiger Sicherheit bestätigen, dass es sich bei dem Mann in Monaco um Rapp handelt.«

Sie nahm Platz und befürchtete, dass dieses Gespräch nicht so bald endete wie erhofft. »Er ist aus dem aktiven Dienst ausgeschieden, Joel. Niemand kann ihm verbieten, als Privatmann einen Nachtclub zu besuchen.«

»Ich dachte mir, dass Sie so etwas sagen. Wir haben ebenfalls festgestellt, dass er für den Angriff auf die beiden Security-Leute im Brüsseler Hotel verantwortlich ist. Kann ihm das auch niemand verbieten, Irene?«

»Was ist mit dem Wachmann, der getötet wurde?« Auf die Antwort war sie tatsächlich neugierig.

»In dem Fall hat er seine Spuren besser verwischt. Wir sind dran.«

Sie nickte. »Und was schließen Sie aus diesen Erkenntnissen?«

»Dass er endgültig den Verstand verloren hat. Ich weiß nicht, was dafür verantwortlich war: der Stress, die vielen Gehirnerschütterungen, mit anzusehen, wie die eigene Frau in die Luft fliegt … Am Ende ist es egal, weil er unkontrolliert durch die Weltgeschichte reist und Unschuldige hinrichtet. Wir sind uns bestimmt einig, dass er damit erst aufhören wird, wenn sich ihm jemand in den Weg stellt. Er liebt den Geschmack von Blut, Irene. Er ist süchtig danach.«

Sie hätte eine Menge dazu sagen können. Über bin Musaids finanzielle Unterstützung des IS. Über Nassars Verbindungen zu den Toten. Vor allem über Mitch Rapp. In Wahrheit hasste er den Geschmack von Blut. Er hatte in seinem Leben so viele Opfer bringen müssen, so viele Menschen verloren. Doch es hätte keinen Unterschied gemacht. Wilson war blind gegenüber allem, was nicht zur eigenen Überzeugung passte.

»Sie sind ein begabter Ermittler, Joel. Das waren Sie schon immer. Lassen Sie nicht zu, dass Ihr Urteil durch Ihre persönlichen Empfindungen verzerrt wird. Ich rate Ihnen, den Kopf freizubekommen und sich ganz auf die offenen Fragen zu konzentrieren. Dann werden Sie erkennen, dass nichts von dem, was vorgefallen ist, mit Ihrer Theorie zusammenpasst.«

Er lachte laut. »*Meine* persönlichen Empfindungen? Sie sind so besessen von ihm, dass Sie die Leichen, die sich überall stapeln, schlicht ignorieren. Gerade erst landete eine Zeugenaussage auf meinem Tisch, dass er letztes Jahr ein unbewaffnetes irakisches Mädchen namens Laleh Qarni erschossen hat.«

Kennedy erstarrte. »Ich gebe Ihnen einen guten Rat, Joel. Sollten Sie Mitch jemals persönlich begegnen, erwähnen Sie nicht diesen Namen. Ich kenne ihn schon mein ganzes Leben und würde es trotzdem nicht wagen, ihn auf Laleh anzusprechen. Haben Sie mich verstanden?«

Ob es nun daran lag, was sie gesagt hatte, oder *wie* sie es gesagt hatte, jedenfalls fiel seine Arroganz in sich zusammen wie ein Kartenhaus. Um es zu überspielen, griff er nach einem Foto und klatschte es ihr auf den Tisch. Es zeigte Mitch, Claudia und Anna beim Krocketspielen in Südafrika.

»Vergessen Sie Laleh.« Er tippte auf den Abzug. »Wer ist *diese* Frau?«

Er besaß nicht die notwendige Freigabe, um ihre wahre Identität zu kennen, also nannte sie ihm den

Decknamen, den sich die CIA für sie ausgedacht hatte. »Claudia Dufort.«

»In welcher Beziehung steht sie zu Rapp?«

»In einer persönlichen.«

»Wo kann ich sie finden?«

»Vermutlich da, wo Mitch ist.«

»Und das Mädchen?«

»Sie heißt Anna.«

»Begleitet sie ihn auch bei seinen Amokläufen?«

»Nein, tut sie nicht.« Kennedy verzichtete auf eine Lüge. So abstoßend sie die laufenden Ermittlungen fand, sie waren von höchster Stelle genehmigt. »Sie wohnt bei mir.«

»Wie bitte?«

»Sie haben schon richtig verstanden.«

»Und so etwas halten Sie geheim?« Seine Augen leuchteten. Er glaubte einen Riss in ihrer undurchdringlichen Rüstung gefunden zu haben.

»Bloß weil Sie etwas nicht wissen, ist es noch lange nicht geheim, Joel. Claudia erzählte mir, dass sie und Mitch verreisen. Sie bat mich, auf ihre Tochter aufzupassen, damit Anna weiterhin in die gewohnte Schule gehen kann.«

»Trotzdem halten Sie an der Behauptung fest, nicht zu wissen, wo die beiden sind oder wie Sie mit ihnen in Kontakt treten können? Wenn das kleine Mädchen also krank wird oder in einen Brunnenschacht stürzt, hätten Sie keine Möglichkeit, ihre Mutter darüber zu informieren?«

»Ich habe eine E-Mail-Adresse, unter der ich sie und Mitch erreichen kann. Wenn Sie möchten, gebe ich sie Ihnen gern.«

Er starrte ihr in die Augen. »Sie wissen, dass Sie auch auf meiner Liste stehen, Irene, oder?«

»Natürlich weiß ich das. Nun entschuldigen Sie mich. Ich bin spät dran für meinen nächsten Termin.«

44

FRANSCHHOEK, SÜDAFRIKA

»Wieso sitzen wir hier bloß rum?«, beschwerte sich Joel Wilson. »Wir sollten ihnen folgen.«

Nassar verfolgte die Szene durch die Windschutzscheibe des gemieteten Geländewagens. Oberflächlich betrachtet unterschied sich die Aktion nicht wesentlich von Wilsons Eindringen in Mitch Rapps Haus, aber wenn man genauer überlegte, gab es doch beträchtliche Unterschiede. Die Männer, die sich am Tor von Claudia Duforts Haus zu schaffen machten, waren keine ausgebildeten Mitglieder des FBI-SWAT-Teams, sondern ein bunt zusammengestellter Haufen aus eigenen Leuten, örtlichen Polizisten und Männern, die Mullah Halabi ihm zur Verfügung stellte.

Eine gefährliche, unkalkulierbare Mischung. Am meisten Sorgen machten ihm Halabis Leute. Nach terroristischen Maßstäben verhielten sie sich zwar halbwegs diszipliniert, aber der Unterschied zwischen ihnen und Nassars eigenen Einsatzkräften vom General Intelligence Directorate fiel trotzdem deutlich aus. Er hielt es für sinnvoll, den Kontakt zwischen Wilson und den IS-Kämpfern so gering wie möglich zu halten.

Er blickte auf den ungeduldigen Amerikaner. Seine Befürchtungen verflüchtigten sich auf der Stelle. Der Mann hielt die Augen offen, aber der glasige Blick zeugte von einer Besessenheit, die er sonst nur mit Islamisten assoziierte. Wo sie ausschließlich Gott und ihre religiösen Pflichten sahen, fokussierte sich Wilson ganz auf Rapp und die ersehnte Rache.

»Die Präsenz der afrikanischen Polizisten macht die Situation ziemlich heikel, Joel. Dass sich Rapp im Haus einer Frau versteckt, mit der er ein Verhältnis hat, halte ich für äußerst unwahrscheinlich. Das ist eher ein Job für Soldaten als für Generäle.«

Wie zur Unterstreichung seiner Bemerkung ertönten zwei Schüsse.

Wilson angelte nach dem Türgriff, doch Nassar packte ihn an der Schulter und aktivierte das Headset. »Bericht!«

»Zwei Wachhunde«, hörte er in seinem Ohr. »Alles sauber.«

»Verstanden. Das Gelände ist gesichert, Joel. Wir können jetzt rein.«

»Und die Schüsse?«

»Das war nichts.«

Nassar rollte durchs Tor und parkte in einem mit Palmen und Bougainvilleen bewachsenen Innenhof. Mullah Halabis Männer und Nassars Team schienen sich vor der Eingangstür gegenseitig kritisch abzuchecken. Wilson merkte nichts von der Spannung, die in der Luft lag. Stattdessen konzentrierte er sich auf unwesentliche Details, von denen Amerikaner so leicht abgelenkt wurden – in diesem Fall die zwei erschossenen Wachhunde und eine verängstigte Afrikanerin, die einer der örtlichen Polizisten gegen einen Baum drängte. Als er ihr eine Ohrfeige verpasste, stürzte Wilson zu ihm.

»Aufhören!«

Nassar folgte ihm und behielt Halabis Leute unauffällig im Auge, während Wilson den Cop zur Seite drängte.

»Wer sind Sie?«, fragte er die Frau.

Ihre Worte waren ein unverständliches Gemurmel. Der Polizist übernahm das Dolmetschen. »Sie sagt, sie arbeitet hier. Dass sie in einer der Angestelltenwohnungen im hinteren Teil des Geländes wohnt.«

»Gibt es irgendeinen Grund, an dieser Behauptung zu zweifeln?«

Der Mann zuckte die Achseln.

»Beruhigen Sie sich«, wandte er sich an die Zeugin. »Wir wollen Ihnen nichts tun und Sie auch nicht festnehmen. Sagen Sie mir einfach, wo Claudia Dufort ist.«

»Ich ... ich weiß es nicht. Sie war schon seit Monaten nicht mehr hier. Ich kümmere mich um das Haus.« Sie sah an ihm vorbei auf die toten Tiere im Gras. »Und um die Hunde.«

Er zog ein Foto aus der Tasche und hielt es ihr hin. »Kennen Sie diesen Mann?«

Sie nickte. »Mitch. Er ist Amerikaner.«

»Wann haben Sie ihn zuletzt gesehen?«

»Als er Claudia und Anna half, ihre Sachen zu packen.«

»Das ist also schon einige Monate her.«

Sie nickte.

»Wie halten Sie mit ihnen Kontakt? Haben Sie eine Telefonnummer?«

»Nein, nur eine E-Mail-Adresse.«

»Okay. Gehen Sie zurück in Ihre Wohnung, bis ich Sie rufe.«

Sie eilte davon. Er wandte sich an Nassar. »Ihre Geschichte passt zu dem, was wir bereits wissen. Dufort und ihre Tochter leben bei Rapp in den USA.«

»Stimmt. Diese Frau zu verhören, ist Zeitverschwendung. Rapp würde einer Dienstbotin niemals Geheimnisse anvertrauen.«

Er folgte Wilson ins Haus. Eine kurze Durchsuchung förderte ein Büro im rückwärtigen Teil zutage. Es war nur knapp zehn Quadratmeter groß und enthielt kaum mehr als einen Schreibtisch, einen Computer und einen Drehstuhl. Wilson setzte sich und fuhr den Rechner hoch. Wenig überraschend erschien eine Passwortabfrage. Er fluchte unterdrückt und führte einen Reboot per USB-Stick durch.

»Ihre Computerexperten haben immer noch keinen Zugriff auf das Tablet«, merkte Nassar an. »Wieso glauben Sie, dass Sie hier reinkommen?«

»Menschen sind komisch. In den eigenen vier Wänden fühlen sie sich sicher. Ihre Telefone und Laptops schützen sie nach allen Regeln der Kunst, aber bei Desktop-Rechnern lassen sie die Vorsicht schleifen. Da soll es schnell gehen, damit auch die eigenen Kinder das Gerät nutzen können. Sie unterstellen, dass ein Fremder sowieso keinen Zugang dazu hat.«

Nassar wühlte einen Papierstapel durch, stieß jedoch lediglich auf Elternbriefe der Schule des Mädchens und Quittungen für unwichtige Haushaltsanschaffungen. Schließlich machte er sich auf den Weg Richtung Wohnzimmer, wo seine und Halabis Leute keinen Stein auf dem anderen ließen. Normalerweise beteiligte er sich nicht persönlich an solchen Operationen, aber in diesem Fall blieb ihm kaum eine Wahl. Sein Leben hing davon ab, dass der amerikanische FBI-Agent Rapp fand. Mit jeder erfolglosen Minute wuchs die Gefahr für ihn.

Nach knapp einer halben Stunde hallte ein schrilles Lachen durchs Haus, als er gerade an Duforts verwüsteter Küchenzeile vorbeilief. Er joggte zum Büro, wo Wilson mit einem idiotischen Grinsen auf den Bildschirm deutete.

»Ich habe den Geburtstag der Tochter auf dem Kalender gefunden. Das umgedrehte Datum funktionierte als Passwort«, verkündete er triumphierend. »Ich hoffe, die Mühe hat sich gelohnt. Immerhin scheint sie nicht die hellste Kerze auf der Torte zu sein.«

»Findet sich was Nützliches auf der Festplatte?«

»Damit habe ich mich noch nicht näher beschäftigt. Mich interessierten vor allem die E-Mails.« Nassar sah zu, wie Wilson die mit Rapp ausgetauschten Nachrichten durchscrollte.

»Okay, sehen wir uns doch mal die Woche vor ihrem Abflug nach Amerika an«, meinte Wilson. »Ja, da hat die Häufigkeit der Mails deutlich zugenommen. Also hielten sie sich zu diesem Zeitpunkt noch nicht am selben Ort auf. Zumindest nicht dauerhaft.«

»Ich bezweifle, dass Mitch Rapp so sensible Informationen wie seinen aktuellen Aufenthaltsort über einen öffentlichen E-Mail-Account ausplaudert«, warf Nassar ein.

»Nein«, antwortete Wilson, der in rascher Folge einzelne Nachrichten öffnete und wieder zuklickte. »Aber das muss er auch gar nicht. Überschätzen Sie dieses Arschloch nicht, Aali. Er ist kein Geheimdienstspezialist, sondern bloß ein Killer.« Er tippte mit dem Finger auf den Schirm. »Ha, da haben wir's!«

»Was denn?«

»Im Prinzip nur eine Menge unwichtiger Scheiß über Anna, aber ganz am Schluss schreibt er: ›Es waren heute über 30 Grad. Vor einer halben Stunde ist endlich die Sonne untergegangen und es wird langsam kühler.‹«

Wilson wählte eine Nummer auf dem Handy und schob das Earpiece ins Ohr. »Ja, ich bin's. Der 27. September. Wo war's an dem Tag über 30 Grad warm und die Sonne ging um 15:45 Uhr GMT unter? Mhm … ist gut … Ich warte.«

Er scrollte noch eine Weile durch die E-Mails, schloss die meisten nach wenigen Sekunden wieder, minimierte in Einzelfällen nur das Fenster.

»Zentralafrika? Ganz sicher? Kannst du das noch etwas einengen? Okay, ich hab noch eine Info für dich. Am 5. Oktober muss es dort morgens ein Bombardement gegeben haben. Ja, er benutzt genau dieses Wort. Klingt für mich nach einem konkreten Kriegsgebiet. Richtig …«

Nassar ließ ihn mit den Recherchen allein und verließ das Haus, lief über den Rasen und erreichte eine Baumreihe unweit der hinteren Mauer. Er schaute sich um, ob auch niemand in Hörweite war, bevor er das Satellitenhandy zückte.

»Friede sei mit Ihnen, Direktor«, begrüßte ihn Mullah Halabis Stimme.

»Und mit Ihnen.« Er hasste es zutiefst, sich regelmäßig bei dem Mann melden zu müssen, hielt es aber für klüger, der Aufforderung nachzukommen.

»Wenn ich richtig informiert bin, befinden Sie sich im Haus einer der Frauen von Rapp. Hat die Durchsuchung schon konkrete Ergebnisse zutage gefördert?«

Nassars Kiefermuskulatur verspannte sich. Eigentlich durfte es ihn nicht überraschen, dass Halabis Männer ihm Bericht erstatteten. Dennoch empfand er es als beunruhigend, dass der wankelmütige Mullah jede seiner Bewegungen verfolgte. Genau wie bei Rapp fiel die Unterscheidung zwischen Jäger und Gejagtem nicht immer eindeutig aus.

»Wir glauben, dass er sich in Zentralafrika aufhalten könnte. Wir arbeiten daran, den Ort genauer einzugrenzen.«

»Ausgezeichnet. Dort leben viele loyale Anhänger. Ich stelle Ihnen gerne Leute zur Verfügung, wenn es nötig wird.«

Nassar wollte das Angebot spontan ablehnen, sah jedoch keine Möglichkeit, es zu tun. Den Hinweis, dass seine afrikanischen Gefolgsmänner unzuverlässig und schlecht ausgebildet waren, hätte der IS-Anführer als Beleidigung empfunden. Und zu erwähnen, dass ihn ihre Gesellschaft unruhig machte, hätte den Mullah bloß vermuten lassen, dass er etwas zu verbergen hatte.

»Das ist sehr großzügig«, erwiderte er stattdessen.

»Aber sicher, Aali. Meine treuen Unterstützer dürfen jederzeit auf meine Ressourcen zurückgreifen.«

Nassar schüttelte sich, mit dem schwachköpfigen Kanonenfutter, das Halabis Gefolge ausmachte, in einen Topf geworfen zu werden, ließ sich aber nichts anmerken.

Um den Nahen Osten in die Knie zu zwingen, war er auf die Dienste des IS-Mannes angewiesen. Er musste sich so lange unterwürfig zeigen, bis sich die Gelegenheit ergab, ihn abzusetzen.

Joel Wilson tauchte am Haus auf und eilte zu ihm.

»Ich muss jetzt leider auflegen«, erklärte er so respektvoll wie möglich. »Der Mitarbeiter des amerikanischen FBI kommt zu mir.«

»Möge Allah mit Ihnen sein«, erhielt er zur Antwort. Die Verbindung wurde getrennt.

»Ich hab was!«, rief Wilson schon von Weitem. Es schien ihn gar nicht zu interessieren, mit wem Nassar da telefonierte.

»Wirklich? Das ist eine Riesenüberraschung, Joel. Wir sind ja kaum eine Stunde hier.«

In Wahrheit hielt er es für ziemlich ausgeschlossen. Natürlich war Mitch Rapp ein gewalttätiger Bursche, aber deshalb musste man nicht gleich seinen Intellekt unterschätzen, wie Wilson es offenkundig tat. Stärke, Flexibilität und Nerven aus Stahl allein erklärten nicht, dass der Mann seit 20 Jahren eine Spur von Toten hinter sich zurückließ. Er traute es Rapp nicht zu, sich so simple Patzer zu leisten.

Der FBI-Agent strich einen Ausdruck auf dem Terrassentisch glatt und winkte ihn zu sich. Nassar betrachtete eine grob skizzierte Silhouette Afrikas mit zahlreichen Markierungen.

»Die roten Kreise entsprechen den von unseren Satelliten erfassten Explosionsherden am Tag, an dem Rapp in seiner Mail ein Bombardement erwähnt. Nach einem Abgleich mit der genannten Temperatur und dem Zeitpunkt des Sonnenuntergangs können wir mit 90-prozentiger Wahrscheinlichkeit davon ausgehen, dass er sich im Südsudan aufhält.«

»Beeindruckend. Aber das ist kein kleines Land.«

»Ich bin noch nicht fertig«, unterbrach Wilson. »Es gab Kampfhandlungen an mehreren Schauplätzen, aber in einer späteren Mitteilung erwähnt Rapp, dass er Lebensmittel auf dem zentralen Marktplatz besorgen will und es für zu viel Aufwand hält hinzufahren. Das bedeutet, dass der Markt nur einen Fußmarsch entfernt liegt und es kein Problem ist, die Einkäufe zurück zur Wohnung zu tragen. Und dann leistet er sich noch einen fatalen Ausrutscher und erwähnt, dass er sich in ›der Kirche‹ aufhält.«

»Und das reicht aus, um ihn zu lokalisieren?«

»Ich bin noch in Abstimmung mit den Kollegen vom MI6, aber ich gehe fest davon aus. Die Formulierung ›zentraler Marktplatz‹ deutet darauf hin, dass die Stadt so groß ist, dass es mehrere gibt. Dadurch können wir die meisten kleineren Dörfer, in deren Ausläufern es zu Bombardements kam, ausschließen. Mein Bauchgefühl sagt mir, dass wir von Juba reden.«

»Und die Kirche?«

»Dazu habe ich noch keine genaueren Infos, aber meine Leute dürften erste Resultate liefern, bevor wir hier wieder wegfahren. Wie viele ungenutzte Kirchen in wenigen Minuten Laufdistanz zu einem zentralen Marktplatz kann es da schon geben?«

Nassar nickte und musterte die Skizze. »Exzellente Arbeit, Joel. Ich hielt Sie von Anfang an für den richtigen Mann. Jetzt bin ich mir ganz sicher.«

Das stimmte zwar, aber in Nassars Hinterkopf rührten sich Zweifel wegen des schnellen Erfolgs. Es kam ihm fast zu einfach vor. Woraus sich zwei Schlussfolgerungen ableiten ließen: Erstens, dass Rapp davon ausging, dass seine Mails an die Frau benutzt wurden, um ihn aufzuspüren. In diesem Fall hatte er sich längst Tausende Meilen entfernt von Juba in Sicherheit gebracht. Oder, zweitens, bei den Mails handelte es sich um Köder, mit denen man sie in eine raffinierte Falle locken wollte.

Natürlich war Nassar bewusst, dass er möglicherweise schlicht paranoid reagierte, aber er wollte sein Leben auf keinen Fall aufs Spiel setzen, indem er ein unnötiges Risiko einging.

Wilsons Leben besaß hingegen deutlich weniger Wert. Ihn zu verlieren wäre zwar ein Ärgernis, aber er ließ sich mit geringem Aufwand ersetzen. Zumal sein Tod durch Rapps Hände eher noch die Bedrohungskulisse unterstützte, die Nassar aufbaute.

»Ich habe vorhin mit dem König telefoniert. Er beordert mich nach Riad zurück«, log er. »Es ist mir nicht gelungen, Seine Majestät zu überzeugen, dass ich hier gebraucht werde. Er ließ nicht locker. Meine Männer und das Flugzeug stehen zu Ihrer freien Verfügung, Joel. Ich werde mit einer Linienmaschine in die Heimat fliegen und wieder zu Ihnen stoßen, sobald sich die Möglichkeit ergibt.«

45

JUBA, SÜDSUDAN

In der Dunkelheit der Gasse wechselten sich tiefe Schatten und undurchdringliche Schwärze alle paar Meter ab. Kent Black arbeitete sich stur voran. In Juba war mal wieder der Strom ausgefallen und er musste sich mit ein paar batteriebetriebenen Laternen in vereinzelten Fenstern als Lichtquelle begnügen.

Es war nicht gerade die sicherste Zeit, um durch die Stadt zu schleichen, aber mit der Gefahr, von einem Haufen betrunkener Rebellen angefallen zu werden, hatte sein Wunsch, so bald wie möglich von hier wegzukommen, nur beiläufig zu tun. Es ging darum, zurück im Safaricamp zu sein, bevor Rapp mitbekam, dass er abgehauen war.

Black erreichte die Mündung der Gasse und konnte den vagen Umriss des krummen Kirchturms erkennen, der sich vor den Sternen abzeichnete. Nur noch knapp 75 Meter bis zum Osttor. Drinnen brauchte er etwa fünf Minuten, dann konnte er wieder verschwinden. Ganz simpel, oder?

Einer der Männer, die Abdo zur Beobachtung abgestellt hatte, saß in einem Jeep mit offenem Verdeck auf der anderen Straßenseite. Er schlief wie ein Baby und hielt die AK im Stil einer Schmusedecke an die Brust gedrückt. So jung, wie er aussah, schien er erst vor Kurzem sein Kuscheltier gegen die Waffe eingetauscht zu haben.

Die nächsten 50 Meter liefen völlig glatt. Ruhe, gute Deckung, keine weiteren Aufpasser von Abdo. Die Götter des Krieges schienen auf seiner Seite zu stehen.

Zumindest redete er sich das ein. Als die Ostmauer der Kirche in Sicht kam, erwartete ihn eine einzelne Gestalt neben dem Tor. Die enorme Größe und die leicht gekrümmte Haltung, hervorgerufen durch eine Kugel, die ihm vor ein paar Jahren den rechten Oberschenkelknochen zerschmettert hatte, verrieten, wen er vor sich hatte: Barnabas Malse.

Black erstarrte. Er hatte bei der Armee gelernt, wie man sich im Nahkampf aus der Affäre zog, aber das war ewig her. Soweit es ihn betraf, hielt er es für pure Dummheit, sich einem Gegner auf mehr als 300 Meter zu nähern. Läge es in Gottes Interesse, dass sich die Menschen mit Messern bekriegten, hätte er ihnen keine Scharfschützengewehre in die Hand gegeben.

Er zog sich in die Deckung des angrenzenden Gebäudes zurück, damit ihn das Flackern eines Lagerfeuers in einiger Entfernung nicht verriet. Er trug eine ramponierte Tarnmontur und hatte das Gesicht mit Dreck eingeschmiert, um eine dunklere Hautfarbe vorzutäuschen. Der Effekt fiel wenig überzeugend aus, aber bei dieser schwachen Beleuchtung konnte es klappen.

Er lockerte die Schultermuskulatur und schlenderte gelassen in Richtung Malse. Der Mann drückte sich von der Mauer ab, an der er lehnte, ohne direkt zur Waffe zu greifen.

Wenn es dem Afrikaner an etwas nicht mangelte, dann an Selbstvertrauen. Das lag nicht allein an seiner massigen Gestalt und der Angst, die er gefühlt auf 500 Meilen Entfernung bei jedem auslöste, sondern vor allem daran, dass er regelmäßig Albinokinder entführte und verspeiste. Als Black das erste Mal davon hörte, hatte er es als schwachsinniges Gerücht abgetan, doch inzwischen wusste er, dass es stimmte. Malse glaubte fest daran, dass ihn diese perverse Form der Ernährung im Kampf unbesiegbar machte.

Der Afrikaner sagte etwas. Black deutete auf sein Ohr, um zu signalisieren, dass er kein Wort verstand. Damit machte er sich nicht einmal verdächtig. Ein Großteil der Rebellen war aufgrund der ständigen Schießereien und Explosionen halb taub.

Sein Herz schien ihm aus dem Brustkorb springen zu wollen, als er bis auf drei Meter an den anderen herangerückt war. Malse hatte ihn nach wie vor nicht erkannt und machte keine Anstalten, die Pistole zu zücken, dafür sprach er wieder.

Black nickte eifrig, obwohl er keinen Schimmer hatte, worum es ging. Er wollte unbedingt die Aufmerksamkeit vom Messergriff ablenken, der aus seiner Tasche ragte. Als er direkt vor dem anderen stand, machte er einen Satz nach vorn und rammte ihm die 20-Zentimeter-Klinge in die Magengrube. Malse glotzte ihn überrascht an, darüber hinaus schien der Stich keine Wirkung zu erzielen. Er packte Black am Kragen, hievte ihn in die Höhe und schleuderte ihn lässig gegen die Mauer, die das Kirchengrundstück umgab. Der ehemalige Ranger schaffte es, den Kopf rechtzeitig abzuwenden, trotzdem knallte er hart dagegen und landete unbeholfen auf dem harten Boden. Kaum hatte er sich halbwegs aufgerappelt, da bekam Malse ihn erneut zu fassen – diesmal mit einer Hand an der Kehle und der anderen am Oberschenkel. Black wurde wieder hochgehoben, schaffte es diesmal jedoch, sich am Messergriff festzuhalten, der aus Malses Bauch ragte. Er riss ihn zur Seite und öffnete damit einen klaffenden Schlitz, aus dem Blut auf die verschmierten Jeans des Afrikaners schoss. Es schien ihn kaum zu behindern.

Diesmal knallte Black mit dem Kopf voran gegen die Mauer, und zwar in gut zwei Metern Höhe, bevor er mit dem Gesicht unsanft aufprallte. Malse stürzte sich auf ihn. Der Amerikaner war zu benommen, um Gegenwehr zu leisten, und überlegte, ob der merkwürdige Voodootrick tatsächlich funktionierte und die ermordeten Kinder seinem Gegner eine Art Unsterblichkeit verliehen.

Eine menschliche Kontur löste sich aus den Schatten hinter dem Farbigen. Black kniff die Augen zusammen und versuchte, sich einen Reim darauf zu machen, was gerade passierte. Eine Hand klemmte Malses Nase und Mund wie in einen Schraubstock ein und zerrte ihn außer Sichtweite. Erst hörte man ein leises Knirschen, dann nichts mehr.

Black versuchte, auf die Beine zu kommen. Beim ersten Mal scheiterte er spektakulär, im zweiten Anlauf schaffte er es gerade so, das Gleichgewicht zu halten. Inzwischen stand die dunkle Gestalt vor ihm, genau wie er zuvor vom flackernden Feuerschein erhellt. Nicht Malse. Viel kleiner und ohne den gebückten Gang. Weil er nach wie vor benommen war, schaffte es Black nicht, sich zu wehren, als der Fremde ihn an den Haaren zerrte und in dieselbe finstere Nische zog wie gerade den Afrikaner.

Black sackte auf die Knie und sah auf Malse hinunter. Sein unversehrtes Bein war in einem unappetitlichen 90-Grad-Winkel zur Seite gebogen, der Kopf sogar in einer halben Drehung nach hinten. Sah ganz so aus, als ob ihm sein persönlicher Hexenmeister eine Rückerstattung schuldete.

»Konntest du nicht schlafen?«

Die ruhige Stimme verpasste Black einen Adrenalinschub. Seine volle Wachsamkeit kehrte jäh zurück.

»Mitch? Was machst du denn hier?«

Eine Pistole erschien wie aus dem Nichts. Sekunden später spürte er den Druck eines Schalldämpfers an der Stirn.

»Dasselbe wollt ich dich grad fragen.«

Tausende von Lügen schossen ihm durch den Kopf, doch er ahnte, dass jede einzelne nur dazu geführt hätte, dass sich seine Hirnmasse über die kläglichen Überreste von Malse verteilte.

»Es existieren Informationen, wonach du und die anderen sich in der Kirche verkrochen haben, Mitch. Ich hielt es zwar für unwahrscheinlich, dass euch jemand findet, aber ich wollte kein unnötiges Risiko eingehen.«

»Vor ein paar Tagen hast du noch behauptet, das Versteck sei sicher.«

»Das entsprach nicht ganz der Wahrheit.«

»Um was für Informationen geht es genau?«

Black gab keine Antwort.

»Ich geb dir eine Chance, mich davon zu überzeugen, dass du bloß ein Idiot bist, Kent. Sollte ich nämlich befürchten müssen, dass du für beide Seiten …«

»Es handelt sich um ein umfassendes Dossier mit den Namen aller Beteiligten und konkreten Planungen«, sprudelte Black hervor. »Tut mir leid, Mitch. Ich hab einen alten Freund gebeten, für den Fall meines Verschwindens herzukommen und es im Internet zu verbreiten.«

»Wieso hast du damit gerechnet, dass du verschwindest?«

»Keine Ahnung, Mann … Ich dachte halt, jemand wie ich sei für dich nur einen Scheiß wert. Vor allem jetzt, wo dir Donatella und dieser russische Terminator den Rücken freihalten. Falls der Lexikoneintrag zu ›entbehrlich‹ bebildert ist, dann garantiert mit einem Foto von mir.«

»Niemand aus einem meiner Teams war je entbehrlich, Kent.«

»Inzwischen weiß ich das. Deshalb bin ich hier. Ich wollte die Unterlagen holen und vernichten. Ich hab's dir nicht erzählt, weil ich nicht wollte, dass du … na ja … dass du denkst …«

»Dass du ein Idiot bist?«

»Genau.«

Rapp hätte der miesen Ratte am liebsten eine Kugel verpasst, aber das hielt er für sinnlos. In seinen Anfangszeiten war er genauso naiv und kurzsichtig gewesen und hätte es verdient gehabt, von Stan Hurley vorzeitig ins Grab gebracht zu werden.

»Wovon reden wir konkret?«

»Von einem 25-mal-40-Zentimeter-Kuvert.«

»Keine elektronischen Aufzeichnungen? Nichts auf einem externen Server?«

»Nein, Mann. Ich schwör's. Da geht viel zu leicht was schief.«

Er senkte die Waffe. »Okay.«

»Was meinst du damit? ›Okay‹? War's das schon?«

Rapp antwortete nicht. Er hatte sein Handy auf stumm geschaltet und in den letzten paar Minuten dreimal gespürt, wie es vibrierte. Als er es aus der Tasche zog, fand er Empfangsmitteilungen mehrerer SMS von Claudia vor. Kein gutes Zeichen. Sie gehörte nicht zu den Frauen, die einem nachliefen, um positive Nachrichten zu überbringen.

Er wählte. Wenig überraschend meldete sie sich sofort.

»Mitch! Wo steckst du? Ich hab die ganze Zeit versucht, dich zu erreichen.«

»An der Kirche. Was ist los?«

»Ich hab Joel Wilson ausfindig gemacht.«

»Wo?«

»Tut mir leid, Mitch. Mein Mann am Flughafen hat mir viel zu spät Bescheid gesagt. Wilson ist vor Kurzem gelandet und mit drei Autos unterwegs zu dir.«

»ETA?«

»Maximal fünf Minuten.«

»Kannst du ihn aufhalten?«

»Ich hab Leute an der Strecke postiert. Wir könnten improvisieren …«

»Tut, was ihr könnt. Kent und ich müssen noch kurz in die Kirche.«

»Muss das sein? Warum …?«

»Keine Zeit zum Reden, Claudia. Hör zu, lass Grischa auf dem nördlichen Dach mit einem Gewehr Position beziehen. Und Donatella im Osten.«

»Okay«, kam die zögernde Antwort. »Wird erledigt.«

»Und mach dir keine Sorgen. Wir sehen uns in ein paar Stunden.«

Black wollte Protest anmelden, noch bevor Rapp aufgelegt hatte.

»Donatella auf dem östlichen Dach? Das sollte besser ich erledigen, Mitch. Gewehre sind nicht ihr Ding, das sagt sie selbst.«

Rapp schüttelte den Kopf. »Du begleitest mich.«

»Wozu? Weil du den Umschlag allein nicht findest? Ich kann dir genau erklären, wo er liegt, und …«

»Nein. Weil du die Kugeln kassieren wirst, wenn diese Sache vor die Hunde geht.«

46

»Wie weit noch?«, fragte Wilson.

»Alles gut«, kam die rätselhafte Antwort vom Fahrer. Entweder hatte er die Frage nicht verstanden, oder seine Englischkenntnisse beschränkten sich auf diese zwei

Wörter. Nassar hatte ihm das komplette Team übergeben und dafür gesorgt, dass am Flughafen ein weiteres Kontingent auf Wilson wartete. Der marode SUV, in dem er saß, rollte im Zentrum einer Kolonne, die aus drei Fahrzeugen bestand, durch die Innenstadt von Juba. Die Verständigung lief zwar schleppend, aber alle Männer waren schwer bewaffnet und schienen mit dem Einsatzgebiet bestens vertraut zu sein.

Trotzdem empfand er die Ausgangslage als nicht sonderlich ideal. Der Mangel an US-Personal – zumindest ein FBI-Team hätte er sich gewünscht, noch besser ein paar SEALs – verstärkte den Eindruck, sich in einer völlig fremden Welt zu bewegen. Obwohl sein früherer Job es von ihm verlangt hatte, war er nie gern gereist. Selbst bei Abstechern in kultivierte Großstädte wie London oder Paris hatte er sich dezent unwohl gefühlt. Der Kontrollverlust, den er außerhalb der Heimat verspürte, machte ihm zu schaffen.

Sporadisch erreichten ihn weitere Geheimdienstinformationen, doch er empfand sie als wenig hilfreich. Das lag weniger daran, dass die Quellen unzuverlässig waren, als daran, dass er ihnen überwiegend nicht vertraute.

Irene Kennedy hatte überall die Finger mit drin. Agenten rund um den Erdball standen entweder loyal an ihrer Seite oder fürchteten sie. Damit blieb ihm keine andere Wahl, als auf einen Flickenteppich aus Spitzeln zurückzugreifen, die die CIA-Chefin entweder hassten oder schon so lange in Rente waren, dass sie keine Konsequenzen mehr aus ihrer Richtung befürchteten.

Das Ergebnis stellte ihn trotzdem zufrieden. Sie hatten sämtliche E-Mails von Claudia Dufort durchforstet und ihnen alle relevanten Angaben entlockt. Ein Freund bei der Einwanderungsbehörde hatte ihn mit einer entscheidenden Liste versorgt: den Namen früherer Bewohner von Juba, die heute in den USA lebten. Sie hatten unabhängig voneinander die Lage der Kirche bestätigt, in der Rapp sich aufzuhalten schien, und eine recht detaillierte Beschreibung der näheren Umgebung geliefert. In Kombination mit Satellitenkarten und Fotos aus einem Reiseblog hatte Wilson sich einen ziemlich genauen Eindruck von den taktischen Rahmenbedingungen verschafft.

Das Führungsfahrzeug bog in eine Seitenstraße ab. Wilson spähte über die Schulter durch den aufgewirbelten Staub zum hinteren Wagen. Für gewöhnlich genoss er es, am Drücker zu sein, doch nicht in diesem Fall. Er kannte sich in diesem Teil der Welt zu wenig aus und fühlte sich aufgrund der Kommunikationsschwierigkeiten mit den Untergebenen weniger als Kapitän eines Schiffs und mehr als potenzielles Opfer eines Sturms.

So ungern er es sich eingestand, er wünschte sich, Aali Nassar wäre nicht kurzfristig nach Saudi-Arabien beordert worden. Im Gegensatz zu Irene Kennedy strahlte Nassar eine professionelle Gelassenheit aus, die alle in seinem Umfeld anzustecken schien. Zudem verfügte er über Kampferfahrung und galt als jemand, der seine Waffenbrüder nicht im Stich ließ.

Der Fahrer hielt Anschluss an den vorderen Wagen. Wilson hing seinen Gedanken nach. Wie würde es sich anfühlen, den berüchtigten Mitch Rapp gefangen zu nehmen? Ihn in Ketten zurück in die USA zu zerren? Ihn und Kennedy als das zu entlarven, was sie in

Wirklichkeit waren? Er rechnete mit einem gewaltigen Medienspektakel und einer Menge politischer Schwanzvergleiche. Und natürlich mit einer endlosen Serie von Anhörungen sowie unweigerlich mit heftigen Breitseiten gegen alle, die vom Status quo profitierten. Selbst als Held in dieser Geschichte rechnete Wilson damit, dass ihm einige schwierige Jahre bevorstanden. Am Ende würde er sich allerdings den eigenen Persilschein ausstellen können.

Die Möglichkeit, auf seinen alten Posten beim FBI zurückzukehren, war verlockend, aber zu kurz gedacht. Er hatte bisher zwar nie mit einer Karriere als Politiker geliebäugelt, doch das schien nun durchaus im Bereich des Möglichen zu liegen. Mit der finanziellen Rückendeckung der Saudis und seiner Bekanntheit dürfte ein Sitz im Senat quasi ein Selbstläufer sein. Vielleicht rückte sogar die Nachfolge von Carl Ferris als Vorsitzender des Rechtsausschusses in greifbare Nähe. Zu gern hätte er das verschrumpelte Gesicht von diesem hinterhältigen Alten gesehen, wenn der es erfuhr.

Ein plötzliches Aufflackern vor der Kolonne machte ihn kurzzeitig blind. Kurz darauf drang der Knall einer Explosion an seine Ohren, unter den sich das statische Knattern von Maschinengewehrfeuer mischte.

»Rechts ab!«, brüllte Wilson, den plötzlich ganz andere Überlegungen als die um seine Zukunft beschäftigten. »Rechts, du Idiot!«

Er krümmte sich im Fußraum zusammen, als der Fahrer das Lenkrad herumriss und das Gaspedal bis zum Anschlag durchtrat. Die Schüsse wurden leiser. Wilson lugte vorsichtig durch die Frontscheibe und stellte fest, dass alle drei Autos noch fahrtüchtig waren. Arabisches

Geplapper drang aus dem Walkie-Talkie neben ihm. Er griff nach dem Gerät.

»Was zum Teufel war das gerade? Bericht!«

»Es ist gut«, kam die Antwort. Er konnte die Stimme einem der Männer zuordnen, die mit ihm in Kapstadt gewesen waren. Einer der wenigen, die seine Sprache halbwegs flüssig beherrschten.

»Was redest du da? Was ist denn hier bitte schön gut?«

»Ein kurzer Schlagabtausch zwischen zwei rivalisierenden Gruppen, die um die Kontrolle der Stadt kämpfen. Wir müssen nur einen kleinen Umweg fahren. Halb so wild.«

»Bist du sicher? Weißt du, wo wir langmüssen? Nicht dass wir in einer Sackgasse landen und man uns dort festnagelt.«

»Ganz ruhig, Special Agent Wilson. Kein Grund zur Sorge. So was passiert bei euch in Chicago doch auch täglich, oder?«

47

Rapp ließ Kent Black die Führung übernehmen und inspizierte die direkte Umgebung der Kirche, während sie durch das Tor zum Hintereingang liefen. Abdo hatte keinen Mann auf dem Grundstück postiert. Vermutlich fürchtete er, sie sonst bei ihrer Rückkehr abzuschrecken. Dafür leistete sich die Gegenseite einen anderen Patzer: Ein schwacher Lichtschein drang aus einem der vernagelten Fenster. Black schien ihn nicht zu bemerken. Er konzentrierte sich darauf, leise durch den Innenhof zu schleichen.

Sie erreichten die Tür, die ins Büro führte, und stellten sich auf beiden Seiten auf. Rapp zog die Glock aus dem Holster, sein Begleiter hatte gar keine Waffe dabei. Selbst mit Schalldämpfer hätte sie den Gegner frühzeitig gewarnt. Außerdem war er Realist genug, um einzugestehen, dass er als Schütze sowieso nichts taugte.

Rapp nickte kurz. Black steckte den Schlüssel ins Schloss. Es klickte und die Tür schwang dank gut geölter Scharniere lautlos auf. Der Jüngere wirkte überrascht, als Rapp ihm mit dem Daumen bedeutete, als Erster reinzugehen. Offenbar hatte er die Ankündigung, als menschlicher Schutzschild herhalten zu müssen, für einen Scherz gehalten.

Unbewaffnet beugte er sich um den Rahmen und verschwand in der Düsternis. Rapp folgte und scannte die Peripherie über das Visier hinweg. Die Helligkeit reichte gerade so aus, um zu erkennen, dass der Raum leer war.

Er huschte zum Durchgang, der ins Mittelschiff führte, und bemerkte sofort die zwei Männer, die sich um ein kleines Feuer im Zentrum drängten. Einer saß auf einer Kirchenbank seitlich von Rapps Position, der andere schaute direkt in seine Richtung. Die kühle Nachtluft sorgte dafür, dass sie sich dicht an die Flammen lehnten, um ihre Hände zu wärmen. Sie schienen nicht vorzuhaben, dort so rasch wegzugehen, also winkte er Black, den Umschlag zu holen. Stattdessen rückte der Ex-Ranger dicht an sein Ohr heran.

»Der liegt nicht im Büro, Mitch, sondern in der Nähe vom Altar.«

Rapp fluchte leise.

»Tut mir leid. Ehrlich.«

Rapp konnte nicht viel gegen den Mann ausrichten, der mit dem Gesicht zu ihm saß. Glücklicherweise starrte er direkt ins Feuer, weshalb er davon ausging, dass der andere abgesehen von Flackern und Licht nicht viel wahrnahm. Ganz sicher konnte er da allerdings nicht sein.

Da ihm keine andere Wahl blieb, schlich Rapp auf Zehenspitzen näher. Es erfolgte keine Reaktion, also beschleunigte er das Tempo behutsam, zog sich aus der Sichtlinie des Gegners zurück und näherte sich von der Seite. Er verharrte kurz außerhalb des Lichtkreises und verstaute die Glock im Holster. Innerhalb der Mauern hätte das gedämpfte Geräusch beim Abdrücken zwar keine Probleme verursacht, aber den Mündungsblitz hätte man durch die vernagelten Fenster draußen trotzdem gesehen.

Keiner der Männer trug eine Handwaffe, die Gewehre befanden sich außerhalb des direkten Zugriffs auf dem Rücken. Sie zu töten, war machbar. Sie unbemerkt zu töten, war eine Herausforderung. Mit Asarow hätten sie sich die Tangos aufgeteilt. Bei Black verbot sich diese Strategie. Der andere hätte als schlechter Schütze mehr Probleme verursacht als gelöst.

Rapps Augen wanderten zu einer Machete, die am Ende der Sitzreihe in seiner direkten Nähe lehnte. Er hatte sie anfangs als potenzielle Bedrohung eingestuft, betrachtete sie jetzt aber eher als Unterstützung. Das ging zwar mehr in Richtung Splatterfilm, als ihm lieb war, aber unter diesen Umständen durfte er nicht allzu wählerisch sein.

Er zog ein dünnes Seil aus der Tasche und schlenderte lässig in den Lichtschein hinein. Der Mann auf der Bank entdeckte ihn zuerst, doch Rapp hielt die Machete bereits in der Hand. Hastig riss der Afrikaner die Arme hoch, reagierte aber zu langsam. Die Schneide war bereits gut fünf Zentimeter in seinen Schädel eingedrungen, ehe sie auf Widerstand stieß.

Erwartungsgemäß hantierte der Zweite am Maschinengewehr herum. Er entschied sich für die effizienteste Möglichkeit, indem er sich auf den Bauch drehte und nach dem Griffstück angelte. Dadurch gab er Rapp jedoch den ungeschützten Rücken preis. Dieser schlang das Seil um den Hals des Gegners und ließ sich auf ihn fallen.

Der Farbige war jung und kräftig. Es gelang ihm, sich auf die Knie zu kämpfen und am Seil zu zerren. Rapp schlang die Beine um seine Hüfte, holte mit einer abrupten Rückwärtsbewegung Schwung und schleuderte ihn so direkt in die Flammen. Das erzielte die beabsichtigte Wirkung, weil sich der Tango nun gleichzeitig mit seinem Mangel an Sauerstoff und den glühend heißen Kohlen auseinandersetzen musste, die den Kampfanzug in Brand setzten. Seine Gegenwehr verstärkte sich und erlahmte ebenso rasch. Rapp schleifte die Leiche vom primitiven Lagerfeuer weg und rollte sie über den Boden, um die Flammen zu ersticken.

»Verdammt!« Black näherte sich zögernd in seinem Rücken. »Hast du je drüber nachgedacht, bei der Arbeit eine Hockeymaske zu tragen?«

»Jetzt hol schon den verdammten Umschlag, Kent.«

Rapp lief zu einem der Fenster und spähte durch einen Spalt zwischen den Brettern. Black hebelte in der Zwischenzeit eine Bodendiele auf. Den Männern, die die Kirche von draußen observierten, schien nichts aufgefallen zu sein. Genau wusste er es jedoch nicht. Wer konnte schon sagen, ob sie in einem solchen Fall direkt das Gebäude stürmten oder erst auf Verstärkung warteten?

Hinter ihm hatte sich Black Zugang zu einem Safe unter den Holzbrettern verschafft und nutzte eine Stablampe mit rötlicher LED, um die Kombination einzustellen. Einen Augenblick später schwenkte er das beschriebene Kuvert. Rapp öffnete es und überprüfte den Inhalt. Er entdeckte ein paar heimlich entstandene Fotos und eine einseitige Zusammenfassung der Mission mit den Namen aller Beteiligten.

»Dir ist klar, dass ich dich dafür umbringen sollte?«

»Sicher.« Black blickte betreten auf seine Schuhspitzen.

Rapp schleuderte den Umschlag in das, was vom Feuer übrig geblieben war, und zeigte zum Hintereingang. »Lös Donatella ab. Aber denk dran: nur handeln, wenn es absolut zwingend ist. Ansonsten beschränken wir uns auf die Rolle als stille Beobachter.«

»Verstanden.« Der Junge schien dankbar zu sein, eine zweite Chance zu bekommen. »Und du?«

»Ich bleib hier.«

Das war ursprünglich nicht sein Plan gewesen, aber nachdem es solche Mühe gekostet hatte, in die Kirche zu schleichen, hielt er es für sinnvoll. Nassar, Wilson und ihre Leute würden bald eintreffen und Abdo unterstellte wahrscheinlich, dass sie zu Blacks Operation gehörten. Dann ging der Spaß für die Gegenseite erst richtig los. Mit einem Quäntchen Glück fiel Nassar einem Angriff durch südsudanesische Rebellen zum Opfer, der sich nicht zu Mitch Rapp oder dem IS zurückverfolgen ließ. Das lieferte Claudia weitere Munition, um ihn zu entlasten und Druck auf König Faisal auszuüben, die übrigen Verschwörer des Landes zu verweisen.

Wobei er insgeheim damit rechnete, dass es nicht so glatt lief.

Sein Telefon vibrierte und er fummelte sich den Knopf ins Ohr.

»Mitch, hörst du mich?« Claudias Stimme.

»Ja.«

»Ich hab's geschafft, Wilsons Konvoi einmal kurz umzuleiten. Mehr ging nicht. Sie werden in zwei Minuten bei euch sein. Wie ist die Lage?«

»Ich bin in der Kirche.«

»Hast du noch genug Zeit, um rauszukommen?«

»Ich bleibe, wo ich bin«, erklärte er und kletterte über eine Leiter zur oberen Galerie. »Von hier aus hab ich eine günstige Schussposition.«

»Und Kent?« Ihr Tonfall deutete an, dass sie die Nachricht von seinem Tod nicht überrascht hätte.

»Unterwegs, um Donatella abzulösen.«

»Ich brauch keine Hilfe von einem Kind«, meldete diese sich prompt.

»Nicht streiten. Gib ihm einfach dein Gewehr.«

Asarow schaltete sich ins Gespräch ein. »Drei Wagen nähern sich mit hoher Geschwindigkeit dem vorderen Tor. Ich kann leider nicht erkennen, wer oder wie viele drinsitzen.«

»Donatella?« Rapp schlich zu einem noch teilweise intakten Milchglasfenster und lugte durch eine der weniger zerkratzten Stellen. Die Sonne ging gerade auf und hüllte die Stadt in dunkelorangenen Glanz. »Wie sieht's bei dir aus?«

»Ich kann die Insassen auch nicht sehen, aber Abdos Wachen reagieren ziemlich hektisch und die Zivilisten auf der Straße gehen alle in Deckung.«

Rapp verfolgte die näher kommenden Fahrzeuge in der Dämmerung. Sie bremsten mit quietschenden Reifen vor dem Tor. Vier Männer stiegen aus dem vorderen Wagen und schwärmten aus. Einer von ihnen machte sich mit einem Bolzenschneider an die Arbeit.

»Ich habe Donatella gerade abgelöst«, meldete Kent. »Von mir aus kann's losgehen.«

Das Tor wurde nach innen geschoben und weitere Insassen sprangen ins Freie, bevor die Wagen in den Kirchhof rollten. Rapps geübtem Auge entging nicht, dass einige von ihnen trainiert wirkten, andere dagegen alles andere als fit. Nicht gerade das, was er von einem Team der saudischen Special Ops erwartet hätte. Zwei der Männer kamen ihm sogar vor wie Einheimische.

»Lagebericht. Was treiben Abdos Männer?«, fragte Rapp ins Mikro.

»Sie bereiten sich darauf vor, das Gebäude zu umstellen und dabei keine Angriffsfläche zu bieten«, kam Asarows Antwort.

Rapp überprüfte seine Glock. Er hatte keine Ahnung, ob der Plan aufging, aber zumindest versprach es interessant zu werden.

48

Joel Wilson lehnte sich zwischen den Sitzen des SUV nach vorn und spähte durch die Windschutzscheibe. Der Sonnenaufgang war nur ein schwaches Glimmen am Horizont, aber die Helligkeit genügte, um zu verfolgen, wie seine Männer den Hof einnahmen. Sekunden später hatten sie die Eingangstür überwunden und verschwanden in der Kirche.

Was sie dort erwartete, war völlig offen. Er hatte keine Kontakte in Juba und damit keine nennenswerte Aufklärung betreiben können. In einer Region voller kriegsmüder und misstrauischer Sudanesen wäre die Anwesenheit eines Vortrupps in Windeseile Stadtgespräch gewesen. Ihnen blieb keine andere Wahl, als wie ein Hurrikan hereinzubrechen, um den Informanten voraus zu sein, die Rapp garantiert auf der Gehaltsliste stehen hatte.

Seine Finger klammerten sich am Sitz fest, während er auf die verräterischen Salven Automatikfeuer wartete, gefolgt von Einzelschüssen aus Rapps Pistole. Die Uhr in seinem Kopf tickte, mit jeder weiteren Bewegung des imaginären Sekundenzeigers schwanden die Hoffnungen. Endlich meldete sich eine Stimme mit starkem Akzent über das Headset: »Das Gebäude ist sauber.«

»Fuck!«, fluchte Wilson und ließ den Rücken gegen die Polsterung knallen.

»Rein?«, erkundigte sich sein Fahrer.

»Natürlich rein, du Idiot! Bewegung!«

Sie beschleunigten durchs Tor und Wilson stieg aus in die aufkommende Morgenhitze. Wo zum Henker steckte dieser CIA-Hurensohn? War er unterwegs, um unschuldige Saudis abzuschlachten? Oder hatte ihn jemand vorgewarnt? Falls ja, wer? Ein Mitarbeiter des hiesigen Flughafens? Jemand in Washington? Einer von Wilsons eigenen Leuten? Er wusste kaum mehr über sie, als dass Nassar ihnen vertraute.

Sosehr er die Fähigkeiten des saudischen Geheimdienstchefs schätzte, ein so rasches Vorgehen und das

Einbeziehen örtlicher Unterstützung bargen grundsätzliche Risiken. Loyalität konnte man sich in diesem Teil der Welt erkaufen und Allianzen wechselten im Stundentakt.

Wilson schob die Flügeltüren hinter sich zu. »Bewacht alle Zugänge und schickt Männer rauf in die Galerie. Ich will auch Posten an der Außenmauer haben, die sämtliche Richtungen abdecken. Sollte Rapp nichts von unserer Anwesenheit ahnen, könnte er uns in die Falle gehen. Und falls er Bescheid weiß, ist er vielleicht dumm genug, uns anzugreifen.«

»Verstanden«, ertönte die Antwort in seinem Ohr, obwohl sich niemand zu rühren schien.

Die Sonnenstrahlen, die sich durch Spalten und Risse kämpften, erhellten zwar den Innenbereich, doch es gab nicht viel zu sehen. Die Trümmer maroder Kirchenbänke verteilten sich großflächig, außerdem die Reste eines Altars und jede Menge Schutt, produziert vom einsetzenden Zerfall.

»Sir!«, rief ein Mann aus dem Mittelschiff. »Hierher!«

Wilson rannte zu ihm und begutachtete seinen Fund. Ein gelöschtes Lagerfeuer. Er ging in die Hocke und streckte die Hand aus. Als er die Restwärme bemerkte, schoss Adrenalin durch seinen Körper. Es war erst vor Kurzem erloschen, was auch die kleinen Pfützen ringsum erklärte. Doch was hatte es mit der Nässe der umliegenden Kirchenbänke auf sich? Er fuhr mit der Hand über die Oberkante und wiederholte den Test an einer Stelle weiter unten. Als er seine Finger betrachtete, klebte Blut daran.

Er schoss in die Höhe und zog die Waffe. »Hier war gerade noch jemand. Redet mit mir. Was seht ihr von den Wänden aus?«

»Ganz ruhig«, kam die Antwort von Nassars Leithammel. »Wir haben keine ...«

Seine Antwort wurde durch die Rufe von zwei Männern übertönt, die neben einem Trümmerhaufen in der nordöstlichen Ecke des Baus standen. Wilson wollte schon zu ihnen, da sah er die Leichen. Einem baumelte noch die Schnur, mit der man ihn erdrosselt hatte, um den Hals. Der andere bot einen deutlich unappetitlicheren Anblick. Eine Machete hatte den Kopf quasi halbiert. Ihr Griff ragte aus der Bruchstelle unterhalb des Nasenrückens.

Wilson stolperte ein paar Schritte rückwärts. Ihm wurde schlagartig bewusst, dass es ihm an Einsatzerfahrung fehlte. Er war ein Ermittler, der sich auf bürointerne Intrigen verstand. Er verfiel in Panik, zückte zum ersten Mal in seiner Laufbahn die Waffe und stürmte zum Haupteingang. »Rückzug. Alle Beweise mitnehmen. Wir treffen uns in einer Minute an den Fahrzeugen. Ich ...«

Eine Stimme plapperte über den Funk hektisch auf Arabisch. Die Antwort von Nassars Kommandeur klang plötzlich gar nicht mehr so selbstsicher.

»Was ist los?«, fragte Wilson. »Was hat er denn?«

Zwei Männer spurteten an ihm vorbei nach draußen, ein weiterer kletterte auf die Balustrade und bezog Position neben einem zerbrochenen Fenster.

Die Stimmen im Ohrhörer klangen zunehmend verzweifelt. Er erstarrte. »Was habt ihr denn alle?«, brüllte er in das Mikro des Headsets. Niemand nahm sich die Zeit für eine Antwort.

Rapp rührte sich nicht und verfolgte mit dem Blick, wie die Männer an der Westseite der Kirche entlangrannten. Er hockte auf einem Balken knapp zehn Meter über dem seitlichen Innenhof. In diesem Bereich war die Dachkonstruktion stark beschädigt, sodass er unauffällig mit dem herrschenden Durcheinander verschmolz.

Laute Rufe tönten durch die Plastikfolie, die den Regen davon abhielt, ins Gebäudeinnere einzudringen. Überwiegend Arabisch, doch er hörte auch einen afrikanischen Dialekt, den er auf Anhieb nicht zuordnen konnte, und einen aufgescheuchten Amerikaner, bei dem es sich zweifellos um Joel Wilson handelte.

Laut Black und Asarow hielt sich niemand mehr in den Fahrzeugen des Konvois auf. Nassar hatte sich noch nicht blicken lassen. Der saudische Geheimdienstchef bewies damit einmal mehr, dass er alles andere als dumm war. Wilson hing blind seinen Rachegelüsten nach und arbeitete daran, sich als großer amerikanischer Retter zu inszenieren. Nassar hingegen verzichtete auf solche Eitelkeiten. Obwohl sein Leben nach wie vor in höchster Gefahr war, schien er den Informationen auf Claudias Rechner zu misstrauen. *Respekt, du terroristischer Schwanzlutscher!*

»Jetzt wird's ernst!«, meldete Black über Funk. »Zwei Pick-ups nähern sich in hohem Tempo. Die meisten von Abdos Spähern scheinen sich zurückzuziehen. Wir müssen also davon ausgehen, dass die Nachhut die Regie übernimmt!«

»Wie viele sind es?«, wollte Rapp wissen. Er ließ die Füße über die Dachkante baumeln, um das steife rechte Knie in Schwung zu bringen.

»Sie fahren zu schnell, um das abschätzen zu können. Aber so, wie's aussieht, sind diese kleinen Trucks komplett vollgestopft. Die Stoßdämpfer hängen auf Anschlag.«

»Verstanden.«

»Sie entfernen sich aus meinem Sichtbereich«, warnte Black. »Grischa? Kannst du sie sehen?«

»Ja. Ich gehe von 23 Mann aus, Fahrer inklusive. Sturmgewehre, überwiegend AKs. Der vordere Wagen schlingert leicht. Ich denke nicht, dass das ein mechanisches Problem ist. Eher hat der Fahrer Alkohol oder Drogen intus. ETA in 15 Sekunden. Sie werden nicht langsamer. Ich vermute, sie wollen einfach durchbrettern.«

»Was denn? Das Kennzeichen hast du nicht notiert?«, fragte Black.

»Schien mir nicht wichtig zu sein.« Vom sarkastischen Unterton bekam Asarow nichts mit.

»Mitch«, meldete sich Donatella. »Ich hab dich von Südwesten her im Auge. Im Hof unter dir ist derzeit niemand. Du könntest runterklettern und dich hinten rausschleichen. Kent gibt dir Deckung.«

»Vielleicht komm ich später drauf zurück, Donatella. Erst mal bleib ich, wo ich bin.«

Joel Wilson hörte Motorenlärm von draußen und wusste nicht, was er davon halten sollte. Plötzlich krachte ein Pick-up durch die Eingangstür der Kirche. Sie wurde aus den Angeln gerissen und krachte auf den Boden. Die meisten Männer, die auf der Ladefläche mitgefahren waren, sprangen oder fielen herunter. Ungläubig starrte der FBI-Mann auf die Horde afrikanischer Soldaten. Einige wirkten benommen, andere rappelten sich bereits auf, es gab aber auch Tote und Bewusstlose. Hatten die Bremsen versagt oder waren sie absichtlich durch das Hindernis gekracht? Wer tat denn so was?

Automatikfeuersalven rissen ihn aus seiner Benommenheit. Er hetzte in den rückwärtigen Teil und tauchte hinter einer aus der Verankerung gerissenen Bank an der westlichen Mauer ab. Als er um sie herumspähte, bekam er mit, wie ein zweiter Pick-up durch die Öffnung schoss, die der erste geschaffen hatte. Die Mitfahrer sprangen auf den Boden und verteilten sich, wobei sie nach dem Zufallsprinzip Nassars Männer mit Patronenhagel eindeckten.

Wilson zog sich tiefer in den Schutz der Bank zurück und verzichtete darauf, das Feuer zu erwidern, aus Angst, seine Position preiszugeben. Wer waren diese Männer? Hatte Rapp sie angeheuert? Er hatte in den Mails häufig von ›wir‹ gesprochen. Handelte es sich um sein Team? Eine Truppe lebensmüder afrikanischer Söldner? Würde ein Mann, dessen präzise Arbeitsweise als legendär galt und der Gegner fast immer mit einem gezielten Schuss ausschaltete, auf solche Amateure zurückgreifen?

Er ließ sich auf den Rücken fallen und lugte unter der Bank hervor. Fürs Erste schienen Nassars Männer einen taktischen Vorteil zu besitzen. Sie waren an strategisch günstigen Punkten in Deckung gegangen und gaben kontrollierte Feuerstöße ab; ganz anders als ihre Gegner, die ziellos aus vollem Lauf schossen. Reichte dieser Vorteil aus? Immerhin waren sie in der Unterzahl und möglicherweise rückte noch Verstärkung an. Wer sagte, dass nicht Hunderte ähnlicher Soldaten in Kürze hier einfielen? Das Bild vom Mann mit der Machete im Kopf blitzte vor seinem geistigen Auge auf. Er kramte nach dem Satellitenhandy und wählte eine Nummer, die ihm der saudische Geheimdienstchef für Notfälle gegeben hatte.

Es klingelte ein paarmal, bevor Nassar sich meldete.

Wilsons Stimme überschlug sich und er flehte stammelnd um Hilfe, da ertönte ein Piepton und eine mechanische Frauenstimme forderte ihn auf, eine Nachricht auf Band zu sprechen.

49

Rapp massierte sein rechtes Knie und kurbelte die Blutzirkulation an, während unter ihm der Kampf tobte. Hinter seinem Rücken ertönte ein spitzer Schrei. Sein Kopf zuckte gerade rechtzeitig herum, um mitzubekommen, wie einer von Wilsons Männern gegen die Plastikhülle stolperte, die ein Loch im Dach verschloss. Er glitt daran nach unten und hinterließ eine schmierige Spur, die im Licht der Dämmerung rötlich glänzte.

»Mitch?« Kent Black per Funk. »Willst du da noch den ganzen Tag rumsitzen? Soll ich dir einen Kaffee raufbringen lassen?«

»Napoleon hat mal gesagt: ›Wenn dein Feind Dummheiten macht, misch dich nicht ein.‹«

»Ich bezweifle, dass das Zitat wirklich von ihm stammt«, kommentierte Asarow.

»Jedenfalls stimmt es.«

»Okay, da geb ich dir recht.«

Die Schussfrequenz ließ nach. Aus einem wilden Schlagabtausch war eine taktische Gemengelage geworden, in der sich beide Seiten aus der Deckung belauerten. Leider bestand wenig Hoffnung, dass sie sich gegenseitig dezimierten, bis niemand mehr übrig war. Abdo hatte vermutlich längst Verstärkung losgeschickt.

Nassar war nicht vor Ort, weshalb sich Rapp langsam an den Gedanken gewöhnte, dass seine sorgsam gestellte Falle nicht zuschnappen würde. Insofern brauchte es ihn eigentlich nicht zu interessieren, was gerade in der Kirche passierte. Es gehörte zwar nicht zu seinen Angewohnheiten, einem Kampf den Rücken zu kehren, aber letztlich brachte es nichts ein. Wilson und ein paar von Nassars Männern zu töten, wäre eine Option gewesen, aber das schien ihm Abdo bereits abzunehmen. Zumal er dabei Gefahr lief, gesehen zu werden, oder – noch schlimmer – mit einem Handy fotografiert zu werden.

Dass er nicht auf Irene Kennedys Hilfe zurückgreifen konnte, störte ihn mehr, als er sich selbst eingestand. Er fühlte sich unwohl in der Rolle als Chefstratege.

»Kent, gibt's eine Möglichkeit, wie ich hier wegkomme, ohne durch den Hof laufen zu müssen?«

»Höchstens wenn du Spider-Man bist. Die Wände sind verflucht glatt und dem Dach trau ich keinen Meter weit.«

»Verstanden.« Rapp verspürte eine gewisse Erleichterung, sich nicht wie ein x-beliebiger Verbrecher, der er inzwischen offiziell war, vom Acker machen zu müssen. »Also muss ich auf dem Weg verschwinden, den ich gekommen bin. Grischa, kannst du rüberkommen und meinen Rückzug decken?«

»Bestätigt. Zweieinhalb Minuten.«

»Zweieinhalb Minuten«, wiederholte Rapp und stellte den Timer an der Uhr. »Alles klar. Ich geh rein.«

Er zog die Waffe und glitt durch das blutverschmierte Plastik. Einer von Nassars Jungs hatte sich in der Galerie verschanzt. Davon zeugten die Einschusslöcher im

Zwischenboden. Eine der Kugeln hatte ihn getötet. Er hing halb über dem Geländer, die Waffe pendelte nutzlos in der Luft.

Rapp pflückte sie aus den reglosen Händen und legte sich auf ihn. Dass keins der Projektile den Rücken durchschlagen hatte, deutete darauf hin, dass er zum menschlichen Schutzschild taugte.

Im Kirchenschiff sah es aus, als hätte eine Bombe eingeschlagen. Die Leichen lagen kreuz und quer, einige durch direkte Treffer ausgeschaltet, andere hatte es erwischt, als der Pick-up durch den Eingang gekracht war. Zwei von Nassars Soldaten lebten noch und schossen aus der Deckung des früheren Altars. Abdos Streitmacht war auf drei Leute dezimiert – zwei drückten sich gegen die westliche Mauer, einer lauerte außer Sichtweite hinter einem Balkonvorsprung. Rapp hielt nach Wilson Ausschau, fand ihn jedoch nirgends.

»Ist jemand rausgelaufen?«, erkundigte er sich per Funk.

Alle verneinten.

Ob sich der FBI-Mann in Blacks Büro verschanzt hatte? Unwahrscheinlich. Von dort führte eine Tür ins Freie. Wie er Joel Wilson kannte, hätte der die Gelegenheit zur Flucht genutzt.

Rapps Fragezeichen im Kopf lösten sich einen Moment später auf, als der Mann hinter dem Balkon die Deckung verließ und nach Osten rannte. Nassars verbliebene Schützen waren zu beschäftigt mit den anderen Gegnern, um auf ihn zu achten, doch ein vertrautes blasses Gesicht tauchte hinter einer Kirchenbank im rückwärtigen Teil auf und gab mehrere Schüsse ab, die ihr Ziel locker um zehn Meter verfehlten.

Abdos Mann warf sich auf den Boden und kroch in Wilsons Richtung. Rapp beobachtete ihn eine Weile, ehe er zögernd nach der Waffe tastete.

»Mitch«, gab Black per Funk durch. »Die Aufklärer, die ich von hier aus im Blick habe, treten den Rückzug an.«

»Bei mir ein ähnliches Bild«, meldete Asarow.

»Bei mir auch«, kam es von Donatella.

»Verstanden.« Rapp schraubte den Schalldämpfer vor die Mündung.

Als Optimist hätte er sich eingeredet, dass die Männer genug hatten und deshalb das Weite suchten. Allerdings war es weitaus wahrscheinlicher, dass Abdos zweite Truppe in Kürze eintraf und sie sich am vereinbarten Sammelpunkt trafen. So gern er abgewartet hätte, bis sich da unten ein paar weitere Leute gegenseitig abknallten, dafür blieb keine Zeit mehr.

Rapp zielte auf den Schädel des Schützen, der zu Wilson kroch, danach setzte er einen der Tangos an der Ostmauer mit einigen Treffern im Rippenbereich außer Gefecht. Nassars Schützen verfolgten, wie er zu Boden ging, und einer nutzte die Gelegenheit, um aus der Deckung zu brechen und Abdos letzten überlebenden Mann ins Visier zu nehmen. Der afrikanische Guerilla bemerkte ihn und feuerte. Kurz nach dem Treffer wurde er ebenfalls erwischt. Stille breitete sich aus.

»Joel!«, rief Rapp. »Geht's Ihnen gut dahinten?«

»Was? Wer spricht da?«

»Mitch.«

Der FBIler antwortete nicht sofort. Dann: »Was wollen Sie?«

Eine gute Frage. Der CIA-Killer Mitch Rapp hätte ihn und alle etwaigen Überlebenden jetzt erschossen und

Irene Kennedy das Aufräumen überlassen. Galt das auch für Mitch Rapp, den flüchtigen Verbrecher, nach dem international gefahndet wurde?

»Nachdem ich Ihnen gerade den Hintern gerettet habe, werd ich mich jetzt ergeben«, rief er. »Ich will zurück in die USA, um meinen Namen reinzuwaschen.«

»Mitch«, raunte ihm Claudia ins Ohr. »Was soll das werden? Er ist nicht …«

»Na, was sagen Sie?« Rapp würgte sie ab. Höchste Zeit, Wilson zu zeigen, auf welcher Seite er kämpfte. Vielleicht konnte der FBI-Mann ihm sogar nützlich sein.

»Wieso sollte ich Ihnen glauben?«

»Weil ich taktisch die Oberhand besitze. Wenn ich Sie und Ihren letzten überlebenden Mann töten wollte, würden wir dieses Gespräch gar nicht führen.«

Nach kurzem Zögern stand Wilson auf und kam langsam näher. Er winkte seinem Begleiter, dasselbe zu tun. Überraschenderweise hörte der auf ihn.

Rapp verstaute die Glock hinten im Hosenbund und schlenderte betont gelassen zum Rand der Balustrade. »Spricht Ihr Freund Englisch?«

»Ja«, antwortete dieser selbst.

»Dann sind wir uns einig, dass Sie nicht auf mich schießen werden, weil ich mich ergeben habe.«

»Ja.«

»Meine Fresse, was soll das werden?«, entfuhr es Black, der ebenso wenig wie Claudia begriff, was vor sich ging. »Baller diese Arschlöcher in die nächste Zeitzone und lass uns abhauen.«

Gar keine so schlechte Idee, aber Rapp ignorierte sie. Er war neugierig, wie sich die Situation entwickelte. Er unterstellte zwar, dass Wilson ihn nicht in Ketten vor die

Kameras zerren wollte, aber Nassar dürfte die Aussicht auf eine Serie von Anhörungen im Kongress so gar nicht schmecken.

Rapp rückte langsam näher. Dabei ignorierte er Wilson, der mit zitternder Hand auf ihn zielte, und konzentrierte sich auf Nassars Mann. Der deutliche Akzent und die durchschnittliche Leistung, die dieser während des Gefechts abgeliefert hatte, verrieten ihm, dass es sich nicht gerade um einen der Elitesoldaten des saudischen Geheimdienstes handelte. Wer war er also dann?

»Okay, ganz ruhig. Ich komm jetzt runter.«

Nassars Helfershelfer verfolgte seine Bewegungen durch das Visier des AK-47. Rapp trat an die Leiter. Der Abstand zwischen ihnen betrug knapp zehn Meter. In Verbindung mit dem ungünstigen Winkel ergab sich keine günstige Trefferfläche. Der Araber wirkte clever genug, um den passenden Moment abzuwarten, aber wie lange? Würde er den machbaren, aber schwierigen Schuss riskieren, sobald Rapp die Sprossen hinunterstieg? Oder ließ er den CIA-Mann dicht genug herankommen, um den sicheren Treffer zu landen?

Er erhielt die Antwort, sobald seine Füße die erste Strebe berührten. Die Haltung des Mannes veränderte sich und er drückte den Schaft des Sturmgewehrs fester gegen die Schulter. Rapp zuckte zurück. Im selben Moment splitterte einen knappen Zentimeter neben seiner Hand ein Stück Holz ab.

»Feuer einstellen!«, quietschte Wilson. Rapp sprang mit einem weiten Satz in die Tiefe. »Feuer ein…«

Der Schütze visierte sein neues Ziel an und ein weiterer Schuss löste sich. Rapp rollte sich ab, um den Aufprall bei der Landung zu minimieren, und erhob sich gerade rechtzeitig auf ein Knie, um mitzubekommen, wie Wilson über eine Bank hechtete. Eine kurze Salve beackerte das Material des Sitzmöbels, bevor Nassars Mann den Lauf zurück auf Rapp schwenkte.

Die Schussposition des Ex-CIA-Agenten war alles andere als ideal. Er brauchte eine gefühlte Ewigkeit, um die Waffe auszurichten. Hinzu kam, dass der Schütze im Feuern hinter den Altar flüchtete. Rapp drückte ab und traf ihn voll in den Magen. Der andere verlor die Kontrolle über das Gewehr. Die Mündung zuckte nach oben und Patronen fetzten Löcher ins Dach. Rapp sprintete zu ihm, schnappte sich die Kalaschnikow und trat dem Verwundeten die Beine weg. Er schleuderte die gegnerische Waffe zur Seite und nagelte ihn mit dem Fuß am Boden fest. Wilson, der mit zu Boden gerichteter Pistole herangeeilt kam, ignorierte er.

»Ich hab ihm gesagt, er soll nicht schießen«, stammelte der FBI-Mann. »Und dann hat er … hat er versucht … mich zu töten.«

Rapp packte den verletzten Araber am Kragen und schleifte ihn zu den Überresten des vorderen Portals. »Haben Sie ein Telefon mit Kamera, Joel?«

»Ein Telefon?«, kam es schleppend. »Ja, ich hab eins. Aber …«

»Fotografieren Sie Nassars Männer. Sofort.«

Das Dokumentieren eines Tatorts gehörte zu den Dingen, mit denen sich Wilson auskannte. Dankbar widmete er sich der neuen Aufgabe.

Zunächst ging er zögernd vor, schien jedoch zunehmend an Selbstvertrauen zu gewinnen, drehte eine Leiche nach der anderen um und richtete die Linse auf ihre starren Gesichter.

»Planänderung. Ich komm vorn raus«, verkündete Rapp über sein Mikro. »Wilson folgt mir. Nicht dass noch einer auf uns schießt.«

Black, der den vorderen Hofbereich kontrollierte, bestätigte.

»Wo wollen Sie hin?«, fragte Wilson und rannte ihm nach. »Was ist gerade passiert? Wer hat uns angegriffen? War das Ihr Team?«

Rapp legte den Verwundeten hinter einem der Fahrzeuge von Wilsons Konvoi ab und öffnete die Heckklappe.

»Sie sind unter Arrest«, verkündete der FBI-Agent mit einer Stimme, der es komplett an Überzeugungskraft fehlte. Er schien nicht zu wissen, was er sonst sagen sollte.

Der Verletzte raffte sich auf, um ein paar Flüche auf Arabisch auszustoßen, während er von Rapp in den Kofferraum verfrachtet wurde. Es ging ziemlich eng zu und er musste den Deckel ein paarmal zuknallen, bis er endlich einrastete.

»Ein Bewaffneter nähert sich aus dem hinteren Hof«, warnte Asarow per Headset. »Scheint einer von Abdos Jungs zu sein.«

»Kannst du dich um ihn kümmern?«

»In ein paar Sekunden habe ich freie Schussbahn.«

»Mitch«, wiederholte Wilson und zielte mit der Dienstwaffe auf ihn. »Haben Sie mich gehört? Ich sagte, Sie sind …«

Asarows Gewehr knallte und Wilson ließ sich zu Boden fallen. »Shit! Jemand schießt auf uns!«

Rapp glitt hinter das Lenkrad und beugte sich aus dem Fenster zu dem Mann, der im Dreck lag. »Einsteigen, Joel.«

Wilson überlegte nicht lange, rappelte sich auf und sprang auf den Beifahrersitz.

50

»Malik! Antworte!«

Nichts als Rauschen in der Leitung. Dann setzten verzweifelte Schreie und Schüsse ein.

Aali Nassar streifte das Headset ab und stierte auf den Schreibtisch. Er hatte die Möglichkeit einkalkuliert, dass es sich um eine Falle handelte. Genau aus diesem Grund war er nicht mit Wilson in den Südsudan geflogen. Trotzdem hielt er seinen überhasteten Rückzug nach Riad für einen Anflug von Paranoia. Die Vorstellung, dass jemand wie Rapp E-Mails gezielt rückdatierte und mit vermeintlich harmlosen Hinweisen spickte, auf deren Grundlage Wilson eine verlassene Kirche aufspürte, hielt er für ziemlich weit hergeholt.

Trotz der Klimaanlage spürte er, wie ihm der Schweiß von der Stirn tropfte. Eins stand fest: Vier seiner treuen Untergebenen waren tot. Schlimmerweise galt das auch für das Personal, das ihm Sayid Halabi zur Verfügung gestellt hatte. Männer wie Malik. Ob sie identifiziert wurden und man die Spur zu ihm zurückverfolgte? Wie stand es mit den vom Mullah rekrutierten Afrikanern? Fast noch schlimmer: Was, wenn jemand überlebt hatte und bei einem Verhör sein Wissen ausplauderte?

Seine Hand schwebte zögernd über dem Telefonhörer. Dann nahm er ab und rief seinen Assistenten an.

»Ja, Herr Direktor? Was kann ich für Sie tun?«

»Kontaktieren Sie Jean-Paul Jayyusi.«

»Sir? Sind Sie …«

»Tun Sie's einfach!«, raunzte er. »Er soll mich unter dieser Nummer anrufen.«

Das Zögern seines Mitarbeiters war nachvollziehbar. Jayyusi koordinierte den locker vernetzten südsudanesischen Geheimdienstapparat und gehörte zu den Menschen, denen man besser aus dem Weg ging. Bis zur kürzlich erlangten Unabhängigkeit seines Landes war er nur ein sadistischer Verbrecher mit einem Talent für die Beschaffung und den Weiterverkauf vertraulicher Informationen gewesen. Daran hatte sich im Prinzip nichts Grundlegendes geändert. Weiterhin ließ er sich von niemandem einspannen und befriedigte lediglich seine unstillbare Gier nach Geld, Macht und Frauen.

Nassar musste die drückende Stille fast eine halbe Stunde lang ertragen, bis das Telefon endlich klingelte. Jayyusi konnte man nicht vertrauen. Er rechnete damit, dass Einzelheiten ihres Gesprächs noch vor dem Auflegen zum Verkauf feilgeboten wurden. Doch ihm blieb keine andere Wahl. Wenn ein Gauner wie Mitch Rapp eine so raffinierte Falle stellte, musste er auch damit rechnen, dass Irene Kennedy in die Planungen involviert war. In diesem Fall wurde es deutlich gefährlicher als ursprünglich erwartet. Er konnte es sich nicht leisten, Spuren zu hinterlassen, die die wahren Motive für seine Beteiligung enthüllten.

»General Jayyusi«, meldete er sich und zog den Hörer dicht ans Ohr. »Ich bin Ihnen für die schnelle Rückmeldung sehr dankbar.«

»Nun, es kommt nicht jeden Tag vor, dass mich jemand in Ihrer Stellung und mit Ihren …« – er schien nach dem passenden Begriff zu suchen – »… Ressourcen kontaktiert.«

Normalerweise hätten sie zunächst ein paar politische Allgemeinplätze ausgetauscht, doch Nassar wollte nicht länger als notwendig mit diesem Mann sprechen. Beiden war bewusst, welche Rolle ihnen bei dieser Transaktion zukam, also mussten sie nicht unnötig um den heißen Brei herumreden.

»Ich interessiere mich für einen Schusswechsel, der heute in Juba stattgefunden hat.«

»Waffen sind dort an der Tagesordnung«, bohrte der andere nach. »Geht es ein bisschen genauer?«

»Er endete vor Kurzem in einer verlassenen Kirche.«

»Ah, die gut bewaffneten Ausländer. Ihre Leute, Aali?«

»Ich hatte Leute dafür abgestellt, genau wie die Amerikaner. Wir fahndeten nach einem Terroristen, der eine Reihe prominenter Bürger Saudi-Arabiens ermordet hat, und erhielten den Hinweis, dass er im Südsudan untergetaucht ist.«

»Und da rufen Sie mich erst jetzt an? Hätten Sie sich früher gemeldet, hätte ich Sie dabei unterstützen können.«

Wahrscheinlicher war, dass er mit beiden Seiten Geschäfte getrieben hätte, indem er zum einen Nassars Männer eine unverschämte Summe für den Support abknöpfte, und zum anderen Informationen zum Ablauf der Operation an den meistbietenden Gegner verschacherte.

»Wir mussten sofort handeln«, behauptete Nassar. »Nichts für ungut.«

Längeres Schweigen trat ein, bevor Jayyusi weitersprach. »Keinem von uns ist daran gelegen, wertvolle Zeit zu vergeuden, also lassen Sie mich direkt zum entscheidenden Punkt kommen. Ich habe Informationen,

Sie haben Geld. Irre ich mich oder ist Ihnen an einem Austausch gelegen?«

»Sie irren sich nicht.«

»Eine Million US-Dollar.«

»Wir wissen beide, dass das eine unverschämte Forderung ist.«

»Allerdings. Und meine Informationen sind nicht mal besonders gut. Aber Sie haben ein Team in mein Land eingeschleust und einen tödlichen Schusswechsel mitten in der Hauptstadt provoziert. Unter diesen Umständen und in Anbetracht des obszönen Reichtums Ihres Landes halte ich es für einen fairen Preis.«

»Auf welches Konto soll ich den Betrag überweisen?«

»Das klären unsere Leute später. Ich gehe davon aus, dass auf Ihr Wort Verlass ist.«

»Dann haben wir ein Abkommen. Was wissen Sie über die Vorfälle in Juba?«

»Die Kirche diente einem amerikanischen Waffenhändler als Lagerstätte.«

»Name?«

»Jason Blaze. Natürlich ein Alias.«

»Und Sie kennen seine wahre Identität?«

»Nein. Die hat mich nie interessiert.«

Vermutlich weil Blaze ihm dafür großzügiges Schweigegeld zahlte. »Bitte fahren Sie fort.«

»Kürzlich hat sich eine Gruppe von Weißen in seine Geschäfte eingemischt. Zwei Männer und zwei Frauen.«

»Liegen Ihnen Personenbeschreibungen vor?«

Das Klappern einer Tastatur verriet, dass Jayyusi die Informationen auf einem Rechner abrief. »Die Frauen sind beide recht attraktiv und dunkelhaarig. Eine Mitte 30, die andere etwa zehn Jahre älter. Die Jüngere von ihnen scheint französische Muttersprachlerin zu sein. Die Männer sind beide athletisch und um die 1,80 groß. Einer blond und gebräunt, vermutlich eher hellhäutig. Könnte ein Osteuropäer sein. Sein Begleiter hat fast schwarze lange Haare, einen Bart und einen dunklen Teint. Er spricht Englisch mit amerikanischem Akzent und unseres Wissens fließend Arabisch. Ihm ist etwas gelungen, woran vor ihm jeder gescheitert ist: Er hat einen örtlichen Rebellenführer namens NaNomi getötet. Offenbar indem er ihm ein Messer durch den Schädel trieb.«

Nassar nickte in sich hinein. Mitch Rapp. Und bei der jungen Französin handelte es sich aller Wahrscheinlichkeit nach um Claudia Dufort. Doch wer waren die anderen zwei?

»Nach diesem Vorfall mussten sie die Flucht antreten«, fuhr Jayyusi fort. »Die Rebellengruppe setzte für den Fall ihrer Rückkehr Beobachter auf die Kirche an.«

Nassar spürte, wie die Verspannung in der Schulterpartie nachließ. Jayyusis Information war ihren beträchtlichen Preis wert. Der Rapp, den er beschrieb, entsprach dem Rapp, den Nassar kannte. Ein gewalttätiger Mann, dem es an Selbstbeherrschung mangelte. Also hatte er den für ihn bedeutungslosen afrikanischen Guerilla kurzerhand getötet und dessen Team abverlangt, seine ideale Operationsbasis zu räumen.

»Also sind meine Leute …«, setzte Nassar an, doch der andere schien zu ahnen, was er fragen wollte.

»… in einen Hinterhalt von Blaze und seinen Leuten geraten«, vollendete er den Satz.

Nassar musste das erst mal verdauen. »Gab es Überlebende?«

»Eins der Fahrzeuge, mit denen Ihre Männer eintrafen, verließ später den Tatort. Über die Insassen ist uns nichts bekannt.«

Ein Rebell, der das Weite suchte? Einer von Nassars eigenen Männern? Bisher hatte sich keiner mit ihm in Verbindung gesetzt. Denkbar, dass sich dafür schlicht noch keine Zeit gefunden hatte.

»Befand sich ein Weißer unter den Toten, General? Ein FBI-Agent namens Wilson leitete den Zugriff.«

»Solche Einzelheiten liegen mir bislang noch nicht vor. Meine Mitarbeiter sind gerade erst am Schauplatz des Geschehens eingetroffen.«

»Werden Sie mir Bescheid geben, wenn Sie mehr wissen?«

»Natürlich.«

»Dann habe ich nur noch eine letzte Frage an Sie, General. Wissen Sie, wohin Blaze und seine Leute verschwunden sind?«

»Ich bedaure, aber ich habe nicht die Möglichkeit, Ihnen diese Information zukommen zu lassen, Aali.«

Eine merkwürdige Formulierung. »Liegt das daran, dass Sie es nicht wissen, oder reicht Ihnen der Betrag nicht, den ich Ihnen überweisen werde?«

»Keins von beidem. Es geht darum, wie der neue Geschäftspartner von Blaze NaNomi zugerichtet hat. Jemanden wie ihn will ich mir nicht zum Feind machen.«

51

Die Stadt Juba lag 30 Meilen hinter ihnen im Rückspiegel. Joel Wilson hatte nach wie vor kein Wort gesagt. Rapp beobachtete, wie er stumm durch die Windschutzscheibe stierte. Er schien in eine Art Starre verfallen zu sein. Vermutlich schockierte ihn, dass alles völlig anders als geplant abgelaufen war. Nachdem ihn seinerzeit die Pakistani gelinkt hatten, schien er nun in eine ganz ähnliche Falle der Saudis getappt zu sein.

Rapp liebäugelte nach wie vor mit der Idee, die Leiche des Mannes einfach irgendwo in der Wüste aus dem Wagen zu schmeißen, aber seine Begeisterung dafür ließ sekündlich nach. Die Chancen, dass Wilson ihm half, seinen Ruf zu retten, waren zwar mikroskopisch gering, aber falls es dazu kam, würde er davon massiv profitieren.

Solche komplexen Wenn-dann-Überlegungen gehörten eher zur Domäne von Irene Kennedy, weshalb er sich bisher nie großartig damit beschäftigt hatte. Seit sie ihm nicht länger den Rücken freihielt, musste er sich daran gewöhnen, nicht alle Probleme mit dem Holzhammer zu lösen.

Er bog auf eine kaum erkennbare Schlammpiste zu seiner Rechten ab, erklomm eine steile Anhöhe und lenkte den Pick-up durch dichtes Gestrüpp zwischen die Bäume. Die veränderte Umgebung schien Wilson aus seiner Trance zu reißen.

»Wo … wo bringen Sie mich hin?«

»Ganz ruhig, Joel. Ich will ein paar Worte mit dem Arschloch im Kofferraum wechseln, bevor es verblutet. Was können Sie mir über ihn verraten?«

»Er heißt Malik und arbeitet für Nassar.«

Der Weg endete auf einer kleinen, von dichter Vegetation umgebenen Lichtung. Rapp bremste in der Mitte, sprang aus dem Wagen und lief zum Heck. Die Befürchtung, dass der Mann an Blutverlust oder Hitze gestorben war, verwarf er, noch bevor er den Deckel vollständig geöffnet hatte. Malik holte laut brüllend mit einem Wagenheber nach ihm aus, verfehlte ihn jedoch deutlich.

Rapp verzichtete darauf, den Kerl zu entwaffnen, sondern riss an seinen Haaren und zerrte ihn raus in den Schlamm. Der Terrorist probierte es ein zweites Mal. Diesmal zielte er knapp am Schienbein vorbei.

»Machen Sie ein Foto.«

Gehorsam eilte Wilson herbei und fing das Gesicht ein.

»Können Sie mit dem Teil auch Ton aufzeichnen?«

»Klar.«

»Dann machen Sie das.« Rapp richtete seine Aufmerksamkeit auf den Typen, der sich vergeblich aufzurichten versuchte. Er blutete seit einer guten Dreiviertelstunde aus und hielt bestimmt nicht mehr lange durch.

»Wer bist du?«

Malik spuckte eine unappetitliche rote Masse aus und antwortete auf Arabisch. »Ich muss dir gar nichts erzählen.«

»Interessanter Akzent«, stellte Rapp fest. »Kein Saudi. Aus dem Irak?«

Keine Antwort.

Rapp sah zu Wilson. »Probieren Sie's mal.«

»Ich bezweifle, dass er mit mir …«

»Ich frag kein zweites Mal, Joel.«

Der FBI-Mann wich überrascht von Rapps abruptem Stimmungsumschwung zwei Schritte zurück, parierte dann aber.

»Woher kommen Sie? Sind Sie Iraki?«

Der Mann rotzte ihm einen weiteren blutigen Klumpen entgegen und beließ es dabei. Im peripheren Sehen erfasste Rapp eine Bewegung am Rand der Lichtung und schob die Hand dichter an den Griff der Glock.

»Wir werden Sie zu einem Arzt bringen«, kündigte Wilson an. »Aber dazu müssen Sie kooperieren.«

»Fick dich!«

Rapp suchte weiter die Baumreihe ab. Statt des erwarteten Flecktarns eines örtlichen Rebellen blitzte rotbraunes und schwarzes Fell zwischen den Blättern auf. Nicht so schlimm wie ein Kontingent von Abdos Männern, aber definitiv ein Grund, auf die Tube zu drücken. Die Raubtiere schienen den vom Sterbenden abgesonderten Blutgeruch zu wittern.

Rapp drängte Wilson zur Seite und versetzte der offenen Wunde in Maliks Magen einen heftigen Tritt. Der Mann winselte und wollte Rapp am Handgelenk packen. Ein kraftloser, vergeblicher Fluchtversuch.

»Antworte gefälligst«, brüllte der Amerikaner. »Du arbeitest doch für ihn.«

»Ich arbeite nur, um Allahs Ruhm zu mehren.«

»Ich hab dich beobachtet.« Rapp bohrte seine Ferse in die Wunde. »Du hast deinen Gott verraten. Wieso arbeitest du für diesen Mann? Wieso arbeitest du für das FBI? Bist du in Wahrheit Christ?«

Der schmerzerfüllte Blick wich purem Entsetzen angesichts dieser Unterstellung.

»Oder ging es dir nur ums Geld? Hast du deinen Gott für eine Handvoll amerikanischer Dollars verkauft? Das ist es, oder? Du bist käuflich. Abschaum.«

Damit setzte er den Araber religiös unter Zugzwang. Er wusste, dass ihm nur noch wenige Minuten auf dieser Welt blieben. Er durfte Allah nicht gegenübertreten, ohne seinen Glauben verteidigt zu haben.

»Meine Treue gilt allein Mullah Halabi! Gottes Vertreter auf Erden!«

Wilson starrte ihn in Anbetracht dieser Enthüllung fassungslos an.

»Lüg mich nicht an.« Rapp belohnte die Antwort, indem er den Druck auf den Magen minimal reduzierte. »Nassar hasst den IS. Die Terroristen sind eine Bedrohung für das saudische Königshaus.«

»Du bist ein Narr. Das Königshaus ist längst zur Marionette des Westens geworden. Sie sind keine wahren Gläubigen.«

»Das mag stimmen, aber die Herrscherfamilie legitimiert Nassars Macht«, antwortete Rapp und zog den Fuß noch etwas weiter zurück. »Und dieser Hurensohn ist ganz versessen auf Macht.«

»Je schwächer wir uns in Saudi-Arabien geben, desto selbstgefälliger und sorgloser wird Faisal. Der alte Narr glaubt, er habe es dem Intelligence Directorate zu verdanken, dass wir unsere Propagandakampagne gegen ihn eingestellt haben.«

Man musste diese Kerle vom Islamischen Staat einfach lieben. Bei der Al-Qaida-Konkurrenz dauerte es Tage, bis sie auspackten, aber ihre dämlichen, durchgeknallten

Cousins plapperten von früh bis spät, wenn man ihnen nicht den Mund zuklebte.

Nassar hingegen war weder dämlich noch durchgeknallt. Sich mit Halabi abzugeben, um die IS-Propaganda in Saudi-Arabien einzudämmen, grenzte an Genialität. Der Umstand, dass Faisal mit einem Bein im Grab stand, erhöhte seine Bereitschaft, Macht an jeden zu delegieren, der den Eindruck erweckte, das Königreich zusammenhalten zu können. Je schwächer der König wurde, desto stärker wurde Nassar. Mit der Unterstützung von Halabi und Millionen seiner saudischen Sympathisanten ließ sich nach dem Tod des Königs ein Umsturz in Gang setzen. Die königliche Familie wurde ins Exil getrieben und ihre beträchtlichen finanziellen und militärischen Mittel fielen in die Hände von Radikalen.

Wilson leckte sich nervös die Lippen. Die Erkenntnis, unfreiwillig zum Steigbügelhalter des IS geworden zu sein, sickerte langsam durch. Dass Rapp ihn nicht den Aasgeiern zum Fraß vorgeworfen hatte, schien doch noch belohnt zu werden.

Er stieg über Malik hinweg und setzte sich hinters Steuer. Die Bewegungen am Rand der Lichtung wurden zunehmend entschlossener. Erste dunkel umrahmte Augenpaare ließen sich blicken.

Wilson, der nicht begriff, was gerade passierte, kam auf die andere Seite gerannt, musste jedoch feststellen, dass verriegelt war. Er kletterte durchs offene Fenster. Als Rapp losfuhr, hing er noch halb im Freien. »Halt! Sie dürfen mich nicht …«

Rapp packte ihn am Hinterkopf und rammte sein Gesicht gegen die Mittelkonsole zwischen den Sitzen.

Wegen der dicken Polsterung fiel das Resultat nicht zufriedenstellend aus, also wiederholte er die Bewegung noch einige Male, bevor er Wilson durch die Scheibe nach draußen stieß. Der FBI-Mann stürzte in den Dreck, benommen und mit starkem Nasenbluten.

»Man bekommt im Leben nur selten eine zweite Chance«, kommentierte Rapp und lehnte sich über den Beifahrersitz. »Tun Sie das Richtige, Joel. Ansonsten kriegen Sie bald Besuch von mir.«

Er wendete und wollte gerade Vollgas geben, da überlegte er es sich noch einmal anders und zeigte auf Malik und das Rudel wilder Hunde, vor denen der Araber verzweifelt wegkrabbelte. »Ach, und ich hoffe in Ihrem eigenen Interesse, dass Sie ein guter Sprinter sind.«

52

SÜDSUDAN

»Du bist völlig verrückt.«

»Ich weiß«, antwortete Rapp.

Claudia saß am Bettrand und bedachte ihn exakt mit jenem vorwurfsvollen Blick, den er im Vorfeld erwartet hatte. Seit ihrer Kindheit war sie nirgends richtig zu Hause, sondern streifte durch die Welt auf der Suche nach neuen Jobs oder um den Leuten, die sie jagte, einen Schritt voraus zu sein.

Seine Motive waren andere. Klar, ursprünglich hatte er sich der CIA angeschlossen, um sich zu rächen, aber mit den Jahren war diese Wut Pflichtbewusstsein gewichen.

Am Ende des Tages glaubte er an das, was er tat. Er glaubte an Amerika und daran, dass es jeder verdiente, in Freiheit zu leben und nach Glück zu streben. Allerdings gehörte es zu Jeffersons größten Irrtümern, dass es sich dabei um unabdingbare Rechte handelte. In Wahrheit musste er jeden Tag, nein, jede Stunde hart dafür kämpfen.

Claudias Kopf zuckte in Richtung Tür. »Als deine verantwortliche Logistikerin muss ich dich darauf hinweisen, dass du es dir nicht leisten kannst, auf das Team zu verzichten, das du dir aufgebaut hast. Sonst hast du außer mir keinen anderen Verbündeten mehr als Joel Wilson. Und der Kerl träumt nachts davon, wie er dich am besten vernichtet.«

»Schon klar.« Er lehnte sich gegen die Wand.

»Ich könnte uns verschwinden lassen, Mitch. Wir könnten Anna holen und abtauchen. Der einzige Mensch, dem ich zutraue, dass er uns findet, ist Irene. Und die wird nicht nach uns suchen. Selbst wenn ein anderer Geheimdienst es sich zutraut, käme er nie auf die Idee. Immerhin verdankt dir jeder, den sie losschicken könnten, in der einen oder anderen Weise sein Leben. Und die drei oder vier unabhängigen Spezialisten, die mir einfallen, würden aus denselben Gründen davon Abstand nehmen.«

»Was ist mit der aktuellen Situation in Saudi-Arabien?«

»Was soll damit sein?«, fragte sie entnervt. »Die haben sie sich selbst zuzuschreiben. Wenn Nassar und der IS ihr Ziel erreichen, soll es eben so sein.«

Es überraschte ihn nicht, dass sie es so sah, aber in Wirklichkeit war es deutlich komplizierter. Natürlich hatte die Herrscherfamilie Fehler gemacht, aber am Ende musste das gemeine Volk dafür bluten. Was wurde aus den Menschen im Land, wenn der IS den Nahen Osten überrollte? Eine rhetorische Frage, denn er hatte es mit eigenen Augen gesehen. Und wie stand es um die amerikanischen Soldaten, die man rüberschickte, wenn die Vereinigten Staaten nicht länger tatenlos zusehen konnten, welche Gräueltaten eine Allianz von Saudis und IS in der Region verübte? Wie viele von ihnen würden am Ende im Wüstensand verbluten?

»Ich darf das nicht zulassen, Claudia.«

»Dann wiederhole ich meinen Appell, Irene anzurufen.«

Er schüttelte den Kopf. »Ich will sie da nicht reinziehen. Sie muss von sich aus mit mir in Kontakt treten. Wir warten erst mal ab, was Joel vorhat.«

Sie griff nach einem Kissen und schleuderte es ihm entgegen. Es flog kaum einen halben Zentimeter an seinem rechten Ohr vorbei. »Joel Wilson sitzt in dieser Sekunde wahrscheinlich in Aali Nassars Büro und schmiedet Pläne, um dich zu finden. Oder er heult sich bei Senator Ferris in Washington aus, weil du sein komplettes Team ermordet hast.«

»Möglich.«

»Wie kannst du nur so ruhig bleiben?« Als sie nach dem Radiowecker greifen wollte, hielt er ihren Arm fest. Sie hatte ziemlich viel Kraft. Das schwere Plastik sah aus, als könnte es echten Schaden anrichten.

Sie wollte erst nichts davon wissen, als er die Arme um sie legte, doch dann lehnte sie den Kopf an seine Brust. »Mir wurde im Leben nie was geschenkt, Mitch. Mit Ausnahme von Anna. Ich hab mir oft gewünscht, alles zu vergessen, was passiert ist, bevor wir uns kennenlernten. Aber jetzt …« Ihre Stimme brach kurz weg. »Keiner kann es mit dir aufnehmen. Doch selbst du stößt an Grenzen, wenn die komplette Welt gegen dich ist.«

Rapp trat auf die Terrasse des Safarihotels, wo der Rest seiner Leute auf ihn wartete. Donatella hatte sich in den Schatten einer blühenden Thuja zurückgezogen. Kent Black sonnte sich in einem Liegestuhl neben einer Pyramide aus leeren Bierdosen. Asarow saß wenig überraschend mit dem Rücken zur Hauswand und nippte an einem Mineralwasser.

»Ihr habt meine Erwartungen voll erfüllt«, begann er seine Ansprache, während Claudia sich einen Stuhl suchte. »Und ich möchte euch für alles danken, was ihr geleistet habt.«

»Was kommt als Nächstes?«, fragte Black mit leichtem Lallen.

»Es wird kein nächstes Mal geben. Ihr seid alle schon viel länger dabeigeblieben, als ich von euch erwarten durfte.«

»Was ist mit dem Sackgesicht, das dich ans Messer liefern wollte, Mitch? Ich dachte, dem blasen wir die Rübe weg?«

»Es wäre für euch alle besser, wenn ich das allein regle.«

»Also schmeißt du uns raus?«, brachte es Donatella auf den Punkt.

»Yep. Und damit kommen wir zum Thema Bezahlung. Nach Deckung aller Ausgaben verfügt Orion Consulting noch über ein Guthaben von …« Er blickte Claudia fragend an.

»Knapp über 50 Millionen US-Dollar.«

»Okay. 50 Millionen. Grischa, ich weiß, du hast dein Honorar schon vorab bekommen, aber willst du einen Anteil?«

Der Russe schüttelte den Kopf.

»Dann werden Claudia und ich zehn davon behalten, um den Rest des Auftrags zu erledigen. Damit bleiben 40 übrig. Zwischen Kent und Donatella aufgeteilt also 20 für jeden.«

Blacks Kopf zuckte etwas unkoordiniert. »Was? Willst du damit andeuten, dass du vorhast, 20 Millionen Dollar auf mein Konto zu überweisen?«

»So sieht's aus. Und natürlich kannst du jederzeit neue Aufträge annehmen. Oder du legst dich für den Rest deiner Tage irgendwo an den Strand. Hauptsache, du funkst mir nirgends dazwischen.«

»Gar kein Problem.« Er drehte eine kurze Runde und gab allen die Hand. Als er vor Rapp stand, hielt er einen gewissen Sicherheitsabstand. »War echt ein tolles Erlebnis, Mann.«

Rapp wartete, bis Kent um die Ecke verschwunden war, bevor er weitersprach. »Donatella. Ich hab im Moment keinen so guten Draht zur CIA, aber das ist egal. Claudia beherrscht das genauso gut wie jeder von den Profis dort. Es wird ein paar Monate dauern, aber dann hat sie dir eine neue Identität und eine schöne Wohnung in New York organisiert. Natürlich wirst du auch jemanden drauf ansetzen müssen, dein Äußeres zu verändern.«

»Ich kenn einen guten Chirurgen in Buenos Aires.«

»Keine Auftragsmorde, keine Ausflüge in die Modebranche, nie wieder Italien«, erinnerte er sie.

Donatella nickte. »Ich nehme an, wir werden uns nicht mehr wiedersehen?«

»Höchstens wenn etwas völlig schiefläuft.«

Sie glitt zu ihm und drückte ihm einen langen Abschiedskuss auf die Lippen. »Wenn du jemanden brauchst, der dir den Hintern rettet, kannst du mich jederzeit anrufen.«

Sie suchte kurz Blickkontakt zu den anderen. »Es war mir ein Vergnügen, mit euch zu arbeiten. Claudia, ich lass dir meine Kontaktdaten zukommen, sobald ich in Argentinien bin.«

»Ich freu mich drauf. Und wenn du einen Spezialisten konsultierst, frag ihn doch gleich, ob sich deine Nase irgendwie retten lässt.«

Rapp zuckte zusammen. Zu seiner Überraschung grinste Donatella bloß und die beiden Frauen umarmten sich zum Abschied.

Das Motorengeräusch von Kent Blacks Bike entfernte sich. Rapp wandte sich dem letzten verbliebenen Mann auf der Terrasse zu. »Ich nehme an, du willst noch was anderes als die Dollars, die ich dir in Costa Rica bezahlt habe.«

Asarow stellte das Wasser ab und kam zu ihm. »Ach, vermutlich werd ich diesen Gefallen eh nie einfordern müssen.«

»Worum geht's?«

»Sollte je einer der Feinde, die ich mir in Russland gemacht habe, in mein Leben zurückkehren, bräuchte ich deine Hilfe.«

»Ich werde da sein.«

Nach einem respektvollen Nicken ging er zu Claudia. Sie wirkte zwar etwas nervös, als er ihr einen Handkuss gab, jedoch längst nicht mehr so verängstigt wie bei ihrer ersten Begegnung.

Asarow war kaum verschwunden, da drehte sie sich zu Rapp. »Jetzt sind es nur noch wir zwei.«

Er öffnete eine der wenigen Bierdosen, die Black übrig gelassen hatte. »Ja. Nur noch wir zwei.«

53

CIA-Hauptquartier
Langley, Virginia

Irene Kennedy sah über ihre Lesebrille. Die Bürotür schwang auf und ihre persönliche Assistentin schob sich durch den Spalt.

»Ich weiß, Sie wollen nicht gestört werden …«

»Ist alles in Ordnung, Jamie?«

»Ich weiß ehrlich gesagt nicht, was ich darauf antworten soll. Joel Wilson ist hier, um mit Ihnen zu sprechen.«

»Entschuldigung, sagten Sie Joel Wilson?«

»Ja, Ma'am.«

Vom FBI-Agenten hatten sie zuletzt Berichte aus Juba vom Hinterhalt auf ihn und sein Team erreicht. Die Einzelheiten blieben bislang Stückwerk, aber alles deutete auf eine klassische Verwechslung hin. Ein örtlicher Rebellenführer schien Wilson und seine Begleiter für eine Gruppe von Waffenhändlern gehalten zu haben, die von einem Mann namens Jason Blaze angeführt wurden.

Sie kannte allerdings weitere Details. Blaze war ein früherer Army Ranger, der eigentlich Kent Black hieß.

Außerdem lagen ihr Personenbeschreibungen seiner Partner vor, die erstaunliche Ähnlichkeiten zu Mitch Rapp, Claudia Gould, Donatella Rahn und Grischa Asarow aufwiesen.

Höchstwahrscheinlich hatten Rapp und Claudia den guten Wilson in eine Falle gelockt, um Aali Nassar aus dem Weg zu räumen, ohne sich selbst die Hände schmutzig machen zu müssen. Dumm nur, dass Nassar gar nicht aufgetaucht war. Fast schon eine Tragödie. Der Mann gehörte wirklich unter die Erde, außerdem tat es ihr in der Seele leid, dass ein so ausgeklügelter Plan scheiterte.

»Irene? Soll ich ihn reinschicken?«

»Absolut«, antwortete Kennedy. Sie war davon ausgegangen, dass Wilson nicht mehr lebte. Nach ihren Erfahrungen förderten Gespräche mit Toten in aller Regel Erstaunliches zutage.

Sie stand auf, blieb aber zunächst hinter dem Schreibtisch stehen, als Wilson im Durchgang auftauchte. Normalerweise bestach er durch eine sterile Makellosigkeit, die sein Wesen recht gut zusammenfasste. Die schäbige Kleidung, die schwarzen Ringe unter den Augen und der zögernde Gang, mit dem er gerade ihr Büro betrat, passten überhaupt nicht in dieses Bild.

»Dr. Kennedy. Danke, dass Sie mich ohne Termin empfangen.« Er hielt ihr die Hand hin, schien da erst zu merken, wie schmutzig sie war, und zog sie zurück.

»Ist alles in Ordnung mit Ihnen, Joel? Soll ich einen Arzt kommen lassen?«

Er schüttelte den Kopf, also zeigte sie auf die Sitzecke. Er nahm Platz und sie reichte ihm eine Flasche Wasser, bevor sie sich gegenüber von ihm niederließ.

»Man sagte mir, Sie und Direktor Nassars Leute seien im Südsudan angegriffen worden. Können Sie mir kurz schildern, was vorgefallen ist?«

»Wir ermittelten Rapps Aufenthaltsort mithilfe einiger E-Mails, die er an Claudia Dufort geschickt hat. Keine Ahnung, wer genau uns dort auflauerte. Er hatte jedenfalls nichts damit zu tun.«

Faszinierend. Normalerweise schob Wilson die Schuld für alles, was in seinem Leben schiefging, auf Rapp. »Woher wissen Sie das?«

»Weil er mir das Leben gerettet hat. Einer von Nassars Männern … nun, genau genommen war es keiner *seiner* Männer … unternahm einen Versuch, Mitch zu töten. Als ich ihn aufforderte, das Feuer einzustellen, zielte er auf mich. Hätte Mitch ihn nicht erschossen, wäre ich jetzt tot.«

»Joel. Noch mal ganz langsam. Wie meinen Sie das, wenn Sie sagen, er sei keiner von Nassars Männern gewesen?«

»Wir haben ihn verhört. Ich denke, er stand auf der Seite des IS. Mir ist nur nicht ganz klar, ob er den saudischen Geheimdienst gezielt unterwandert hat oder Nassar davon weiß.«

Beim Versuch, sein Handy auf den Couchtisch zwischen ihnen zu legen, fiel es ihm fast aus der Hand. Sie hatte so etwas schon öfter erlebt. Wilson war ein gebrochener Mann. Dieser selbstherrliche Narziss hatte sich zeitlebens auf der richtigen Seite gewähnt – auf der Seite der Rechtschaffenen. Nun hatte die Realität diese Wahrnehmung zerstört. Die meisten Leute in seiner Lage erholten sich nie von einer solchen kognitiven Dissonanz. Einige wenige schafften es, ihre veränderte

Position im Universum zu akzeptieren und sich anzupassen. In welche Kategorie mochte Joel Wilson gehören?

»Auf dem Gerät sind Bilder von Nassars komplettem Personal und eine Aufzeichnung unserer Befragung des einzigen Überlebenden.«

Sie nahm es an sich und blätterte die Aufnahmen durch, während er weitersprach.

»Nassar hat mich ausgenutzt. Je länger ich darüber nachdenke, desto klarer wird mir das. Er ging davon aus, dass mein Hass auf Mitch mich für alles andere blind macht. Damit lag er sogar richtig.«

Kennedy legte das Handy weg und betrachtete ihr Gegenüber. Sein Kopf war auf die Schultern gesackt und der leere Blick zielte auf den Teppich.

»In unseren Kreisen passiert das jedem mal, Joel. Die Frage ist, wie Sie damit umgehen.«

»Ich möchte helfen«, erklärte er ohne das geringste Zögern. »Ich möchte herausfinden, ob Nassar mit dem IS sympathisiert. Falls ja, will ich ihn zur Strecke bringen.«

Ein interessantes Angebot. Noch interessanter war allerdings, dass Mitch Rapp mit diesem Angebot gerechnet haben dürfte. Hatte er bewusst darauf verzichtet, Wilson zu töten, um dem FBI-Mann die Fortsetzung seines persönlichen Feldzugs zu ermöglichen? Das würde von einer Zurückhaltung und strategischem Gespür künden, die sie dem langjährigen Freund und Kollegen gar nicht zugetraut hätte.

Es stand außer Frage, dass Wilson ein fähiger Ermittler war. Das gehörte zugleich zu seinen größten Schwächen. Sein Talent, übergeordnete Zusammenhänge zu erkennen, ging oft unter, weil er sich zu sehr in

Einzelheiten verbiss. In diesem Fall waren es allerdings genau diese Einzelheiten, um die er sich kümmern sollte. Die übergeordneten Zusammenhänge konnte sie übernehmen.

»Ist das ein ernst gemeintes Angebot, Joel?«

Endlich suchte er Augenkontakt. »Natürlich.«

»Weiß jemand, dass Sie hier sind?«

»Was? Warum?«

»Beantworten Sie einfach die Frage.«

Sie beobachtete, wie sich die Zahnräder in seinem Kopf in Bewegung setzten. Er überlegte, ob sie das Vorgehen mit Rapp koordiniert hatte und es vertuschen wollte. Vor allem fragte er sich, ob ein Nein als Antwort dazu führte, dass er als Leiche in den Kellergewölben von Langley endete.

Schließlich sackte sein Körper zusammen. »Niemand weiß es. Ich bin zuerst zu Ihnen gekommen. Ich habe noch mit keinem anderen gesprochen.«

Sie drückte einen Knopf auf dem Telefon neben sich. Kurz darauf steckte ihre Assistentin den Kopf zur Tür herein.

»Jamie, kümmern Sie sich darum, dass alle Aufzeichnungen über Agent Wilsons Ausreise aus Juba und seine Ankunft in den USA verschwinden. Rufen Sie außerdem General Jayyusi im Südsudan an. Fragen Sie ihn, ob er mit Aali Nassar gesprochen hat. Falls er es bejaht, erkundigen Sie sich, ob er uns den Tod von Agent Wilson bestätigen kann und bereit ist, die zurückgelassenen Leichen zu beseitigen.«

Wilson ließ sich keine Reaktion anmerken, offenbar war er bereit, sich in jedes Schicksal zu fügen, das sie für ihn vorgesehen hatte.

»Das wird sicher nicht billig«, meinte Jamie. »Gibt es ein Limit, wie weit ich beim Honorar gehen kann?«

»Nein. Aber machen Sie ihm klar, dass wir Exklusivität verlangen. Sollte ich mitbekommen, dass er diese Hinweise an einen Dritten weiterverkauft, werde ich …« – sie überlegte, wie sie es am besten formulieren sollte – »… untröstlich enttäuscht sein.«

»Ich glaube, er wird verstehen, was Sie damit meinen. Sonst noch etwas?«

»Das wär's fürs Erste.«

Jamie verschwand. Wilson verfolgte das Schließen der Tür mit einem Blick, als würde er in eine Gaskammer eingesperrt.

»Wie steht's mit Mitch?«, wollte sie wissen. »Haben Sie eine Ahnung, wo er sich aufhält?«

Wilson schüttelte den Kopf. »Er hat mich weit außerhalb von Juba abgesetzt. Als ich ihn das letzte Mal sah, wendete er den Wagen und fuhr zurück Richtung Stadt.«

Rapp schien in Joel Wilson dasselbe zu sehen wie sie. Er hätte den Mann ohne Angst vor Konsequenzen umbringen können. Stattdessen überließ er ihm ein Telefon voller belastender Beweise und stellte es ihm frei, was er damit anstellte.

»Was haben Sie mit mir vor?«, fragte Wilson, den ihr Schweigen zu beunruhigen schien.

»Vorerst halte ich es in Ihrem eigenen Interesse für das Beste, wenn alle Sie für tot halten. Natürlich werden wir Direktor Miller informieren, dass es nicht zutrifft. Ihre Zustimmung vorausgesetzt, würde ich ihn darum bitten, Sie mit der Aufgabe betrauen zu dürfen, die Identität der Männer auf Ihrem Handy und deren Verbindungen zu Aali Nassar zu ermitteln. Ich habe gute Analysten, aber dafür brauchen wir eindeutig die Dienste eines Ermittlers.«

Er starrte sie wie betäubt an.

»Hatten Sie mit etwas anderem gerechnet?«

»Ja … nein. Ich meine, natürlich helfe ich gern dabei, Nassar zu schnappen.«

»Dann bitten Sie doch einen meiner Assistenten, Ihnen saubere Kleidung zu besorgen und zu zeigen, wo die Duschen sind. In der Zwischenzeit stelle ich ein Team für Sie zusammen.«

54

RIAD, SAUDI-ARABIEN

Der Kellerraum war mithilfe von Trennwänden in einzelne Arbeitsplätze unterteilt worden. Das gedimmte Deckenlicht bewirkte, dass vor allem die Monitore auf den Schreibtischen für die Beleuchtung sorgten. Ironischerweise bestand das Geheimnis effektiver Datenanalyse im Austausch von Ideen, was durch diese räumliche Anordnung weitgehend unterbunden wurde. Aali Nassar ging es allerdings weder um Wahrheit noch um Genauigkeit. Er wollte in sich schlüssige alternative Fakten generieren, mit denen sich selbst die Analysten, die sie zusammengestellt hatten, überzeugen ließen.

Er lief durch den Raum. Die Mitarbeiter, die ihn erkannten, sprangen auf. Einige versuchten sich sogar an einem linkischen Salut. Er ignorierte sie. Mit den Soldaten und disziplinierten Einsatzkräften, mit denen er sich seit seinem Abschluss an der Universität umgab, hatten diese Leute nichts zu tun. Es handelte sich um junge Technologieexperten, die in Geheimdienstkreisen als Maß aller Dinge galten.

Nassar begegnete ihnen mit Skepsis. Das lag nicht nur daran, dass er nicht genau verstand, wie sie taten, was sie taten, sondern vor allem daran, dass ihr Talent im umgekehrten Verhältnis zu ihren religiösen Überzeugungen stand. Diese Männer glaubten nicht an Gott, ihr eigenes Land oder eine höhere Autorität, sondern nur an das, was sie auf ihren Monitoren sahen.

Der begabteste – und damit ungläubigste – der Analysten, die für diesen Auftrag eingeteilt waren, saß an der hinteren Wand. Er drehte den Stuhl in Nassars Richtung, als dieser vor seinem Arbeitsplatz auftauchte, verzichtete im Gegensatz zu den anderen jedoch aufs Aufstehen.

»Was wissen wir?«, fragte Nassar und sah über die Respektlosigkeit hinweg.

»Es gibt noch keine endgültige Bestätigung, aber wir gehen davon aus, dass all unsere Männer tot sind.«

»Wieso fehlt die Bestätigung?«

»Alles, was wir haben, sind Zeugenaussagen zufälliger Beobachter. Ziemlich unzuverlässig. Entweder flohen sie panisch vom Schauplatz und haben keine Einzelheiten mitbekommen oder sie waren so abgestumpft von den ständigen Kämpfen in der Stadt, dass sie nicht genau hingesehen haben. Wir haben die verschiedenen Berichte miteinander abgeglichen, um den wahrscheinlichsten Ablauf zu rekonstruieren, aber von belastbaren Informationen sind wir weit entfernt.«

»Wonach sieht es aus?«

»Nach dem Vorstoß von Abdos Soldaten wurde die Situation rasch unübersichtlich. Unmöglich zu sagen, wer auf wen geschossen hat. Zudem liefen die meisten Kampfhandlungen innerhalb der Kirche ab. Ein Fahrzeug verließ das Geschehen mit einer unbekannten Zahl von Insassen. Wir wissen nicht, wo es hingefahren ist. Unseren Experten ist auch nichts Genaues bekannt. Vermutlich einer von Abdos Handlangern, der sich abgesetzt hat. Es ist allgemein bekannt, dass er mit Feiglingen hart ins Gericht geht.«

»Und die Leichen meiner Männer?«

»Sind mitsamt der Kirche verbrannt.«

»Haben die Rebellen das Feuer gelegt?«

»Nein, Sir. Das scheint auf das Konto von Regierungstruppen zu gehen. Über den genauen Grund lässt sich nur spekulieren. Die Kommandokette in Juba ist schwer durchschaubar. Gut möglich, dass es auf die Entscheidung eines unterrangigen Polizisten zurückgeht.«

Nassar nickte. Der Brand erschwerte zwar den Nachweis, dass all seine Männer tot waren, zugleich aber auch die Identifizierung der Leichen. In dieser Hinsicht hielt er das Feuer für einen Segen. Wären Fotos der von ihm geschickten Kämpfer einem ausländischen Geheimdienst in die Hände gefallen, hätte dieser schnell gemerkt, dass es sich dabei überwiegend nicht um Mitarbeiter des saudischen General Intelligence Directorate handelte. Im schlimmsten Fall stolperte man sogar über eine Beteiligung von IS-Seite.

»Wissen wir, ob sich der FBI-Agent Joel Wilson unter den Opfern befindet?«

»Davon gehen wir aus. Laut örtlicher Polizei ist einer der Toten ein Weißer. Irgendwie ist ihnen vor Ausbruch des Feuers seine Brieftasche in die Hände gefallen.« Der junge Mann holte mit der Maus eine Ablichtung von Joel Wilsons Führerschein auf den Schirm, ausgestellt in North Dakota.

Im Augenwinkel registrierte er, wie einer seiner Assistenten den Raum betrat und ihn unauffällig zu einem Konferenztisch an der Längsseite winkte.

»Weitermachen. Informieren Sie mich, sobald neue Erkenntnisse vorliegen.«

»Ja, Sir.«

»Wir haben endlich direkten Kontakt zu Abdo herstellen können«, sagte Hamid Safar, als Nassar in den Kubus trat und die Tür hinter sich zuzog.

»Und?«

»Er bestätigte uns, dass einer seiner Männer den Angriff befahl, weil er unsere Gruppe für Mitarbeiter von Jason Blaze hielt. Ihm zufolge können sie beschwören, dass ein Amerikaner, auf den die Beschreibung von Mitch Rapp passt, Wilson getötet hat. Allerdings verlangt er dafür eine Menge Geld.«

»Erfüllen Sie seine Forderungen«, entschied Nassar.

Die Geschichte war zwar nicht frei von Grauzonen, aber in diesem Teil der Welt erwartete niemand felsenfeste Beweise. Es reichte allemal, um die Amerikaner abzulenken. Bei dem fraglichen Ermordeten handelte es sich nicht länger um einen saudischen Staatsbürger mit möglichen Verbindungen zum organisierten Terrorismus, sondern um einen FBI-Agenten, der dem US-Präsidenten unterstellt war.

Den Amerikanern blieb damit keine andere Wahl, als signifikante Manpower für die weiteren Ermittlungen abzustellen. Zugleich trugen die Erkenntnisse dazu bei, Einsatzkräfte der Vereinigten Staaten einzuschüchtern. Ein Mitch Rapp, der amerikanische Agenten tötete, dürfte für eine Menge zittrige Finger am Abzug sorgen und jegliche Kritik im Keim ersticken, falls er nicht lebend gefasst wurde.

»Setzen Sie sich mit Ihrem Kontakt beim FBI in Verbindung, Hamid. Berichten Sie ihm von Rapps Rolle bei der Ermordung von Wilson und vermitteln Sie einen Kontakt zu Abdo.«

»Verstanden.«

»Gibt es Fortschritte bei der Suche nach Rapp und seinen Begleitern?«

»Keine. Aber vergessen Sie nicht, dass die Amerikaner ihm alles beigebracht haben, was er weiß, und seine Verbündeten, Einsatzmethoden und finanziellen Verhältnisse kennen. Sobald sie verstärkt mit uns kooperieren, wird es ihm schwerfallen, dauerhaft unter dem Radar zu segeln.«

Nassar setzte sich an den kleinen Tisch und scheuchte seinen Assistenten mit einer Handbewegung aus dem Raum.

Wie viel hatte Rapp herausgefunden? Und mussten sie sich diesbezüglich Sorgen machen? Alle, die von Nassars Beteiligung wussten, waren umgekommen – und zwar auf eine Weise, die den CIA-Auftragskiller massiv belastete.

Zudem hatte Rapp seinen Stützpunkt in Juba aufgegeben und befand sich auf der Flucht. Bald würde ihn die komplette westliche Hemisphäre jagen. Er wusste zu viel über ihre verdeckten Ermittlungen, um jemals vor einen Untersuchungsausschuss zitiert zu werden. Selbst

Irene Kennedy, seit Jahrzehnten eine treue Verfechterin seiner Methoden, blieb keine andere Wahl, als sich von ihm abzuwenden. Sie würde ihn zwar nach Kräften unterstützen, war aber nicht so dumm, politischen Selbstmord zu begehen und möglicherweise selbst im Gefängnis zu landen.

Trotzdem durfte er den Amerikaner auf keinen Fall unterschätzen. Verwundete Raubtiere waren besonders gefährlich, und da bildete Mitch Rapp keine Ausnahme. Nassar hatte seine persönliche Leibgarde bereits auf das Doppelte aufgestockt und hielt es für das Klügste, sich an einem geheimen Ort zu verkriechen. Rapp mochte der begabteste Killer seiner Generation sein, aber um jemanden zu töten, musste er das Opfer erst mal finden.

Nassars Telefon klingelte. Er erkannte die Nummer sofort und überlegte auch diesmal, den Anruf abzuweisen. Andererseits wurde der schalldichte Konferenzbereich täglich nach Abhörvorrichtungen abgesucht. Es gab keinen besseren Ort, um dieses unvermeidliche Gespräch zu führen.

»Ja?«

»Ist Rapp tot?« Mullah Halabis Tonfall deutete an, dass er die Antwort bereits kannte.

»Nein. Ich …«

»Dafür sind meine Leute tot.«

»Meine ebenfalls«, entfuhr es Nassar. Er hatte nicht darum gebeten, dass Halabi ihm Personal zur Verfügung stellte. Ganz im Gegenteil, dessen ständige Präsenz entwickelte sich zunehmend zum Problem. Den Mullah darauf hinzuweisen, hielt er für kontraproduktiv. Er war ein gefährlicher Mann und hatte auf allen Ebenen der saudischen Regierung Unterstützer um sich geschart.

»Joel Wilsons Ermittlungen führten ihn in den Südsudan. Rapp war bereits hier und wurde von einer lokalen Rebellengruppe angegriffen. Garantiert hat er sich das Gebiet gezielt ausgesucht, weil hier ein schwerer Bürgerkrieg tobt.«

»Und wieso haben Sie überlebt?«

»Ich wurde vorher nach Riad zurückbeordert.«

»Allah scheint große Pläne mit Ihnen zu haben.«

»Ich bin nur sein bescheidener Diener.«

»Allerdings«, kam es ohne besondere Überzeugung zurück.

»Wir können von dieser Entwicklung nur profitieren«, fuhr Nassar fort. »Wir haben bereits eine gezielte Desinformationskampagne gestartet, um die Amerikaner davon zu überzeugen, dass Rapp vor Ort war und schuld an Wilsons Tod ist. Wir wissen …«

»Vielleicht sollte der Tod nicht Rapps unmittelbares Schicksal sein, Aali. Überlegen Sie mal, wenn er in Ketten nach Amerika gebracht wird, was das für eine Unruhe auslöst. Die politischen Rivalen der CIA würden ihn an den Pranger stellen. Womöglich käme es sogar zu öffentlichen Anhörungen. In diesem Fall könnte Rapp Geheimnisse preisgeben, die sein gottloses Land bis ins Mark erschüttern.«

»Ja, aber bei einer solchen Anhörung käme zwangsläufig auch unser Kontakt zur Sprache.«

»Na und? Der König würde Sie zum Tod verurteilen. Das Beste, was einem Mann passieren kann, ist das Privileg, als Märtyrer zu sterben.«

Ein Klicken in der Leitung. Nassar knallte den Hörer gegen die Tischkante. Klar, für diesen Ziegentreiber aus der Gosse mochte ein Märtyrertod das höchste der

Gefühle sein. Nassar hatte allerdings nicht vor, in einem von Faisals Kerkern zu krepieren. Er hatte noch viel zu viele unerfüllte Ziele im Leben. Sobald Mitch Rapp als größtes Hindernis aus dem Weg geräumt war, stand ihrer Verwirklichung nichts mehr entgegen.

55

ÖSTLICH VON RIAD, SAUDI-ARABIEN

»Erinnerst du dich noch, wie ich sagte, du seist völlig verrückt?« Claudia lugte durch das Fenster des Fliegers auf den privaten Flugplatz mitten in der Wüste. »Inzwischen bin ich mir da völlig sicher.«

Rapp döste auf einem Sofa im Heckteil der Maschine. »Alles wird gut.«

»Wie soll denn alles gut werden?«, hielt sie dagegen. »Aali Nassar wünscht sich nichts sehnlicher als deinen Tod und wir landen direkt vor seiner Haustür. Glaubst du etwa, König Faisal wird dich retten? Was du früher mal für ihn und sein Land getan hast, spielt keine Rolle mehr. Er ist ein alter Mann. Nassar dürfte ihn längst gegen dich aufgehetzt haben. Geh eher davon aus, dass er persönlich die Klinge für deine Enthauptung schärfen wird.«

»Faisal delegiert sämtliche Jobs«, widersprach Rapp und suchte nach einer bequemeren Position. »Es könnte höchstens sein, dass er das Klingenschärfen beaufsichtigt.«

»Hör auf, vom Thema abzulenken.«

»Hör auf, dir ständig Sorgen zu machen.«

»Ich bin deine Logistikchefin. Das gehört zu meinem Job.«

»Na, dann übertreib's nicht.«

»Nicht in diesem Ton, Mitch. Nicht mit mir.«

Rapp hatte gehofft, seine Beziehung zu Claudia auf ein etwas entspannteres Level zu bringen. Sie war pragmatisch und anpassungsfähig; weder so unbekümmert wie seine verstorbene Frau noch so unberechenbar wie Donatella. Leider sah es danach aus, als ob das Chaos und die Dunkelheit, die ihn umgaben, auf jeden abfärbten, der sich näher mit ihm einließ.

Er musste sich eingestehen, dass er es nur schlimmer machte. Ständig stellte er sie auf die Probe. Dabei leistete sie sich logistisch so gut wie keine Schnitzer und gehörte zu den Besten, mit denen er je zusammengearbeitet hatte. Trotzdem machte er sich Sorgen, dass sie mit dem dauerhaften Stress und den lebensbedrohlichen Situationen nicht klarkam oder aufgrund ihrer privaten Beziehung keine objektiven Entscheidungen traf.

Ach was, nichts als Ausreden. Wahrscheinlich testete er sich eher selbst und lotete aus, ob er es schaffte, sie zum Abhauen zu bewegen. Die Vorstellung, erneut einen geliebten Menschen zu verlieren, nagte an ihm. Der eigene Tod machte ihm weniger Angst als eine weitere Beerdigung mit all der Leere und Wut. Davor fürchtete er sich mehr als vor allem anderen. Andererseits würde er eines Tages auf sein Leben zurückblicken und Bilanz ziehen. Wünschte er sich tatsächlich, es mit dem Wort ›Taubheit‹ zusammenzufassen?

»Mitch?«, hakte sie nach. »Wag es nicht, mitten im Gespräch einzuschlafen.«

Das führte ihm erneut vor Augen, wie sehr er Scott Coleman vermisste. Der Ex-SEAL hätte sich in einer solchen Situation diskret in den vorderen Teil des Flugzeugs verzogen, seine Waffe gereinigt und auf Anweisungen gewartet.

»Nein, ich bin wach.«

»Ich halte das für zu viel Risiko bei zu geringem Nutzen. Falls du jemanden von deiner Unschuld überzeugen willst, dann doch lieber deine Landsleute. Und selbst dann solltest du dich für einen neutralen Treffpunkt entscheiden. Mit einem Notausgang für den Fall, dass etwas …«

Die Räder touchierten den Boden und die Triebwerke kehrten den Schub um. Sie hielt inne. Jetzt war es sowieso zu spät.

Rapp sprang auf und lief zum Cockpit. Der Pilot beäugte ein leeres Gebäude im Norden, während er das Flugzeug ausrollen ließ. Seine Hand krampfte sich um den Schalthebel, um sofort durchstarten zu können, falls es nötig wurde.

»Biegen Sie nach dem Hangar links ab.« Rapp deutete auf die Scheibe.

»Auf dem Schild steht, das sei Sperrgebiet.«

»Tun Sie's einfach, Paco.«

Eine Gruppe von Militärfahrzeugen rollte auf sie zu. Der Pilot wollte bremsen, doch Rapp übernahm den Co-Pilotensitz und schob den Hebel von sich weg.

»Ich glaube, die meinen es ernst.« Paco wies auf vier Schützen mit Maschinenpistolen, die aus dem Dach der vorderen Fahrzeuge auf sie zielten. »Sind Sie sicher, dass alles in Ordnung ist?«

»Ich bin sicher.«

Er hatte sich nicht offiziell vorgestellt, aber inzwischen dürfte Paco sich zusammengereimt haben, wer sein Passagier war. Deshalb hielt er es wohl auch für klüger, auf weitere Widerworte zu verzichten.

»Halten Sie vor dem Gebäude da drüben.« Rapp rutschte vom Sitz und ging nach hinten. Er zeigte auf Claudia. »Wir sind dran.«

»Was? Was meinst du damit?«

Das Flugzeug kam zum Stillstand. Er öffnete die Luke und fuhr die Treppe aus. Sie folgte ihm in die Hitze der gleißenden Sonne und musterte nervös ihr uniformiertes Empfangskomitee.

Unter normalen Umständen hätte Rapp Hut und Sonnenbrille aufgesetzt, um sich den Kameras zu entziehen, an denen in der modernen Gesellschaft kein Weg vorbeiführt. Heute lief er allerdings seelenruhig über das Rollfeld und verzichtete auf die Mühe, das Gesicht zu verdecken.

Claudia folgte und stieß ihm eine Hand in den Rücken. »Was zur Hölle soll das werden? Ich hab keine Ahnung, wo du hinwillst, aber leg wenigstens einen Zahn zu.«

Er schlenderte zu einer Gulfstream G550. David Graves wartete im dunklen Anzug vor der Gangway, offenbar unbeeindruckt von der Hitze. Er verfolgte jede ihrer Bewegungen. Seine Hand zuckte zur Waffe im Holster unter dem linken Arm.

Seine Reaktion führte Rapp den Ernst der Lage vor Augen. Sie kannten einander seit Jahren, trafen sich nach wie vor mindestens einmal im Monat auf dem Schießstand und gingen hinterher meistens ein Bier trinken.

Als sie bis auf wenige Meter herangekommen waren, umklammerte Graves' Hand den Griff der SIG P226, mit der Rapp selbst so oft geschossen hatte. Die Reaktion überraschte ihn nicht.

In Geheimdienstkreisen hatte sich rumgesprochen, dass Joel Wilson tot war und Rapp ihn auf dem Gewissen hatte.

»Was willst du hier, Mitch?«

»Ich bin gar nicht da, Dave.«

»Erzähl das mal den knapp 50 Saudis hinter dir.«

Graves sah kurz zu Claudia, dann wanderte die Hand zum Knopf im Ohr, was darauf hindeutete, dass er eine Nachricht empfing.

»Sind Sie sicher?«, fragte er in das Mikro am Handgelenk. »Soll ich sie reinlassen? Ich denke, sie sollten zumindest … Ist gut. Verstanden.«

Er trat zur Seite. Rapp folgte Claudia über die Treppe. Im Eingang blieb sie abrupt stehen und stutzte.

Irene Kennedy erhob sich und kam auf sie zu, umarmte Rapps Begleiterin kurz und wartete, bis er sich auf einen fensterlosen Platz am Bug gesetzt hatte.

»Ich freu mich, dich zu sehen, Claudia«, sagte Kennedy. »Ich hab mir Sorgen gemacht. Ist alles in Ordnung?«

»Ja, aber … was machst du hier? Mitch hat sich stur geweigert, dich anzurufen.«

»Ich habe *ihn* angerufen.« Sie winkte sie zum Stuhl neben Rapp und setzte sich auf den Platz gegenüber. »Ich bin gespannt, was ihr mir über den letzten Monat zu berichten habt. Grischa Asarow, Donatella Rahn und Kent Black …« Sie schüttelte den Kopf. »Da scheint jemand ziemlich verzweifelt zu sein …«

»Ich habe gelesen, Joel Wilson sei tot«, sagte Rapp anstelle einer Antwort. »Als ich ihn zuletzt sah, war er völlig in Ordnung. Hast du etwa …«

»Nein, natürlich nicht.« Sie drehte sich im Sitz um. »Joel! Kommen Sie doch bitte kurz zu uns.«

Der FBI-Mann tauchte aus dem sicheren Kommunikationsbereich im hinteren Teil auf und wirkte ein bisschen befangen.

»Joel unterstützt uns bei der Identifikation der Männer, die in Juba umgekommen sind, und trägt durch seine Arbeit dazu bei, dass man dir nicht länger den Tod der saudischen Staatsbürger zur Last legt.«

»Gibt es Fortschritte?«, erkundigte sich Rapp.

»Es ist gar nicht so einfach«, entgegnete Wilson, »aber wir sind auf einem guten Weg, durch Indizienbeweise Ihre Unschuld zu untermauern.«

Rapp warf ihm den falschen Pass zu, den er benutzt hatte. »Nichts Hieb- und Stichfestes, aber vielleicht können Sie damit was anfangen.«

Wilson blätterte ihn durch und überprüfte die Stempel und Visa. »Jede Kleinigkeit hilft. Sekunde, ich scann kurz die relevanten Seiten.«

Rapp wandte sich Kennedy zu. »Steht unser Treffen mit dem König noch?«

»Ja.« Sie blickte auf ihre Uhr. »Wenn wir uns nicht beeilen, kommen wir zu spät. Claudia, was hältst du davon, hier auf uns zu warten?«

»Ich finde, ich sollte mitkommen«, widersprach sie. »Ich kenne alle Einzelheiten der Mission. Termine, Zeiten, Orte, Transportmittel. Ich könnte die Lücken in Joels Unterlagen schließen.«

»Das könntest du sicher und solltest ihn später mit

allen fraglichen Einzelheiten versorgen, aber vorerst möchte ich dich gern so weit wie möglich aus allem raushalten. Außerdem gibt dir das die Gelegenheit, Anna anzurufen. Sie und Tommy haben viel Spaß zusammen, aber sie vermisst ihre Mutter.«

Die Beleuchtung des Brunnens vor dem Erga-Palast war angesprungen und tauchte die Säulen vor dem Eingangsbereich in einen warmen Glanz. Wachposten wanderten mit Sturmgewehren auf und ab und musterten äußerst interessiert die Limousine, die an ihnen vorbeirollte.

»Halten Sie hier«, bat Rapp den Fahrer auf Arabisch.

»Was? Nein, das geht nicht. Ich soll Sie vor dem Tor absetzen, wo Sie der persönliche Referent des Königs in Empfang nehmen wird.«

»Nein, halten Sie hier«, wiederholte Rapp. Dem Mann blieb keine andere Wahl, als zu gehorchen. Immerhin handelte es sich um einen Gast des Königs, dem er jeden Wunsch erfüllen sollte.

»Du hast doch nichts gegen einen kurzen Spaziergang, Irene?«

»Eine großartige Idee.« Sie folgte ihm in die zunehmend kühlere Abendluft.

»Was soll das werden?«, fragte Wilson, der nervös die Bewaffneten musterte, bevor er die relative Sicherheit der Limo verließ.

»Ganz ruhig«, meinte Rapp, schob dem FBI-Agenten eine Hand auf den Rücken und drängte ihn zum Palasteingang. »Ich brauchte nur ein bisschen frische Luft.«

In Wirklichkeit wollte Rapp dafür sorgen, dass ihr kleiner Besuch so viel Aufmerksamkeit wie möglich erzeugte. Die Wachposten, überwiegend Aali Nassar treu ergeben, sollten mitbekommen, dass er und Irene Kennedy vor Ort waren und sich aus freien Stücken mit dem König trafen. Und vor allem, dass der angeblich verstorbene Joel Wilson sie begleitete.

An den Stufen wurden sie von Faisals Referenten erwartet. Nach dem gequälten Austausch einiger Höflichkeiten führte man sie zu dem mit Marmor und Gold vollgestopften Audienzsaal im entlegenen Teil des Palasts. Erwartungsgemäß war der König noch nicht da. Er legte Wert auf große Auftritte, weshalb sie sich erst einmal gedulden mussten. Als einzige Sitzgelegenheit stand ein goldener Thron mit roter Seidenpolsterung auf einer erhöhten Plattform bereit, also blieben sie stehen und warteten.

Nach fünf Minuten ließ sich Faisal blicken und kämpfte sich auf den Thron. Mit zunehmendem Alter des Königs war das Podest unauffällig abgesenkt worden. Rapp ging davon aus, dass bald die nächste Anpassung bevorstand.

»Ich habe diesem Treffen zugestimmt und Direktor Nassar auf Ihren Wunsch nicht hinzugezogen, Dr. Kennedy. Das geschieht aus Respekt Ihnen gegenüber und in Würdigung der bisherigen Verdienste von Mr. Rapp um die Verteidigung meines Königreichs. Allerdings möchte ich betonen, dass ich ihn für einen Mörder halte.«

Trotz ihrer langjährigen Bekanntschaft mied Faisal seinen Blick. Eine weitere Erinnerung, wie abrupt sich politische Loyalitäten verschieben konnten.

»Eure Hoheit«, begann Kennedy. »Ich möchte Ihnen Joel Wilson vorstellen. Den FBI-Agenten, der Direktor Nassar bei der Suche nach Mitch unterstützt hat.«

»Sein Name ist mir durchaus ein Begriff«, antwortete der König. »Allerdings sagte man mir, er sei tot.«

»Nein, Sir. Einer von Direktor Nassars Männern hat versucht, mich zu ermorden, aber Mitch konnte es verhindern.«

»Das ist eine ernste Anschuldigung. Haben Sie Beweise?«

»Steht die technische Ausrüstung bereit, um die wir gebeten hatten?«

Der König zeigte auf einen reich verzierten Wandschrank. Wilson öffnete ihn, schloss den mitgebrachten Laptop an und betätigte die Fernbedienung. Einige Sekunden später wurde das Licht gedimmt und der Monitorinhalt auf eine Leinwand projiziert.

»Das ist eine Aufstellung von Orten, an denen sich Mitch seit dem Ausstieg bei der CIA aufhielt, ergänzt um die jeweilige Zeitspanne. Die Stempel in seinem Reisepass belegen es. Wie Sie sehen, wäre es ihm unmöglich gewesen, Ihren Mann in Paris oder Qadir Sultan in Saudi-Arabien zu ermorden.«

»Sie wollen mir Visa aus einem gefälschten Pass als Belege unterjubeln?«

»Bitte lassen Sie ihn fortfahren«, schaltete sich Kennedy ein.

»Danke. Wir haben weiteres Material, das diese Angaben untermauert. Aufnahmen von Sicherheitskameras an Flughäfen und weiteren Standorten, allesamt mit digitalem Zeitstempel.«

Er ging die einzelnen Screenshots durch.

Rapps Naturtalent, sich nicht gegen seinen Willen filmen zu lassen, wurde ihm in diesem Fall zum Verhängnis. Als Wilson die Ablichtung eines endlosen

Anrufprotokolls auf den Schirm holte, riss Rapp der Geduldsfaden.

»Stopp.«

Wilson sah ihn an. »Lassen Sie mich doch erst mal …«

Rapp trat vor und stellte Augenkontakt mit dem alternden Monarchen her. »Sie wissen verdammt gut, dass ich diese Leute nicht umgebracht habe, weil ich Ihnen versichere, dass ich es nicht war. Warum sollte ich Sie belügen? Warum sollte ich mich vor Sie hinstellen, statt Ihnen eine Kugel in den Kopf zu jagen und darauf zu bauen, dass das nächste Arschloch auf diesem Stuhl einen besseren Job macht?«

Faisal zuckte zurück, verwirrt und alarmiert zugleich. Vermutlich hatte noch nie jemand so respektlos zu ihm gesprochen.

»Mitch …«, warnte Kennedy, aber der alte Mann kämpfte sich in eine aufrechte Position und übertönte sie. »Sie kommen an und erheben so schwere Vorwürfe, bestehen aber darauf, dass Aali nicht dabei ist, um sich zu verteidigen. Er hat sich mir gegenüber stets völlig loyal verhalten und unermüdlich gegen das Erstarken des IS gekämpft.«

»Hören Sie sich doch selbst mal zu«, meinte Rapp. »Sie glauben selbst nicht, was Sie da sagen. Sie müssen dieses Land entweder selbst regieren oder die Amtsgeschäfte an jemanden übertragen, der dazu in der Lage ist. Ihnen wird übel mitgespielt. Entweder sind Sie zu dumm, um es mitzubekommen, oder zu alt, um sich daran zu stören.«

»Wachen!«, bellte der König. Zwei Schwerbewaffnete mit HK G36 stürmten herein. Kennedy wich instinktiv einige Schritte zurück, Wilson verkroch sich in einem dunklen Winkel. Rapp rührte sich nicht von der Stelle. Er war noch nicht fertig.

Ein Posten blieb ein Stück rechts von ihm stehen. Der Mann schien unsicher zu sein, was Faisal von ihm erwartete. Rapp nutzte die Verwirrung und trat ihm die Beine weg, während er nach der Waffe angelte. Er riss sie ihm aus den Händen und rammte den Knauf gegen den Schädel der zweiten Wache, die prompt ins Wanken geriet. Rapp ließ das Gewehr fallen und riss die Browning Hi Power aus dem Holster des Zweiten, noch bevor dieser auf dem Marmorboden aufschlug.

Die übrigen Palastwächter bemerkten den Aufruhr. Er hörte ihre lauten Rufe, während sie sich hinter ihm formierten. Sie wirkten allerdings noch unschlüssiger als ihre Kollegen. Rapp hielt inzwischen die Waffe auf die Stirn ihres Königs gerichtet. Ein leichtes Fingerzucken reichte, um sein Leben auszuhauchen.

»Setzen wir nun unsere Unterhaltung fort, Majestät? Oder möchten Sie sie lieber beenden?«

Die Geschwindigkeit der Ereignisse in den letzten paar Sekunden hatte die Auffassungsgabe des Monarchen überfordert. Er brauchte einen Moment, um alles zu verarbeiten. Danach scheuchte er seine Aufpasser aus dem Raum. Rapp zielte weiterhin mit der Mündung auf ihn, während die zwei Bewusstlosen weggeschleift wurden. Nachdem sich die Tür geschlossen hatte, ließ er die Waffe auf den Boden fallen.

»Hätten Sie vor 20 Jahren auch so viel Vertrauen in ein machthungriges Stück Scheiße wie Aali Nassar gesetzt?«

Faisal ließ sich auf den Thron sinken und brauchte geschlagene 30 Sekunden für eine Antwort: »Nein.«

»Sie haben sich auf ein gefährliches Spiel eingelassen und darauf gesetzt, Ihr Volk mit Religion unter Kontrolle zu halten. Inzwischen ist Ihnen diese Kontrolle entglitten. Sie sind zu alt und zu schwach, um sie zurückzuerlangen. Möchten Sie wirklich so in Erinnerung bleiben? Als letzter König von Saudi-Arabien?«

Faisal schien plötzlich die Kraft zu fehlen, sich aufrecht auf dem Thron zu halten. »Also soll ich mein Königreich nicht den radikalen Kräften im eigenen Land, sondern den Amerikanern überlassen? Den Christen? Und das nur, weil Sie behaupten, dass man mich verraten hat, ohne eindeutige Beweise vorlegen zu können?«

»Wir haben deutlich mehr als das, was wir Ihnen gerade gezeigt haben.« Kennedy kehrte an Rapps Seite zurück. »Uns liegt ein Band vor, auf dem einer von Nassars Leuten dem IS die ewige Treue schwört. Es gibt Fotos von Geheimdienstmitarbeitern, die nachweislich zu den Unterstützern von Mullah Halabi gehören. Wir können nachweisen, dass sich Direktor Nassar zum Zeitpunkt der Ermordung von Mahja Zaman in Brüssel aufhielt. Da ich davon ausgehe, dass Ihnen das trotzdem nicht reicht, sollten Sie Direktor Nassar die Möglichkeit einräumen, seine eigene Unschuld zu beweisen.«

»Wie?«

»Indem Sie zunächst einmal gar nichts tun. Begleiten Sie einfach Mitch und mich zu unserem Wagen und verhalten Sie sich dabei freundlich und dankbar. Danach möchten wir, dass Sie Nassars Assistenten, Hamid Safar, abholen lassen und in Isolationshaft nehmen.«

»Sie erwarten, dass ich einen Vertreter des Geheimdienstes verhören lasse, ohne Indizien gegen ihn in der Hand zu halten?«

»Ganz und gar nicht, Eure Majestät. Wenn Sie es vorziehen, laden Sie ihn als Gast zu sich ein. Tragen Sie lediglich dafür Sorge, dass er für ein paar Tage mit niemandem kommunizieren kann.«

»Und das soll etwas beweisen?«

Sie nickte. »Es ist uns unter Einsatz beträchtlicher personeller und elektronischer Überwachungskapazitäten gelungen, Direktor Nassars derzeitigen Aufenthaltsort zu ermitteln. Er befindet sich in einem Safe House außerhalb von Bisha. Sollte er unschuldig sein, wird er sich mit Ihnen in Verbindung setzen und sich erkundigen, ob Sie wissen, wo sein Assistent steckt und warum Sie sich mit Mitch getroffen haben. Sollte er schuldig sein, wie wir glauben, rechnen wir mit einer deutlich interessanteren Reaktion seinerseits.«

56

BISHA, SAUDI-ARABIEN

Aali Nassar ging die Fotos noch einmal durch, ordnete sie in chronologischer Reihenfolge an und zoomte sie auf volle Bildschirmgröße. In ihrer Gesamtheit schilderten sie eine Geschichte, die sich schwer leugnen ließ.

Die erste Aufnahme zeigte Mitch Rapp und Claudia Dufort, die auf einem Flugfeld außerhalb von Riad eine Maschine verließen und in eine bereitstehende Gulfstream G550 umstiegen. Rapp stieg kurze Zeit später wieder aus, diesmal in Begleitung von Irene Kennedy und einem Mann, der eindeutig Joel Wilson war. Er starrte das verschwommene Gesicht des FBI-Agenten lange an und überlegte, was das bedeutete. Hatte er die ganze Zeit mit Kennedy unter einer Decke gesteckt? Ausgeschlossen. Sie und Rapp waren immerhin für den Niedergang seiner Karriere verantwortlich. Es gab unzählige Belege für seinen absolut nachvollziehbaren Hass auf die beiden.

Die einzige Erklärung lautete, dass es sich beim Angriff im Südsudan tatsächlich um eine von Mitch Rapp gestellte Falle handelte. Ob er mit Wilson in dem Fahrzeug gesessen hatte, das vom Tatort geflohen war? Hatte er ihn für ein Verhör mitgenommen und deshalb darauf geachtet, dass alle Leichen in der Kirche verbrannten?

Er blätterte durch die Dateien und stoppte bei einer Aufnahme von drei Amerikanern, die den Erga-Palast betraten. Kurz darauf folgte das wesentlich aussagekräftigere Bild ihres Abschieds. Rapp und Wilson wirkten wie dickste Freunde und König Faisal schüttelte nicht nur die Hand des CIA-Killers, sondern begleitete ihn zu einer wartenden Limousine. Keiner von Nassars Leuten war dicht genug dran gewesen, um die Unterhaltung zu belauschen, aber aus der Körpersprache des ältlichen Herrschers ließ sich eindeutig Dankbarkeit herauslesen.

Was wussten die Amerikaner? Es schien so gut wie sicher zu sein, dass sie einige der nach Juba entsandten IS-Kräfte identifiziert hatten. Waren sie auch auf Beweise gestoßen, dass er für den Tod von Mahja Zaman mitverantwortlich war? Kannten sie seine Rolle bei der Finanzierung des Terrorismus und der Unterwanderung der saudischen Regierung?

Der König wusste zwar nicht, wo er sich gerade aufhielt, aber er hatte Nassars Telefonnummer. Dennoch hatte er ihn nicht angerufen, damit er an der Audienz teilnahm. Warum? Waren die von den Amerikanern vorgelegten Beweise so schwerwiegend, dass man ihm nicht mal Gelegenheit zur Verteidigung gab?

Ihn quälten endlose Fragen wie diese, Antworten hatte er dagegen so gut wie keine.

Er wählte bereits zum fünften Mal, seit er die Fotos erhalten hatte, die Nummer seines Assistenten und erhielt keine Antwort. Das war mehr als ungewöhnlich. Bis auf vielleicht drei Ausnahmen in den Jahren, in denen sie zusammenarbeiteten, hatte Safar den Hörer jeweils innerhalb von Sekunden abgenommen. Nun gab es nichts als Schweigen.

Nassar spürte, dass ihm die Zeit davonlief, und wurde zunehmend wütender. Er weigerte sich zu akzeptieren, von einem Gauner wie Mitch Rapp ausgestochen worden zu sein. Ein koordiniertes Vorgehen von Irene Kennedy und mehreren ausländischen Geheimdiensten, vermutete er. Vielleicht hatte sogar der König seine Finger im Spiel.

Er griff erneut zum Handy. Diesmal rief er bei der Frau seines Assistenten an. Im Gegensatz zu ihrem Ehemann nahm sie das Gespräch sofort entgegen.

»Ich versuche, Hamid zu erreichen«, sagte er. »Ist er bei Ihnen?«

»Nein. Sie haben ihn vor mehreren Stunden mitgenommen. Was geht da vor, Direktor? Ich …«

»Seien Sie still! Wer hat ihn mitgenommen?«

»König Faisals Männer. Sie …«

»Wo ist er jetzt?«

»Das weiß ich nicht. Man hat mir nichts gesagt. Ich wollte ihn anrufen, aber er meldet sich nicht. Ich …«

Nassar trennte die Verbindung und schloss kurz die Augen, um seine beschleunigte Atmung unter Kontrolle zu bekommen. Dass Faisal Hamid abholen ließ, machte die Lage für ihn extrem prekär.

Safar war ein starker Charakter und kämpfte entschlossen für ihr großes Ziel, aber jeder Mann redete irgendwann. Wenn ihm die Verhörspezialisten des Königs auf den Zahn fühlten, würde sein Widerstand spätestens nach drei, vier Tagen gebrochen sein. Sofern Rapp die Befragung übernahm, ging es deutlich schneller.

Nassar wählte eine Nummer, die man ihm gegeben hatte, und lauschte dem Klingeln in der Leitung. Es kam ihm wie eine Ewigkeit vor, bis eine mittlerweile vertraute Stimme erklang.

»Was kann ich für Sie tun, Aali?«

Mullah Halabi ließ sich nichts anmerken, hatte aber voraussichtlich ähnliche Fotos von Rapps Besuch im Palast erhalten.

»Es sieht danach aus, als ob die Amerikaner unserem Kontakt auf die Spur gekommen sind und König Faisal darüber informiert haben.«

»Wie unschön.«

Nassar wartete auf weitere Reaktionen, doch es kamen keine.

»Sollte ich Mitch Rapp in die Hände fallen, wird er mich ausquetschen.«

»Davon gehe ich aus. Was werden Sie ihm erzählen? Dass ich entschlossen bin, das saudische Königshaus mit allen Mitteln zu zerstören und das Land für mein Kalifat zu beanspruchen? Ich bezweifle, dass ihn das sonderlich überraschen wird.«

»Ich kann eine Menge für Sie tun.«

»Nur solange Sie noch Chef des saudi-arabischen Geheimdiensts waren. Jetzt sind Sie ein Mann auf der Flucht, wie so viele in meinen Diensten. Und jeder Einzelne von ihnen ist entschlossen, für mich in den Tod zu gehen.«

»Märtyrer sind strategisch nicht von großem Nutzen«, wandte Nassar ein und bemühte sich, ruhig zu bleiben. Er wusste, dass dieses Gespräch darüber entschied, ob er weiterlebte oder sterben musste. »Ich verfüge über Insiderkenntnisse zu militärischen Vorgehensweisen und geheimdienstlichen Ermittlungsmethoden, die sich so kurzfristig nicht umstoßen lassen. Außerdem habe ich weiterhin Zugriff auf beträchtliche finanzielle Mittel. Lassen Sie mich zu Ihnen kommen und meine Vorschläge unterbreiten. Sollte ich Sie nicht überzeugen, können Sie mich immer noch töten.«

Er hörte gedämpfte Stimmen. Halabi schien die Hand vor den Hörer zu halten und sich mit jemandem zu besprechen.

»Man wird Ihnen eine Adresse zukommen lassen«, verkündete der Mullah schließlich. »Ich schlage vor, Sie bereiten alles für Ihren Aufbruch vor.«

Die Leitung war tot. Nassar fegte mit der Hand über den Tisch und verteilte mehrere Dinge achtlos über den Boden. Ein Glaskrug zerschellte mit einem lauten Knall. Prompt kam einer seiner Mitarbeiter durch eine Tür auf der linken Seite des Raums geeilt.

»Ist alles in Ordnung, Direktor?«

»Lassen Sie den Wagen vorfahren. Wir brechen in zehn Minuten auf.«

»Wo werden wir …«

»Keine Fragen. Tun Sie gefälligst, was ich Ihnen befehle!«

Der Mann verschwand. Nassar steckte einen für solche Fälle präparierten USB-Stick in einen freien Anschluss am Rechner. Die darauf gespeicherte Batchdatei würde zunächst eine Kopie von Tausenden wichtiger Files ziehen und den Diebstahl anschließend verschleiern, indem sie das komplette Netzwerk des General Intelligence Directorate mit einem Virus infizierte, der wahllos Daten überschrieb. Parallel zapfte er eine Reihe von Bankverbindungen der Regierung an und überwies hohe Beträge nach einem festgelegten Schema auf von ihm eingerichtete schwarze Konten.

Er hatte diese Vorkehrungen schon vor Jahren getroffen, kurz nach den ersten zögerlichen Bemühungen, das saudische Königshaus zu infiltrieren. Er war nicht davon ausgegangen, je darauf zurückgreifen zu müssen und das Land fluchtartig zu verlassen, über das er eines Tages herrschen wollte. Erneut spülte eine Welle von Zorn über ihn hinweg. Vor allem weil Rapp in die schützenden Arme der eigenen Regierung zurückgekehrt war und sich höchstwahrscheinlich über ihn kaputtlachte.

Nassar schaute an seinen zwei Sicherheitsleuten vorbei auf die Lichter von Mekka, die hinter der Windschutzscheibe aufblitzten. Die Fahrt hierhin hatte fast fünf Stunden gedauert. Nach wie vor fiel es ihm schwer, seine Gedanken zu zügeln. Er fühlte sich zunehmend desorientiert und entwurzelt.

Alles war weg. Seine Führungsposition. Sein Ansehen. Die Luxusvilla und das Privatflugzeug. Selbst seine Söhne und die einflussreichen Freunde, die er um sich geschart hatte, würde er nie mehr wiedersehen, sondern den Rest seiner Tage im Elend verbringen, umgeben von Fanatikern und der Willkür eines selbst ernannten Heilands ausgesetzt, der sich für den einzigen Vertreter Allahs auf Erden hielt.

Er musste diese düsteren Gedanken abschütteln und sich auf die nächsten Schritte konzentrieren. Jetzt zählte nur noch, Halabi davon zu überzeugen, dass er für ihn unverzichtbar war.

Bald drifteten seine Überlegungen erneut in Richtung Zukunft ab. Die ehemaligen irakischen Offiziere, mit denen Halabi sich umgab, boten ihm eine Chance. Sie waren zwar deutlich fähiger als der typische IS-Kämpfer, aber eben auch weniger fanatisch. Sie beschäftigten sich weiterhin mit weltlichen Zielsetzungen wie Macht, Überleben und Geld. Ihr Vertrauen zu erlangen, würde nicht einfach werden, aber mit genug Zeit und Geduld hielt er es für möglich. Er setzte darauf, mit ihrer Hilfe und dem vom Mullah propagierten Märtyrertum die Fanatiker im Zaum zu halten.

Geduld war etwas, womit er sich schwertat. Doch seine eiserne Disziplin würde ihm dabei helfen. Die Gier, sich an Rapp und dem König zu rächen, schwelte so heftig in ihm, dass er sich zusammenreißen musste. Er verfügte über das Wissen und die Kontakte, sich den IS gefügig zu machen, doch mit jeder weiteren Stunde verblassten diese Vorteile. Beim Geheimdienst tickten die Uhren anders und Informationen veralteten rasant. Er musste überlegt handeln, durfte nicht zulassen, dass die Leidenschaft den Verstand überwältigte. Mullah Halabi bestrafte jedes Anzeichen von Illoyalität sofort, entsprechend diskret musste er vorgehen.

»Direktor«, unterbrach der Fahrer seine Überlegungen. »Die Adresse, die Sie uns genannt haben, ist gleich da vorn.«

Nassar kniff die Augen zusammen. Ein Rolltor, über dem eine einsame Sicherheitslampe flackerte. Er hielt gerade nach Lebenszeichen Ausschau, da fuhr das Tor nach oben.

»Reinfahren.«

»Sollen wir nicht vorher checken, ob …«

»Nein. Reinfahren.«

Das Innere der Halle war nur schwach beleuchtet. Nassar fiel ein Mann auf, der an der hinteren Wand wartete. Es schien sich um eine Art Auslieferungslager zu handeln. Mehrere Lastwagen füllten die Fläche. Hier ließ sich ohne Weiteres eine kleine Streitmacht verstecken, obwohl er keine Anzeichen für entsprechende Aktivitäten bemerkte.

Er stand vor einer weiteren Entscheidung. Stieg er zusammen mit seinen Männern aus, damit sie ihn im Fall eines möglichen Hinterhalts beschützten? Oder nutzte er die Gelegenheit, unbedingte Treue und Unterwürfigkeit zu demonstrieren?

Ihm blieb kaum eine Wahl. Sein künftiges Überleben und ein möglicher Erfolg hingen davon ab, dass der Mullah ihm vertraute.

»Sehen Sie diesen Mann, Direktor? Sollen wir uns um ihn kümmern?«

»Warten Sie noch einen Moment«, bat er und zog eine Browning-Pistole aus dem Holster. Die beiden Männer auf den Vordersitzen arbeiteten seit Jahren für ihn und hatten sich nie etwas zuschulden kommen lassen. Eine Schande, dass sie auf diese Weise aus dem Dienst scheiden mussten.

Er hob die Waffe und gab kurz hintereinander zwei Schüsse ab, die jeweils in die Stirn seiner Vertrauten einschlugen. Sie sackten zusammen. Nassar stieg aus und ließ die Pistole auf dem Sitz liegen.

57

NORDIRAK

»Der Wagen hält genau auf dich zu, ist noch einen Klick entfernt.«

Rapp blieb reglos im Versteck oberhalb der Straße liegen, verborgen unter einer dünnen Sandschicht. Die monotone Stimme von Marcus Dumond, der in Langley vor dem Rechner saß, beruhigte ihn ungemein.

Nicht dass Claudia und die Bande von Eigenbrötlern, die er um sich geschart hatte, ihr Handwerk nicht verstanden; aber einem Team professioneller, hoch motivierter und patriotischer Regierungsmitarbeiter, die auf modernste Technik zurückgriffen, konnten sie nicht das Wasser reichen. Je weniger Dramatik, desto besser. Zumindest war das seine Maxime.

»Es ist jede Sekunde so weit, Mitch. Ich hab den Thermomodus der Überwachungsdrohne aktiviert, insofern bin ich nicht ganz sicher, ob sie mit eingeschalteten Scheinwerfern fahren.«

»Verstanden.«

Fuhren sie nicht. Das Geräusch eines Motors war das Erste, was er von ihnen mitbekam. Eine mondlose Nacht, doch der Himmel voller Sterne reichte, um Rapp erkennen zu lassen, wie sich ein SUV aus der Finsternis löste. Er verfolgte das Fahrzeug mit den Augen, als es an ihm vorbei Richtung Norden rollte. Laut Kartenmaterial der Agency gab es auf der Strecke nichts. Erst nach zehn Klicks folgte ein Dorf.

Seine Hoffnung lautete, dass dort das Ziel ihrer Reise lag, doch mit Hoffnung kam man im Irak selten weit. Genauso gut konnten sie einfach durchfahren, rauf ins Gebirge, wo es viele versteckte Höhlen gab, von deren Existenz niemand etwas ahnte. In diesem Fall drohte ein weiteres dieser Fiaskos, mit denen er sich in seiner Laufbahn viel zu oft herumschlagen musste.

Rapp ließ ihnen zwei Minuten Vorsprung, dann stand er auf und kletterte auf das Motocross-Bike, das Scott Coleman ihm überlassen hatte. Ein Modell mit Elektromotor von Zero. Wie im Werbeprospekt des Herstellers versprochen, startete es absolut geräuschlos. Er schob den Prototyp einer neuen Nachtsichtbrille vor die Augen, gab Gas und gewöhnte sich an die ungewöhnliche Kombination aus Beschleunigung und Stille.

»Empfängst du die Aufnahmen von der Drohne, Mitch?«

Alles, was er sah, war eine verschwommene grüne Fläche. »Nein, Fehlanzeige.«

»Shit. Wart kurz.«

Es klang, als ob Dumond heftig gegen ein teures elektronisches Gerät hämmerte. Zur Belohnung flackerte ein Luftbild am Rand des Sichtfelds auf. Es erfasste Geschwindigkeit und Richtung für ihn und das Zielfahrzeug, außerdem ihre aktuellen Positionen.

»Ah, jetzt.«

»Ich hab dir doch versprochen, dass es funktioniert.«

Leider mussten noch Tausende andere Dinge funktionieren. Aali Nassar nach Mekka zu folgen, war einfach gewesen, seitdem wurde es komplizierter. Sayid Halabi mochte ein Psychopath sein, trotzdem leistete er sich keine Nachlässigkeiten. Er hatte Nassar durch Tunnel und überfüllte Marktplätze geschleust, ihn zu Fuß, an Bord von Zügen und in Autos und Lastwagen transportiert. Ein paar hektische Phasen mussten die CIA-Experten überstehen – vor allem als sie sich kurzzeitig von einem Double in Sakaka irreführen ließen –, doch es war ihnen jedes Mal gelungen, den saudischen Geheimdienstchef wiederzufinden.

Dafür zahlten sie allerdings einen hohen Preis. Sie mussten Satelliten neu ausrichten, teure Gefallen bei Verbündeten einfordern und Kräfte von ziemlich angepissten Militäreinheiten abziehen. Rapp sah sich sogar gezwungen, eine Taliban-Miliz zu bestechen, die mit der Kohle garantiert Waffen anschaffte, deren Patronen ihm irgendwann um die Ohren flogen.

In Anbetracht dieses Aufwands durften sie es sich nicht erlauben, am Ende mit leeren Händen dazustehen. Nassar hatte den Saudis eine Menge Daten und Geld abgezapft. Ihn damit entwischen zu lassen, war ein immenses Risiko.

»Du bist flott unterwegs, Mitch. Bei diesem Tempo bist du nach etwa 500 Metern auf gleicher Höhe mit ihnen.«

»Verstanden. Was ist das vor uns auf der Strecke, Marcus? Noch vor dem Dorf. Ich hab da was auf dem Infrarotschirm, das ich nicht zuordnen kann.«

»Eine neu gebaute Brücke. Die gibt's erst seit ein paar Tagen.«

Rapp lenkte das Bike um eine tiefe Sandverwehung herum und bretterte über eine Ebene hinweg, die an ein ausgetrocknetes Flussbett erinnerte. Wegen der Restlichtverstärkung entging einem schnell mal eine Furche im getrockneten Schlamm, deshalb drosselte er die Geschwindigkeit auf etwa 30 Stundenkilometer.

»Kommt mir so vor, als ob die Brücke im rechten Winkel zur Straße verläuft, auf der Nassar unterwegs ist. Fährt er drüber oder drunter durch?«

»Die Straße zum Dorf führt drunter durch. Die Brücke selbst endet aktuell im Nichts. Sie ist einfach da. Unsere Leute vermuten, dass man sie erst mal gebaut hat und sich später Gedanken über die Anbindung macht.«

»Wo könnte sie denn mal hinführen?« Rapp gefiel gar nicht, was er da hörte.

»Das wissen wir nicht. Da draußen gibt's nicht viel. Schon komisch.«

Er bog nach links ab und kitzelte 40 Sachen aus dem Bike raus. Für eine Weile hörte er nichts als das dumpfe Rattern des Reifenbelags, der gegen die zerfurchte Erde hämmerte.

»Du kommst leicht vom Kurs ab, Mitch. Check mal dein Display.«

»Sind sie immer noch unterwegs zu dieser Brücke?«, fragte Rapp und ignorierte die Warnung.

»Ja. In knapp einer Minute treffen sie dort ein. Und du kreuzt die Straße in etwa 30 Sekunden, wenn du deine Fahrtrichtung nicht korrigierst.«

»Komm ich weit genug hinter ihnen raus, dass sie mich nicht sehen?«

»Ohne Scheinwerfer? Klar. Kein Problem.«

Rapp riss das Vorderrad kurz in die Höhe, um einer Unebenheit auf der holprigen Piste auszuweichen.

»Wo sind sie jetzt?«

»Zehn Sekunden vor der Brücke.«

»Werden sie langsamer?«

»Aktuell mess ich 35 Kilometer pro Stunde.«

In etwa das Maximum, das die Straßenverhältnisse hergaben, erkannte Rapp.

»Sie sind drunter durch und auf der anderen Seite«, verkündete Dumond.

»Könnte jemand unbemerkt ausgestiegen sein?«

»Auf gar keinen Fall. Die Unterführung ist nur knapp fünf Meter breit und sie haben nicht gebremst. Sie fahren unverändert Richtung Siedlung. Ankunft in etwa fünf Minuten.«

»Verstanden.«

Die Piste führte zunehmend tiefer ins Gebirge. Steile Abhänge wuchsen zu beiden Seiten in die Höhe. Er wollte ungern in einem Trichter eingekesselt werden, aber die Brücke kam ihm nicht geheuer vor. Innerhalb der letzten drei Tage hatte Halabi deutlich mehr Raffinesse als erwartet an den Tag gelegt – ein simpler Pick-up genügte ihm, um die Überwachungskapazitäten der kompletten westlichen Zivilisation auszuhebeln. Mussten sie hier einen weiteren seiner Tricks befürchten?

Rapp ließ das Bike stehen und lief zu Fuß weiter. Die Brücke tauchte vor ihm auf – eine verschwommene horizontale Linie, konturiert vom Funkeln der Sterne. Er zog die Glock aus der Jacke und schraubte im Weitergehen den Schalldämpfer auf. Die Dunkelheit unter den Pfeilern war so durchdringend, dass selbst das

Nachtsichtgerät an seine Grenzen stieß. Er setzte den Weg im Schneckentempo fort.

»Alles in Ordnung, Mitch? Warum hast du Scotts Bike stehen lassen?«

Er gab keine Antwort, sondern arbeitete sich durch die Finsternis unter der Brücke langsam voran. Vage Umrisse, keiner davon menschlich. Dafür bemerkte er eine Reihe von Matratzen auf dem Boden und ein senkrecht zwischen den Seitenwänden aufgehängtes Fangnetz. Rapp stieg darüber hinweg und stieß im Gestein auf der anderen Seite auf eine Öffnung. Da sie nur etwa einen Meter breit und anderthalb Meter hoch war, ließ ihn sein Equipment endgültig im Stich.

»Ich fürchte, Nassar könnte im Tunnel unter der Brücke abgehauen sein«, raunte er ins Kehlkopfmikro. »Hier unten gibt es einen Höhleneingang.«

»Shit«, fluchte Dumond. »Ich hab noch mehr schlechte Neuigkeiten. Der Wagen ist ohne Halt durchs Dorf gerauscht und fährt weiter Richtung Bergland. Soll ich die Jungs zu deiner Position schicken?«

Joe Maslick hatte ein Team im Vorland stationiert, allerdings überstiegen die Wagnisse dieser Operation allmählich die Grenzen des Akzeptablen.

Sie hatten darauf spekuliert, dass Nassar sie zu Halabi und einigen der früheren irakischen Generäle lotste, mit deren Hilfe er die Bewohner der Region schikanierte. Das Hauptziel lautete jedoch, dafür zu sorgen, dass Nassar keinen weiteren Sonnenaufgang erlebte. Wenn sie Halabi dafür links liegen lassen mussten, dann war es eben so.

»Negativ«, entschied Rapp. »Es wird Zeit, den Stecker zu ziehen. Sag Mas, er soll das Fahrzeug stoppen und überprüfen, ob Nassar drinsitzt. Ich steig in der Zwischenzeit in dieses Loch und seh mir an, was mich dort erwartet.«

58

Aali Nassar kroch weiter. Der stechende Schmerz im Rücken erreichte die Grenzen des Erträglichen. Er befürchtete, sich mindestens drei Rippen gebrochen zu haben. So wie der Knochen gegen die Haut an der rechten Schulter schabte, tippte er außerdem auf einen Bruch des Schlüsselbeins.

Dass bei dem SUV, in dem man ihn transportiert hatte, hintere Tür und Sitzgurte fehlten, war ihm zunächst nicht weiter ungewöhnlich vorgekommen. Der IS nahm Anwohnern, Amerikanern und Opfern weg, was immer er in die Finger bekam. Auf Komfort legten Männer keinen Wert, die als Märtyrer enden wollten, während alle um sie herum von Schmerzen und Tod heimgesucht wurden.

Erst als man ihn ohne Vorwarnung durch die klaffende Öffnung stieß, erkannte er, dass man das Fahrzeug gezielt aus diesem Grund ausgewählt hatte. Trotz der Landung auf einem Haufen stinkender Matratzen hatte er sich aufgrund der ausgebliebenen Bremsung wehgetan und war erst von einem aufgehängten Fangnetz ausgebremst worden.

Nur der letzte Schritt einer raffinierten Reihe von Vorsichtsmaßnahmen, damit niemand seine Reise quer durch den Nahen Osten verfolgen konnte. Er musste zugeben, dass ihn die Gründlichkeit von Halabis Bemühungen beeindruckte, die selbst die Amerikaner von seiner Fährte ablenken dürfte.

Die steinerne Decke wurde ein wenig höher. Er nutzte die Gelegenheit, um den schlimm zugerichteten Körper leicht zu strecken. Er biss die Zähne zusammen, als der Schmerz ihn in Wellen heimsuchte. Die natürliche Höhle glich einem Zylinder, zwei Meter im Durchmesser, und führte in flachem Winkel nach unten. Eine Sandschicht bedeckte den Boden und dämpfte die Geräusche, die er und seine Begleiter im fahlen Licht einer einzelnen Taschenlampe verursachten.

Der Gang vollzog eine Biegung nach links. Nassar drehte sich kurz um. Der Mann hinter ihm hatte angehalten und schien dort in der Dunkelheit bleiben zu wollen, während sich der Rest weiter voranbewegte.

Es fiel ihm schwer, hier unten Entfernungen abzuschätzen, aber er zählte im Kopf knapp 180 Sekunden ab, bevor er Stimmengewirr vor sich hörte. Die schlechte Akustik verschleierte zwar einzelne Worte, aber er glaubte, dem Flüstern eine gewisse Unruhe entnehmen zu können.

Die schmale Röhre erweiterte sich zu einer mehr als zehn Meter breiten und langen Fläche, erhellt von batteriebetriebenen Arbeitslampen. Mullah Halabi saß leicht erhöht auf einem steinernen Vorsprung, eine Gruppe Männer mittleren Alters kniete in zwei Reihen vor ihm. Im Randbereich verschmolzen jüngere Soldaten samt Gewehren mit den Schatten. Zweifellos gehörten sie zu Halibis berühmt-berüchtigter privater Leibgarde.

Nassar erkannte unter den knienden Älteren einige bekannte Gesichter aus den Fahndungsberichten der

Amerikaner und Europäer wieder. Kämpfer aus Saddam Husseins mittlerweile aufgelöster Armee. Die meisten hochrangigen Offiziere waren entweder in Gefangenschaft geraten oder getötet worden, doch diese Männer aus den niederen Dienstgraden erwiesen sich in vielerlei Hinsicht sogar als nützlicher. Ihre Vorgesetzten hatten ihnen die strategischen Details der Kriegsführung überlassen und sich selbst darauf konzentriert, Hussein den Bauch zu pinseln.

Halabis Vorgänger hatte sie gezielt angeworben, um seine motivierte, aber undisziplinierte Truppe in eine Streitmacht zu verwandeln, die in der Lage war, Gebiete zu erobern und dauerhaft zu halten. Nach seinem Tod im Zuge eines Drohnenangriffs hatte Halabi die Nachfolge mit dem deutlich ehrgeizigeren Ziel angetreten, den mächtigen saudischen und ägyptischen Armeen Paroli zu bieten.

»Willkommen, Aali. Ich hoffe, Ihre Reise war nicht zu strapaziös.«

»Überhaupt nicht.« Er kaschierte, dass ihm sogar das Sprechen wehtat.

»Wie ich hörte, haben Sie mir etwas mitgebracht.«

Seine Leute hatten das Speichermedium entdeckt, als sie ihn in Mekka nach Wanzen durchsuchten. Er durfte es behalten und zog es jetzt aus der Tasche. Als er vortrat, um dem IS-Anführer den Stick zu geben, erwachten die Bewaffneten an den Ausläufern der Höhle zum Leben.

»Geben Sie es nicht mir«, sagte Halabi und deutete auf einen Mann rechts von Nassar. »Sondern ihm.«

Er tat, was von ihm verlangt wurde. Der Angesprochene steckte den USB-Speicher an einen Laptop.

»Es gibt eine Passwortabfrage.«

»Natürlich gibt es die«, meinte Halabi. »Ich fürchte, der Direktor wird uns die Zugangsdaten nicht ohne Weiteres nennen.«

»Die Geheimdienstinformationen und Bankdaten auf diesem Laufwerk gehören Ihnen«, versicherte Nassar.

Der Mullah lächelte. »Eine inhaltslose Aussage. Sie hätten besser in die Politik gehen sollen.«

»Vielleicht.«

»Können wir die Verschlüsselung knacken?«, wollte Halabi wissen.

Sein Untergebener schüttelte den Kopf. »Unwahrscheinlich. Ihn zu foltern, halte ich für aussichtsreicher.«

Halabi nickte gedankenverloren. »Das mag sein. Andererseits könnte er uns ein falsches Passwort nennen, das die Informationen für immer zerstört. Ist es nicht so, Aali?«

»Ganz genau.«

Halabi rieb vor seinem Gesicht die Handflächen gegeneinander. »Das Geld, auf das uns diese Dateien Zugriff geben können, wird rasch durch unsere Finger rinnen, und die darauf gespeicherten Geheiminformationen dürften bald wertlos sein. Wer weiß, ob wir vielleicht weniger von den Daten selbst profitieren als vielmehr von der Erfahrung und Cleverness des Mannes, der sie uns gebracht hat?«

Obwohl es sich um eine rein rhetorische Frage handelte, sprang einer von Halabis Männern darauf an. »Machen ihn diese Qualitäten denn wirklich wertvoll für uns oder nicht doch eher gefährlich? Er hat König und Vaterland verraten. Warum? Für unsere Sache? Für Allah? Oder aus persönlichen Motiven? Können wir ihm trauen, Mullah Halabi? Will er Ihnen helfen oder legt er es darauf an, Sie abzulösen?«

»Ich hatte Macht«, antwortete Nassar. »Und ich hatte Reichtum. Darüber hinaus genoss ich den Respekt des Königs und der Amerikaner. Ich habe alles aufgegeben, um …«

»Der König ist alt und schwach«, widersprach sein Gegenüber. »Sie haben auf den Zusammenbruch des Königreichs spekuliert und für beide Seiten gearbeitet. Die Amerikaner sind Ihrem Verrat auf die Schliche gekommen, darum mussten Sie fliehen.«

Einmal mehr stellte er fest, dass sie mehr wussten, als gut für ihn war.

Der Mann, der mit ihm sprach, tat es mit einer solchen Arroganz, dass er sich der Rückendeckung seines Anführers sicher zu sein schien. Jemand wie Nassar war eine klare Bedrohung für seinen eigenen Rang innerhalb der IS-Hierarchie.

»Man hat entdeckt, dass ich Mullah Halabi unterstütze, das stimmt. Eine bedauerliche Entwicklung, weil ich euch zwar auch von hier aus nützlich sein kann, aber an der Seite des Königs noch wesentlich mehr hätte ausrichten können. Mir ist klar, dass ein einfacher Soldat nicht nachvollziehen kann, wie schwierig es ist, das Vertrauen eines Herrschers zu gewinnen.«

Der andere zuckte in Anbetracht dieser Beleidigung zusammen. Nassar sprach ungerührt weiter. »Ich habe eng mit den Amerikanern zusammengearbeitet, um Sicherheitsprotokolle zu entwickeln, mit denen sie terroristische Angriffe im eigenen Land abwehren können. Deshalb verfüge ich über weitreichendes Wissen zu ihren Grenz- und Einreisebestimmungen, zur Energieversorgung und vor allem zu ihren Atomkraftwerken. Das Gleiche gilt für ihre Wasserversorgung. Wenn wir geschickt agieren, können wir das Blatt zu unseren Gunsten wenden und dafür sorgen, dass die Amerikaner alle Muslime offen zum Feind erklären. Dann stehen uns bald nicht mehr nur 30.000 Soldaten zur Verfügung, sondern eher eine Milliarde.«

Rapp schnallte das Nachtsichtgerät am CamelBak fest und ließ ein Kampfmesser aus der Scheide an der Hüfte gleiten. Die völlige Schwärze in diesem unterirdischen Gang ließ sich selbst mit technischen Hilfsmitteln nicht überwinden. Zudem wäre sogar der Schuss einer schallgedämpften Waffe als endloses Echo zwischen den Wänden hin und her geworfen worden.

Er kletterte in die Höhle und sah überhaupt nichts mehr. Seine übrigen Sinne versuchten, das Manko auszugleichen, doch außer dem Geruch nach Erde gab es nichts, woran sie sich festklammern konnten. Er bewegte sich quälend langsam vorwärts, tastete mit den Fingern die linke Wand ab, um nach Orientierungspunkten zu forschen. Er wollte nicht riskieren, mit dem Kopf gegen einen Felsvorsprung zu knallen, und musste jeden einzelnen Schritt im Vorfeld austesten, um kein verräterisches Geräusch zu verursachen.

Trotz dieser Vorsichtsmaßnahmen ritzte er sich das Gesicht an etwas auf, das aus der Wand ragte, und wäre zweimal fast hingeschlagen. Mit Mühe und Not gelang es ihm, einen Sturz zu vermeiden.

Immerhin war er noch nicht in einen kilometertiefen Schacht gefallen, insofern hätte es durchaus schlimmer laufen können.

Aufgrund des Wegfalls sämtlicher Sinneswahrnehmungen und der Konzentration, die er aufbringen musste, verlor er jegliches Zeitgefühl. Aus unerfindlichen Gründen interessierte ihn, wie viele Minuten verstrichen waren, aber die Beleuchtung seiner Armbanduhr zu aktivieren kam nicht infrage. In dieser Schwärze hätte er genauso gut eine Leuchtbombe zünden können.

Rapp schob einen Zeh vorwärts und stoppte, als er gegen rohen Stein stieß. Er strich mit den Fingern über die Stelle vor sich und stellte fest, dass der Gang zwar die Höhe nicht veränderte, aber eine Biegung nach links machte. Er passte den Kurs entsprechend an, kam aber kaum einen halben Meter weiter, bevor sich ihm erneut ein Hindernis in den Weg stellte. Diesmal allerdings kein Felsen.

Er bewegte die Hand vorsichtig und trieb den anderen Mann zurück. Während des Gerangels fertigte er eine geistige Karte von dessen Körper an und schaffte es, ihm den Mund mit der Hand zu verschließen, um ihn am Schreien zu hindern. Das metallische Rasseln verriet, dass der Gegner seine Waffe in Anschlag bringen wollte. Unter normalen Umständen hätte er es gar nicht gehört, doch in dieser Situation überschwemmte es Rapps Sinne förmlich und überlagerte sogar den Schmerz von Zähnen, die sich in seine Hand schlugen.

Rapp rammte den Kopf des Kontrahenten gegen das Gestein. Parallel beackerte eine fremde Faust eine Seite seines Körpers und die Schulter mit Schlägen. Die gedämpften Treffer waren viel zu laut. Er hoffte inständig, dass niemand etwas von dem tödlichen Kampf mitbekam, der sich in diesem beengten Raum ereignete. Spätestens wenn der Finger seines Gegners den Abzug der Waffe fand, musste er sich diese Hoffnung abschminken.

Er brachte das Messer auf die Höhe, in der er die Kehle des anderen vermutete, verschätzte sich jedoch. Die Spitze brach an der zerklüfteten Wand ab. Dabei schlugen Funken, die es Rapp endlich erlaubten, die abgebrochene Klinge ans Ziel zu bringen. Die stumpfe Schneide drang nicht so tief ein wie erhofft, weshalb er den Mann kurzerhand zu Boden riss und Druck auf den Griff ausübte, bis er reglos liegen blieb. Rapp wartete noch eine knappe Minute und lauschte, ob jemand kam, hörte jedoch nichts als das kaum wahrnehmbare Tropfen von Blut.

Vorsichtig riss er ein Stück Stoff unten am Shirt ab und wickelte es fest um den dicken Hautlappen, den die Zähne des Gegners gerissen hatten. Nachdem er sich vergewissert hatte, dass die Blutung auf ein erträgliches Maß zurückgegangen war, setzte er seine beschwerliche Reise durch den Gang fort.

Der Klang von Stimmen war das Erste, was er bemerkte, gefolgt von einem schwachen Glimmen. Seine Bewegungen beschleunigten sich, als die ausgehungerten Augen im fahlen Licht Details der Umgebung erfassten und all die Hindernisse zutage förderten, denen er sorgsam ausgewichen war.

Die gedämpfte Unterhaltung ließ sich bald auf drei unterschiedliche Stimmen aufteilen. Alle sprachen Arabisch. Eine klang ruhig, eine wütend, die dritte in der Defensive. Er konnte sie zwar nicht zuordnen, ging aber davon aus, dass es sich bei dem kleinlauten Sprecher um Aali Nassar handelte. Weitaus mehr faszinierte ihn allerdings der ruhige, überlegene Tonfall des ersten

Sprechers. Ging der hastig zusammengeflickte Plan von ihm und Kennedy möglicherweise doch noch auf und er stand gleich Mullah Sayid Halabi gegenüber?

Wie sich herausstellte, kam es sogar noch besser. Rapp verharrte wenige Meter vor der Stelle, an der der Gang sich verbreiterte, und entdeckte neben Nassar einige Männer, die auf Kissen zu beiden Seiten von ihm saßen. Ihr Alter deutete darauf hin, dass es sich um die Offiziere handelte, die Halabi aus Saddam Husseins Armee übernommen hatte. Demnach hielt sich ein Großteil der aktuellen IS-Führung in diesem Höhlenkomplex auf.

Nassar bewegte sich schwerfällig und sein rechtes Schlüsselbein ragte unnatürlich weit hervor. Vermutlich hatte er sich beim Sprung aus dem Fahrzeug verletzt. Er schwankte leicht hin und her, was es Rapp ermöglichte, einen kurzen Blick auf den Mann zu erhaschen, der die Gesprächsführung übernahm. Sein Puls beschleunigte sich, als er ihn erkannte: Halabi.

Zu dumm, dass er von seiner Position aus kein klares Schussfeld auf den IS-Anführer hatte. Außerdem bekam er nur einen Teil der Kammer zu Gesicht, in der sich die Männer aufhielten. Drei bewaffnete Wachposten an der rechten Wand, er vermutete weitere im nicht einsehbaren Bereich. Der Luftzug deutete ferner an, dass noch andere Zugänge existierten.

Wenn er jetzt schoss, war hier gleich der Teufel los und er musste sich mit massiven taktischen Nachteilen herumschlagen. Nicht nur weil ihm der Gegner zahlenmäßig überlegen war, sondern vor allem aufgrund der beengten Operationsumgebung.

Das versprach miserable Aussichten auf Erfolg und eine noch geringere Aussicht, lebend aus der Sache rauszukommen. Sein erster Schuss würde natürlich Nassar gelten, um ihn aus Halabis Schussbahn zu entfernen, doch danach lief alles auf puren Zufall hinaus. Schaffte es der IS-Anführer, in Deckung zu gehen, bevor Rapp abdrückte? Lauerte jemand hinter dem Eingang zur Kammer, der sich ihm direkt in den Weg stellte?

Selbst in einem Best-Case-Szenario blieb allenfalls genug Zeit, Nassar und Halabi zu erledigen, bevor er in die Deckung der Biegung in seinem Rücken zurückkehren musste. Und dann wartete die gar nicht so leichte Aufgabe, sich zum Ausgang durchzuschlagen, während der Gang von Blei und Schießpulver in ein mittleres Inferno verwandelt wurde.

Rapp zog den CamelBak vom Rücken und ging in die Hocke. Er wühlte eine Stablampe und eine Granate hervor, legte beides vor sich in den Sand und trennte die Glock vom Schulterholster. Ein prüfender Blick in Richtung Felswand verriet, dass es sich eher um festgeklopften Lehm als um Stein handelte. Nicht so stabil wie erhofft.

Da er keine andere Option sah, zog er den Sicherungsstift der Granate und schleuderte sie in die Höhle. Während sie noch durch die Luft segelte, zielte er mit der Glock auf Nassars Hinterkopf und drückte ab. Sie erzielte die gewünschte Wirkung. Es ging ihm weniger darum, den Saudi zu töten, als vielmehr die IS-Soldaten von dem Sprengkörper abzulenken, der wenige Meter hinter der Mündung gelandet war. Hektik entstand, aber statt in Deckung zu gehen, sprangen sie auf.

Drei Wachposten warfen sich schützend auf Halabi, bevor Rapp ihn anvisieren konnte. Er drehte sich um und stürmte los. Obwohl er rannte, als wäre der Teufel hinter ihm her, schaffte er es nicht rechtzeitig bis zur Biegung. Die Granate explodierte, er spürte den abrupten Anstieg des Luftdrucks und ging in einer Staubwolke zu Boden.

Rapp erlangte das Bewusstsein nur langsam zurück. Im ersten Moment wusste er nicht, wo er war. Zu Hause? Schlafend neben seiner Frau in ihrem Haus an der Bucht? Seine Kehle fühlte sich wund an und er wollte gerade aufstehen, um sich etwas zu trinken zu holen, als ihm einfiel, dass sie gar nicht mehr lebte und das Haus längst abgerissen war.

Merkwürdigerweise verspürte er kaum Schmerzen – nicht viel mehr als starke Kopfschmerzen, die er für Nebenwirkungen seiner mittlerweile neunten Gehirnerschütterung hielt, wenn er richtig gerechnet hatte. Das taube Gefühl beunruhigte ihn, bis er probeweise Finger und Zehen bewegte und erleichtert eine Lähmung ausschloss. Viel mehr konnte er allerdings nicht bewegen. Seine Beine waren komplett eingeklemmt, ebenso sein rechter Arm. Mit dem linken suchte er nach der Stablampe. Nach fast einer Minute erfolglosen Herumtastens gab er auf und begann zu graben. Der improvisierte Verband löste sich von der Hand und er spürte, dass Dreck an die Bisswunde gelangte. Nicht besonders steril, aber eine Infektion stand auf seiner Liste potenzieller Komplikationen gerade ziemlich weit unten.

Nach einer gefühlten halben Stunde hatte er den rechten Arm so weit befreit, dass er die Beleuchtung an der Armbanduhr einschalten konnte. Sie spendete genug Helligkeit, um zu erkennen, dass ein Teil der Decke heruntergekommen war. Seine Beine waren bis zu den

Oberschenkeln eingegraben, aber das Gewicht störte nicht weiter. Wahrscheinlich hätte er sie sogar befreien können, wäre sein Kopf nicht im Geröll vor ihm eingeklemmt gewesen. Er versuchte, sich etwas mehr Platz zu verschaffen, löste damit jedoch einen zweiten Einsturz aus, der die wenige verbliebene Luft mit Staub schwängerte.

Rapp aktivierte erneut die Ziffernblattbeleuchtung, schaltete sie jedoch nach wenigen Sekunden ab. Hier gab es nicht gerade viel zu sehen. Letztlich verschaffte ihm der Anblick lediglich eine leichte Platzangst. Zum Glück hatte er sich nie um den genauen Ablauf seiner Beerdigung gekümmert, denn das schien sich gerade von selbst zu erledigen.

Er lachte laut über seinen eigenen Witz, bevor die Stille erneut Einzug hielt. Schließlich stützte er den Kopf auf die Wange und starrte in die Finsternis. Eigentlich hoffte er, dass sich sein Verstand auf die vielen Erfolge konzentrierte, die er eingefahren hatte. Auf die geretteten Menschenleben und die mehrfache Rettung der Vereinigten Staaten. Stattdessen schoss er sich rein auf die Fehlschläge ein. Auf die zerrüttete Beziehung zu seinem Bruder, mit dem er nur an Feiertagen und Geburtstagen kurz telefonierte. Auf die Schattenseiten der Welt, die auf der anderen Seite der Mündung lauerten. Auf seine hoffnungslosen Versuche, in die Rolle des fürsorglichen Ehemanns zu schlüpfen, und seine jüngsten zögernden Schritte als Vaterfigur.

Und trotzdem war es ein spektakulärer Ritt gewesen.

Als Rapp das nächste Mal aus seiner Benommenheit aufschreckte, verstärkte sich das Gefühl von Verwirrtheit. Er hob mühsam den Kopf und wurde von einer neuerlichen

Lawine aus Dreck und Geröll getroffen. Mit etwas Glück brachte ihn ein weiterer Einsturz auf die Schnellstraße Richtung Hölle. Er lächelte zaghaft. Das Wiedersehen mit Stan Hurley war zumindest etwas, worauf er sich freute.

»*Mitch!*«

Er ignorierte die Stimme, die er für eine Ausgeburt seiner sauerstoffentwöhnten Fantasie hielt.

»*Mitch!*«

Diesmal wurde die Stimme von einem Leuchten begleitet, das durch die geschlossenen Augenlider drang, und von einem heftigen Luftzug. Eine kräftige Hand packte ihn hinten am Kopf und sorgte dafür, dass er nicht von einer weiteren Kaskade erwischt wurde.

»Mitch, ich bin's, Joe! Sag doch was, Kumpel!«

Seine Kehle war zu verkrustet mit Lehm, um etwas hervorzubringen. Immerhin schaffte er es, dem anderen einen schwachen Klaps gegen den Unterarm zu verpassen.

»Wick! Er lebt! Wo bleibt der verdammte Chopper?«

Rapp bekam die Antwort nicht mit.

Maslick zog die Hand zurück und rammte eine Schaufel in den Haufen neben Rapps Schulter. »Was tust du dir ständig so was an, Mann? Du bist nicht mehr der Jüngste.«

EPILOG

Die Unterseite der Couch war bei der Durchsuchung von Claudias Haus aufgeschlitzt worden, doch das merkte man nur, wenn man es wusste. Rapp kippte sie wieder in eine aufrechte Position und fluchte leise, als er sah, dass auch die Polsterung beschädigt war. Seine Freundin hätte Joel Wilson sowieso am liebsten die Eier abgeschnitten. Diese Verwüstungen machten es nicht besser. Am liebsten hätte er ihr geholfen und den FBI-Agenten festgehalten, während sie ihren Frust an ihm abreagierte. Auf der anderen Seite strengte sich Wilson wirklich an, um Rapp von jedem Verdacht freizusprechen zu lassen. Der Kerl war ein Riesenarschloch, aber leider auch extrem fähig. Fürs Erste blieben seine Eier also dran.

Rapp hob eine umgekippte Lampe auf und fluchte nicht mehr ganz so zurückhaltend, als sie in ihre Einzelteile zerfiel. Anna kümmerte sich darum, ihr eigenes Zimmer aufzuräumen, und war glücklicherweise außer Hörweite. Die Kleine hatte ein ausgeprägtes Gespür dafür, wann ihre Mutter schlechte Laune hatte, und kam ihr dann nicht in die Quere.

Er klaubte die Fragmente der Lampe zusammen und lief nach draußen, um sie auf den stetig anwachsenden Haufen irreparabler Gegenstände zu schmeißen. Auf dem Rückweg ins Haus meldete sich sein Handy. Ein kurzer Blick offenbarte die mehrfach verschlüsselte Rufnummer, mit der dieser ganze Mist angefangen hatte.

»Ja, Sir?« Er zog sich in den Schatten der Mauer zurück, die das Grundstück umgab.

»Wie geht es Ihnen?«, erkundigte sich Joshua Alexander.

»Gut. Ich glaube, Mas hat's beim Ausgraben schlimmer erwischt als mich beim Eingraben.«

»Sie haben echt neun Leben wie eine Katze, Mitch.«

»So muss es sein, Sir.« Er verschwieg dem Präsidenten, dass er mit seiner eigenen Zählung inzwischen bei elf angelangt war.

»Ich wollte Sie nur kurz persönlich über die aktuelle Lage im Irak informieren. Die Leute, die wir rübergeschickt haben, um Ihre Abschüsse zu bestätigen, wurden angegriffen. Ich habe sie abgezogen. Allerdings wurde die fragliche Stelle vorher von ihnen markiert. Wir ließen sie mit einer bunkerbrechenden Waffe in Schutt und Asche legen. Sollte jemand den Einsturz überlebt haben, ist er spätestens jetzt mausetot.«

»Es sei denn, es gab einen weiteren Ausgang.«

»Freuen Sie sich doch einfach mal über einen Erfolg, Mitch, okay? Alle Beweise deuten darauf hin, dass Sie Halabi und den Großteil seiner IS-Generäle erledigt haben.«

Rapp war da nicht so sicher. Unbestätigte Kills neigten dazu, einem im Nachhinein um die Ohren zu fliegen. Solange niemand DNA-Reste von dem verschmorten Scheißhaufen abkratzte, der mal Sayid Halabi gewesen war, rechnete er mit dem Schlimmsten.

»Ja, Sir.«

Die anschließende Pause fühlte sich für einen Mann, der jede Sekunde seines Tages im Voraus verplante, entschieden zu lang an. »Ich hätte mich am liebsten persönlich bei Ihnen entschuldigt, aber Irene meinte, sie sei nicht sicher, wann Sie zurückkommen.«

»Entschuldigung, Sir?«

»Ich wollte Sie auf keinen Fall hängen lassen, Mitch. Schon gar nicht wegen der Saudis. Sie wissen, was ich von denen halte.«

Rapp lief zum Wagen und öffnete den Kofferraum. Er zog eine große, in buntes Geschenkpapier gewickelte Schachtel heraus. »Sie haben mich ausdrücklich vor den Konsequenzen gewarnt, Sir. Ich hab mich keine Sekunde der Illusion hingegeben, dass alles glattgeht.«

»Trotzdem finde ich, dass ich Ihnen was schulde. Unsere Besprechung …«

Ihm ging auf, dass er auch über eine verschlüsselte Verbindung nicht über dieses Thema sprechen sollte, und er ließ den Satz unvollendet. »Nun, belassen wir's dabei, dass es nicht zu meinen ruhmreichsten Momenten gehört.«

»Welche Besprechung denn?«

»Danke, Mitch. Übrigens auch im Namen von König Faisal. Er bittet mich, Ihnen auszurichten, wie dankbar er ist.«

»Ach so, hintenrum bedankt er sich bei mir, während er dran tüftelt, wie er mich unbemerkt vom nächstbesten Bus überrollen lässt, was?«

»Es kommt leider noch viel schlimmer. Wir haben uns darauf geeinigt, den Zugriff im Irak als Erfolg einer gemeinsam geplanten Operation hinzustellen. Und da ich weiß, wie ungern Sie im Rampenlicht stehen, mussten wir uns einen anderen Helden suchen.«

»Nassar«, riet Rapp und lief zurück zum Haus.

»Richtig. Er darf einen Heldentod sterben, was dem König das unangenehme Eingeständnis erspart, dass sich ein Verräter sein Vertrauen erschlichen hat. In der jetzigen Phase darf er auf keinen Fall wie ein Schwächling dastehen. Das verstehen Sie wahrscheinlich sogar besser als ich.«

»Also erneut eine dilettantische politische Verschleierungstaktik, die sich zu einem Stapel weiterer dilettantischer politischer Verschleierungstaktiken gesellt?«

»So eloquent hat noch nie jemand meine Arbeit auf den Punkt gebracht. Genießen Sie Ihre Auszeit, Mitch.«

Alexander legte auf. Rapp machte sich auf den Weg zu Annas Zimmer. Es sah aus wie nach einer Bombenexplosion. Sie saß auf dem Bett und las.

»Na, wie weit bist du?«

»Fertig!« Sie deutete stolz auf das Ergebnis ihrer harten Arbeit, die sie für abgeschlossen hielt.

»Sieht gut aus.« Er ging zu ihr. »Ich hab dir was mitgebracht.«

»Was denn?« Sie spähte über die Buchkante hinweg auf die Schachtel unter seinem Arm.

»Mach auf und find's raus.«

Sie sprang von der Matratze und stürzte sich auf die Verpackung, bis eine Wasserpistole zum Vorschein kam, die fast halb so groß war wie sie.

»Die ist für das Monster in deinem Schrank.«

»Klasse! Darf ich sie gleich ausprobieren?«

»Logisch. Sie bringt dir nur nichts, wenn sie nicht geladen ist.«

Sie schoss ins Badezimmer, dann hörte er ein Scheppern, das verdächtig danach klang, als ob sie den Klodeckel aufgerissen hatte.

»Das Waschbecken, Anna. Füll sie am Waschbecken.«

»Okay.« Sie klang etwas außer Atem.

Als sie zurückkehrte, hatte sie sichtbar mit dem Gewicht ihrer neuen Waffe zu kämpfen.

»Glaubst du, er ist grad da drin?«

»Es ist eine Sie. Keine Ahnung. Schauen wir doch mal nach.«

Rapp ging zum Schrank, stellte sich mit dem Rücken zur Wand daneben und zählte mit den Fingern einen stummen Countdown herunter, während sie sich bereit machte.

Er riss die Tür auf. Bevor sie auf das vermeintliche Ziel feuern konnte, hielt sie eine laute Stimme davon ab.

»STOPP!«

Mütter besaßen wirklich ein untrügliches Gespür fürs richtige Timing. Das war schon bei Rapps eigener Mom so gewesen. Immer wenn er oder sein Bruder eine Lunte anzündete, etwas an den Schwanz der Nachbarskatze band oder aufs Dach kletterte, tauchte sie wie von Zauberhand auf.

Rapp erspähte Claudia im Augenwinkel, konzentrierte sich jedoch auf Anna, die sich mit Mühe das Lachen verkniff.

»Reicht euch denn der Schaden noch nicht, der angerichtet wurde? Ich hab mich ja damit abgefunden, dass ihr mir nicht helft, aber macht mir wenigstens nicht noch mehr Arbeit.«

Ihre Laune schien sich keinen Deut verbessert zu haben.

»Wir erledigen das Monster in meinem Schrank«, erklärte Anna.

»Dein Teddybär ist da drin.«

»Kollateralschaden«, kam die ungerührte Antwort.

Rapp zuckte zusammen. Wo hatte sie das Wort nur her?

»Waffe runter«, befahl Claudia. »Wir fahren jetzt essen. In ein Restaurant, das wir alle mögen. Und wir werden Spaß haben. Verstanden?«

Anna raste ins Bad, um sich das Gesicht zu waschen, und knallte die Tür hinter sich zu. Rapp wollte sich unbemerkt an Claudia vorbeischleichen, aber sie hielt ihn am Arm fest. »Kollateralschaden? Ich bin gespannt, wie du mir das nachher erklärst.«

DANKSAGUNGEN

Einmal mehr möchte ich einigen Leuten danken: meinem Agenten Simon Lipskar für, nun ja, alles, was er tut. Sloan Harris für seine stets feste Hand am Ruder, Emily Bestler für ihr Verständnis und dafür, dass sie mich erträgt, wenn ich mal wieder meine berühmten fünf Minuten habe. David Brown, der unermüdlich die Werbetrommel rührt. Meiner Mutter für ihre unerbittlich ehrlichen Bemerkungen (»Hast du Crack geraucht, als du das Kapitel geschrieben hast?«). Ryan Steck, der mich davon abhält, mich in Details zu verbeißen und dabei das große Ganze aus dem Auge zu verlieren. Meiner Frau Kim, die einen immer besseren Blick für Thriller und alles andere bekommt. Und natürlich den Fans von Vince, die mir das Gefühl geben, willkommen zu sein.

www.vinceflynn.com

VINCE FLYNN wird von Lesern und Kritikern als Meister des modernen Polit-Thrillers gefeiert. Dabei begann seine literarische Laufbahn eher holprig: Der Traum von einer Pilotenlaufbahn beim Marine Corps platzte aus gesundheitlichen Gründen. Stattdessen schlug er sich als Immobilienmakler, Marketingassistent und Barkeeper durch. Neben der Arbeit kämpfte er gegen seine Legasthenie und verschlang Bücher seiner Idole Hemingway, Ludlum, Clancy, Tolkien, Vidal und Irving, bevor er selbst mit dem Schreiben begann.

Insgesamt 60 Verlage lehnten sein Roman-Debüt ab. Doch Flynn gab nicht auf und veröffentlichte es in Eigenregie. Der Auftakt einer einzigartigen Erfolgsgeschichte: *Term Limits* wurde ein Verkaufsschlager, ein großer US-Verleger griff zu, die Folgebände waren fortan auf Spitzenpositionen in den Bestseller-Charts abonniert.

Der Autor verstarb 2013 im Alter von 47 Jahren infolge einer Krebserkrankung.

Der Anti-Terror-Kämpfer Mitch Rapp ist der Held in zahlreichen Romanen. Aufgrund des bahnbrechenden Erfolgs wird die Reihe in Absprache mit Flynns Erben inzwischen von Kyle Mills fortgesetzt.

Die Mitch-Rapp-Serie:
AMERICAN ASSASSIN – Wie alles begann
KILL SHOT – In die Enge getrieben
TRANSFER OF POWER – Der Angriff
THE THIRD OPTION – Die Entscheidung
SEPARATION OF POWER – Die Macht
EXECUTIVE POWER – Das Kommando*
MEMORIAL DAY – Die Gefahr*
CONSENT TO KILL – Der Feind*
ACT OF TREASON – Der große Verrat*
PROTECT AND DEFEND – Die Bedrohung*
EXTREME MEASURES – Der Gegenschlag*
PURSUIT OF HONOR – Codex der Ehre
THE LAST MAN – Die Exekution
THE SURVIVOR – Die Abrechnung (mit Kyle Mills)
ORDER TO KILL – Tod auf Bestellung (mit Kyle Mills)
ENEMY OF THE STATE – Der Überläufer (mit Kyle Mills)

* Neuauflage bei Festa in Vorbereitung

AMERICAN ASSASSIN und KILL SHOT handeln chronologisch vor TRANSFER OF POWER, wurden aber später veröffentlicht.

KYLE MILLS ist *New York Times*-Bestsellerautor, Jahrgang 1966. Er lebt mit seiner Frau in Wyoming.

Infos, Leseproben & eBooks: www.Festa-Verlag.de

Die BOB LEE SWAGGER-Thriller

Rocky Mountain News: »Der beste lebende Autor knallharter Thriller.«

Stephen King: »Ich liebe die Romane von Stephen Hunter.«